D0901545

SIGNE DE VIE

ROMAN

Du même auteur

La Formule de Dieu, Éditions Hervé Chopin, Paris, 2012
A Formula de Deus, Gradiva, Lisbonne, 2006
L'Ultime Secret du Christ, Éditions Hervé Chopin, Paris, 2013
O Último Segredo, Gradiva, Lisbonne, 2011
La Clé de Salomon, Éditions Hervé Chopin, Paris, 2014
A Chave de Salomão, Gradiva, Lisbonne, 2014
Codex 632, Le Secret de Christophe Colomb, Éditions Hervé Chopin, Paris, 2015
O Codex 632, Gradiva, Lisbonne, 2005
Furie divine, Éditions Hervé Chopin, Paris, 2016
Fúria Divina, Gradiva, Lisbonne, 2009
Vaticanum, Éditions Hervé Chopin, Paris, 2017
Vaticanum, Gradiva, Lisbonne, 2016

L'ordre de parution des romans de la série des Tomás Noronha en français ne suit pas l'ordre de parution au Portugal. D'un commun accord avec l'auteur, nous avons en effet décidé de privilégier le thème abordé par les romans de la saga et sa résonance dans notre société et notre actualité, plutôt que l'ordre chronologique. La vie de Tomás Noronha en France et dans les pays francophones n'est donc pas linéaire, mais chaque roman peut se lire de manière totalement autonome.

Sinal de Vida est le dernier titre paru au Portugal, en octobre 2017.

J.R. DOS SANTOS

SIGNE DE VIE

ROMAN

TRADUIT DU PORTUGAIS PAR ADELINO PEREIRA

ISBN 9782357203747

« Il y a plus de choses
sur la terre et dans le ciel, Horatio,
qu'il n'en est rêvé dans votre philosophie. »

William SHAKESPEARE
Hamlet

AVERTISSEMENT

Toutes les informations scientifiques presentées dans ce roman sont vraies.

PROLOGUE

Des volutes de sable tourbillonnèrent, balayant le sol aride du plateau. Le vent soufflait fort ; descendant des sommets enneigés, il secouait les cyprès pourpres et parfumait l'air d'une douce odeur de sauge. La sensation aurait pu être agréable si la bise n'était pas mordante et la poussière qu'elle soulevait dans son sillage ne venait pas s'abattre telle une tornade sur la forêt d'antennes.

Assis, les pieds sur le bureau, Thomas Quinn détourna les yeux de la fenêtre et les posa, découragé, sur le paquet de feuilles qu'il tenait à la main. Il fit un effort pour réprimer un bâillement ; il n'en avait aucune envie, mais il allait devoir passer les prochaines heures à vérifier toutes les données imprimées sur ces pages.

Quel mortel ennui !

Il n'avait qu'une envie, c'était de monter dans sa voiture, prendre l'autoroute I-5 et filer à Redding s'amuser. Il entrerait dans un bar, flânerait dans une librairie, verrait quelques filles. Ou, mieux encore, il parcourrait les 500 km jusqu'à San Francisco et irait sur Fisherman's Wharf déguster un délicieux crabe dans l'un des nombreux restaurants du Pier 39. Puis il irait manger une glace au chocolat sur Ghirardelli Square.

Mais non. Au lieu de se promener, il devait rester enfermé dans un bureau déprimant à Hat Creek, et se livrer chaque jour au même rituel rébarbatif, à savoir analyser les observations enregistrées par l'ordinateur au cours de la nuit. Il jeta un œil sur les données imprimées. La longue suite de chiffres était on ne peut plus fastidieuse et, il en était convaincu, elle ne mènerait nulle part. Non seulement il n'y avait là rien de pertinent, mais ces informations étaient aussi transmises en temps réel à l'institut SETI et à l'université de Berkeley, où elles pouvaient être tranquillement examinées. Quel idiot il avait été de s'être laissé enfermé dans ce trou !

Tout ça à cause de ses stupides rêves d'enfant. Il avait passé son adolescence en Angleterre, à dévorer de vieux livres de science-fiction de Robert A. Heinlein, Ray Bradbury et Arthur C. Clarke, que son grand-père conservait au grenier, et à regarder à la télé des vieilleries telles que Star Trek, Star Wars et autres inepties du temps de ses parents. Toujours est-il que la magie de l'univers et de ses mystères s'était insinuée en lui à travers ces pages jaunies par les ans et les images surannées de vieux films et séries. C'était justement à cause de cette passion dévorante, qu'avant même de terminer ses études à York, il avait posé sa candidature pour faire un stage à l'institut SETI.

Quelques mois plus tôt, lorsqu'il reçut une réponse positive, il avait ressenti une joie indescriptible. Il s'était imaginé à la tête d'un immense projet de communication interstellaire, une espèce de capitaine Kirk ou de mister Spock, voire de Luke Skywalker, explorant l'inconnu sidéral. Il avait tellement hâte. À peine ses études achevées, il se lança dans la grande aventure. Il prit l'avion, survola l'Atlantique, traversa l'Amérique et débarqua en Californie, des rêves pleins la tête et les valises remplies d'illusions.

La réalité se révéla bien moins épique que ses songes juvéniles. Les bureaucrates de l'institut SETI profitèrent de son ingénuité et de sa bonne volonté, et surtout de sa méconnaissance des

États-Unis, pour l'envoyer à Hat Creek sous prétexte que c'était là que l'aventure, la vraie, avait lieu. Et lui, pauvre niais, il y avait cru ! À peine arrivé, il comprit qu'il allait passer tout l'été sur un plateau perdu de Californie à scruter des listes infinies de données crachées par des ordinateurs. Jour après jour, toujours la même rengaine, une litanie sans fin de chiffres inintelligibles qu'il devait vérifier afin d'y rechercher un modèle, une anomalie, une séquence qui ne serait pas aléatoire.

Il regarda à nouveau par la fenêtre, non pour s'assurer que le panache de poussière continuait à tourbillonner, mais pour observer les dizaines d'antennes paraboliques qui scrutaient le ciel telles des sentinelles silencieuses. L'observatoire radio de Hat Creek hébergeait l'Allen Telescope Array, un réseau d'écoute astronomique appartenant à l'institut SETI, qui avait été financé par l'un des fondateurs de Microsoft. Plutôt que d'utiliser une seule antenne géante, le projet comportait quarante-deux antennes plus petites et, surtout, moins onéreuses, qui fonctionnaient en réseau et couvraient simultanément de multiples fréquences radio, allant de 0,5 à 11,2 GHz. L'endroit était si reculé qu'il offrait en outre l'avantage de réduire les risques d'interférences dues à des émissions humaines.

Était-il possible que tout cela aboutisse un jour et que les radioastronomes puissent vraiment entendre quelque chose ? Il en doutait. En vérité, dans son for intérieur, il avait déjà perdu la foi. La réalité avait anéanti ses rêves. Si au bout de tant d'années, voire de décennies, on n'avait rien capté, que fallait-il en conclure ? Que les extra-terrestres étaient fâchés et qu'ils ne voulaient parler à personne ?

Il plongea enfin dans les feuilles et examina les chiffres imprimés. Comme on pouvait facilement l'imaginer, la séquence du jour était aléatoire et parfaitement anonyme. Il n'en ressortait rien. Rien qu'une suite de chiffres, sans ordre apparent, simple produit de la radiation cosmique de fond ou de l'activité normale des étoiles, des trous noirs et des galaxies vers lesquels les antennes étaient dirigées. L'une après l'autre, les feuilles sorties de l'imprimante avaient enregistré les signaux radio émis par les pulsars, quasars et autres objets sidéraux, dans le chaos apparent de l'univers.

Agacé et désenchanté, il jeta la rame de papier par terre avec rage.

— *Blast it !*

Les feuilles s'éparpillèrent sur le sol et Thomas, déjà un peu moins frustré, se baissa pour les ramasser.

— Tommie ? appela une voix. Que se passe-t-il ?

C'était Leonard Pinker, le radioastronome qui dirigeait l'Allen Telescope Array.

— Ce n'est rien, Leo, s'excusa le stagiaire en ramassant rapidement les feuilles avant que son chef ne les voie. J'ai laissé tomber quelque chose.

La silhouette ronde de Leonard apparut à la porte. Le responsable du projet, un homme d'âge moyen, chauve, avec un corps énorme et une barbe grise, tenait un mug de café arborant le logo du SETI. Il s'adossa à la porte et contempla Thomas, agenouillé par terre en train de ramasser les papiers qui jonchaient le sol.

— C'est frustrant, je sais, reconnut Leonard. Ça fait des années que je suis ici et ça m'énerve encore parfois. Il m'arrive d'avoir envie de tout larguer et de ficher le camp.

— Et pourquoi vous ne le faites pas ?

— C'est un jeu de patience, Tommie. Nous devons être conscients que des décennies et des décennies peuvent s'écouler sans qu'on ne trouve rien d'intéressant. Mais quand on captera quelque chose ... ce sera extraordinaire. Je veux participer à cette découverte. C'est ça qui me fait rester.

Ayant fini de ramasser les feuilles, le stagiaire se releva et regarda son chef. S'il y avait une chose qu'il appréciait en Amérique, c'était le côté informel des relations de travail, complètement à l'opposé de ce qu'elles étaient en Europe.

Leonard était son chef, mais il n'avait pas la grosse tête et lui avait même demandé de l'appeler Leo. Cela l'encourageait à exprimer plus ouvertement ses opinions.

— Je sais, je sais bien. Mais…

Il laissa la phrase en suspens.

— Mais quoi ?

— C'est pas ça le problème, Leo.

— C'est quoi alors ?

Le jeune britannique hésita avant de poser la question.

— Où sont-ils ?

— Qui ça, ils ?

Thomas pointa son pouce vers le plafond.

— Eux.

Comprenant la question, le responsable de l'Allen Telescope Array avala une gorgée de café et respira profondément.

— Ah, eux !

— Oui, où sont-ils ? L'univers est immense et très ancien. Plus de treize milliards d'années. Sur Terre, il a fallu trois à quatre milliards d'années pour développer une intelligence technologique. Dix mille ans ont suffi pour que les humains aillent sur la Lune. La technologie ne cesse d'avancer et les connaissances progressent à un rythme exponentiel. Il y a un siècle, on utilisait encore le télégraphe, les principales sources d'énergie étaient le bois et le charbon et on voyageait à cheval et en carrosse. Aujourd'hui, on a Internet, des téléphones mobiles avec GPS, des villes avec des millions de personnes qui utilisent de l'électricité d'origine nucléaire, et on va partout en voiture ou en avion. Si tout cela s'est produit en un siècle Leo, un seul, dites-moi où nous en serons dans un millénaire ou un million d'années.

— Le ciel est la limite.

— Le développement sera incroyable. On aura sans doute déjà atteint quelques étoiles. Si elle existe encore, dans un million d'années, l'humanité sera méconnaissable.

— Ça c'est sûr. Et alors ?

— Pensez à la dimension de l'univers, Leo. Notre galaxie compte à elle seule quatre cents milliards d'étoiles, peut-être plus, et ce n'est qu'une galaxie parmi des milliards d'autres. Si l'on s'en tient au principe de médiocrité, nous n'avons rien de spécial et notre situation est banale dans l'univers ; il doit donc y avoir des millions et des millions de planètes abritant la vie un peu partout. Imaginons, selon une estimation très prudente, que la vie est apparue sur quelque dix mille ou vingt mille planètes et s'est développée comme sur la Terre, mais il y a un ou deux milliards d'années. En quatre milliards d'années, cette vie a très bien pu évoluer et devenir une espèce capable de voyager dans l'espace, exactement comme nous. Il arrivera un moment où ces civilisations extra-terrestres finiront par quitter leurs planètes, soit par simple curiosité, soit parce que celles-ci seront devenues inhabitables, comme cela se produira inévitablement sur Terre dans quelques millions d'années. Je me trompe ?

Le garçon connaît bien sa leçon, pensa Leonard, amusé. Les données factuelles étaient correctes et le raisonnement impeccable.

— Absolument pas.

— Que peut bien faire une civilisation qui a un ou deux milliards d'années d'avance sur nous ?

— Eh bien… elle peut aller partout, je suppose. Une civilisation extra-terrestre qui a deux milliards d'années d'avance sur nous doit certainement avoir développé une technologie formidable, tellement avancée que ça nous semblera purement et simplement de la magie.

Le stagiaire détourna quelques instants son regard de la fenêtre.

— Parfois, le soir, quand je n'ai rien à faire, je me mets à rêver. Si une civilisation parvient à se déplacer ne serait-ce qu'à un dixième de la vitesse de la lumière jusqu'à l'étoile la plus proche, en un million d'années elle aura colonisé toute la galaxie. Même si cette expansion est plus lente, elle parviendra à le faire en quelques dizaines de millions d'années, soixante au maximum.

Cela peut paraître beaucoup à notre échelle, mais soixante millions d'années c'est juste un clignement d'œil à l'échelle de l'univers. Si l'univers existe depuis plus de treize milliards d'années, des civilisations extra-terrestres très avancées ont eu largement le temps de coloniser les galaxies, vous ne pensez pas ? Dans ce cas, l'univers doit regorger de civilisations. Les extra-terrestres ont eu amplement le temps de se développer et d'aller un peu partout. Vous êtes d'accord ?

— Tout à fait.

Le stagiaire désigna le sol.

— Y compris sur Terre.

Leonard avala une nouvelle gorgée de café.

— Et alors ?

Avec un air quelque peu inquisiteur, Thomas fit un geste en direction de l'espace, par-delà la fenêtre.

— Mais alors, où diable sont-ils ?

La question embarrassa le responsable de l'Allen Telescope Array ; les scientifiques appelaient « paradoxe de Fermi » le problème qui lui était posé et, à ce jour, personne n'était parvenu à l'expliquer. Il posa son mug sur une table et, les bras croisés, dévisagea le stagiaire.

— N'emprunte pas ce chemin, Tommie.

Thomas désigna les ordinateurs qui grésillaient avec les données recueillies par les radiotélescopes de l'observatoire de Hat Creek.

— Si l'univers est plein de vie, où sont les extra-terrestres ? insista le garçon. Pourquoi ce silence ? Pourquoi ne les voyons-nous pas ? Pourquoi ne les entendons-nous pas ? Pourquoi ne les trouvons-nous pas, alors que nous nous évertuons à les chercher ?

— Tu sais, ce n'est pas si simple, répondit Leonard. Même s'il existait plusieurs civilisations, l'univers est tellement vaste que nous n'arrivons à observer qu'une infime partie de l'espace qui nous entoure. En outre, les civilisations extra-terrestres ne passent peut-être pas tout leur temps à émettre. Il se peut que nous écoutions des étoiles qui ont des planètes sur lesquelles des civilisations sont installées, mais qui ne sont pas en train d'émettre. Si ça se trouve, lorsque nous orientons nos radiotélescopes dans une autre direction, ces civilisations émettent des signaux, mais nous ne les captons pas. Tu sais, il y a des milliers de raisons pour lesquelles nous n'avons rien rencontré jusqu'à présent ; c'est pourquoi il ne faut pas emprunter ce chemin qui nous fait perdre la foi. C'est comme chercher une aiguille dans une botte de foin.

— Ou alors, il n'y a aucune aiguille dans la botte…

— Bien sûr qu'il y en a.

— Si nous n'entendons rien, Leo, c'est peut-être parce qu'il n'y a rien à entendre. Il n'y a pas de vie, pas de civilisations extraterrestres. Il n'y a rien. Nous sommes seuls. Comme le disait Guillaume d'Ockham, l'explication la plus simple est souvent la plus vraisemblable. Nous n'entendons rien car il n'y a rien à entendre.

— Sottises !

— Vous trouvez ?

— Si l'on en croit le principe de médiocrité, notre planète n'a rien de spécial, c'est juste une planète parmi d'autres. Si elle abrite la vie, c'est parce que la vie est normale dans l'univers. S'il existe une vie intelligente et consciente sur cette planète, c'est parce que la vie intelligente et consciente est normale dans l'univers. Nous ne sommes pas spéciaux, nous sommes typiques. L'histoire de la science repose sur ce principe élémentaire.

Thomas montra les feuilles qu'il tenait à la main.

— Mais alors, où sont-ils ?

— Je n'en sais rien. Si ça se trouve, ils ne voyagent pas. Si ça se trouve, ils sont tous à l'écoute et personne n'émet aucun signal. Si ça se trouve, ces civilisations communiquent d'une manière différente de celle que nous utilisons pour tenter de les capter. Si ça se trouve, nous n'avons pas cherché assez longtemps. Si ça se trouve, ils nous ont déjà trouvés mais, pour une raison ou pour une autre, ils ne veulent pas nous rencontrer. Est-ce que je sais, il y a tant de possibilités... Nous foulons de nouveaux chemins, Tommie. Nous devons être patients et persévérants. Un jour, il se passera quelque chose.

Découragé, le jeune Anglais se laissa tomber lourdement sur sa chaise et jeta un coup d'œil aux feuilles qu'il tenait à la main. Il y avait tant à faire, il était jeune et il avait déjà perdu la foi. Que diable faisait-il ici ? Ne valait-il pas mieux qu'il retourne dans son Angleterre natale ? Pourquoi gâchait-il son été dans ce trou perdu de Californie ? Il regarda les radiotélescopes disséminés sur les terrains de l'observatoire, puis les écrans des ordinateurs dans la salle de contrôle, qui enregistraient les signaux radio captés par les antennes géantes.

Il secoua la tête.

— Ce silence est assourdissant.

La nuit tombait doucement. Après avoir achevé un rapport comptable destiné à la fondation qui avait financé la construction de l'Allen Telescope Array, Leonard ferma son ordinateur portable, quitta son bureau et se dirigea vers la cuisine. Il avait envie d'un café.

En passant devant la salle de contrôle des radiotélescopes, il jeta un regard sur Thomas, qui vérifiait les données des écoutes mais piquait déjà du nez. Il l'observa quelques instants, comme s'il se revoyait à travers lui, quelques décennies plus tôt. Lui aussi avait eu son âge, de grands rêves, et lui aussi avait été assailli par le doute. De tels moments étaient normaux lorsqu'on travaillait au SETI, Leonard le savait parfaitement. Lui-même, bien qu'il s'efforçât de paraître confiant, se sentait découragé d'avoir passé tant d'années à écouter les cieux en vain. Il se corrigea. En réalité, ce n'était pas tout à fait vrai. On avait déjà découvert quelque chose, mais les écoutes suspectes n'avaient absolument rien donné et il était donc inutile d'y penser.

D'ailleurs, le garçon avait raison ; ils se trouvaient effectivement face au grand silence. Cependant, chaque fois qu'il pensait à ça, il se rappelait le principe de médiocrité et ça lui redonnait des forces. Si la Terre était un lieu typique, comme le soutenait ce principe scientifique élémentaire qui datait de l'époque de Copernic, la vie, y compris la vie intelligente et consciente, était également typique et, partant, elle existait ailleurs dans l'univers.

Il fallait raviver d'urgence la foi du stagiaire. Nul ne peut bien travailler s'il ne croit pas en ce qu'il fait.

— Tu sais de quoi tu as besoin, Tommie ?

S'apercevant de la présence de son chef, le jeune Britannique leva les yeux de ses papiers.

— De partir d'ici ?

— Non. D'un bon café.

— Oh ! Ce n'est pas ça qui va me réconforter.

— Et quelques jours de congés pour aller à Frisco ou à L.A. ? Ça te réconforterait ?

L'idée d'aller à San Francisco ou à Los Angeles eut un effet immédiat sur Thomas. Il se redressa et, plein d'espoir, le dévisagea.

— Vous parlez sérieusement ?

Leonard sourit et ne répondit pas, laissant le stagiaire dans le doute. Il quitta la salle de contrôle et reprit le chemin de la cuisine.

— Je vais te faire un café bien chaud.

Thomas s'affaissa de nouveau sur sa chaise. Hat Creek ressemblait de plus en plus à une prison, et il ne voyait pas comment en sortir. Il allait devoir être patient.

Résigné, il recommença à analyser les données recueillies au cours de la nuit, la séquence aléatoire d'algorithmes qui, il le savait, ne le mènerait nulle part. La journée avait été longue et il avait passé trop de temps à analyser ces données. Il se sentait fatigué. Au bout de deux minutes, à peine, ses yeux recommencèrent à se fermer et, sans s'en apercevoir, il sombra dans le sommeil.

Dehors, suivant une trajectoire préprogrammée, les radiotélescopes entamèrent une rotation automatique, tournant de quelques centimètres en un mouvement synchronisé, jusqu'à ce qu'ils pointent vers un nouveau secteur du firmament et se remettent à écouter.

Piiiiiiiiiiiiiiiiiiiiiiiiiiiii

Thomas se réveilla en sursaut et regarda les écrans sans comprendre ce qui se passait.

— Que… que…

Il se força à mettre de l'ordre dans ses pensées. Il s'était assoupi un instant et l'un des ordinateurs paraissait émettre un sifflement. Était-ce la machine annonçant que le café était prêt ?

Piiiiiiiiiiiiiiiiiiiiiiiiiiiii

— Tommie ?!! appela Leonard de la cuisine. Cappuccino ou déca ?

Le sifflement ne venait pas de la cuisine mais de l'ordinateur. Le stagiaire fit rouler sa chaise jusqu'à la machine et examina l'écran. Il s'agissait d'une alarme déclenchée par un algorithme inclus dans le système pour signaler des signaux radio inhabituels.

Piiiiiiiiiiiiiiiiiiiiiiiiiiiii

— *What the fuck ?!!*

— Déca ?

L'alarme persistait et le stagiaire s'interrogea sur son origine. Serait-ce un pulsar ? Il analysa la signature du signal, mais elle lui sembla différente de celle d'un pulsar, dont les émissions suivaient un cycle bien précis pouvant aller de quelques millisecondes à plusieurs secondes. Cependant, l'alarme avait bel et bien été déclenchée.

— Leo ?

Le responsable de l'Allen Telescope Array lui répondit de loin.

— Eh alors, cappuccino ou déca ?

— Leo, venez-voir.

— Hein ?

— Venez voir ! répéta Thomas en criant. Tout de suite !

Après un bref silence, des pas se firent entendre et Leonard apparut dans la salle de contrôle avec un air interrogateur.

— Que se passe-t-il ?

Thomas fit un geste en direction de l'écran.

— Qu'est-ce que c'est que ça ?

Piiiiiiiiiiiiiiiiiiiiiiiiiiiii

Le radioastronome s'approcha de l'ordinateur.

— *Damned !* Encore !

— Qu'est-cc que c'est ?

— L'alarme, répondit Leonard. Elle s'est déclenchée.

— Ça, je le vois.

Le chef paraissait plus ennuyé qu'excité.

— Ne t'en fais pas, Tommie. De temps en temps, l'alarme se déclenche et ça sème un peu la pagaille. C'est embêtant.

— Mais... enfin, si l'alarme sonne, vous ne pensez pas que ça peut être quelque chose d'important ?

Se rendant à l'évidence, le responsable de l'Allen Telescope Array soupira. Ne pouvant ignorer le sifflement ininterrompu, il finit par s'asseoir devant l'ordinateur.

— Il s'agit certainement d'un problème avec les instruments, expliqua-t-il. Ça arrive parfois. Ce matériel est très délicat et avec ce vent qui souffle, il suffit d'une rafale un peu plus forte et ça provoque une panne. – Il montra les données techniques qui apparaissaient à l'écran. – Tiens, tu peux vérifier s'il y a un quelconque avis de dysfonctionnement du système ?

Thomas analysa les informations.

— Je ne vois rien. Tout semble normal.

— Alors, ça doit être un téléphone portable, conclut-il. L'année dernière, l'alarme a sonné deux fois. Un type avait quitté l'I-5 et était passé par là alors qu'il appelait sa fiancée. Les antennes ont capté les signaux et ça a créé le même genre de confusion.

— Un téléphone portable ?

— Oui, un simple téléphone portable. Incroyable, non ? – Il désigna la fenêtre. – Jette un œil pour voir s'il n'y a pas quelqu'un qui passe dehors.

Le stagiaire regarda dehors ; tout était plongé dans l'obscurité, hormis les lampes qui signalaient la présence des radiotélescopes. On ne distinguait aucune lumière en mouvement du côté de la bretelle qui menait à l'I-5.

— Je ne vois personne, dit-il. C'est le désert habituel.

Leonard se gratta pensivement la barbe.

— Humm… ça peut aussi être des signaux de satellites. Ou même de radars. Ce ne serait pas la première fois, tu sais.

Thomas revint près du chef.

— Je croyais que les ordinateurs disposaient d'un logiciel qui filtrait les signaux émis par les activités humaines et empêchait les fausses alarmes…

— Oui, c'est vrai. Mais, comme tu peux le voir, le filtre informatique n'est pas parfait. Parfois il se passe des choses imprévues.

— Et que fait-on dans ce cas-là ?

Le radioastronome tapait déjà activement sur le clavier.

— On appelle Fred Astaire.

— Pardon ?

— On fait danser les antennes.

— On fait danser les antennes ?

Après avoir saisi toutes les données, Leonard appuya sur la touche « Enter » et regarda, à travers la fenêtre, les radiotélescopes sur le plateau. Aussitôt, les grandes antennes commencèrent à tourner et le silence revint.

Le responsable de l'Allen Telescope Array semblait intrigué.

— Humm…

— C'était vraiment une fausse alerte.

Le chef se gratta le menton, pas très convaincu.

— C'est étrange…

— Quoi ?

— Que l'alarme ait cessé.

— Et alors, s'étonna Thomas. Si c'était vraiment une fausse alerte, ça me paraît normal, non ?

Leonard se pencha encore sur le clavier et saisit de nouvelles instructions. Lorsqu'il eut terminé et appuya sur « Enter », les antennes revinrent à leur position antérieure.

Piiiiiiiiiiiiiiiiiiiiiiiiiiiiii

L'alarme se déclencha à nouveau.

— *Shit* !

— Que se passe-t-il, Leo ? Quelque chose qui cloche ?

Le chef indiqua l'écran.

— Tu ne vois pas ? L'alarme est revenue.

— Oui, bien sûr. Et après ?

— Si c'était dû à quelque chose ici sur Terre, l'alarme ne cesserait pas sur un simple mouvement de l'antenne, tu comprends ? Les radiotélescopes pointaient vers un point précis du ciel lorsque l'alarme s'est déclenchée. J'ai dévié les antennes et elle s'est arrêtée. Si c'était un téléphone portable ou un simple dysfonctionnement, elle aurait continué car le signal d'un portable ne se trouve pas en un point unique du ciel et le dysfonctionnement ne disparaît pas simplement parce que les antennes ont bougé. Or, lorsque celles-ci sont revenues à leur point initial, l'alarme a recommencé. Ça signifie qu'il y a vraiment quelque chose là-haut qui émet sur une fréquence radio.

— Où ça, « là-haut » ?

— Dans l'espace.

— Un satellite ?

— Oui, bien sûr.

— Américain ?

Intrigué, Leonard examina les données à l'écran, se concentrant sur une information en particulier. Les coordonnées du point du ciel d'où provenait le signal.

19h 06m 56. 40s, -27°, 40' 13.51"

Il les nota, puis alla chercher une carte du ciel, l'étendit par terre et repéra les coordonnées. Après avoir localisé ce qu'il cherchait, il tressaillit.

— *Jeez* !

— Quoi ?

Il désigna un point sur la carte.

— Tu vois le… le … la… tu vois…

— Le quoi ? Qu'est-ce qu'il y a ?

Sans perdre de temps, Leonard pianota sur le clavier et une suite de lettres et de chiffres apparut sur l'écran.

PSR J1748-2446ad

Obéissant à l'instruction, quelques antennes de Hat Creek localisèrent dans le ciel le signal en question. Puis, le responsable de l'observatoire sortit son portable de sa poche et, tremblant, chercha un nom dans ses contacts et pressa la touche d'appel. Quatre sonneries se firent entendre avant qu'une voix féminine ne décroche.

— Allô, oui.

— Cynthia, c'est toi ?

— Qui est à l'appareil ?

— C'est moi, Leonard Pinker, en Californie.

— *Fuck*, Leo ! Tu sais l'heure qu'il est ici ?

— Il est tard, je sais.

— Je suis en Australie. Ici, il est quatre heures du matin ! Quatre heures du matin ! Tu ne pouvais pas attendre un peu avant de m'appeler ?

— Excuse-moi, mais il faut que je sache quelque chose d'urgence. Tu es toujours à Parkes ?

— Où veux-tu que je sois ?

— En ville ou à l'observatoire ?

— Tu sais très bien que je vis à l'observatoire, Leo. Allez, dis-moi ce que tu veux.

— Tu peux vérifier quelque chose, s'il te plaît ?

— Vas-y, accouche !

— Je reçois un signal, ici à Hat Creek, qui vient de l'espace. Il faut que je sache ce que c'est.

— Tu as déjà bidouillé les antennes ?

— Oui. Lorsqu'elles ont quitté la cible, l'alarme a cessé, mais lorsqu'elles y sont revenues, ça a recommencé. Ce n'est pas un dysfonctionnement ni un signal de téléphone portable. C'est quelque chose qui est dans l'espace.

— Et alors ! c'est un satellite.

— Oui… sans aucun doute. Mais, comme tu le sais, conformément au protocole, je suis tenu de confirmer. J'ai besoin d'un radiotélescope sur un autre continent pour faire une triangulation et déterminer l'altitude de la source du signal. Tu peux m'aider à faire ça ?

À l'autre bout du fil, la voix soupira.

— Ça ne pouvait pas attendre quelques heures, Leo ?

— Tu sais très bien que non. Le signal peut disparaître, comme cela s'est déjà produit par le passé. Et puis, je ne fais que suivre le protocole, et toi aussi tu dois le suivre. Je dois faire la triangulation avant que le signal disparaisse. Allez, dépêche-toi.

Nouveau soupir à l'autre bout du fil, de résignation cette fois.

— D'accord, d'accord. Laisse-moi au moins mettre mon peignoir, *damn it !* Si E.T. me voit comme ça, il va faire une syncope.

Le silence se fit au bout de la ligne. Leonard attendit quelques instants, mais le mutisme se prolongea tellement qu'au bout d'un moment il pensa qu'ils avaient été coupés.

— Cynthia ?

— *Bloody hell,* Leo ! pesta la voix à l'autre bout du fil. Une femme ne peut plus s'habiller tranquillement ?

— Excuse-moi, il y a eu un long silence et j'ai cru qu'on avait été coupés.

— Eh bien, comme tu peux le voir, je suis encore là. – On entendit des bruits étouffés. – Dis donc, au lieu de rester bêtement pendu au téléphone, tu ne m'enverrais pas les coordonnées que tu veux vérifier ? Ça nous avancerait, tu ne crois pas ?

— Tu as du papier et un crayon ?

— Je suis en train de m'habiller, Leo.

— Mais alors, comment est-ce que…

— Tu n'as jamais entendu parler d'un truc appelé e-mail ? Cette invention n'est pas encore arrivée en Amérique ?

« Toujours irritable cette Cynthia », pensa Leonard. Elle avait sans doute besoin d'un mec. C'était une femme dévouée au travail, peut-être trop dévouée. Au lieu de se marier avec un homme, elle s'était mariée avec la science et cela se traduisait parfois par une certaine instabilité émotionnelle.

Le responsable de l'Allen Telescope Array se tourna vers Thomas et indiqua les données affichées sur l'écran de l'ordinateur qui avait déclenché l'alarme.

— Tommie, envoie ces coordonnées à Cynthia O'Leary, à l'observatoire Parkes, en Australie. – Il lui indiqua la note punaisée au mur. – Son e-mail est inscrit là.

— C'est comme si c'était fait.

L'antenne de Parkes était devenue célèbre en 1969 car c'était essentiellement par elle qu'étaient passées les communications d'Apollo 11, lorsque l'homme avait fait ses premiers pas sur la Lune. Pendant que le stagiaire saisissait les coordonnées et les envoyait en Australie, Leonard, assis devant son ordinateur, vérifiait les données. L'alarme avait été déclenchée par un signal reçu par les antennes de Hat Creek, mais quel pouvait-être ce signal ? S'il en étudiait les caractéristiques, il pouvait sans doute s'épargner quelque corvée inutile. Le satellite était vraisemblablement l'explication la plus probable. De nombreuses fausses alertes du SETI étaient justement dues à des signaux émis par des satellites placés en orbite par l'homme et qui, pour une raison ou pour une autre, passaient par le réseau du système d'ordinateurs, déclenchant ces alarmes qui, au bout du compte, se révélaient fausses.

Après que le responsable de l'Allen Telescope Array eut introduit dans l'ordinateur quelques instructions simples, l'algorithme qui avait activé l'alarme révéla le signal qu'il avait capté. Une séquence de points dénuée de signification apparente apparut à l'écran.

Après les avoir analysés, Leonard décida de les convertir en sons. Il saisit de nouvelles instructions et, lorsqu'il pressa la touche « Enter », le haut-parleur de l'ordinateur commença à émettre une série de bips séparés par de courtes pauses.

... ti-ti-ti-ti-ti. Ti-ti-ti-ti. Ti. Ti-ti-ti-ti-ti-ti-ti-ti-ti. Ti-ti-ti-ti-ti-ti-ti. Ti-ti-ti. Ti. Ti-ti...

— Qu'est-ce que c'est que ce truc ?

— Quel truc ?

C'était l'Australienne qui avait parlé.

— Ce n'est pas à toi que je parlais, Cynthia, s'excusa-t-il. Je pensais à voix haute.

— *No worries, mate,* répondit-elle. Je suis devant mon ordinateur en train de saisir les coordonnées que tu m'as envoyées. J'en ai pour deux secondes. – Elle fit une pause. – Dis-moi, quel est l'autre radiotélescope que tu utilises ?

— Le mien, ici à Hat Creek.

— Tu sais très bien que pour faire une triangulation on a besoin de trois radiotélescopes, Leo. Quel est le troisième ?

— J'utilise le PSR J1748-2446ad.

— Le pulsar de la constellation du Sagittaire ?

— Celui-là même. Avec ton télescope et le pulsar comme source fixe dans l'espace, j'obtiens une triangulation parfaite.

— Excellente idée. Je crois que... tiens, ça y est !

— Tu captes le signal ?

— Du calme. Je viens d'ordonner au radiotélescope de se tourner vers le point du ciel indiqué par vos coordonnées. Sois patient, Leo. Ça prend du temps.

— Excuse-moi.

— Et, si tu veux mon avis, inutile de faire une crise cardiaque à cause d'un simple Spoutnik, tu ne crois pas ? Comme tu l'as sans doute déjà compris, ce que vous avez capté, c'est juste les Russes qui s'amusent avec vous.

— Tu crois ?

— J'en suis absolument sûre. Vladimir a positionné un satellite quelconque au-dessus de l'Amérique, qui s'est mis à émettre pour vous faire tourner en bourrique. Et ça marche ! S'il y en a un qui doit être plié en deux en ce moment, c'est le président russe, ce taré de… de…

Accroché au téléphone à Hat Creek, Leonard entendit ce qui lui parut être une sonnette qui résonnait à l'autre bout du fil.

— Cynthia ?

— *What the fuck ?!!*

— Cynthia ? Que se passe-t-il ?

— Je le capte !

Les yeux écarquillés, espérant contre toute attente, le cœur battant à tout rompre, l'Américain se leva.

— Le signal, tu captes le signal ?

— Oui ! répondit l'Australienne sur un ton péremptoire. Je le capte. Tu as réussi la triangulation avec le pulsar ?

Leonard saisit une instruction sur le clavier et aussitôt l'ordinateur croisa les données des signaux de Hat Creek et Parkes avec le signal fixe de PSR J1748-2446ad, le pulsar de la constellation du Sagittaire. La triangulation leur fournit les coordonnées de la source du mystérieux signal.

L'Américain resta bouche bée en regardant la réponse de l'ordinateur.

— Ce n'est pas un satellite !

— *Jeez,* Leo !

De toute évidence, ce n'était pas un satellite positionné au-dessus de l'Amérique. Si c'en était un, le radiotélescope de la côte est de l'Australie n'aurait pas capté le signal correspondant aux coordonnées qui lui avaient été envoyées. Cette indication, associée à la position donnée par la triangulation avec le pulsar, signifiait que la source se trouvait loin de la Terre.

Très loin.

— Du calme, du calme ! s'écria presque Leonard, plus pour lui-même que pour son interlocutrice ou le stagiaire qui le dévisageait avec stupeur. Ce n'est pas un dysfonctionnement, ce n'est pas un téléphone portable ni un satellite. Si toi, qui te trouves en Australie, tu reçois aussi le signal, et si le pulsar complète la triangulation en profondeur, c'est parce que la source se situe au-delà de l'orbite normale d'un satellite. Bien au-delà. C'est quelque chose qui se trouve dans les profondeurs de l'espace. J'ai raison ou pas ?

— Ne nous précipitons pas, *mate,* lui conseilla Cynthia qui s'efforçait elle aussi de contenir son excitation. C'est peut-être une source parfaitement naturelle. Tu te rappelles, en 1967, quand on a capté les signaux d'un pulsar pour la première fois ? On a pensé qu'il s'agissait d'une communication extra-terrestre, ils étaient tous excités comme des puces, ils l'ont appelé… comment déjà ?

— *Little Green Men,* dit-il. Tout le monde connaît cette histoire.

— Oui, c'est ça. LGM. Quand on s'est aperçu qu'il s'agissait en fait des émissions d'une étoile à neutrons en rotation rapide, et que c'était un phénomène parfaitement naturel…

— Ça, ça ne peut pas être naturel Cynthia.

— Bien sûr que si.

— Non ! Ça ne peut pas l'être et ça ne l'est pas.

Il était tellement sûr de lui que l'Australienne finit par douter.

— Comment diable le sais-tu ?

— Tu as entendu le signal capté par les radiotélescopes ?

— Non, je n'ai que l'alarme qui indique qu'on reçoit un signal étrange de l'espace dans les coordonnées que tu m'as envoyées.

— Je vais te faire entendre le son sur mon portable, pour que tu te rendes compte. Écoute.

Leonard plaqua son téléphone contre le haut-parleur de l'ordinateur afin de capter la séquence de bips et transmettre le son à l'Australienne.

… ti. Ti-ti-ti. Ti-ti-ti-ti-ti. Ti-ti-ti-ti-ti-ti-ti-ti. Ti-ti-ti-ti-ti-ti-ti-ti-ti. Ti-ti-ti-ti-ti…

Il reprit son portable.

— Alors ?

— On dirait un fucking code morse. Tu es sûr que ce n'est pas un appel au secours du Titanic ? Si ça se trouve, c'est Leonardo DiCaprio qui envoie un S.O.S. pour qu'on vienne sauver la pauvre Kate Winslet.

— Très drôle…

— Écoute, *mate,* dit l'Australienne – sérieusement cette fois. Ce n'est pas parce que le son est irrégulier et qu'il vient du fin fond de l'espace qu'on peut conclure qu'il est d'origine artificielle. Je suis sûre qu'il doit y avoir d'autres phénomènes naturels pour expliquer ça. Ne nous précipitons pas. N'oublie pas que les découvertes exceptionnelles exigent des preuves exceptionnelles. Or, je ne vois ici aucune preuve exceptionnelle.

Lorsqu'elle se tut, Leonard put reprendre la parole.

— Tu as remarqué les coordonnées de la source du signal ?

— Oui, le radiotélescope est dirigé dessus, comme tu me l'as demandé.

— D'accord, mais à quel point de l'espace correspondent ces coordonnées, exactement ? Tu as remarqué ?

— Euh…, non pas encore.

— Le signal vient de Tau Sagittarii, Cynthia. Tau Sagittarii.

Un court silence se fit, le temps que l'Australienne digère l'information.

— Tu plaisantes…

— Et ce n'est pas tout. Tu as repéré sur quelle fréquence le signal est émis ?

— Euh… non.

— Sur 1,42 GHz.

— Quoi ?

— C'est la ligne de l'hydrogène ! s'exclama-t-il. Exactement le début du *fucking waterhole !*

— *Jeez, mate !*

— Tu sais ce que ça signifie ?

Quel astronome, et surtout quel astronome travaillant avec l'institut SETI, pouvait l'ignorer ? Un signal provenant de Tau Sagittarii sur la bande de 1,42 GHz, ça ne pouvait pas être une coïncidence. Pour les membres du SETI, la ligne de l'hydrogène et le *waterhole* avaient une signification évidente.

C'est à cet instant, à cet instant précis, que Cynthia O'Leary comprit. Elle saisit pleinement la véritable portée de l'incroyable découverte à laquelle elle venait de participer.

— C'est un signe de vie !

I

Avec un air béat qui finissait par devenir agaçant, le père Lorenzo Bocchi, les coudes appuyés sur la table, dévisagea Tomás Noronha. Il avait l'assurance de celui qui se sentait autorisé par Dieu tout-puissant lui-même à fixer les conditions dans lesquelles se déroulerait la cérémonie. Quoi qu'il en coutât, il ne ferait aucune concession.

Pas un millimètre.

— Je crains que cette condition ne soit pas négociable, *mio figlio.*

— Mais, mon père, il n'y a pas moyen de s'arranger ? voulut savoir le Portugais. Je ne peux pas rester à Rome uniquement à cause de ce cours. J'ai des choses à faire à Lisbonne.

— Ça ne pose aucun problème.

Tomás se sentit encouragé par cette réponse ; il ne s'attendait pas à un recul aussi facile.

— Vraiment ?

— Suivez la formation à Lisbonne.

Découragé, l'historien laissa retomber ses épaules. En fait, ce qu'il cherchait c'était des prétextes pour éviter de suivre cette formation.

— Écoutez, je ne peux vraiment pas consacrer une semaine à ce cours de préparation au mariage.

— Ça ne dure pas une semaine. Il s'agit de quatre séances qui, si vous le voulez, peuvent se dérouler en deux jours seulement.

— Ça revient au même.

— Écoutez, professeur Noronha, cette formation est nécessaire.

— Mais pourquoi, mon père ?

— Pour permettre aux futurs époux de réfléchir au mariage. Vous vous rendez compte qu'il ne s'agit pas d'une formalité quelconque, *mio figlio*. Il s'agit d'une union consacrée par le Seigneur. C'est une très grande responsabilité.

— Mais voyons, je n'ai pas besoin d'un cours pour savoir ça…

— Et c'est aussi la relation du couple qui est en jeu, s'empressa d'ajouter l'ecclésiastique italien, sans se départir de son agaçante bonhomie. Le but du cours de préparation au mariage est d'échanger sur les idées et les comportements du couple, de lui apprendre à dialoguer pour surmonter les problèmes, de l'aider à réfléchir aux situations susceptibles d'affecter l'harmonie entre eux, de développer au sein du couple des valeurs qui renforcent la stabilité de la famille, ainsi qu'à inculquer le sens d'une paternité consciente et responsable… En somme, cette formation vise à garantir que le mariage est catholique en substance et pas seulement en apparence. Il ne suffit pas de paraître, il faut être.

Tomás eut envie de lever les yeux au ciel, mais il se retint.

— Il n'y a pas d'autre possibilité ?

À côté de lui Maria Flor se balança, visiblement mal à l'aise.

— Quel est le problème exactement ? demanda-t-elle. Le mariage catholique suppose un certain nombre de conditions, c'est tout à fait normal. Tu ne veux pas te marier avec moi ?

Il prit sa main.

— Bien sûr que si, ma chérie.

— Dans ce cas on suit la formation.

— Mais c'est que… que…

— Que quoi ?

Le futur marié ne sut que répondre. Il n'avait aucun doute sur son désir d'épouser Maria Flor. Il l'aimait et le moment était venu pour lui de se poser. Là n'était pas le problème.

— Enfin, je me demande pourquoi tout ce cérémonial, à quoi bon suivre un cours…

Elle croisa les bras et le dévisagea, la tête légèrement inclinée, comme si elle le jaugeait.

— Ton problème, c'est que le mariage soit célébré par l'Église, n'est-ce pas ?

Il ne pouvait le nier. Tomás n'avait rien contre l'Église, mais le fait est qu'il n'était pas religieux. Il pensait que Dieu existait peut-être, mais pas le Dieu de la Bible, ni d'aucune autre religion d'ailleurs. S'il y avait éventuellement un Dieu, c'était l'intelligence intentionnelle qui était à l'origine de la création et de la mécanique cosmique, l'entité qui avait conçu les lois de l'univers et les constantes de la nature, la source des mathématiques, de la physique et de la chimie, l'architecte qui avait permis de créer la vie, l'intelligence et la conscience, et probablement bien d'autres choses encore. Le Dieu de Spinoza et d'Einstein. Tomás Noronha était un homme de science et, bien qu'il ne fût pas hermétique au mysticisme qui se cachait au plus profond du réel, il croyait en la raison et la méthode scientifique, et considérait avec une certaine méfiance les convictions qui relevaient de la foi et étaient conditionnées par des dogmes et des tabous, caractéristiques des systèmes de pensée obscurantistes. Il associait la religion à la superstition. Comment pouvait-on lui demander de renoncer à ces principes et de déclarer qu'il croyait en quelque chose en quoi il ne croyait manifestement pas ?

D'un autre côté, il comprenait que tout cela était important pour Maria Flor. Sa fiancée était catholique, elle croyait au Dieu de la Bible, aux Évangiles et à la résurrection du Christ. S'il l'aimait, et il l'aimait profondément, ne pouvait-il accéder à son désir ? Le monde ne s'en porterait pas plus mal s'il feignait de croire. C'était ça aimer quelqu'un ; c'était avoir la capacité et le désir de faire des sacrifices, de se dépasser, de faire des choses qu'on ne ferait pas normalement, voire d'avaler des couleuvres dans le seul but de rendre l'autre heureux. Ça lui coûtait de feindre qu'il croyait en l'au-delà ? Oui, ça lui coûtait beaucoup. Mais il lui en coûtait davantage de rendre Maria Flor malheureuse. Pour elle, il était évidemment très important de se marier à l'Église, qui plus est dans les conditions qui étaient prévues.

Il regarda le père Bocchi, en faisant de son mieux pour ne pas laisser deviner le sentiment de défaite qui l'envahissait.

— Quand commence le cours ?

Comprenant l'effort que faisait son fiancé, Maria Flor lui serra la main et lui sourit.

— Merci.

Le prêtre italien consulta le calendrier.

— Le mariage est prévu la semaine prochaine, *vero ?* C'est du moins ce que m'a indiqué le secrétaire particulier de Sa Sainteté. La basilique Saint-Pierre a déjà été réservée pour ce jour-là et le saint père a libéré sa matinée pour célébrer la cérémonie. *Benissimo !* J'espère professeur que vous vous rendez compte de l'insigne honneur qui vous est fait. Vous n'êtes pas sans savoir que le Saint-Père a d'autres choses à faire que de célébrer des mariages.

— C'est vrai.

— Mais, je dois le reconnaître, ce privilège est amplement mérité. Les services extraordinaires que vous avez rendus à la Sainte Église et à l'humanité, professeur, le justifient amplement.

— Merci.

Le père Bocchi regarda le calendrier ouvert sur la table.

— Venons-en aux aspects pratiques. Normalement, le cours de préparation au mariage doit avoir lieu six mois au moins avant la cérémonie afin que le couple puisse réfléchir à l'importance de l'acte qu'il s'apprête à accomplir. Mais, compte tenu des circonstances, il est hélas impossible de respecter ce délai.

— En effet.

— Comme nous avons peu de temps, je suggère que vous commenciez dès demain. Il y aura quatre séances, deux le matin et deux l'après-midi.

— Très bien, acquiesça Tomás en croisant les bras. J'ai juste une question, si vous permettez. Vous n'êtes pas marié, mon père, n'est-ce pas ?

— Bien sûr que non !

— Mais alors, comment pouvez-vous nous donner des conseils sur le mariage. Que savez-vous de cette question ?

— Rien.

— Alors, à quoi sert vraiment le cours ?

— Ce n'est pas moi qui vais le dispenser, *mio figlio,* précisa le prêtre italien, une expression amusée dans le regard. Ce sera un couple coordonnateur. D'ailleurs, six autres couples seront présents, qui possèdent tous une grande expérience du mariage, comme vous pourrez le voir. Les témoignages de ces personnes devraient vous guider.

— Ah, très bien, répondit Tomás. Et où ces cours auront-ils lieu ?

Le père Bocchi fit un geste ample, indiquant l'espace autour de lui, comme si la réponse était évidente.

— Mais ici au Vatican, bien sûr.

II

Le premier cours de préparation au mariage dura quatre heures, et ne s'acheva que vers treize heures. À la fin de la séance, et après avoir convenu que la deuxième commencerait à quinze heures, les différents couples se séparèrent pour aller déjeuner. Au moment où ils allaient sortir dans la rue, Maria Flor, débordant d'enthousiasme malgré la faim, se pencha vers son fiancé et lui glissa quelque chose à l'oreille.

— Que dirais-tu si on allait jeter un coup d'œil à… à la petite chapelle ?

— Quelle petite chapelle ?

— La nôtre.

— De quoi parles-tu ? Aurions-nous par hasard, ici à Rome, une chapelle que je ne connais pas ?

Son regard s'illumina.

— Bien sûr, nous en avons une. C'est celle où nous allons nous marier. Celle-là.

Comprenant enfin l'allusion, Tomás éclata de rire.

— Ah, je vois ! s'exclama-t-il, amusé. Oui, c'est ça. La basilique Saint-Pierre est effectivement notre « petite chapelle ». Tu ne fais pas les choses à moitié, toi.

L'expression dans son regard le suppliait d'être complice.

— On y va ?

— Mais… tu n'as pas faim ? On a passé toute la sainte matinée à supporter ces pensums sur les vœux sacrés du mariage, les valeurs de la famille et tutti quanti ! Tu ne vois donc pas qu'il est l'heure de déjeuner ? J'ai une de ces fringales, je pourrais manger un bœuf.

Maria Flor fit une moue.

— Oh, allez…

— Entendu, dit-il. Mais on ne fait que regarder rapidement, d'accord ? N'oublie pas que nous n'avons que deux heures pour déjeuner. Aussitôt après on va à la trattoria de la Piazza del Risorgimento ; on doit être de retour à quinze heures pour se taper la séance de l'après-midi.

— Ça marche.

Main dans la main, ils traversèrent la Cortile del Belvedere et contournèrent la basilique pour pouvoir arriver à l'escalier central. Les gardes suisses et les carabinieri contrôlaient tous les accès, la sécurité au Vatican ayant été sensiblement renforcée en raison de la menace terroriste constante. Malgré cela, ils purent pénétrer sans difficulté dans le grand sanctuaire de la chrétienté.

Comme tous les jours, Saint-Pierre regorgeait de fidèles et de touristes. Le couple s'engagea d'un pas décidé dans le couloir de gauche, jusqu'à l'imposant baldaquin du Bernin sous lequel se trouvait l'autel papal. Une barrière empêchait les touristes d'approcher de l'autel. Ils restèrent là tous deux à contempler le lieu, mi fascinés, mi incrédules.

— On se croirait dans un rêve, dit enfin Maria Flor. J'ai du mal à croire que samedi prochain on va se marier ici.

— C'est incroyable, en effet.

Ils s'imaginèrent côte à côte face à l'autel papal, elle dans l'immense robe de mariée qu'elle avait apportée du Portugal, lui en frac, tous deux face à l'homme en blanc qui célèbrerait la cérémonie, la basilique pleine de convives.

— Mariés par le pape, murmura la fiancée, une expression rêveuse dans les yeux, comme si elle n'avait pas encore vraiment réalisé. Qui l'aurait cru, hein ? Toutes les petites filles imaginent un mariage de princesse, mais ça… ça c'est différent.

Tomás opina du chef.

— Reste à savoir si le pape sera là samedi…

Maria Flor écarquilla les yeux, inquiète.

— Que veux-tu dire ? demanda-t-elle. Il se peut que Sa Sainteté ne soit pas là ?

— Bien sûr. Tu ne sais pas qu'elle est en voyage en Belgique ? Aujourd'hui elle est à Bruges et demain à…

— Mais elle rentre vendredi, s'empressa-t-elle d'ajouter. – Elle hésita, soudain prise d'un doute. – Ou pas ?

— C'est ce qui est prévu.

— Y a-t-il une quelconque raison de penser que ses projets peuvent être modifiés ?

— Pas que je sache.

Elle garda les yeux fixés sur son fiancé sans comprendre.

— Mais alors, pourquoi envisages-tu qu'elle pourrait ne pas rentrer vendredi ?

Tomás s'esclaffa.

— Pour t'effrayer un peu, bien sûr.

Le visage de Maria Flor s'empourpra et elle fit un geste de la main, comme si elle allait le frapper.

— Je te déteste, Tomás Noronha ! Tu es… une canaille ! Une fripouille !

L'historien mis la main devant la bouche pour dissimuler son rire.

— Tu aurais dû te voir. Tu as failli tomber dans les pommes.

— Quel idiot ! dit-elle, en souriant cette fois.

Ils s'embrassèrent.

— Tu sais de quoi j'ai envie à présent ?

— Humm ?

— D'engloutir un calzone.

Ils ne s'attardèrent pas dans la basilique. Le temps était compté. Ils sortirent, descendirent l'escalier, tournèrent à gauche et se retrouvèrent sur la place dominée par l'obélisque, puis empruntèrent la Via di Porta Angelica en direction de la Piazza del Risorgimento. Ils marchaient tranquillement, main dans la main, se taquinant gentiment, complices, et arrivèrent sur la place où se trouvait leur trattoria préférée.

Le téléphone portable de Tomás sonna.

L'historien sortit l'appareil de sa poche, mais ne reconnut pas le numéro, qui commençait par l'indicatif de Rome ; il appuya sur l'icône verte.

— Allô.

— Oui, allô. Pourrais-je parler au professeur Noronha ?

C'était un homme qui s'exprimait avec un accent chantant, si caractéristique des Italiens.

— C'est moi.

— Bonjour, professeur ! Je suis le père Renzo di Fredo, le secrétaire particulier de Son Éminence le cardinal Paolo Panunzio. *Come stai* ?

Le cardinal Panunzio était le nouveau secrétaire d'État du Saint-Siège.

— Bien, merci, répondit Tomás. En quoi puis-je être utile à Son Éminence ?

— Le cardinal aimerait s'entretenir avec vous professeur. Si cela ne vous dérange pas trop, bien sûr.

— Pas du tout.

Le Portugais se tut, comme s'il attendait qu'on lui passe le cardinal. Le secrétaire particulier du nouveau secrétaire d'État sembla momentanément embarrassé.

— Ah, *scusate,* professeur Noronha. *Mi dispiace,* mais il ne s'agit pas d'une conversation téléphonique, je le crains.

— Ah ?

— Son Éminence se demandait si vous auriez l'obligeance de passer à son cabinet, au Palais apostolique.

— Quand ?

— *Subito.*

— Maintenant ?

— Oui. *Subito.*

— Mais… mais maintenant je vais déjeuner avec ma fiancée.

— Il s'agit d'une question de la plus haute importance, professeur, insista le prêtre. Vous êtes attendu d'urgence au Palais apostolique.

Ayant toujours en mémoire la dernière mésaventure qu'il avait vécue à Rome, Tomás fut presque effrayé.

— Il y a… un problème avec le pape ?

— Non, non, s'empressa d'ajouter le secrétaire particulier, comprenant les craintes de son interlocuteur. Sa Sainteté va très bien, Dieu merci. Le Saint-Père se trouve actuellement en Belgique et tout se passe pour le mieux. Il ne s'agit nullement d'un problème de cet ordre, soyez rassuré.

L'historien soupira, soulagé. Il ne tenait pas à revivre la terrible expérience qu'il avait vécue quelque temps auparavant au Vatican.

— Tant mieux !

— Il s'agit de quelque chose de très différent, je suis heureux de vous le dire.

— Mais alors, que se passe-t-il ?

— Je crains de ne pas être autorisé à vous en faire part au téléphone, si vous voyez ce que je veux dire ? rétorqua le père di Fredo sur un ton sibyllin. Voyez-vous, il s'agit d'une affaire extrêmement sensible et confidentielle. Son Éminence ne peut l'évoquer qu'en votre présence.

— Je vois.

— Auriez-vous, professeur, la gentillesse de venir ici le plus vite possible, *per favore* ?

Ayant mal à l'estomac tellement il avait faim, Tomás jeta un regard désespéré vers la terrasse de sa trattoria préférée, située à l'un des angles de la place, puis il se tourna vers sa fiancée l'air interrogateur. La dernière chose dont il avait envie, c'était de s'enfermer dans une salle de réunion avec le secrétaire d'État du Saint-Siège, même si celui-ci était l'homme le plus important du Vatican après le pape. Tout ce qu'il demandait, c'était de pouvoir déjeuner tranquillement en compagnie de Maria Flor. Il savait même déjà qu'il commanderait l'un de ses deux plats favoris, soit un calzone au jambon et aux épinards, soit des spaghettis allo scoglio, un vrai délice, surtout arrosés d'un bon vin blanc sicilien bien frais.

Cependant, il pouvait difficilement décliner l'invitation. Le week-end prochain, il devait se marier à la basilique Saint-Pierre, au cours d'une cérémonie célébrée par le pape en personne. Si le Vatican le priait d'assister à une réunion urgente, comment pouvait-il refuser ? En outre, et même s'il rechignait à le reconnaître, le mystère qu'il devinait derrière les mots énigmatiques du père Renzo di Fredo avait aiguisé sa curiosité. Quelle pouvait bien être l'affaire qui exigeait un secret tel qu'elle ne pouvait être évoquée au téléphone ?

Il fit signe à sa fiancée de le suivre et rebroussa chemin, le portable collé à l'oreille.

— J'arrive.

III

Trois personnes se trouvaient dans le bureau du premier étage du Palais apostolique lorsque le père Renzo di Fredo fit entrer Tomás et Maria Flor, lesquels n'eurent aucun mal à identifier le cardinal Panunzio grâce à sa soutane pourpre. Le cardinal étant arrivé récemment au Saint-Siège, ils ne l'avaient encore vu que sur des photos publiées dans la presse.

Le nouveau secrétaire d'État se dirigea vers eux et les reçut dans l'antichambre de son bureau avec une bonhomie qui les mit immédiatement à l'aise.

— *Benvenuto, signorina* et professeur ! – Il baisa la main de la Portugaise. – Permettez-moi de vous dire, *signora*, que vous êtes aussi belle qu'une madonna de Boticelli.

Elle sourit.

— Je constate que, même lorsqu'ils portent l'habit ecclésiastique, les Italiens sont d'incorrigibles charmeurs.

— *Vero, vero,* admit le cardinal. Notre âme italienne aime à cultiver la *cosa bella*. Il se tourna vers l'historien. Professeur, *che onore* ! C'est un privilège de faire votre connaissance. Votre réputation, permettez-moi de vous le dire, vous précède.

Tomás ne sut que répondre. Sa popularité en Italie,

et en particulier au Vatican, était au zénith et chaque fois qu'on l'évoquait cela l'embarrassait.

— Monsieur le cardinal, tout le plaisir est pour moi, se contenta-t-il de dire. J'espère qu'il n'est rien arrivé de grave.

— Grave ? Non, non ! Rien de grave.

— Ah ?

— Bien au contraire ! s'exclama-t-il avec vigueur, en levant le doigt à la manière d'un tribun prononçant un discours au Sénat romain. Il est arrivé une chose merveilleuse ! Merveilleuse !

Le ton enjoué de l'homme d'Église surprit agréablement l'historien qui s'était préparé à de mauvaises nouvelles. Il s'était habitué à associer urgence et situation grave.

— Racontez-moi, je vous en prie.

Avant de continuer, le secrétaire d'État du Saint-Siège, se tournant vers Maria Flor, s'adressa à elle avec un certain embarras.

— Malheureusement, il s'agit d'une question confidentielle, dit-il presque à regret. *Mi dispiace signorina.* Vous m'en voyez vraiment désolé, mais je ne suis pas encore en mesure de partager avec des personnes non autorisées la conversation que je vais avoir avec le professeur.

La Portugaise comprit aussitôt où l'homme d'Église voulait en venir.

— Ah, oui, bien sûr ! Les petits secrets habituels, dit-elle. Je commence à m'y habituer.

— *Per la Madonna* ! Si vous saviez ce qu'il m'en coûte de ne pas vous convier à notre réunion. – Il désigna le père di Fredo. – Mais mon secrétaire particulier va s'occuper de vous. N'est-ce pas Renzo ?

— Bien sûr, Éminence.

Le père di Fredo conduisit Maria Flor dans une salle adjacente et le cardinal Panunzio emmena Tomás dans son bureau où deux personnes les attendaient, une femme grande et attirante, au regard vif, et un homme aux cheveux gris hirsutes, qui lui donnaient l'air décoiffé.

— Permettez-moi de vous présenter Bozóki Emese. Le professeur Emese est originaire de Budapest, mais elle vit à Noordwijk, aux Pays-Bas, où elle dirige l'un des départements les plus importants de l'ESA.

Tomás n'avait pas la moindre idée de ce qu'était l'ESA, mais lorsqu'il serra la main de l'inconnue il ne songea pas à le demander. C'était une femme de 35 ans environ, vêtue d'un tailleur gris foncé comme en portent les cadres, qui accentuait ses formes ; elle avait des cheveux d'ébène, lisses, qui retombaient sur ses épaules et, par contraste, faisaient ressortir ses yeux bleus limpides, évoquant une chatte tapie dans l'obscurité.

— Enchanté. Dans la mythologie magyare, si je ne m'abuse, la princesse Emese est à l'origine de la dynastie Árpád, qui fonda le royaume de Hongrie. Quand je vous regarde, je me dis que ce nom de princesse vous sied à merveille.

Une légère moue mélancolique assombrissait le regard de la Hongroise, mais elle ne put s'empêcher de sourire.

— Je suis étonnée par vos connaissances historiques, concéda-t-elle. En réalité, dans mon pays, le prénom vient toujours après le nom de famille, c'est pourquoi, formellement, on devrait m'appeler professeur Bozóki. Cependant, je préfère, et de loin, que l'on m'appelle Emese. Comme vous l'avez fort bien dit, c'est le prénom d'une princesse.

Le cardinal Panunzio se tourna ensuite vers la seconde personne, un homme corpulent, visiblement mal à l'aise dans le costume bleu foncé qui lui allait comme une camisole de force, avec une cravate noire qui l'étranglait à moitié ; on devinait qu'il n'était pas habitué à s'habiller ainsi.

— Le professeur Seth Dyson, de l'université de Princeton, aux États-Unis.

La référence à la ville où Albert Einstein s'était installé lorsqu'il avait quitté l'Allemagne piqua la curiosité de Tomás.

— Comment allez-vous ?

— *Howdy.*

Le cardinal italien montra les chaises devant son bureau.

— *Prego*, asseyez-vous, leur dit-il. Voulez-vous boire quelque chose ?

— Non, merci.

Lorsqu'ils furent installés, la réunion put commencer, sous la conduite de leur hôte.

— C'est une question de la plus haute importance qui nous réunit ici, commença par dire l'ecclésiastique italien, les yeux rivés sur Tomás, de toute évidence le principal interlocuteur. Je vous ai présenté le professeur Bozóki et le professeur Dyson, mais je ne vous ai rien dit sur le véritable motif de leur participation à cette réunion que les circonstances m'ont contraint à convoquer si rapidement. Je vous ai dit que le professeur Bozóki appartenait à l'ESA. Je suppose que vous savez de quoi il s'agit ?

S'il y avait une chose que le Portugais détestait par-dessus tout, c'était de feindre qu'il savait ce qu'il ignorait, suivant en cela le vieil adage qui veut que nul ne naît savant, et que lorsqu'on ne sait pas quelque chose, il suffit de demander.

— Je n'en ai pas la moindre idée, dit-il.

— European Space Agency, expliqua le cardinal Panunzio. L'ESA. est l'Agence spatiale européenne.

Tomás se tourna vers le côté et regarda la Hongroise avec étonnement et une certaine admiration ; seuls les cerveaux les plus brillants travaillaient dans les agences spatiales.

— Ah, bon !

Puis, le secrétaire d'État du Saint-Siège désigna l'autre universitaire.

— Je vous ai également présenté le professeur Dyson, de l'université de Princeton, dit-il. Il est…

— Appelez-moi Seth, je vous en prie, interrompit l'Américain. En Amérique, nous n'utilisons pas nos titres dans les conversations informelles.

Le cardinal parut embarrassé, car il n'était pas habitué

à appeler par leur prénom les personnes qu'il connaissait à peine et il n'avait pas l'intention de changer.

— Bien, dit-il en toussotant, s'efforçant de retrouver le fil de la conversation. Je disais donc que le profess… euh, que… enfin, que notre ami qui vient d'outre-Atlantique a enseigné l'astrophysique à l'université de Princeton, mais cela fait déjà deux décennies qu'il travaille dans une agence gouvernementale américaine. – Il interpella l'astrophysicien. – Pourriez-vous indiquer au professeur Noronha quelle est l'agence pour laquelle vous travaillez actuellement ?

L'universitaire acquiesça.

— C'est la NASA.

L'étonnement et l'admiration de l'historien redoublèrent.

— Je suis impressionné, reconnut-il. Et que faites-vous à la NASA, si je ne suis pas indiscret ? Vous êtes un scientifique ?

— Et astronaute.

Tomás resta bouche bée.

— Astr… astronaute ? balbutia-t-il, incrédule. Ça veut dire que… que vous êtes déjà allé dans l'espace ?

Seth montra sa main droite.

— Cinq fois.

— Bon sang !

— À chaque fois dans la navette, précisa l'Américain. Deux missions sur *Discovery*, deux sur *Endeavour* et la cinquième sur *Atlantis*. Les missions sur *Discovery*, c'était pour placer le télescope *Hubble* en orbite, les trois autres avaient différents objectifs.

— Il vous arrive encore d'aller dans l'espace ?

— En principe, non. Comme vous le savez, le programme de la navette spatiale a été arrêté. À présent, j'accomplis essentiellement des tâches de gestion, je suis directeur d'un département scientifique à la NASA.

— Je suis… stupéfait.

— Si vous voulez un autographe, ce sera après la réunion.

Ils éclatèrent tous de rire suite à la manière sèche, subtile et inattendue avec laquelle l'astrophysicien américain avait lancé cette boutade. Il s'agissait de toute évidence de quelqu'un qui avait l'habitude de former des équipes et de les motiver.

— J'imagine, professeur Noronha, que vous devez vous poser des tas de questions, observa le cardinal Panunzio. Et la plus importante de toutes est sans doute la suivante : « Mais que suis-je venu faire dans cette réunion, avec un cardinal et deux scientifiques qui travaillent pour des agences spatiales ? »

Tomás acquiesça d'un geste.

— Je crois que vous avez très bien résumé ma pensée. En effet, que suis-je venu faire ici ? Nul n'ignore, il me semble, que je suis historien et que je n'ai rien à voir avec l'espace. C'est pourquoi je vous demande : pourquoi avez-vous besoin de moi ?

— Vous êtes aussi, professeur, permettez-moi de vous le rappeler, un cryptanalyste de renommée mondiale, s'empressa d'ajouter le secrétaire d'État du Saint-Siège. Ne l'oubliez pas.

Une piste, pensa Tomás.

— Ah, je vois que vous avez besoin de mes services pour déchiffrer quelque chose. De quoi s'agit-il ?

— À vrai dire, ce n'est pas exactement pour déchiffrer quoi que ce soit que nous avons besoin de vous, précisa Emese, rompant son silence. Nous nous intéressons... enfin, à d'autres talents que vous avez dans ce domaine.

L'information intrigua le Portugais. Quels pouvaient bien être ses autres talents en matière de cryptanalyse, en dehors du déchiffrement et du décodage ?

— Ah, bon !

L'Italien et les deux représentants des agences spatiales échangèrent un regard interrogateur, comme s'ils se demandaient lequel d'entre eux assumerait la responsabilité d'éclairer le Portugais sur le véritable objet de la réunion. Tous trois savaient que ce qu'ils s'apprêtaient à lui annoncer était tellement incroyable que cela le laisserait sans voix.

En principe, c'était au cardinal Panunzio, en sa qualité d'hôte, qu'il revenait de tout expliquer, mais il était évident que le sujet dépassait de loin ses compétences techniques et qu'il était tout au plus un intermédiaire, c'est pourquoi ce fut Seth qui se chargea des explications.

Il regarda Tomás avec un air grave.

— Vous savez garder un secret ?

— J'espère que oui.

L'Américain le dévisagea longuement, soit pour l'évaluer, soit pour souligner l'importance de ce qu'il allait dire.

— Ce que vous allez entendre est top secret.

IV

Seth Dyson s'adossa à sa chaise et croisa la jambe pour se mettre à l'aise avant de commencer à expliquer le véritable motif de leur réunion. Malgré la faim, Tomás attendait, impatient. Il devinait un mystère, bien qu'il ne vît pas en quoi ses talents de cryptanalyste pouvaient être d'une quelconque utilité à la NASA et à l'Agence spatiale européenne.

L'astrophysicien américain s'éclaircit la voix.

— Dites-moi, Tom, murmura-t-il. Avez-vous par hasard déjà entendu parler du projet SETI ?

Tomás fit un effort de mémoire.

— SETI ? demanda-t-il, plus pour lui-même que pour ceux qui étaient dans le bureau. Ce nom me dit quelque chose, mais là… – Il regarda Seth, comme s'il lui demandait de le mettre sur la piste. – Donnez-moi le contexte, s'il vous plaît.

L'homme de la NASA désigna le plafond avec le doigt.

— L'espace.

La référence permit à l'universitaire portugais de faire aussitôt le lien.

— Ça y est, je sais ! s'exclama-t-il. Si je ne me trompe pas, il s'agit d'un projet pour écouter les étoiles.

— Affirmatif, confirma Seth. Je peux donc supposer que vous connaissez déjà le SETI.

— Non, je ne le connais pas. J'ai juste une vague idée générale, c'est tout. Les détails m'échappent.

— Très bien, dit l'Américain. L'histoire commence en 1960. Un de mes compatriotes, l'astronome Frank Drake, décida d'utiliser un radiotélescope de l'observatoire astronomique de Green Bank, en Virginie-Occidentale, équipé d'une antenne de vingt-six mètres, et de le pointer vers Tau Ceti, une étoile similaire au Soleil, située à onze années-lumière de la Terre. Drake se mit à écouter les signaux radio qui en provenaient. Depuis 1931, on sait que le bruit de fond qu'on entend à la radio est dû à des émissions produites par l'univers, et en particulier par notre galaxie. Drake voulut savoir si, parmi ces émissions, découlant essentiellement de l'activité naturelle des étoiles et autres objets galactiques, il ne serait pas possible de déceler des signaux radio obéissant à un modèle qui… enfin, qui n'auraient peut-être pas une origine entièrement naturelle, si vous voyez ce que je veux dire.

— Vous voulez parler d'extra-terrestres ?

L'homme de la NASA parut soulagé d'entendre ce terme délicat prononcé par le Portugais.

— C'est ça.

Médusé par le tour que prenait la conversation, Tomás gigota sur sa chaise et sourit en faisant une moue sceptique.

— On dirait de la science-fiction…

— De la science, il ne fait aucun doute que c'est de la science, souligna l'Américain, déplorant que le sujet soit ainsi déconsidéré. De la science pure.

Sentant la susceptibilité de son interlocuteur, l'historien se ravisa.

— Je n'en doute pas. Je n'en doute pas.

Le scientifique de la NASA passa la main dans les mèches rebelles qui lui tombaient sur le front ; il était sans doute trop habitué à entendre des plaisanteries sur le SETI pour se laisser contrarier par ce genre de commentaires.

— Après avoir passé une demi-heure à écouter le bruit de fond statique émis par Tau Ceti, Drake tourna l'antenne de Green Bank vers une deuxième étoile, Epsilon Eridani. Dès qu'il le fit, le haut-parleur commença à émettre une série de grésillements bruyants et les aiguilles s'affolèrent. Drake faillit tomber de sa chaise. Une fois remis de ses émotions, il regarda longuement l'aiguille, stupéfait par ses mouvements frénétiques et les grésillements qui sortaient du haut-parleur. Il avait capté une émission artificielle.

— Artificielle ?

— Oui, artificielle.

— Vous en êtes sûr ?

— Il n'y a pas le moindre doute là-dessus. L'émission était artificielle. Comme vous le devinez, ce fut un véritable choc pour Drake ; en effet, il n'avait jamais imaginé qu'il tomberait sur une civilisation extra-terrestre dès sa deuxième tentative. Au bout de quelques minutes, sorti de sa stupeur, il se demanda comment il allait pouvoir confirmer l'origine extra-terrestre de l'émission. Il eut une idée. Il déplaça le télescope de manière à l'éloigner légèrement d'Epsilon Eridani. Et devinez ce qui s'est passé !

— Le son a continué…

— Non. Il a disparu.

— Disparu ? s'étonna Tomás, parfaitement conscient de ce que cela impliquait. Bon sang ! Ça voulait dire que l'émission provenait bien de cette étoile.

— C'est ce qu'il en conclut. Il orienta donc à nouveau le télescope vers Epsilon Eridani.

— Et…

— Le son ne revint pas.

Le Portugais considéra le sens de cette nouvelle information.

— Donc… il n'a pas pu prouver qu'il s'agissait bien d'une émission extra-terrestre, dit-il. Du reste, il aurait fallu effectuer une triangulation avec un radiotélescope situé ailleurs sur la planète pour déterminer l'altitude exacte de la source du signal. Cette triangulation a été faite ?

L'homme de la NASA observa Tomás, surpris par la facilité avec laquelle un profane en astrophysique savait comment on déterminait correctement la position de l'émetteur d'un signal sidéral.

— Négatif. Elle n'était pas prévue. Et même si elle l'avait été, cela aurait été impossible car, comme je vous l'ai dit, le signal avait disparu.

— Quel dommage !

— Quoi qu'il en soit, surpris par la facilité avec laquelle il avait capté une émission extra-terrestre, Drake étudia attentivement la question et finit par comprendre que le signal était bel et bien artificiel, mais qu'il n'était pas d'origine extra-terrestre. En fin de compte, il s'agissait d'un signal émis par un radar expérimental, provenant d'installations militaires secrètes.

— Ah !

— L'intérêt de cette histoire c'est qu'elle retrace la naissance du SETI, dit l'astrophysicien. Ce sigle signifie Search for Extra-Terrestrial Intelligence, c'est-à-dire « recherche d'une intelligence extra-terrestre ». Drake et un petit groupe de scientifiques qui entre-temps s'étaient associés à lui, décidèrent de lancer un programme d'écoute des émissions radio dans l'univers, destiné à rechercher des signaux d'origine artificielle émis par des civilisations extra-terrestres. Ce qui, vous conviendrez, est tout sauf de la science-fiction. Bien au contraire, il s'agit d'un travail scientifique très sérieux qui est toujours en cours actuellement.

— Je n'ai pas le moindre doute quant au caractère sérieux de ce travail, affirma l'universitaire portugais. Mais, en quoi consistent exactement ces recherches ?

— Toute la stratégie du SETI repose sur l'écoute d'émissions radio, ce qui reflète, en partie, des contraintes opérationnelles. Les écoutes radio sont les plus faciles et, il faut le souligner, les moins chères. On a aussi tenté de capter des signaux laser ; pour ce faire, on a adapté un détecteur spécial à un télescope. Tant les ondes radio que les faisceaux laser présentent le grand avantage de se déplacer à la vitesse de la lumière et de se distinguer facilement de la radiation cosmique de fond, constamment émise par l'univers. Nous pensons que c'est sans doute aussi, pour une civilisation extra-terrestre, la manière la plus facile, la moins onéreuse et la plus efficace de communiquer avec l'extérieur.

— Donc, en substance, le SETI se limite à écouter l'univers…

— Affirmatif. Certaines écoutes visent spécifiquement certaines étoiles, comme Drake l'a fait avec Tau Ceti et Epsilon Eridani, d'autres scrutent des secteurs plus vastes de l'espace interstellaire.

Tomás considéra le problème.

— Mais, que je sache, les émissions radio se produisent sur un spectre à large bande, fit-il observer. On peut très bien écouter une fréquence donnée tandis que les extra-terrestres émettent en même temps sur une autre…

— C'est exact, en effet, confirma Seth. Pour tenter de dépasser ce problème, les scientifiques du SETI ont essayé d'imaginer quelles seraient les fréquences que des civilisations extra-terrestres préfèreraient utiliser, et ils ont conclu qu'il faudrait émettre en priorité des signaux qui se distingueraient clairement des émissions naturelles. Or, les fréquences les plus adaptées à cet égard sont celles de la bande la plus étroite, en particulier en dessous de 10 GHz, car l'activité naturelle y est bien moindre et un signal éventuel serait plus facilement détecté. C'est pourquoi le SETI s'est surtout concentré sur ce spectre, en particulier entre 1 et 2 GHz. Mais aujourd'hui, on dispose d'instruments tels que l'Allen Telescope Array, qui permettent d'écouter simultanément sur une vaste largeur de bande, ce qui règle le problème.

— Et si les extra-terrestres n'utilisent pas les signaux radio ?

— C'est une possibilité sérieuse, admit Seth. Ils pourraient utiliser des neutrinos de haute énergie, par exemple. Comme il y en a très peu dans l'espace, l'apparition d'un tel flux de neutrinos serait hautement suspecte. Le problème c'est que les neutrinos interagissent peu avec la matière et sont donc difficilement détectables, ce qui inciterait à écarter cette option.

— Ces civilisations pourraient aussi se dire qu'il vaut mieux entrer en contact uniquement avec des civilisations avancées, capables de détecter facilement des neutrinos…

L'Américain haussa les épaules, comme s'il exprimait son ignorance à ce sujet.

— Peut-être.

De toute évidence, les hypothèses étaient innombrables et il n'y avait pas de réponses définitives.

— Les scientifiques aiment bien le calcul de probabilités, n'est-ce pas ? déclara Tomás. Quelle est, selon vous, la probabilité de rencontrer une civilisation extra-terrestre ?

De façon quasi automatique, Seth sortit de la poche de sa veste un stylo et une feuille de papier.

— Cette question, Frank Drake, celui qui a créé le SETI, se l'est posée. Il a élaboré une équation, connue aujourd'hui comme équation de Drake, dans laquelle il formule les paramètres de ce calcul.

L'astrophysicien griffonna rapidement sur la feuille.

$$N = R^* \times f_p \times n_e \times f_l \times f_i \times f_c \times L$$

— C'est ça l'équation de Drake ?

— Affirmatif, confirma l'homme de la NASA. Le N, à gauche de l'équation, représente le nombre de civilisations existant dans notre galaxie qui maîtrisent la technologie pour communiquer par fréquences radio. Ce nombre dépend de R*, qui est le taux de formation d'étoiles similaires au Soleil, de f_p, qui représente le nombre de ces étoiles ayant des planètes, de n_e, le nombre moyen de planètes comme la Terre dans chaque système planétaire, de f_l, la fraction de ces planètes susceptibles d'héberger la vie, de f_i, la fraction des planètes abritant la vie où a surgi l'intelligence, de f_c, la fraction de ces planètes sur lesquelles est apparue une civilisation technologique capable de communiquer, et de L, qui correspond au temps moyen de vie d'une telle civilisation. Drake a calculé chacun de ces facteurs et il en a conclu qu'il existe actuellement dans notre galaxie dix mille civilisations dotées de la capacité de communiquer.

— Dix mille ?

— Affirmatif.

— Mais où sont-elles ?

Seth sourit.

— C'est précisément le problème.

— Ça ne devrait pas être un grand problème. Si ces civilisations sont actives, il ne me semble pas si difficile de capter des signaux de leur activité, même des signaux non intentionnels. Un extra-terrestre qui observe la Terre, par exemple, n'aura pas de difficulté à capter les centaines de milliers d'émissions électromagnétiques que nous produisons en permanence sur les multiples fréquences radio et télévision. Il en va certainement de même avec ces civilisations.

— Vous avez tout à fait raison, mais ce n'est pas aussi simple que ça, rétorqua l'Américain. Cela fait à peine plus d'un siècle que l'humanité émet des ondes radio. Il y a peu de temps que nous lançons des satellites qui émettent de l'espace vers la Terre, et que nous utilisons des fibres optiques qui sont enterrées dans le sol. Sous peu, nous cesserons d'émettre par des fréquences radio. On peut supposer qu'il s'est passé la même chose avec ces civilisations. Il existe peut-être des civilisations très avancées qui sont silencieuses sur le spectre électromagnétique et qui communiquent entre elles avec d'autres technologies beaucoup plus discrètes. Dans ce cas, elles n'utiliseront les signaux radio que si elles ont l'intention de communiquer avec des civilisations moins avancées.

La conversation devenait technique, abordant des questions scientifiques d'ordre général et Tomás, jetant un œil à sa montre et sentant la faim l'envahir, finit par s'impatienter.

— Cette conversation est très intéressante, observa-t-il. Mais, vous êtes venus à Rome pour me dire tout cela ?

— Nous sommes venus pour vous dire plus que ça. Beaucoup plus.

— Eh bien… je vous écoute.

Seth Dyson échangea un regard avec Bozóki Emese et le cardinal Panunzio, comme s'il invitait l'un d'entre eux à éclairer l'universitaire portugais. Ce fut le secrétaire d'État du Saint-Siège qui, s'éclaircissant la voix, assuma cette responsabilité.

— Voyez-vous, professeur Noronha, cette réunion a été convoquée parce que nous avons reçu un signal.

— Un signal ?

Le numéro deux du Vatican afficha un sourire nerveux, comme si lui-même avait du mal à croire ce qu'il était sur le point d'annoncer.

— E.T. nous a contactés.

V

Le meilleur terme pour décrire Tomás à ce moment-là était « idiot ». Il se sentait idiot. Comment n'avait-il pas saisi plus tôt l'objet de la conversation ? En effet, si on l'avait convoqué à une réunion urgente, au sujet de laquelle on maintenait le maximum de confidentialité, et si on ne cessait de parler des projets du SETI pour trouver des civilisations extra-terrestres, il était évident qu'on ne le faisait pas innocemment, mais parce que quelque chose s'était passé. Et ça ne pouvait être qu'une chose.

Un signe de vie.

Le cardinal Paolo Panunzio venait de lui annoncer qu'on avait reçu un contact de l'une de ces civilisations. Ce n'était pas une annonce anodine. En réalité, il s'agissait de l'un des événements les plus importants de l'histoire de l'humanité, un événement transcendant, ayant des implications philosophiques considérables. Et pas seulement.

Conscient de l'importance de l'information et comprenant que la NASA en savait forcément plus sur la question que le Saint-Siège, Tomás se tourna vers Seth Dyson.

— De quel type de contact s'agit-il ?

— Cette histoire remonte à 1977, répondit l'astrophysicien. Une nuit de…

— Cela s'est passé en 1977 ? s'étonna le Portugais, incrédule. Comment se fait-il qu'une telle chose ait pu rester secrète si longtemps ?

— Je n'ai pas dit que nous savons cela depuis 1977, j'ai dit que cette histoire remonte à 1977, ce qui est bien différent. Permettez-moi de vous expliquer ce qui s'est passé et vous allez comprendre.

— Très bien.

L'homme de la NASA mit dans sa poche la feuille de papier sur laquelle il avait gribouillé l'équation de Drake et sortit d'une mallette posée par terre un dossier bleu qu'il plaça sur le bureau. Se sentant prêt, il regarda à nouveau son interlocuteur.

— Tout a commencé avec des écoutes menées par le radiotélescope de l'université d'État de l'Ohio, surnommé *Big Ear*. Ce radiotélescope, qui était lié au projet SETI, était de type Kraus, c'est-à-dire qu'il utilisait deux réflecteurs, l'un paraboloïde et l'autre plat, et était doté d'un amplificateur refroidi à l'azote liquide pour enregistrer en même temps cinquante canaux d'une bande de 10 kHz d'émissions radio en provenance de l'espace. Les tonnes d'informations recueillies par le radiotélescope étaient traitées quotidiennement par un ordinateur IBM 1130, équipé d'un logiciel N50CH, spécialement mis au point pour interagir avec le récepteur en vue d'acquérir des valeurs d'intensité numérique sur chacun des cinquante canaux une fois par seconde. L'information était enregistrée sur des feuilles perforées avec…

Tomás s'impatienta ; des détails techniques aussi précis étaient superflus.

— Et ensuite ? Et ensuite ?

— Eh bien… tous les trois jours un technicien prenait les feuilles qui sortaient de l'ordinateur et les portaient chez un astronome nommé Jerry Ehman, qui vivait à Colombus et qui, pendant ses temps libres, examinait ces données.

— Procédure normale pour un astronome, je suppose.

— Pas tout à fait. Ehman s'était porté volontaire pour collaborer au projet SETI et ces enregistrements faisaient partie des activités d'écoute du spectre radio pour rechercher des signes de civilisations extra-terrestres.

— Je vois.

Seth Dyson ouvrit le dossier bleu qu'il avait posé sur le bureau.

— En août 1977, les réflecteurs de *Big Ear* passent par la constellation du Sagittaire et continuent normalement leur écoute. Quelques jours plus tard, vraisemblablement le 19, alors qu'il vérifiait les résultats qu'on lui avait apportés, Ehman se rend compte que l'un d'eux, daté du 15 août, contenait un signal d'une très grande intensité, capté à 23 h 16, heure de la côte est des États-Unis, sur la fréquence des 1,42 GHz.

Il sortit une feuille de sa mallette.

— C'est ça ?

Seth montra la feuille à son interlocuteur.

— Affirmatif, dit-il. C'est sur le canal deux de la feuille.

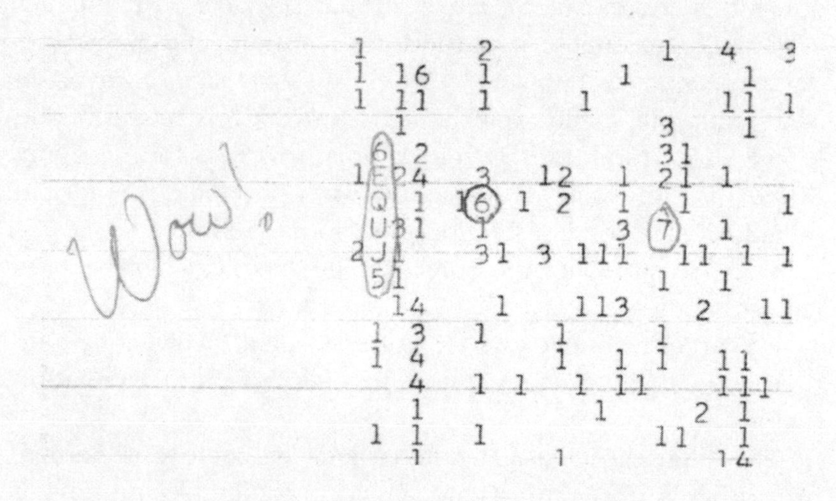

Tomás examina la feuille.

— *Wow!* Qu'est-ce que ça veut dire ?

— Ehman fut si impressionné qu'il entoura les données concernant le signal suspect et écrivit l'exclamation « *Wow!* » dans la marge, comme s'il disait « Bon sang ! ». Depuis, le signal est dénommé signal « *Wow!* » et il a toutes les caractéristiques d'un signal artificiel.

L'historien désigna les chiffres et les lettres qui étaient entourés.

— C'est ça le message qui a été reçu ? 6EQUJ5 ?

— Ces chiffres et ces lettres ne sont pas un message codé, ils correspondent simplement à l'intensité du signal. Celui-ci a été mesuré en unités sigma. Un sigma indique un signal une fois plus fort que le niveau de radiation de fond des émissions radio naturelles, deux sigma deux fois plus fort que le niveau de fond, trois sigma trois fois, quatre…

— Et ainsi de suite, coupa Tomás. Et alors ?

— À mesure que le chiffre augmente, l'intensité du signal se distingue de plus en plus du niveau de fond. En dessous de quatre sigma on considère que c'est du bruit de fond, produit par le récepteur lui-même mais aussi par les arbres, l'herbe et d'autres choses autour, ainsi que par l'espace, en particulier la radiation cosmique de fond résultant du Big Bang lors de la création de l'univers. Au-delà de neuf sigma, on passe à A sigma, qui signifie que le signal est dix fois plus fort que le niveau de fond, puis B sigma, onze fois plus fort, C sigma douze fois, etc., jusqu'à U sigma, trente fois plus fort que le niveau de radiation de fond des émission radio naturelles.

Tomás restait concentré sur la feuille avec les chiffres et les lettres entourés à la main.

— D'après ce que je vois ici, outre le signal « *Wow!* », il y a de nombreux signaux une à quatre fois supérieurs à la radiation de fond.

— Un signal allant jusqu'à quatre sigma par heure, c'est normal, mais au-delà c'est rare. Un U sigma, par exemple, ne devrait apparaître par émission naturelle qu'une fois en quelques milliers d'années. Il désigna la feuille du signal « *Wow!* » Or, comme vous le voyez, un signal d'une intensité U sigma a été reçu.

— C'était peut-être un signal artificiel, certes, mais d'origine humaine, comme dans le cas que vous avez évoqué tout à l'heure au sujet du fondateur du SETI.

Seth secoua la tête.

— Pas cette fois.

— Que voulez-vous dire ? interrogea l'historien. Vous pensez vraiment qu'il s'agit d'un signal envoyé par une civilisation extra-terrestre ?

L'astrophysicien acquiesça.

— Affirmatif.

Tomás fit une moue sceptique.

— Je n'y crois pas.

— Ce n'est pas une question de croyance, Tom. C'est une question d'évidence scientifique. – Il désigna de nouveau la feuille, en particulier les colonnes après le signal « *Wow!* » – Si l'on regarde attentivement, on constate que, quelques minutes après le signal « *Wow!* », un signal six sigma a été enregistré sur le canal 7 en même temps que sur le canal 2 apparaissait un Q sigma, puis un sept sigma sur le canal 16 simultanément au U sigma sur le canal 2. Ce n'est absolument pas normal. On a l'impression que les canaux 7 et 16 ont enregistré simultanément un deuxième signal, provenant apparemment de la même source, et qui forme un modèle bien connu des physiciens et des astronomes. – Il présenta la feuille à l'historien. – Vous ne le reconnaissez pas ?

Tomás considéra les chiffres et les lettres avec un air interrogateur.

— Pour être franc… non.

L'Américain fronça les sourcils et regarda de nouveau la feuille où étaient imprimées les données de l'ordinateur de *Big Ear* et que Jerry Ehman avait gribouillée quelques décennies auparavant.

— C'est une formule mathématique.

VI

De cette succession de chiffres et de lettres correspondant aux données captées par le radiotélescope *Big Ear* en 1977, Tomás tenta d'extraire une structure ou une séquence mathématique reconnaissable, mais il s'aperçut bien vite que c'était un effort inutile. Ses connaissances en la matière étaient par trop superficielles pour qu'il ait la moindre chance d'y parvenir.

— Je ne vois ici aucune formule mathématique.

— Lorsqu'on considère la réception du signal sur les canaux 4, 7 et 16, le modèle formé semble correspondre à celui de la série de Lyman. Vous voyez de quoi je veux parler ?

L'historien secoua la tête.

— Je n'en ai pas la moindre idée.

— Ce sont les raies spectrales émises par l'hydrogène chaud dans les longueurs d'onde de l'ultraviolet. La série de Lyman intègre des nombres quantiques, incluant le plus bas niveau d'énergie de l'électron. En d'autres termes, nous sommes en présence d'une espèce de sous-texte, comme si l'émetteur du signal « *Wow!* » voulait montrer aux récepteurs potentiels du message qu'il a des connaissances en physique quantique, en mathématiques et en astrophysique.

— C'est incroyable !

— On a examiné toutes les possibilités quant à une origine terrestre ou naturelle du signal et elles se sont toutes révélées négatives. Le signal ne provenait pas d'une planète du système solaire, d'un astéroïde, de satellites artificiels, d'avions, de vaisseaux spatiaux humains, de transmetteurs terrestres, d'effets gravitationnels, voire de scintillations interstellaires. Donc, une fois éliminées les différentes possibilités, l'idée qu'il s'agissait probablement d'un signal envoyé par une civilisation extraterrestre a fait l'objet d'un consensus.

— Si tel est le cas, comment se fait-il qu'on ne le sache que maintenant ?

— Tous les astronomes et astrophysiciens connaissent l'histoire du signal « *Wow!* », expliqua Seth. Cependant, bien qu'elle ne soit pas un secret, les gens n'en ont généralement pas entendu parler, et ce pour de bonnes raisons. Comme vous pouvez le comprendre, pour annoncer une nouvelle aussi incroyable, on a besoin d'éléments plus tangibles que de simples probabilités, même élevées. Il faut des certitudes absolues, des preuves plus solides que ce qui serait nécessaire dans des circonstances normales.

La scientifique de l'ESA intervient alors.

— N'oublions jamais la vieille maxime de Carl Sagan, dit Emese. « Des affirmations extraordinaires nécissitent des preuves extraordinaires. »

— Affirmatif, acquiesça Seth. Il importe toutefois de reconnaître que le signal « *Wow!* » a toutes les caractéristiques d'un signal artificiel et correspond exactement à ce que les scientifiques du SETI attendaient d'un signal émis par une civilisation extraterrestre. Il s'agit d'un signal non modulé, émis sur 1,42 GHz et qui, sur cette fréquence, se distingue de tous les signaux habituels. La majeure partie des signaux radio naturels sont en bande large. Les signaux captés en bande étroite sont presque toujours artificiels. Or, il se trouve que « *Wow!* » a été émis en bande étroite.

Débordant de curiosité, Tomás serra les paupières en regardant la feuille que l'Américain lui avait montrée.

— Et quel est le message exactement ?

— En tant que tel, le signal « *Wow!* » ne contient aucun message proprement dit, précisa l'Américain. Les valeurs sigma ici consignées correspondent, je le répète, à l'échelle que l'ordinateur a utilisée pour mesurer l'intensité inhabituelle, et probablement artificielle, du signal. Ce n'est qu'en associant le signal du canal 2 aux valeurs sigma qui sont apparues sur les canaux 7 et 16 que l'on arrive à la série de Lyman. Mais, sur le canal 2, le véritable message tient à l'existence même du signal, vous me suivez ? C'était un signal continu, comme s'il s'agissait d'un sifflement très fort. Imaginez quelqu'un qui souffle dans un sifflet pour appeler l'attention. C'est ça le signal « *Wow!* »

— Combien de temps a duré ce coup de sifflet ?

— Les enregistrements de l'ordinateur indiquent soixante-douze secondes exactement.

— Et puis ça s'est arrêté ?

L'astrophysicien remit la feuille dans le dossier bleu d'où il en sortit une autre.

— Les soixante-douze secondes correspondent au temps d'enregistrement, non à la durée du signal, précisa-t-il. Il faut comprendre qu'à l'époque, le radiotélescope *Big Ear* n'était ajustable qu'en déclinaison et il dépendait de la rotation de la Terre pour sonder les profondeurs de l'univers. Cela signifie qu'il ne pouvait scruter un point déterminé de l'espace profond que pendant soixante-douze secondes, c'est-à-dire le temps pendant lequel il était dirigé sur ce point. Ensuite, du fait de la rotation de la Terre, l'antenne se dirigeait vers le point suivant, vous me suivez ?

Tomás acquiesça.

— L'enregistrement du signal « *Wow!* » ne dure que soixante-douze secondes car c'est le temps pendant lequel le radiotélescope était dirigé vers la source du signal.

— Affirmatif.

— Mais, l'astronome qui l'a découvert ne pouvait-il pas faire revenir le radiotélescope immédiatement en arrière ?

— Malheureusement, *Big Ear* ne le permettait pas. En outre, comme je vous l'ai expliqué, le pauvre Jerry Ehman n'a découvert l'enregistrement que quelques jours plus tard. Ce qui l'étonna le plus fut de constater que le graphique montrait exactement le comportement que l'on attendait d'un signal d'origine extra-terrestre. Les astronomes avaient prévu que, dans l'éventualité où un signal d'une civilisation extra-terrestre serait détecté, à mesure que le radiotélescope s'approcherait du centre d'émission du fait de la rotation de la Terre, l'intensité du signal augmenterait pendant trente-six secondes jusqu'à atteindre un pic, puis diminuerait pendant trente-six autres secondes jusqu'à disparaître. C'est précisément ce qui s'est passé avec le signal « *Wow!* »

— Je comprends.

L'astrophysicien de la NASA montra la deuxième feuille au Portugais. Il s'agissait d'un graphique.

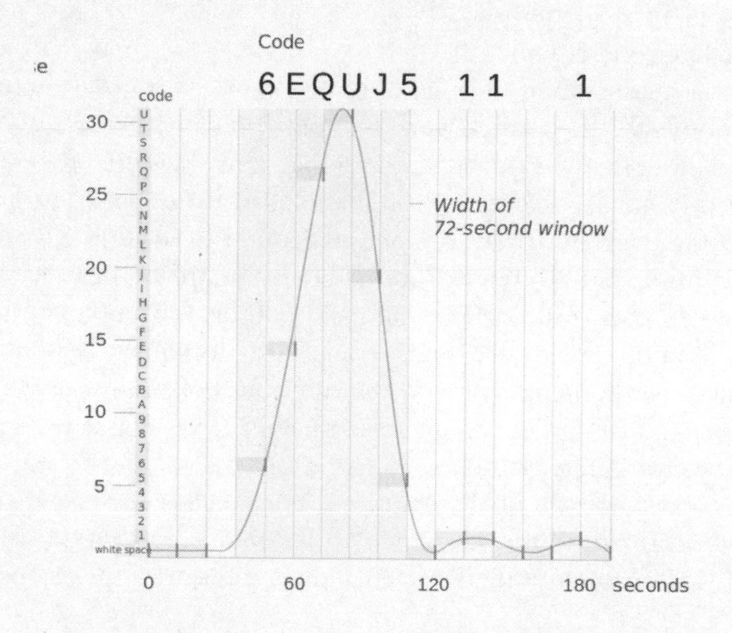

— Voici la courbe du signal « *Wow!* », indiqua-t-il. L'intensité croît pendant trente-six secondes, atteint un pic pendant le court instant où le radiotélescope est exactement aligné sur la source et, à mesure que l'antenne s'éloigne, le signal diminue d'intensité jusqu'à disparaître au bout de trente-six secondes. Le signal a probablement été constant. Le fait que le son ait augmenté puis diminué est dû au mouvement du radiotélescope accompagnant la rotation de la Terre.

Tomás examina attentivement la courbe.

— Curieux, murmura-t-il. Et que fit l'astronome ?

— Dès qu'il s'est aperçu que quelque chose d'anormal avait été détecté, et que cette anomalie était pleinement conforme au signal qu'on pouvait attendre d'une civilisation extra-terrestre, Ehman a contrôlé les enregistrements des jours précédents. Il n'y avait rien. *Big Ear* passa les deux mois suivants sur la même déclinaison et Ehman en profita pour vérifier ce qui se produisait lorsque le radiotélescope passait par les mêmes points du ciel.

— Et ?...

Seth secoua la tête.

— Il ne découvrit rien, dit-il. Le problème c'est que l'antenne ne pouvait être pointée vers ce point précis de l'espace que pendant soixante-douze secondes par jour. Il va de soi qu'ils effectuèrent des écoutes plusieurs jours d'affilé mais, le temps d'écoute étant très bref, ils n'ont pu écouter le secteur d'où était provenu le signal « *Wow!* » que pendant quatre heures en tout. C'est très peu et il n'est pas étonnant que les recherches n'aient pas abouti. Quelques années plus tard, lorsque *Big Ear* est repassé par la même zone de l'espace, mes collègues ont vérifié à nouveau les enregistrements pour voir si le signal revenait. – Il secoua la tête. – Rien, aucune trace.

— Vous avez dit qu'il venait de la constellation du Sagittaire ?

— Affirmatif. On ne peut être d'une précision absolue, mais les enregistrements informatiques indiquent que le point où le signal a atteint son pic se situait probablement à proximité d'une étoile très particulière.

— Ah oui ! Laquelle ?

L'homme de la NASA croisa les bras, conscient que son interlocuteur ne connaissait rien à l'astronomie. Il n'était pas encore prêt à comprendre la signification du signal « *Wow!* »

— Elle s'appelle Tau Sagittarii.

VII

Comme on pouvait s'y attendre, le nom de l'étoile d'où avait très probablement été émis le signal « *Wow!* » n'évoquait rien à l'historien portugais.

— Tau Sagittarii ?

Seth comprit qu'il devait d'abord préciser le contexte pour que l'information concernant l'étoile d'où avait probablement été émis le message soit pleinement comprise.

— Vous vous doutez bien que dès que le signal fut capté, nous n'avons cessé d'examiner cette étoile, indiqua l'homme de la NASA. Il s'agit de l'un des astres les plus brillants de la constellation du Sagittaire et on pense, sans en être certains, que c'est une étoile double. Tau Sagittarii est une étoile seize fois plus grande que le Soleil, mais un peu plus froide que celui-ci, située à cent vingt-deux années-lumière de nous. Détail intéressant, bien qu'il s'agisse d'une étoile géante, elle a la même masse que le Soleil.

Tomás fut surpris.

— Comment est-ce possible ? Si cette étoile est seize fois plus grande que le Soleil, comment peut-elle avoir la même masse ?

— Parce qu'il s'agit d'une géante rouge. Il y a quelques

milliards d'années, elle avait la même taille que le Soleil, mais aujourd'hui elle est plus âgée que notre étoile et elle se trouve par conséquent à un stade de vie plus avancé. Tau Sagittarii a grossi, comme le fera un jour le Soleil, car, ayant épuisé l'hydrogène de son noyau, elle utilise à présent l'hélium comme combustible. C'est pour cette raison qu'elle a tant grandi, tout en conservant sa masse.

— Vous ne trouvez pas que les recherches consacrées pendant quelques mois à cette étoile géante, compte tenu de l'importance de la question, ont été insuffisantes ?

— En fait, quand je parlais de mois, je me référais seulement aux travaux de Jerry Ehman. Après que le signal « *Wow!* » eut été détecté, les recherches autour de Tau Sagittarii se sont prolongées pendant une vingtaine d'années, avec des moyens de plus en plus sophistiqués, notamment les observatoires de Oak Ridge et de Green Bank, les antennes du Very Large Array et de l'observatoire de Mount Pleasant, en Tasmanie. Tout a été scruté, mais peut-être pas aussi longtemps et intensément qu'on l'aurait souhaité.

— Et… rien ?

— Rien. Aucun signal, même vaguement ressemblant au signal « *Wow!* », n'a été à nouveau enregistré. Il a donc été impossible de confirmer l'enregistrement de 1977, raison pour laquelle il n'y a eu aucune annonce publique.

— Si ça se trouve, le signal ne provenait simplement pas d'une civilisation extra-terrestre…

— Comme vous pouvez l'imaginer, cette hypothèse a été amplement étudiée, assura l'astrophysicien de la NASA. D'abord, on a pensé que c'était une scintillation interstellaire d'un signal naturel continu, mais après maints sondages, on n'a rien trouvé. Ehman a aussi envisagé un signal terrestre qui aurait ricoché sur un objet quelconque près de la Terre, mais cette hypothèse a fini par être abandonnée car elle supposait la présence d'un énorme réflecteur en orbite.

À ce moment, Emese prit de nouveau la parole.

— Il faut évoquer la question de la fréquence, Seth. Ne l'oubliez pas, c'est très important.

— Ah, oui, la fréquence.

Tomás fut intéressé.

— Quelle fréquence ?

— La fréquence sur laquelle le signal a été reçu, celle des 1,42 GHz, est réservée, en vertu d'un accord international, à des activités astronomiques, et personne sur notre planète ne peut l'utiliser. Partant, le signal ne peut pas avoir une origine terrestre.

La Hongroise de l'ESA ne sembla pas entièrement satisfaite par l'explication.

— Il n'y a pas que ça, interrompit-elle. Les nuages d'hydrogène neutre, qui est l'élément atomique le plus simple, émettent une forte radiation sur la fréquence des 1,42 GHz. On l'appelle la ligne de l'hydrogène. Et tout astronome, astrophysicien ou astrobiologiste a l'obligation de la connaître. Si le signal « *Wow!* » a été émis sur 1,42 GHz ça ne peut pas être par hasard. Celui qui l'a émis savait pertinemment qu'il s'agissait d'une fréquence spéciale.

— Parce que c'est la ligne de l'hydrogène ?

— Exactement, confirma-t-elle. Et parce que c'est le début du *waterhole*. Le trou d'eau.

— Le trou d'eau ? De quoi s'agit-il ?

— Les fréquences entre 1,42 et 1,64 GHz sont celles où le radical hydroxyle rayonne le plus.

— Radical hydro… quoi ?

— Hydroxyle, ou OH. Vous vous souvenez de vos cours de physique au lycée ? Si oui, vous devez savoir que lorsque OH est associé à l'hydrogène, ou H, on obtient HOH. – Elle arqua les sourcils pour souligner son propos. – Vous me suivez ? Cela ne vous dit rien ?

Tomás se concentra sur la formule chimique.

— HOH, murmura-t-il, comme s'il parlait tout seul. Il y a deux atomes d'hydrogène et un d'oxygène. Ça s'écrit HOH ou… ou…

— H2O.

L'historien écarquilla les yeux.

— L'eau !??

La scientifique hongroise acquiesça.

— C'est pour cela que la bande entre 1,42 et 1,64 GHz, l'intervalle entre les lignes de l'hydrogène et de l'hydroxyle, est appelé le *waterhole*. Le trou d'eau. Quel que soit l'auteur du signal « *Wow!* », il a délibérément choisi la fréquence des 1,42 GHz, la bande de l'hydrogène, pour identifier l'élément atomique le plus simple et le plus commun de l'univers, ainsi que pour signaler le début du *waterhole*. C'est comme s'il disait : « moi, l'émetteur du signal, je connais l'hydrogène, essentiel à l'existence de l'univers, et je connais l'eau, essentielle à la vie, et vous pouvez ainsi constater que le signal est intentionnel et qu'il a été envoyé par une civilisation qui connaît la science. »

Tomás était stupéfait.

— La communauté scientifique est d'accord sur le point le plus important, intervint Seth, à savoir que le signal « *Wow!* » est très probablement un signal artificiel extra-terrestre. À telle enseigne qu'en 2012, à l'occasion du 35e anniversaire de la réception du signal, l'observatoire d'Arecibo a émis en direction de Tau Sagittarii une réponse au nom de l'humanité, avec près de dix mille messages Twitter, chacun d'entre eux commençant par le même en-tête, afin d'indiquer clairement que notre signal était lui aussi intentionnel.

— On tient donc pour acquis que le signal « *Wow!* » a vraiment été envoyé par une civilisation extra-terrestre ?

— Il nous manque la preuve définitive, Tom. – Il fit une grimace, comme pour se corriger. – Enfin, il nous manquait.

Le fait que l'Américain emploie l'imparfait ne laissa pas l'historien indifférent.

— Manquait ?

— Affirmatif, confirma Seth. En effet, il y a deux semaines environ, on a reçu un nouveau signal.

— Ça, j'avais compris.

— Oui, mais cette fois ils arrivent.

— Quoi ?!!

L'homme de la NASA échangea un regard avec la scientifique hongroise de l'ESA, comme s'il l'invitait à annoncer la grande nouvelle. Bozóki Emese ne se fit pas prier.

— Un objet se dirige vers la Terre.

VIII

L'annonce surprit Tomás. Lorsqu'ils avaient abordé la question du signal « *Wow!* », l'historien avait pensé qu'il s'agissait-là du véritable objet de la réunion. Il comprit cependant que ce n'était pas le cas, et que quelque chose était en train de se passer maintenant.

— Vous dites qu'un objet se dirige vers la Terre ? demanda-t-il, ayant encore un doute. Quel objet ?

Ce fut Seth Dyson qui répondit.

— Nous l'ignorons.

— Mais nous avons une idée, s'empressa d'ajouter Emese. Nous pensons qu'il s'agit de… enfin, d'un véhicule.

— Un véhicule ?

Elle soupira.

— Un vaisseau spatial.

Pour Tomás, l'affaire prenait une tournure fantastique.

— Vous plaisantez…

— Ce n'est qu'une supposition, souligna l'homme de la NASA, comprenant que tout cela pouvait paraître extravagant. En fait, nous ne savons pas précisément de quoi il s'agit, hormis que c'est un objet envoyé par une civilisation extra-terrestre. Par déduction, nous supposons qu'il s'agit d'un vaisseau.

— Mais comment êtes-vous parvenu à cette conclusion ? voulut savoir l'historien. Vous avez vu l'objet en question ?

— Pas exactement.

— Alors ?

— Comme je vous l'ai dit, voilà deux semaines, nous avons reçu un nouveau signal. Un système d'antennes en réseau en Californie, l'Allen Telescope Array, a capté un message artificiel provenant a priori de l'espace. Après s'être assuré qu'il ne s'agissait pas d'un signal de téléphone portable ou de radar qui aurait interféré avec le système, comme cela se produit parfois, l'astronome qui était de service a sollicité la collaboration d'un radiotélescope en Australie afin d'effectuer la triangulation et déterminer la position de l'émetteur. L'observatoire australien a confirmé le signal, ce qui a permis d'établir qu'il ne s'agissait pas d'un satellite humain, mais de quelque chose provenant de l'espace profond.

— Ne pouvait-il s'agir d'un phénomène naturel ?

— Ce n'est pas impossible, mais…

L'astrophysicien laissa sa phrase en suspens.

— Mais ?

— C'est l'origine du signal qui a convaincu l'astronome qu'on a effectivement affaire à un contact extra-terrestre.

— Qu'a-t-il de si spécial ce signal ?

Emese intervint pour donner l'information la plus importante.

— La source se situait sur Tau Sagittarii.

Le Portugais ouvrit la bouche.

— L'étoile du signal « *Wow!* ».

— Exactement.

Seth gigota sur sa chaise, visiblement gêné par ce qu'elle venait de dire.

— En réalité, Emese n'est pas parfaitement rigoureuse, fit-il observer. Il est vrai que les antennes de l'Allen Telescope Array, puis celles de l'observatoire Parkes ont identifié le signal comme provenant du secteur du firmament où se trouve Tau Sagittarii.

Il n'y a pas le moindre doute là-dessus. Cependant, si on veut être tout à fait rigoureux, ce n'est pas exactement l'origine du signal.

— Alors quelle est-elle ?

— Après que Parkes eut confirmé la réception du signal et son origine, l'Allen Telescope Array a communiqué l'information à l'Institut SETI qui a émis une alerte destinée à tous les radiotélescopes liés au projet. Un peu partout sur Terre, des antennes de radiotélescopes se sont alors tournées vers Tau Sagittarii et ont commencé à écouter le signal et faire des mesures. Avec autant de télescopes en action, il a été possible d'effectuer des triangulations très précises et ainsi de comprendre qu'en réalité, bien que le signal provienne du secteur où se situe Tau Sagittarii, l'émetteur se trouvait plus près de nous.

— C'est-à-dire ?

— Très près.

— À combien d'années-lumière du système solaire ?

— Il est dedans.

Tomás ne comprit pas la réponse.

— Dedans ? Dedans quoi ?

— La source du signal se situe dans le système solaire.

— Quoi !?? s'exclama le Portugais. Vous dites que le signal provient de l'une des planètes de notre système solaire ?

— Négatif, corrigea Seth. C'est un objet qui provient de l'espace profond, plus précisément du secteur de Tau Sagittarii, mais qui est entré dans notre système solaire et qui le traverse actuellement.

— Ah ! Et où se trouve-t-il à présent ?

— Eh bien, à l'heure actuelle il devrait passer par l'orbite de Mars. Ce qui est intéressant, c'est qu'il se dirige vers nous.

L'historien était sidéré.

— Bon sang !

— Lorsque nous nous en sommes aperçus, nous avons orienté les télescopes vers le point où il se trouvait afin d'obtenir une identification visuelle de l'objet.

— Et… et vous avez réussi à le voir ?

Le scientifique de la NASA secoua la tête.

— Pas encore, reconnut-il. Mais nous y parviendrons sous peu, vous pouvez en être sûr.

Tomás se gratta le menton, encore sous le choc. Les incidences d'un tel événement étaient immenses.

— Vers où se dirige cet objet ? Vous avez déjà calculé sa trajectoire ? Est-il possible de le faire ?

— C'est possible et cela a déjà été fait, répondit l'astrophysicien américain. Les triangulations successives effectuées ces deux dernières semaines nous ont permis de tracer de manière relativement précise la trajectoire de *Phanès*.

— *Phanès* ?

— Affirmatif. C'est le nom que l'on a donné à l'objet.

— Vous l'avez appelé *Phanès* ? – Il secoua légèrement la tête. – C'est un choix approprié…

— Vous savez qui était *Phanès* ?

Le Portugais dévisagea l'homme de la NASA avec une expression condescendante.

— Vous êtes certainement très fort en astrophysique, mais l'histoire c'est mon rayon, rappela-t-il. Tout historien se doit de savoir que *Phanès*, également nommé Protogonos, était un dieu de la mythologie grecque qui est né de l'œuf cosmique, un œuf doré créé par Aiôn, c'est-à-dire le Temps. De cet œuf est sorti *Phanès*, le dieu de la Lumière et du Bien, qui est à l'origine de l'univers. *Phanès* est également connu pour avoir engendré la vie nouvelle.

Seth sourit.

— C'est donc un nom tout à fait approprié, comme vous pouvez le constater.

— En effet. Vous disiez que grâce à des triangulations successives on avait pu tracer de manière relativement exacte la trajectoire de *Phanès*, dit le Portugais, reprenant le fil de la conversation. Et vers où se dirige-t-il ?

L'astrophysicien américain désigna le sol.

— Vers la Terre.

— Il est sur une trajectoire de collision avec nous ?

— Pas exactement, précisa-t-il. D'après nos calculs, *Phanès* devrait passer quelque part entre la Terre et la Lune, ce qui en termes cosmiques est une tangente.

— C'est-à-dire qu'il vient par ici.

— Oui et non. Oui, dans la mesure où il va raser la Terre. Mais non car, vu la vitesse à laquelle il se déplace, et à moins qu'il ne ralentisse, il passera près de nous à toute vitesse et poursuivra son voyage, traversant le système solaire d'un bout à l'autre pour disparaître dans l'espace profond de la même manière qu'il est apparu.

— Vous n'êtes pas surpris que *Phanès* s'approche autant de la Terre ? Vous croyez que c'est une coïncidence ?

— Absolument pas. C'est intentionnel.

— Mais alors pourquoi va-t-il s'éloigner après avoir rasé notre planète ?

Les deux scientifiques échangèrent un regard, s'interrogeant mutuellement.

— Nous avons une théorie, dit Emese. Nous pensons qu'il existe une civilisation sur Tau Sagittarii, ou dans les parages, qui scrute l'univers depuis des millénaires à la recherche de signes de vie. Grâce à l'analyse spectrographique des observations effectuées par télescope, les membres de cette civilisation ont dû identifier plusieurs planètes sur des systèmes solaires lointains, y compris la Terre, où il existe de l'hydrogène et de l'oxygène et donc de l'eau, et ils en ont conclu que la vie pouvait exister ici. Le fait qu'ils aient utilisé la fréquence des 1,42 GHz, la fameuse ligne de l'hydrogène, qui est le début de la bande du *waterhole*, nous amène à penser que l'eau est pour ces extra-terrestres un indice de vie potentielle. Nous supposons que cette civilisation transmet régulièrement des signaux en direction des planètes qui leur semblent intéressantes, comme le signal « *Wow!* » En outre, il est probable qu'ils aient envoyé, il y a des milliers d'années, des vaisseaux qui sont passés à proximité de ces planètes pour voir si on venait à leur rencontre. C'est le cas de *Phanès*. Si quelqu'un va à sa rencontre, c'est qu'il existe une civilisation et le contact aura eu lieu. S'il ne vient personne, le vaisseau se contentera d'analyser notre planète de près et d'envoyer les données recueillies vers Tau Sagittarii, puis il poursuivra son voyage vers d'autres points de la Galaxie susceptibles d'héberger une vie intelligente. En somme, ils essaient d'établir le contact.

Le Portugais mordilla sa lèvre inférieure, songeant au scénario qu'on venait de lui présenter.

— C'est bien vu, reconnut-il. Cette théorie expliquerait pour quelle raison *Phanès* passerait près de nous sans toutefois se mettre en orbite.

— Correct.

— Et quand le vaisseau va-t-il passer dans les parages ?

Cette fois-ci, des regards furent échangés entre les deux scientifiques et le cardinal Panunzio qui, jusqu'à présent, était resté silencieux.

— Dans deux semaines, répondit Seth. Dix-sept jours, pour être précis.

— Dix-sept jours !??

Le secrétaire d'État du Saint-Siège et les deux représentants des agences spatiales affichèrent un sourire nerveux.

— C'est dans peu de temps, n'est-ce pas ?

— C'est comme si c'était demain, observa Tomás. Et que comptez-vous faire ?

Nouvel échange de regards entre les trois, comme si chacun d'entre eux confiait à l'autre la responsabilité de répondre. Finalement, le cardinal Panunzio prit la parole.

— C'est justement pour ça que je vous ai fait venir.

IX

Les choses étaient claires à présent et Tomás allait enfin comprendre pour quelle raison il avait été convoqué à cette réunion au Vatican et ce que le Saint-Siège et les agences spatiales européenne et américaine attendaient de lui. Après avoir regardé les deux scientifiques, le cardinal Panunzio dévisagea l'historien.

— Hier matin, peu avant de partir pour son voyage apostolique en Belgique, en Suisse et au Luxembourg, *Sua Santità* m'a fait venir pour une réunion urgente. J'ai rencontré le Saint-Père dans sa bibliothèque privée et il était en état de grâce, je dirais même euphorique. *Madonna* ! Je n'oublierai jamais la joie et la sérénité qui se dégageaient de lui ! Lorsque *Sua Santità* me vit, elle dit : « Paolo, nous ne sommes pas seuls ! » Je n'ai pas compris sa déclaration, bien sûr. J'ai même pensé que nous n'étions pas seuls dans la pièce. Cependant, il m'éclaira rapidement. Le Saint-Père m'expliqua que le président des États-Unis venait de lui téléphoner pour lui dire que nous avions reçu un message du ciel. « Il y a des enfants de Dieu sur d'autres planètes, qui sont entrés en contact avec nous et nous ont envoyé un émissaire », dit *Sua Santità*. D'après ce que le président américain lui avait indiqué, un comité d'accueil était en cours de constitution et on avait commencé à contacter les représentants des principales religions de la planète pour qu'ils préparent leurs ouailles et les guident en ce moment de révélation, et aussi pour qu'ils fassent des suggestions sur la meilleure manière de dialoguer avec ces êtres que Notre Seigneur nous envoyait. Voilà ce que m'a dit le Saint-Père. J'ai été surpris, bien évidemment, et nous nous sommes retrouvés tous deux dans un état de grande excitation. Le téléphone a sonné à ce moment-là ; c'était le secrétaire général de l'Organisation des Nations unies, tout juste informé par la Maison-Blanche, qui nous annonçait qu'il avait commencé à établir des contacts en vue de coordonner une action internationale et proposer une première conférence sur la question qui devra se tenir via satellite. Ainsi…

Seth l'interrompit.

— Si vous me permettez, Votre Éminence, je crois qu'il faut préalablement expliquer un point. Il s'agit du processus qui nous a menés ici.

— *Bene, bene…*

— Nous avons déjà vu comment le signal avait été détecté, dit-il. La première étape a consisté à confirmer son origine et à nous assurer qu'il s'agissait bien d'un véritable signal artificiel d'origine extra-terrestre. Après avoir procédé à de multiples vérifications, le SETI a répondu positivement. Il a alors contacté la NASA pour une nouvelle confirmation. C'est à ce moment-là que j'ai été informé de ce qui se passait et que j'ai été chargé de diriger le projet. J'ai constitué une équipe pour étudier la question, et cette équipe a tracé l'itinéraire de *Phanès* et découvert que l'objet extra-terrestre passerait bientôt à proximité de notre planète. C'est alors que nous nous sommes rendu compte qu'il y avait vraiment urgence. Nous n'avions pas des années devant nous pour examiner la situation, en discuter et prendre des décisions. Nous n'avions que quelques jours. – Il leva le doigt pour insister sur le mot. – Quelques jours.

— Je suppose que, vu la situation, vous avez contacté votre gouvernement.

— Immédiatement, confirma l'Américain. Nous avons sollicité d'urgence une audience à la Maison-Blanche le jour même, tant la question était brûlante. Devant notre insistance, l'audience nous a été accordée. Nous nous sommes rendus à Washington, où le président nous a reçus dans le Bureau oval, et nous l'avons informé de la situation. Il n'en revenait pas. Il nous a ensuite demandé ce qu'il convenait de faire, selon nous. La réponse n'est pas simple.

— Certes, mais n'y a-t-il pas des protocoles pour gérer ce type de situation ?

— Bien sûr que si. Le SETI a une commission dénommée Post-Detection Task Group, une unité spécialisée chargée de déterminer ce qui doit être fait lorsqu'un signal extra-terrestre a été détecté et confirmé. Il y a quelques années, cette unité a adopté des principes directeurs qui sont consignés dans un document intitulé « Déclaration de principes concernant les activités suite à la détection d'une intelligence extra-terrestre. »

— Eh bien, il n'y a qu'à les appliquer…

Seth fit une grimace.

— Ce n'est pas si simple, je le crains, rétorqua-t-il. Les principes établis par le SETI supposent un large débat public pour analyser attentivement la question, décider comment répondre au signal et que mettre dans cette réponse. Le protocole du SETI prévoit qu'après la confirmation de l'origine extra-terrestre d'un signal artificiel, et avant de procéder à toute annonce publique officielle, les scientifiques du monde entier devront être informés par le Bureau central des télégrammes astronomiques de l'Union astronomique internationale. Puis, conformément à l'article onze du traité sur les principes régissant les activités des États en matière d'exploration et d'utilisation de l'espace extra-atmosphérique, y compris la Lune et les autres corps célestes, le secrétaire général de l'ONU devra lui aussi être informé. Tout comme l'Assemblée générale de l'ONU, ainsi qu'une série d'institutions telles que l'Union internationale des télécommunications, la Commission de la recherche spatiale, le Conseil international des Unions scientifiques, la Fédération internationale de l'astronautique, l'Institut international de l'astronautique, l'Institut international de la loi spatiale, la Commission 51 de l'Union astronomique internationale, la Commission J de l'Union internationale de la…

Le Portugais leva la main pour l'arrêter.

— C'est bon, c'est bon ! s'exclama-t-il. Ça suffit ! J'ai compris qu'il existe une ribambelle d'institutions qui devront être informées, conformément aux protocoles. La question est… pour faire quoi exactement ?

— Pour analyser la question, pour en débattre, envisager des options, examiner différentes possibilités, réfléchir à la signification de tout cela… bref, pour préparer une réponse de l'humanité à cette situation. Une affaire aussi importante exige une discussion approfondie. Il ne s'agit pas d'une question simple, qui puisse être traitée par deux ou trois personnes.

— En effet, vous avez raison.

— Le problème, voyez-vous, c'est que la situation telle qu'elle se présente aujourd'hui ne nous permet pas de convoquer de grandes conférences internationales pour examiner la question avec toute l'attention qu'elle mérite.

C'était justement ce à quoi Tomás pensait.

— Nous avons dix-sept jours.

— Affirmatif Tom. Un vaste débat, comme celui qui est prévu par les protocoles du SETI, peut durer des mois, voire des années. Tous les pays et toutes les institutions scientifiques du monde devront y être associés. Il y aura des conférences un peu partout, des colloques, des congrès, des tables rondes, des débats, des propositions et des contre-propositions, des publications dans des revues scientifiques, tout cela sous la houlette du Comité des Nations unies pour l'utilisation pacifique de l'espace extra-atmosphérique. Des commissions, des sous-commissions et je ne sais quoi encore, seront désignées. Les débats seront longs, ils pourraient même devenir interminables. Or, nous n'avons que quelques jours pour prendre des décisions.

— Dix-sept, répéta Tomás en insistant sur le nombre. Nous avons dix-sept jours.

— Moins, Tom.

— Moins ? Mais *Phanès* ne va-t-il pas passer à proximité de la Terre dans dix-sept jours ?

— Affirmatif, confirma l'astrophysicien de la NASA. Cela signifie que nous devons décider dès à présent ce que nous ferons dans dix-sept jours, vous comprenez ? La décision doit être prise dès maintenant. Aujourd'hui. Au plus tard, demain. Quand *Phanès* passera dans les parages, ce ne sera plus le moment de prendre des décisions, mais de mettre en œuvre celles que nous aurons prises maintenant.

— Oui, vous avez raison, convint le Portugais. Et que doit-on déterminer ?

— La composition de l'équipe.

— Quelle équipe ?

— Je vous ai dit que lorsque nous avons établi la trajectoire de *Phanès* et que nous avons compris qu'il allait bientôt passer près de la Terre, nous nous sommes aussitôt rendus à la Maison-Blanche afin d'en informer le président, qui nous a alors demandé ce que nous comptions faire.

— Et que lui avez-vous recommandé ?

Seth échangea un nouveau regard avec Emese avant de répondre.

— Nous lui avons expliqué le protocole du SETI qui s'applique en principe dans une telle situation, mais que vu les circonstances, il n'y avait pas assez de temps pour le mettre en œuvre. Nous allions devoir improviser, contourner la bureaucratie, prendre des raccourcis. C'est pourquoi, compte tenu de la situation, nous ne voyions qu'une seule voie à suivre. – Il leva l'index, comme si c'était un chiffre. – Une mission.

— Une mission dans l'espace ?

Le scientifique de la NASA prit son stylo et le plaça verticalement sur le bureau, la pointe tournée vers le haut, et il commença à le lever, comme s'il s'agissait d'une fusée qui décollait.

— Nous devons aller à la rencontre de *Phanès*.

X

L'annonce faite par Seth laissa Tomás rêveur ; il était à la fois émerveillé et intrigué par le projet que la NASA avait proposé au président des États-Unis.

— Il est possible d'aller à la rencontre de *Phanès* ?

L'astrophysicien opina de la tête.

— Nous n'avons pas d'autre solution, dit-il. De toute évidence, la civilisation qui nous a transmis le signal « *Wow!* » nous a envoyé un vaisseau pour voir si quelqu'un allait à sa rencontre. Le moins que l'on puisse faire, me semble-t-il, est de répondre à cette attente et d'établir le contact lorsque *Phanès* sera dans les parages, vous ne pensez pas ?

— Eh bien, oui mais… comment allez-vous faire ?

L'homme de la NASA mima de nouveau une fusée avec son stylo.

— En envoyant un vaisseau à la rencontre de *Phanès*, bien sûr. C'est pour ça que je vous ai dit qu'on était en train de constituer une équipe.

— Et comment l'Amérique veut-elle…

L'Américain secoua la tête.

— Pas l'Amérique, interrompit-il. L'humanité.

— Ah, je vous en prie, épargnez-moi votre langue de bois, rétorqua l'historien. Sur le plan pratique, c'est l'Amérique. Il n'y a eu aucun débat public, personne n'a débattu de quoi que ce soit, aucun pays ne vous a mandaté. Il est vrai que le temps presse et qu'il n'est pas possible de tenir un débat élargi et approfondi vu les circonstances, mais les faits sont les faits. Si vous décidez de former une équipe et de l'envoyer dans l'espace, même avec les meilleures intentions, ne jouons pas sur les mots et ne prétendons pas qu'il s'agira d'une entreprise de l'humanité. Ce n'en est pas une. Cette mission sera américaine.

Seth secoua de nouveau la tête.

— Je répète qu'il s'agit d'une mission de l'humanité.

— Comment pouvez-vous dire ça alors que l'Amérique dirige tout le processus et va organiser la mission spatiale pour intercepter *Phanès*.

L'astrophysicien désigna la scientifique hongroise.

— Cette mission n'est pas américaine mais internationale, comme le prouve la présence d'Emese et le fait que nous nous trouvions au Vatican pour débattre de cette question avec vous et avec Son Éminence, souligna-t-il. L'Amérique est simplement à l'origine du projet, Tom. Toute l'opération est menée en lien avec la communauté internationale. D'ailleurs, les contacts ont commencé hier. Le président a téléphoné personnellement à plusieurs dirigeants mondiaux, notamment des alliés mais aussi des adversaires, ainsi qu'à des personnalités telles que le secrétaire général de l'ONU, le pape, le grand mufti du Caire et le dalaï-lama afin de les informer des événements et préparer une déclaration publique officielle. Parallèlement, la NASA a contacté l'Agence spatiale européenne et l'a officiellement invitée à participer à la mission *Phanès*. Ce qui explique la présence d'Emese. Nous avons aussi invité d'autres agences spatiales, notamment l'agence russe, Roscosmos, et la chinoise, CNSA, à intégrer le projet. Nous souhaitons que tous collaborent.

— Par collaborer, vous voulez dire qu'ils donnent leur bénédiction à l'Amérique…

— *Jeez,* ce que vous pouvez être méfiant…

— Je ne suis pas méfiant. J'ai juste été échaudé par certains événements qui se sont produits dans le passé impliquant des organismes américains.

— J'insiste : c'est une mission internationale. Ce qui signifie que tous les pays et les institutions internationales concernés devront y contribuer avec des moyens humains et techniques et, bien évidemment, avec des fonds. Outre les pays, nous comptons aussi beaucoup sur des partenaires dans le domaine scientifique. L'Agence spatiale européenne et la CNSA chinoise ont déjà répondu positivement, tandis que Roscosmos, l'agence russe, s'est engagée à le faire rapidement. Comme vous pouvez le voir, le processus est engagé.

Tomás eut l'air impressionné.

— Quel est le plan ?

— Nous procédons actuellement à la constitution d'une équipe internationale, ce qui devrait être fait d'ici demain, au plus tard. Le principal problème concerne le véhicule qui transportera cette équipe dans l'espace à la rencontre de *Phanès.*

— Pourquoi ne pas utiliser une navette spatiale ?

Un sourire affleura sur les lèvres de Seth Dyson.

— Je vois que vous êtes vraiment futé, Tom, dit-il avec une évidente satisfaction. C'est effectivement la solution. Il est vrai que le programme de la navette spatiale a été arrêté, mais un appareil est toujours conservé à Cap Kennedy. Nous allons le récupérer et l'utiliser pour cette opération. *Atlantis* est actuellement en cours de préparation et dès que l'équipe aura été constituée, les astronautes suivront une formation éclair et… pfff !, ils décolleront pour aller à la rencontre de *Phanès.*

— Quand cela ?

— Eh bien, d'après nos plans…

Le téléphone posé sur le bureau du cardinal Panunzio sonna à ce moment-là, interrompant la conversation. Agacé, le secrétaire d'État du Saint-Siège saisit le combiné.

— *Pronto,* s'exclama-t-il irrité. C'est toi Renzo ? *Mamma mia* ! N'ai-je pas expressément demandé que l'on ne me dérange pas ? Et alors pourquoi est-ce que… – Il fit une pause et sa mine se transforma totalement, puis il reprit sur un ton plus conciliant. – Ah, *bene, bene*. Tu as bien fait Renzo. Très bien. Je vais brancher le haut-parleur.

L'ecclésiastique appuya sur une touche du téléphone afin de de le mettre en haut-parleur, puis il reposa le combiné.

— Votre Éminence ? demanda le secrétaire particulier du cardinal Panunzio à l'autre bout du fil. Puis-je établir la communication ?

— Allez-y.

On entendit un clic et l'appel fut transféré.

— Allô ? fit une nouvelle voix. Vous m'entendez ?

— Oui. Ici Paolo Panunzio, secrétaire d'État du Saint-Siège, dit-il. Comment allez-vous colonel Popov ? C'est un honneur de vous parler.

— Ah, Éminence, répondit la voix dans le haut-parleur avec un fort accent russe. Excusez-moi de vous importuner. On m'a dit que vous étiez en réunion avec le professeur Dyson. Or, il faut que je lui parle de toute urgence pour des raisons que Votre Éminence n'ignore pas, c'est pourquoi je crains d'avoir été un peu brusque avec votre pauvre secrétaire particulier qui ne voulait pas transmettre mon appel. Pensez-vous que je pourrais m'entretenir quelques instants avec le professeur Dyson ? Il s'agit d'une affaire de la plus haute importance, croyez-moi.

— Bien sûr, colonel Popov. J'ai branché le haut-parleur afin que le professeur Dyson puisse vous entendre. J'ajoute que le professeur Bozóki, de l'Agence spatiale européenne, et le professeur Noronha, invité du Saint-Siège, se trouvent également avec nous. Nous discutions de la mission *Phanès*, j'espère donc que vous ne voyez pas d'inconvénient à ce nous écoutions tous la conversation ?

— Je me réjouis que la représentante de l'Agence spatiale européenne soit avec vous car ce que j'ai à dire l'intéresse également. Quant au professeur Noronha, c'est à vous de décider s'il peut ou non écouter la conversation.

— Le professeur Noronha y est autorisé, colonel Popov. Nous étions justement en train de lui expliquer ce qui se passe.

— Dans ce cas, très bien.

— Vous pouvez parler, soyez sans crainte.

La voix au bout de la ligne interpella l'Américain.

— Professeur Dyson ?

L'homme de la NASA se pencha vers le téléphone.

— Je vous écoute, colonel.

— Ici Alexander Popov, directeur de Roscosmos. Je vous appelle de Moscou, comme vous devez vous en douter.

— C'est exact, nous l'avions compris, colonel. Je suppose que vous m'appelez au sujet de la mission *Phanès* ? Nous pouvons compter sur Roscosmos ?

Le Russe fit une courte pause.

— Ce n'est pas si simple, je le crains, dit-il avec prudence. Nous avons débattu de cette question entre nous. Après avoir longuement analysé le problème, nous sommes parvenus à un consensus et j'ai été mandaté pour négocier avec vous avant que notre pays n'officialise sa position auprès de Washington et des Nations unies.

— Je vous écoute, colonel. Sur quelle base êtes-vous disposés à participer à ce projet ?

— Vous pouvez compter sur nous…

— Excellent !

— … dès lors que vous acceptez une condition préalable qui, pour nous, n'est pas négociable.

Levant les yeux avec ennui, Seth Dyson fit grincer ses dents d'impatience. Les Russes avaient le don de tout compliquer !

À tous les coups, c'était les habituelles questions de protocole qui les préoccupaient, et ils ne voulaient pas apparaître dans une situation d'infériorité par rapport aux États-Unis. Comment les gens pouvaient-ils être ainsi jaloux et s'inquiéter de choses aussi mesquines face à un événement aussi grandiose et transcendant dans l'histoire de l'humanité que celui qui approchait ?

— Vous ne voulez pas que nous dirigions cette mission, j'ai compris, grommela-t-il. Ne vous en faites pas colonel. Cette opération sera réellement internationale. Personne ne dominera pers…

— Non, non, coupa le Russe. Ça n'a rien à voir, professeur. Notre problème n'est pas là.

— Ah bon ? – L'homme de la NASA hésita. – Mais alors que voulez-vous concrètement ?

Nouvelle pause, comme si le directeur de l'agence spatiale russe rassemblait son courage pour exposer la position de son pays. Il pouvait peaufiner les termes, adoucir l'idée, l'entourer de précautions oratoires, il restait un militaire et, craignant les équivoques, le pire qui pouvait arriver dans une telle situation était justement de susciter des malentendus, il finit par opter pour la franchise.

— Nous voulons que *Phanès* soit détruit.

XI

Un silence pesant s'abattit sur le cabinet du secrétaire d'État du Saint-Siège. Tous se regardèrent, se demandant s'ils avaient bien entendu. L'exigence du colonel Popov, le directeur de Roscosmos, était si incroyable que les personnes qui se trouvaient dans le cabinet, au Palais apostolique, pensèrent qu'elles n'avaient pas bien entendu. Ou bien que le responsable de l'agence spatiale russe s'était mal exprimé.

— Qu'avez-vous dit ?

À l'autre bout de la ligne, la voix répéta tranquillement ce qu'elle venait de dire.

— Nous voulons que *Phanès* soit détruit.

Seth cligna des yeux et demeura un instant muet, tant ce qu'il venait d'entendre lui paraissait absurde.

— Vous plaisantez, colonel ?

— Nous ne sommes pas ici pour plaisanter, professeur Dyson, répondit-il sèchement. Nous voulons que *Phanès* soit détruit.

— Mais… mais…

— Notre idée est très simple. Nous préparons des missiles avec des ogives nucléaires, nous les programmons et nous les pointons sur l'objectif. Lorsque celui-ci s'approchera, nous tirons et nous l'expédions en enfer. Comme vous pouvez le voir, rien de bien compliqué.

L'Américain ébaucha une moue d'incrédulité.

— Vous devez forcément plaisanter.

— Nullement, professeur Dyson. Ce n'est qu'à cette condition que nous accepterons de faire partie de la mission.

— C'est vraiment votre position ?

— C'est la position de la Russie.

Le visage de Seth s'empourpra soudainement.

— Vous êtes devenus complètement fous ? explosa-t-il, sortant de ses gonds. Vous voulez détruire *Phanès* ?

— Exact, professeur, répondit le Russe le plus tranquillement du monde, comme s'il était un robot. Et inutile de vous emporter.

— Vous êtes tous devenus fous en Russie ? L'humanité va avoir son premier contact avec une civilisation extra-terrestre et ce que vous trouvez de mieux à faire c'est de lui déclarer la guerre ? Ils viennent nous voir et nous leur balançons une bombe atomique ? C'est ça votre plan ?

— Oui, c'est ça notre plan.

— Mais... mais... quelle absurdité !

— Ce n'est nullement une absurdité, professeur, rétorqua le directeur de Roscosmos. C'est l'opinion de notre gouvernement, qui a été arrêtée conjointement avec la hiérarchie militaire. Nous avons étudié la question et un consensus s'est dégagé à cet égard. Nous ne savons pas quelle est cette civilisation qui nous envoie un vaisseau et quelles sont ses motivations. Nous savons en revanche que la lutte entre les espèces pour la survie est une loi naturelle. Si elle est valable sur Terre, elle l'est probablement aussi dans le reste de l'univers. Par conséquent, l'objet qui s'approche de nous constitue une menace. Nous devons nous protéger et le moyen le plus sûr de le faire est de l'anéantir avant qu'il ne nous détruise.

— Comment pouvez-vous savoir que *Phanès* représente une menace ?

— Et comment pouvons-nous savoir que ce n'est pas le cas ? Depuis Darwin, nous savons que le conflit est une loi naturelle. Il nous semble raisonnable et prudent de supposer que nous nous trouvons face à une menace.

— Mais qui peut bien propager de telles bêtises sur Darwin ? J'ai du mal à croire que ce sont vos biologistes…

— Tout le monde connaît la loi du plus fort, professeur. C'est une loi naturelle, comme vous devez le savoir.

— Écoutez, colonel, dit Seth, rassemblant toute la patience dont il était capable. Il s'agit du premier contact entre l'humanité et une intelligence extra-terrestre. Il ne viendrait à l'idée de personne que la première chose à faire dans de telles circonstances serait de sortir la grosse artillerie. Ce serait pure folie.

— La folie, ce serait de les laisser s'approcher de nous, professeur. Une folie et un danger.

— Ce qui est dangereux, colonel, c'est de les accueillir avec des armes nucléaires alors qu'ils nous tendent la main. C'est ça qui serait dangereux. Cette civilisation dispose certainement d'une technologie plus avancée que la nôtre et si on l'attaque, elle risque de nous anéantir, songez-y.

— Si nous les détruisons les premiers, ils n'oseront plus s'en prendre à nous. Ils n'auront pas le temps de recueillir des informations sur nous et de déterminer notre niveau de développement. Dans le doute, ils nous laisseront en paix. Selon nous, l'heure est grave et nous devons montrer notre force et non notre ingénuité. Soit nous tuons, soit nous sommes tués.

Parler avec l'officier russe était comme parler à un mur, se dit Seth. L'Américain regarda ceux qui étaient avec lui, comme s'il leur demandait ce qu'il pouvait faire.

— Les scientifiques russes, suggéra Emese en murmurant. Demandez-lui ce qu'en pensent les scientifiques russes.

C'était une bonne idée, songea Dyson. D'ailleurs, lui-même s'était déjà demandé ce que ses collègues russes pouvaient bien penser du discours que leur tenait le directeur de Roscosmos. Seth se pencha de nouveau vers le micro du téléphone.

— Dites-moi une chose, colonel, je vous prie. Mon éminent collègue qui dirige l'Académie russe des sciences, le professeur Lukhov, partage-t-il votre position ?

Un court silence se fit sur la ligne, puis la réponse leur parvint, sur un ton sec.

— Le professeur Lukhov n'est pas ici.

— Je ne vous ai pas demandé s'il était avec vous, colonel. Je vous ai demandé s'il était d'accord avec votre position ?

— Le professeur Lukhov n'est pas ici.

En somme, ils le comprirent tous, l'Académie russe des sciences s'opposait à la décision du gouvernement et des militaires russes, et elle avait été réduite au silence.

— Et le professeur Markhov, de la Société russe d'astronomie ? Que pense-t-il de votre décision ?

— Le professeur Markhov n'est pas ici.

— Et le professeur Vassiliev, chef du département scientifique de Roscosmos ? Vous l'avez certainement consulté…

— Le professeur Vassiliev n'est pas ici.

La réponse était si répétitive qu'elle semblait mécanique.

— Si j'ai bien compris, colonel, tous vos principaux scientifiques sont soudainement partis en vacances sur les bords de la mer Noire ? Ou bien serait-ce en Sibérie ?

— Écoutez professeur, il est inutile de continuer ce petit jeu qui ne nous mènera nulle part, s'impatienta le colonel Popov. Notre position est claire et elle a été approuvée au plus haut niveau au Kremlin. Nous considérons que le vaisseau qui s'approche constitue une menace évidente pour l'humanité et que nous devons nous protéger. J'ai besoin de savoir, clairement, si vous acceptez notre position. Si tel n'est pas le cas, nous ne pourrons pas participer à la mission internationale.

— Comment pourrions-nous l'accepter ! rétorqua Seth. C'est absolument hors de question ! Même sans avoir consulté les autorités de mon pays, je peux vous assurer, colonel, que personne en Amérique n'approuvera une telle sottise ! N'y songez même pas ! Nous n'allons pas bombarder *Phanès* !

— Très bien, je pars du principe que telle est la position de l'Amérique. Mais qu'en pensent vos partenaires ?

— Le professeur Bozóki, de l'Agence spatiale européenne, est avec moi. Écoutons ce qu'elle a à dire.

La Hongroise se pencha vers le micro.

— Il est impensable qu'on détruise *Phanès* et qu'on assassine son équipage, déclara Emese. Nous n'acceptons même pas de discuter d'une telle possibilité. Le moment est trop important pour qu'on envisage une hypothèse aussi absurde.

À peine s'était-elle tue que le secrétaire d'État du Saint-Siège intervint.

— *Signor* colonel, c'est le cardinal Panunzio qui vous parle. *Scusate,* mais je vous saurais gré de m'éclairer sur un point en particulier. Que pense Son Éminence le patriarche de l'Église orthodoxe russe de cette question ?

— Avec tout le respect que je vous dois, Votre Éminence, vous comprendrez que cette affaire est du ressort de l'État, pas de l'Église.

— Dois-je en conclure que Son Éminence le patriarche de Moscou n'a même pas été consultée ?

— Cette affaire est du ressort de l'État, un point c'est tout, insista le directeur dc Roscosmos. La Sainte Église russe sait très bien quelle est sa place.

— S'il en est ainsi, colonel, en tant que secrétaire d'État du Saint-Siège, je me dois de vous dire que nous rejetons avec la plus grande fermeté les propositions violentes et agressives que vous avez exprimées au cours de cette conversation. *Per carità,* j'en appelle à la tolérance. J'en appelle à la compassion. À la paix. La guerre ne nous mènera nulle part. L'événement qui va se produire dans dix-sept jours est l'un des plus importants de l'histoire de l'humanité. Pouvez-vous le comprendre, colonel ? Nous sommes des êtres humains, qui agissons de bonne foi, et nous élevons notre esprit vers le ciel. *Santo cielo* ! Nous pensons que les êtres qui arrivent sont, au même titre que nous, des créatures de Dieu. Montrons au Seigneur que nous sommes dignes de Lui et de Son œuvre merveilleuse. Nous irons à la rencontre de ceux qu'Il a guidés de cette lointaine étoile jusqu'à nous avec l'esprit qui animait les rois mages lorsqu'ils suivirent l'étoile de Bethléem qui les conduisit jusqu'à Notre Seigneur, Jésus Christ. Nous le ferons en paix et le cœur plein de compassion. En venant à nous, ces êtres viennent également vers le Christ, car c'est sur cette Terre que Jésus est né pour sauver les hommes. Nous embrasserons ces enfants de Dieu et nous leur montrerons que le cœur humain est universel et plein d'amour. Je prie Dieu pour qu'il vous éclaire et vous montre que votre chemin n'est ni celui de la vérité, ni celui de la compassion. *Per amore del cielo,* écoutez la Parole du Seigneur car c'est la parole du salut et de la miséricorde infinie.

À l'autre bout du fil, le Russe soupira.

— Je crois que nous n'avons plus rien à nous dire, conclut le colonel Popov d'une voix compassée. Puisqu'il en est ainsi, madame et messieurs, je vous informe que mon président va annoncer officiellement notre réponse à vos gouvernements et au secrétaire général de l'ONU, et tenter de les convaincre du bien-fondé de notre position. J'espère que le bon sens prévaudra.

— Et nous, nous espérons que vous reviendrez à la raison, répondit Seth avec amertume. Mais si ce n'est pas le cas, je me dois d'être sincère et de vous dire que je me réjouis que vous restiez en dehors de cette mission. Je me félicite que vous ne fassiez pas partie de la mission *Phanès.* Nous devons à tout prix éviter, en l'occurrence, une telle attitude insensée, belliqueuse et, convenons-en, extrêmement dangereuse. – Il fit un signe de la main en direction du téléphone. – Bonne journée, colonel.

On entendit un clic qui mit fin à l'appel.

XII

Pendant un long moment qui suivit la conversation téléphonique, personne ne put dire un mot. Chacun demeura immobile, tel des statues, abasourdies, le regard dans le vide, repensant à ce qui venait de se dire. Comme si tous avaient besoin de se rappeler les mots entendus pour se convaincre qu'elles ne s'étaient pas trompées.

Le cardinal Panunzio finit par rompre le silence.

— Je ne comprends pas, dit-il. *Dio mio,* mais quelle est cette folie ? Que leur arrive-t-il ? Ils ont perdu la raison ? *Santa Madonna* ! Que Dieu nous aide !

Haussant les épaules, Emese résuma d'un mot ce qu'elle pensait.

— Les Russes !

— Mais se peut-il qu'ils ne comprennent pas ce qui est en jeu ? s'interrogea Seth. Comment est-il possible, alors que nous sommes à deux doigts d'une rencontre historique avec une civilisation extra-terrestre, que la première chose qui leur vienne à l'esprit soit la guerre ? Vivraient-ils encore dans la barbarie ?

— Ils sont paranoïaques, fit observer Tomás. Si l'on veut comprendre la manière de raisonner des Russes, il suffit de regarder leur histoire. Tout y est.

— Que voulez-vous dire par-là ?

— Eh bien ! Vous ne connaissez pas l'histoire de la Russie ? demanda-t-il. Le pays a toujours été un gigantesque champ de bataille. La Russie est coincée entre deux continents, l'Europe et l'Asie et, pendant des siècles et des siècles, elle a été traversée par tous ceux qui voulaient aller d'un côté à l'autre. Les Russes ont subi les invasions sanglantes de Gengis Khan, de Napoléon et d'Hitler, ils ont eu des tsars sanguinaires, ils ont dû supporter Raspoutine et d'autres fous du même acabit, ils sont morts par centaines de milliers au temps de Lénine et de Staline, sans oublier le goulag et son cortège d'horreurs. Ils ont toujours été opprimés et ont vécu une tragédie sans fin. Les Russes ont appris à avoir peur de tout, y compris de leur ombre.

— C'est vrai.

— Comment voulez-vous qu'ils réagissent lorsqu'on leur annonce que des êtres inconnus, dotés d'une technologie plus avancée que la nôtre, arrivent ? Il est normal qu'ils paniquent. Leur paranoïa traduit simplement le traumatisme que les étrangers leur ont infligé. Ils ont appris à se méfier de l'inconnu, à craindre l'autre et à réagir de la seule manière qu'ils connaissent face à l'imprévu : avec agressivité. Et ça, croyez-moi, c'est un problème. Un grand problème.

L'homme de la NASA fit un geste d'indifférence, comme si la question était dépassée.

— Ce n'est plus un problème, dit-il avec superbe. Les Russes se sont exclus de la mission *Phanès* et ils ne peuvent ainsi ni nous perturber ni nous causer de dommages.

L'affaire semblait classée, mais le Portugais fit une grimace, comme s'il ruminait une idée.

— Je dois reconnaître que la question qu'ils soulèvent suscite néanmoins quelques interrogations. – Il serra les paupières, l'air pensif. – Je me demande si… si…

— Si, quoi ?

Tomás soupira. Le doute s'était insinué en lui et il devait l'éliminer.

— Ce qui me laisse songeur, c'est la référence qu'a faite le colonel Popov à la lutte entre les espèces. Se pourrait-il qu'il ait raison et qu'il s'agisse effectivement d'une loi universelle ? Si tel est le cas, quelles en seraient les conséquences pour cette mission ?

Seth cligna des yeux avec impatience.

— Écoutez, Tom, ce ne sont que des sornettes…

— Si vous me le permettez, Seth, j'aimerais que ce soit moi qui éclaire Tomás, demanda Emese. Après tout, je suis astrobiologiste, c'est ma spécialité.

— Je vous en prie.

La scientifique hongroise se tourna vers l'historien.

— De fait, la théorie de Darwin sur l'évolution a contribué à populariser l'idée de la compétition entre les espèces, de la loi du plus fort, etc. En toute rigueur, ce concept est fondé. Il suffit de regarder la nature ou de voir un documentaire sur la vie animale à la télévision pour comprendre que les différentes espèces sont effectivement en concurrence les unes avec les autres. Ou elles mangent ou elles sont mangées. C'est ce qu'on nomme vulgairement la loi de la jungle, mais que nous autres, biologistes, appelons la sélection naturelle, car la concurrence commence à l'intérieur des espèces elles-mêmes.

— Là-dessus, il n'y a aucun doute.

— Si j'ai bien compris, la question qui vous tracasse est celle-ci : et si le colonel Popov avait raison ?

En formulant la question ainsi, l'astrobiologiste de l'Agence spatiale européenne avait réellement atteint le cœur du problème. Et si la loi de la jungle prévalait vraiment dans l'univers ?

XIII

Le scénario envisagé par le directeur de Roscosmos et que Tomás avait repris ne sembla pas impressionner l'astrobiologiste de l'Agence spatiale européenne. Cette question avait déjà été dûment examinée par les scientifiques impliqués dans le projet.

— Je comprends vos craintes, dit Emese. Les concepts de loi de la jungle et de lutte entre espèces, où le plus fort l'emporte sur le plus faible, sont profondément ancrés dans l'imaginaire populaire. Ce qui est moins connu, cependant, c'est le mécanisme très souvent utilisé par les êtres vivants pour survivre, qui va au-delà de la compétition.

Tomás écarquilla une paupière.

— Au-delà ? Qu'y a-t-il au-delà de la compétition ?

— La coopération.

— Mais ce n'est pas ce que Darwin a découvert…

— Darwin marque une étape, la première, dans la compréhension du mécanisme qui conduit à l'évolution des espèces, mais de nombreuses découvertes ont ensuite été faites qui complètent, voire corrigent la thèse initiale, expliqua-t-elle. L'une d'elles a trait à l'importance de la coopération. L'évolution et la survie reposent pour une large part sur la coopération, ce que nous avons tendance à oublier, mais que les études ne cessent de confirmer. On peut voir ça non seulement chez les humains et les mammifères, mais aussi chez les oiseaux, les reptiles, les insectes, les poissons, les plantes… et même dans les cellules et les génomes ! La coopération existe dans tous les domaines de la biologie. Les êtres vivants survivent et évoluent grâce à la coopération qu'ils sont capables de mettre en œuvre à plusieurs niveaux.

— Et les Russes ne le savent pas ?

— Bien sûr que si ! Ce n'est pas par hasard que, lorsque le directeur de Roscosmos a commencé à parler des lois de Darwin et de je ne sais quoi d'autre, j'ai suggéré à Seth de lui demander s'il exprimait un point de vue partagé par les scientifiques Russes. Il va de soi que cette question n'était pas innocente. Comme vous l'avez peut-être remarqué, le colonel a pris soin de ne pas invoquer l'opinion de ces scientifiques. Il ne l'a jamais fait. Et il y a une raison à cela. L'importance de la coopération dans l'évolution des espèces est un phénomène amplement connu des biologistes, et il ne fait aucun doute que mes collègues russes l'ont expliqué à leur gouvernement et à leurs militaires. Ce qui s'est passé, c'est que les autorités russes ont délibérément choisi d'ignorer l'avis des scientifiques. Elles ont pris une décision politique qui va à l'encontre des connaissances scientifiques. C'est ça le problème.

— Vous pensez donc que les extra-terrestres qui arrivent sont pétris de l'esprit de coopération ?

— L'objet qui s'approche de nous, Tomás, n'est pas une flotte. C'est un vaisseau. – Elle leva l'index pour souligner l'idée. – Un seul. Un simple vaisseau ne me paraît pas constituer une menace si grande pour l'humanité, vous ne trouvez pas ? À la limite, cela peut représenter un danger pour l'équipage qui participera à la mission, mais j'en doute fortement car c'est une civilisation intelligente qui nous l'envoie.

— Précisément. Puisqu'il s'agit d'une espèce intelligente, la menace ne pourrait-elle être plus grande ?

— Mais quelle menace Tomás ? insista Emese. C'est juste un vaisseau. En outre, si *Phanès* a traversé l'espace profond, entre le système solaire et Tau Sagittarii, situé à plus de cent-vingt années-lumière, c'est parce qu'il a été lancé il y a des milliers d'années. Ce qui signifie que la civilisation qui l'a envoyé existait il y a des milliers d'années. À présent, je voudrais vous demander, à vous qui êtes historien : une civilisation peut-elle survivre sans coopération ?

Le Portugais considéra la question ; c'était là un excellent thème d'analyse historique.

— En effet, les leçons de l'histoire que nous retenons concernent plus les conflits, les guerres, les invasions, etc. Mais en réalité, les civilisations reposent davantage sur la coopération, l'ordre et la paix. Nous avons eu la *pax romana*, par exemple. Et on constate aussi que l'évolution de la civilisation est liée aux progrès de l'éthique. Voyez Confucius en Chine, Socrate en Grèce et Kant en Occident.

— Précisément, acquiesça-t-elle. Une civilisation vieille de plusieurs milliers d'années a nécessairement développé une éthique de coopération car aucune espèce ne parvient à s'imposer uniquement par le conflit, comme tout biologiste se doit de le savoir. En préservant les autres, l'espèce se préserve aussi elle-même. S'il y a une chose que la science a comprise, de la physique quantique à la biologie, c'est que nous sommes tous liés. L'idée que nous sommes séparés les uns des autres n'est qu'une illusion. Plus une civilisation est développée, plus elle comprend cette réalité fondamentale.

— La coopération serait donc une stratégie victorieuse des espèces intelligentes…

— Absolument. Mais pas uniquement de celles qui sont intelligentes. Les biologistes ont découvert que le secret des espèces qui ont le mieux réussi n'est pas seulement l'intelligence, mais le développement de systèmes sociaux complexes fondés sur la coopération. Regardez les fourmis, qui ne sont pas vraiment connues pour leur intelligence. Elles se partagent le travail, les unes protègent la colonie, d'autres pratiquent l'agriculture, d'autres encore recherchent des aliments. Les fourmis ont un comportement altruiste et certaines se sacrifient pour les autres. La coopération est tellement efficace que, bien qu'elles représentent à peine deux pour cent des deux millions d'espèces d'insectes connues, les espèces d'insectes qui coopèrent entre elles dominent les autres espèces en nombre, en biomasse et par leur impact sur l'environnement. Les communautés qui s'appuient mutuellement ont plus de chances de survivre que celles qui entretiennent le conflit.

Attentif à la conversation, le cardinal Paolo Panunzio approuva ce point.

— Celui qui tue par le glaive périra par le glaive.

— L'altruisme est une bonne stratégie biologique, insista l'astrobiologiste. L'une des raisons du succès de l'espèce humaine tient à ses compétences sociales, à sa capacité de coopérer. Je t'aide, tu m'aides. Si les fourmis coopérantes dominent le monde des invertébrés, les êtres humains coopérants dominent le monde des vertébrés. Les espèces dominantes sont donc celles qui mettent en œuvre des stratégies de coopération. Mais il est vrai que, l'altruisme et la coopération étant des impératifs de l'évolution même chez des espèces qui ne sont pas intelligentes, les caractéristiques coopérantes tendent à s'accentuer chez les espèces intelligentes. Dans leur processus de coopération, celles-ci en viennent à développer des concepts comme la morale et l'éthique, de façon à éviter la loi de la jungle. L'humanité a peu à peu remplacé la loi de la force par la force de la loi. Plus une civilisation est avancée, plus est importante la force de la loi, et moins la loi de la force. Ce principe doit aussi être valable pour d'autres civilisations.

— Mais une civilisation extra-terrestre ne pourrait-elle pas s'imposer sans développer des capacités de coopération ?

La scientifique de l'Agence spatiale européenne fixa ses yeux bleu clair sur Tomás.

— C'est vous l'historien, observa-t-elle. Qu'en pensez-vous ?

Le Portugais se vit dans l'obligation de répondre lui-même à sa question.

— Eh bien… il se peut que les extra-terrestres n'aient pas besoin de compétences sociales, ni de morale, déclara-t-il. Nous sommes face à l'inconnu. Cela étant, les aptitudes sociales et la capacité de coopération paraissent en fait essentielles au succès d'une civilisation. Et lorsqu'il y a interaction sociale, il doit y avoir des lois, de la morale et de l'éthique. Ce qui m'amène à penser qu'il est fort probable qu'une civilisation extra-terrestre soit éthiquement développée. Nous pouvons être rassurés.

— Vous voyez.

— Il convient aussi de considérer un autre aspect, ajouta Tomás, comme s'il venait de penser à autre chose. La longévité de la civilisation qui nous a envoyé *Phanès*.

— La longévité ?

— L'observation que vous avez faite tout à l'heure sur le fait que *Phanès* a commencé son voyage il y a très longtemps m'a laissé songeur. Si j'ai bien compris ce que vous avez dit, Tau Sagittarii se trouvant à plus de cent-vingt années-lumière de la Terre, le vaisseau a été envoyé il y a des milliers et des milliers d'années.

— C'est exact. Et alors ?

— Nous savons que la civilisation qui l'a envoyé existait il y a encore peu de temps, ce que confirme le signal « *Wow!* », que nous avons reçu en 1977.

— Oui…

— Une civilisation qui a développé une technologie hautement avancée, comme l'est nécessairement celle qui nous a transmis le signal « *Wow!* » et nous a envoyé *Phanès*, a probablement aussi mis au point une technologie hautement destructrice. Je pense à une technologie capable d'annihiler toute vie sur une planète entière. Cela signifie que les probabilités pour qu'une telle civilisation s'autodétruise sont très élevées. Si la civilisation de Tau Sagittarii a survécu des milliers d'années, cela nous incite fortement à penser qu'elle a élaboré des normes éthiques suffisamment élevées pour empêcher l'usage autodestructeur de cette technologie, non seulement pour l'espèce, mais aussi pour la planète entière. Il est indispensable qu'une espèce intelligente établisse des normes éthiques qui lui permettent de vivre en harmonie avec son milieu, de manière à sauvegarder l'écosystème. Si cela ne se produit pas, la probabilité d'extinction est très élevée.

Bozóki Emese apprécia le raisonnement.

— Je n'avais pas vu les choses sous cet angle, mais il est évident que vous avez raison. Il est impossible qu'une technologie avancée aille de pair avec une éthique arriérée. Une telle situation conduirait inévitablement l'espèce à l'autodestruction car elle n'aurait aucun scrupule à utiliser la technologie qu'elle a mise au point pour tout dévaster autour d'elle.

— Si la civilisation qui nous a envoyé *Phanès* est développée et a survécu des milliers d'années, c'est parce qu'elle a élaboré des normes éthiques très élevées. Sans cela, à l'heure qu'il est, elle serait éteinte.

— Sans aucun doute, rétorqua-t-elle. D'ailleurs, nous les biologistes, nous avons déjà constaté que les animaux peuvent établir des liens d'amitié et même d'amour entre eux ou à l'égard de leurs maîtres, le concept d'amour devant être ici utilisé avec quelques réserves, puisqu'il s'agit d'une notion subjective, qui n'est donc pas mesurable. Plus un animal est intelligent plus ces capacités sont grandes. Dès lors, rien d'étonnant à ce que les animaux supérieurs développent des aptitudes en rapport avec la coopération, la morale et l'éthique, les notions de bien et de mal, de justice et d'injustice. En somme, c'est ce que nous pouvons attendre d'une civilisation extra-terrestre développée : une éthique respectueuse de l'écosystème.

La conclusion logique s'imposa à Tomás.

— En somme, le scénario présenté par les Russes n'est guère probable. Par conséquent, *Phanès* n'est pas une menace.

Ce fut au tour de Seth de prendre la parole.

— Rien n'est impossible lorsqu'on a affaire à l'inconnu, comme vous l'avez fort justement fait remarquer à l'instant. Je pense cependant que nous ne devons avoir aucune crainte à cet égard, non seulement parce qu'il nous semble évident qu'une civilisation ne peut atteindre un niveau avancé que si elle développe des aptitudes sociales fortes, comme l'éthique et le droit, mais aussi pour une autre raison que nous ne vous avons pas encore exposée.

— Laquelle ?

L'homme de la NASA prit un air mystérieux.

— Je fais allusion à certains éléments du message que nous avons reçu de *Phanès*, et qui nous rassurent davantage à cet égard.

Tomás parut intéressé.

— Quels sont ces éléments ?

— Vous le saurez le moment venu, Tom.

— Les Russes sont au courant ?

L'allusion aux Russes parut agacer Seth Dyson.

— Ils en ont été informés, oui.

— Et… ?

— Vous n'avez pas entendu ce qu'a dit le colonel Popov tout à l'heure ? demanda-t-il un peu tendu. Vous n'avez pas remarqué qu'il était agressif ?

Le Portugais acquiesça.

— Oui, la nature paranoïaque des Russes les empêche de voir ce qui est évident. Cela ne fait aucun doute.

Seth secoua la tête comme s'il pouvait ainsi oublier le dialogue qu'il avait eu quelques minutes plus tôt avec le responsable de Roscosmos.

— Quoi qu'il en soit, ils ne sont plus dans ce projet. – Il sembla se résigner à cette idée. – C'est mieux ainsi. Ils n'auraient fait que compliquer les choses, créer des problèmes, soulever des obstacles. Sans les Russes, tout sera plus facile.

L'historien ne partageait pas cette certitude.

— À votre place, Seth, je ne crierais pas victoire trop tôt.

— Que voulez-vous dire par-là ?

En guise de réponse, Tomás se tourna vers la scientifique de l'Agence spatiale européenne.

— Qu'en pensez-vous Emese ? demanda-t-il. En Hongrie, vous avez eu une longue expérience de coexistence avec les Russes, n'est-ce pas ? Que vous inspire tout cela ?

La Hongroise se cala dans son fauteuil et considéra la question.

— Je crois que vous avez raison, Tomás. Je doute fort qu'ils en restent là.

— Ah bon ! s'exclama Seth. Et que pourraient bien faire ces fous ?

— Je ne sais pas, dit l'astrobiologiste. Mais vous pouvez être sûr qu'ils ont plus d'un tour dans leur sac. Les Russes n'agissent que par intérêt.

L'homme de la NASA ébaucha un geste d'impatience, comme s'il voulait passer à autre chose et se concentrer sur ce qui lui semblait vraiment important.

— Si les Russes se sont vexés, tant pis, déclara-t-il. Ce qui importe c'est de conclure cette réunion et d'aller de l'avant car le temps presse. – Il regarda autour de lui comme s'il cherchait de l'aide. – Que disions-nous lorsque cet énergumène des steppes a eu l'idée saugrenue de nous téléphoner ?

— Si je me souviens bien, Seth, vous me parliez de la mission, rappela Tomás. Vous disiez que la navette *Atlantis* allait reprendre du service et qu'on la remettait en état à Cap Kennedy.

— Et l'équipe, s'empressa d'ajouter Emese, rappelant à l'Américain le point le plus important. Nous devons régler cette question au plus vite.

— Ah oui, dit Seth, remettant de l'ordre dans ses pensées. C'est ça, on parlait de la mission. – Il se redressa sur son siège. – Comme vous pouvez l'imaginer, cette mission donne lieu à un certain nombre d'activités parallèles, en particulier les opérations d'ordre scientifique, technique, financier, politique et diplomatique, ainsi que la coordination internationale... bref un tas de problèmes. Dans tout cela, il y a un élément indispensable sur lequel nous devons nous mettre d'accord de toute urgence. Il s'agit de la constitution de l'équipe. Ce point doit être réglé le plus rapidement possible.

— Nous devons constituer une équipe internationale d'astronautes qui soit non seulement efficace et en phase avec les objectifs de la mission, mais aussi représentative de l'humanité, précisa la scientifique de l'Agence spatiale européenne. Et c'est pour cette raison que nous sommes à Rome.

Tomás les regarda sans comprendre.

— Vous êtes venus au Vatican pour constituer l'équipe d'astronautes ? Vous avez besoin d'un prêtre ?

Emese et Seth le dévisagèrent longuement, comme si leur regard suffisait à exprimer leurs intentions.

— Tom, nous avons besoin de vous.

XIV

L'invitation était à ce point inattendue que la première réaction de Tomás fut d'éclater de rire, pensant qu'il s'agissait d'une plaisanterie. Mais, face à l'impertubabilité de ses interlocuteurs, l'historien comprit que la proposition était on ne peut plus sérieuse.

— Qu'attendez-vous de moi ? demanda-t-il méfiant. Que puis-je faire dans la mission *Phanès* ?

— Votre travail.

— Où ? À Cap Kennedy ?

L'astrophysicien de la NASA tendit son doigt vers le haut.

— Dans l'espace.

— Pardon ?

— Venez avec nous là-haut.

Tomás eut une expression d'incompréhension.

— Arrêtez de plaisanter, je vous en prie.

— Nous ne plaisantons pas, Tom, dit Seth. C'est très sérieux. Nous avons besoin de vous pour cette mission.

— Vous voulez que je monte dans… dans la navette ?

— Vous avez des problèmes d'audition ou du mal à comprendre ce qu'on vous dit, Tom ? interrogea l'Américain. Qu'est-ce qui vous a échappé dans cette invitation ? Nous voulons que vous nous accompagniez sur *Atlantis* pour participer à la rencontre avec *Phanès*. Je ne peux pas être plus clair.

Le Portugais les regardait avec incrédulité.

— Mais… mais je ne suis pas astronaute !

Seth Dyson désigna la scientifique de l'Agence spatiale européenne.

— Emese ne l'est pas non plus, dit-il. Et pourtant elle va faire partie de la mission. À vrai dire, pour les vols des navettes, seuls le commandant et le pilote doivent être des astronautes proprement dits, c'est-à-dire qu'ils doivent venir du secteur de l'astronautique. Mais cette conception de l'astronaute, qui remonte à l'époque des premières missions spatiales, est aujourd'hui obsolète. À présent, il y a aussi des spécialistes de mission, comme moi, Emese et beaucoup d'autres. Ce sont des scientifiques qui ont suivi une formation spéciale d'astronautes et qui vont exercer une certaine fonction liée à l'objectif de la mission. Vous aussi Tom, vous êtes nécessaire, mais comme spécialiste de charge utile, ce qui est une autre fonction, et c'est pour cela que nous vous adressons cette invitation.

Tomás demeura stupéfait.

— Mais… pourquoi moi ?

— Parce que nous aurons besoin de communiquer avec l'équipage du vaisseau extra-terrestre, Tom. Lorsque le contact aura lieu, il sera fondamental que nous puissions échanger avec l'équipage du *Phanès*. Et c'est pour ça que nous comptons sur vous.

L'historien ne savait que répondre.

— Écoutez, je dois vous dire quelque chose qui, je le crains, risque de vous surprendre, voire de vous choquer. Je ne sais pas parler la langue des extra-terrestres. J'admets que vous n'y ayez jamais songé, bien que cela soit étrange, mais c'est la réalité et vous devez l'accepter. Il faut que vous compreniez que, lorsqu'ils se mettront à parler, je ne comprendrai pas un traître mot.

L'ironie de ses propos suscita des sourires.

— Il va de soi que personne ne s'attend à ce que vous engagiez la conversation avec l'équipage du *Phanès*, Tom, admit Seth. Si ça se trouve, ils n'ont même pas de bouche. Qui vous dit qu'ils ne communiquent pas en faisant des pets ?

Le cardinal Panunzio gesticula sur son siège, gêné par l'expression.

— Professeur Dyson, je vous en prie, surveillez votre langage.

— Ah, pardonnez-moi, s'excusa l'Américain. Ce que je veux dire c'est qu'il n'y a pas qu'avec les mots que la communication s'établit entre deux parties. Il y a d'autres moyens.

Le Portugais acquiesça.

— Je le reconnais, même si je dois y réfléchir un peu. Vous savez, toute mon expérience est fondée sur la communication entre humains. Je n'avais jamais envisagé de devoir un jour déchiffrer des formes de communication avec des extra-terrestres. Et il n'y a pas de termes de comparaison pour que je puisse comprendre s'il existe ou non des points communs entre nos modes de communication et, dans l'affirmative, quels seraient ces modes. Le fait est que nous ne savons rien sur eux.

La scientifique de l'Agence spatiale européenne plaça la pointe de son index sur sa tempe droite.

— Mais nous avons de l'imagination et une capacité de raisonnement et d'improvisation, rappela Emese. C'est ça qui pourra éventuellement débloquer les choses lorsque la rencontre se produira.

— Je ne le nie pas, reconnut Tomás. Mais… pourquoi moi ? Qu'est-ce qui a motivé votre choix ?

— Vous ne vous sentez pas capable de remplir cette mission ?

— Je ne sais pas, admit-il. Ni moi ni personne ne peut garantir qu'il pourra communiquer avec l'équipage de *Phanès* sans savoir comment ils sont, quelle est leur manière de dialoguer et leur langage spécifique. Communiquent-ils par sons, comme nous ? Ou par le langage gestuel ou l'écriture ? Ou par des odeurs ?

Et pourquoi pas par des sensations tactiles ? Ou bien d'une toute autre manière à laquelle nous ne songeons même pas. Qui sait ? Je n'en ai pas la moindre idée. Ils n'ont peut-être pas d'yeux, ou d'odorat, ou bien ils ont des organes sensoriels qui leur permettent de capter des choses que nous n'imaginons même pas. Les oiseaux ne voient-ils pas des couleurs que nous ne discernons pas et n'y a-t-il pas des serpents qui enregistrent les températures ? Et les chiens, qui entendent des sons que nous ne percevons pas, ou les chauves-souris qui saisissent le monde qui les entourent par l'écho. Qui nous garantit que les modes de perception des extra-terrestres ne sont pas entièrement différents des nôtres et de ceux de l'ensemble de la faune qui existe sur Terre ? Seront-ils comme les plantes ? Ou plus étranges encore ? À quel point seront-ils différents ?

— Le plus probable est qu'ils soient réellement très différents, confirma l'astrobiologiste. Il ne fait presque aucun doute qu'ils seront radicalement différents de tout ce que nous connaissons. Ou bien, et après tout pourquoi pas, il se peut que l'on voie des choses semblables à celles que nous rencontrons sur notre planète, car il existe en biologie des concepts comme celui de l'évolution convergente. Qui sait comment ils seront ?

Tomás respira profondément, songeant aux possibilités immenses qui s'ouvraient.

— En effet, qui sait ? Tout est possible, effectivement. – Il se passa la main dans les cheveux comme s'il cherchait à mettre de l'ordre dans ses pensées. – Écoutez, il doit y avoir de nombreuses personnes bien plus qualifiées que moi pour ce genre de travail. Pourquoi diable m'avez-vous choisi ?

Seth sourit.

— Quelqu'un meilleur que vous ? Qui ?

— Oh, plein de gens, je ne sais pas ! De toute façon, vous n'avez pas répondu à ma question.

Après un court silence, le secrétaire d'État du Saint-Siège prit la parole.

— *Colpa mia,* dit le cardinal Panunzio, sentant que c'était à lui d'éclairer l'historien sur ce point. Ou, pour être plus exact, c'est la faute de *Sua Santità.*

— Du pape ?

— *In fatti,* confirma-t-il. Tout est arrivé hier, après l'appel du président des États-Unis pour nous informer. *Per la Madonna !* Le Saint-Père était rayonnant. Pendant que nous parlions de cela, comme je vous l'ai dit tout à l'heure, le secrétaire général de l'Organisation des Nations unies a téléphoné pour coordonner la réponse de la communauté internationale, y compris des grandes religions. Au milieu de la conversation avec *Sua Santità,* le secrétaire général a indiqué que l'équipe d'astronautes était en cours de constitution et que lui-même, en sa qualité de chef de l'organisation qui représente l'ensemble de l'humanité, avait été chargé de sélectionner la personne qui établirait la communication avec l'équipage de *Phanès.* Le problème c'est que chaque État membre de l'ONU voulait qu'il choisisse un politicien de son pays, et une pression énorme s'exerçait sur lui. Le critère de la compétence était remplacé par celui des intérêts politiques. Non seulement le Saint-Père ne souhaitait pas céder à la pression, mais il sentait aussi que la dernière chose que voulait l'humanité c'était d'être représentée par l'un des pires membres de son espèce.

— L'un des pires ?

— Certainement, confirma-t-il. Qu'y a-t-il de pire qu'un politicien parmi les êtres humains ?

Ils éclatèrent tous de rire.

— Je vois que vous connaissez la chanson, fit observer Seth avec humour. Vous faites partie du sérail.

La plaisanterie détendit l'atmosphère, mais le cardinal Panunzio reprit rapidement le fil de son exposé.

— C'est alors que *Sua Santità* donna son avis. Ce dont votre excellence a besoin, dit-il au secrétaire général de l'ONU, c'est d'une personne qui soit capable de déchiffrer n'importe quelle énigme, car le langage de l'équipage de *Phanès* en sera certainement une étant forcément différent de tout ce que nous connaissions. Il faudra en outre que ce soit quelqu'un qui a fait ses preuves, quelqu'un de respectable, à qui on reconnaît une capacité particulière de communiquer. Il faudra que ce soit un citoyen lambda qui représente les citoyens lambda, mais doté de compétences techniques spécifiques pour décoder des messages énigmatiques. « Mais qui ? » demanda le secrétaire général. Qui peut bien avoir un tel profil ?

— Jésus-Christ ?

L'homme de la NASA n'avait pas résisté au bon mot, mais le secrétaire d'État du Saint-Siège n'apprécia guère le trait d'humour et il lui jeta un regard sévère. L'Américain devint muet et baissa la tête, comme un enfant qui a fait une bêtise. Le cardinal Panunzio porta de nouveau son attention sur Tomás.

— Le Saint-Père vous a désigné, professeur Noronha.

Étant donné ce que venait de dire le numéro deux du Vatican, une telle chute était prévisible. Tomás savait que le pape le tenait en haute estime, comme le montrait du reste sa proposition de célébrer son mariage avec Maria Flor ; mais le Portugais n'était pas certain d'être à la hauteur de cette confiance et de la mission qui lui serait confiée. Malgré les attraits certains qu'elle présentait, la simple idée de quitter la Terre le terrorisait.

— Je suppose que le secrétaire général de l'ONU a accepté la suggestion.

— Il a été absolument enthousiasmé, confirma le cardinal Panunzio. Votre réputation vous précède, *mio figlio*. Personne n'a oublié les services insignes que vous avez rendus à l'humanité au cours de graves crises passées et notre gratitude est sans limites. Pour de nombreuses personnes, vous êtes un héros, professeur, un homme comme les autres et qui les représente tous, avec l'avantage de posséder des capacités inégalées pour déchiffrer des énigmes. En outre, en tant que Portugais, vous venez d'une nation de grands découvreurs. Le navigateur qui est à l'origine de la mondialisation, Vasco de Gama, était portugais. Et le premier homme qui a fait le tour de la planète, Fernand de Magellan, l'était aussi. Vos ancêtres ont été les premiers à traverser les trois océans en une seule fois, et ils sont parvenus jusqu'au fin fond de la Terre, du Brésil au Japon, de l'Angola au Tibet, du Cap Vert à l'Indonésie, de l'Inde à l'Australie. Ils ont côtoyé diverses cultures qu'ils ont contribué à faire connaître. Pourquoi ne pas faire de même dans l'espace ? *Mamma mia* ! N'est-ce pas évident ? Vous êtes la personne parfaite pour cette mission, professeur Noronha. D'ailleurs, le secrétaire général l'a tout de suite compris. Il a immédiatement proposé votre nom aux membres du Conseil de sécurité. Et vous savez quoi ? Aucun ne s'y est opposé.

— Pas même la Russie ?

— La Russie n'a exprimé ses objections qu'aujourd'hui. Hier, les Russes se sont montrés réceptifs et votre nom a été officieusement approuvé. Cependant, pour que la nomination soit officielle, nous avons besoin de votre accord. C'est tout le sens de cette réunion. Les professeurs Bozóki et Dyson sont venus exprès au Vatican pour s'entretenir avec vous et vous convaincre d'aller avec eux à la rencontre de ces créatures que le Seigneur nous envoie.

L'homme de la NASA reprit la parole.

— Le moment est venu de vous prononcer, Tom. L'attente ne peut se prolonger. Des décisions doivent être prises d'urgence car *Phanès* approche et le temps presse. Nous devons partir aujourd'hui même aux États-Unis afin de commencer immédiatement l'entraînement pour la mission.

Tomás sursauta.

— Aujourd'hui !??

— Affirmatif.

— Mais… mais…

L'Américain tendit son doigt vers lui.

— Il n'y a pas de « mais » qui tienne, Tom. Pour toutes les raisons qui ont été ici exposées, vous êtes l'homme de la situation. Le pape a suggéré votre nom, le secrétaire général de l'ONU a été convaincu, le Conseil de sécurité l'a approuvé, la NASA, l'Agence spatiale européenne et les autres agences spatiales ont accueilli votre nom avec enthousiasme. Il ne manque plus qu'une chose : votre accord. Acceptez-vous, oui ou non, de représenter l'humanité dans la mission *Phanès* ?

Tous les yeux se posèrent sur Tomás, attendant qu'il accepte. L'historien demeura un moment silencieux. Il sentait la pression, mais aussi l'énorme responsabilité qui pèserait sur ses épaules. Au moment de vérité, ce serait à lui de communiquer avec l'équipage du vaisseau extra-terrestre et il devait répondre honnêtement à une question cruciale, car il ne pouvait pas tromper ceux qui avaient confiance en lui. Surtout, il devait être à la hauteur des attentes de l'humanité.

Serait-il capable d'accomplir la mission ?

Face à cette question, il dut se rendre à l'évidence et assumer ses doutes.

Il secoua la tête.

— Non…

Tous écarquillèrent les yeux, incrédules.

— Comment ?

Il avait donné cette première réponse presque avec hésitation, comme si lui-même n'était pas convaincu par son refus, comme s'il admettait la possibilité qu'il se trompait, comme si dans le fond il se sentait en fait capable, que personne n'était sans doute mieux placé que lui pour réussir, et qu'au lieu de dire non il devrait plutôt dire oui. Oui. Cependant, après avoir évalué la dimension personnelle du problème, le doute se transforma en certitude et sa deuxième réponse s'affirma cette fois avec conviction.

— Non.

XV

Les membres de la réunion le regardèrent avec stupéfaction, comme s'ils pensaient avoir mal entendu. Tomás Noronha était invité à représenter l'humanité lors du premier contact avec une civilisation extra-terrestre, la chance d'une vie, la possibilité d'entrer dans l'Histoire et de devenir un géant, un Vasco de Gama, un Christophe Colomb, un Magellan, un Armstrong. Et il refusait.

Seth Dyson fut le premier à réagir.

— Je vous demande pardon, Tom, mais j'ai du mal à croire ce que je viens d'entendre, dit-il sur le ton de celui qui ne savait pas s'il devait le sermonner ou le prendre pour un fou. Vous refusez de faire partie de la mission *Phanès* ?

— Oui.

— Mais… mais… pourquoi ?

Tomás se frotta le menton.

— Je ne suis pas sûr de pouvoir remplir convenablement cette mission, allégua-t-il. Je ne sais pas ce que nous allons découvrir et je ne peux pas assumer une responsabilité sans être sûr de ce que je fais. Il me semble peu probable que je parvienne à communiquer avec des êtres extra-terrestres et si j'échoue le moment venu, j'aurai l'impression de tromper tout le monde.

— Vous n'êtes pas certain de pouvoir communiquer avec l'équipage du *Phanès* ? C'est ça le problème ?

— Oui.

L'homme de la NASA remua sur son siège, impatient.

— Alors dites-moi quel est le cryptanalyste qui est certain de pouvoir le faire ?

La question embarrassa Tomás.

— Eh bien... il est clair que...

Seth fit soudainement claquer la paume de sa main sur le bureau, faisant sursauter tout le monde.

— Mais personne n'est sûr de rien, Tom ! s'exclama-t-il. Personne ! Nous sommes face à l'inconnu total. Bien sûr que vous ne pouvez pas garantir que vous serez en mesure de communiquer avec l'équipage du *Phanès*. Mais qui d'autre le peut ?

— En effet... j'en conviens.

— Pour nous, l'important c'est d'avoir à nos côtés la personne la plus qualifiée pour exercer cette fonction. Vous ne savez pas si vous y parviendrez, mais personne ne l'exige de vous. Nous sommes tous conscients du caractère improbable de cette tâche. Si vous ne parvenez pas à communiquer avec eux, vous pensez vraiment que quelqu'un vous en voudra ?

— Je ne sais pas, je ne sais pas...

— Personne ne vous en voudra, Tom, assura-t-il. Personne ! La tâche que nous souhaitons vous confier est a priori quasi impossible, pour les raisons que vous avez indiquées. Qui sait, les membres d'équipage du *Phanès* n'ont peut-être même pas d'yeux. Si ça se trouve, ils communiquent grâce à un radar naturel, ou par infrarouges ou ultrasons ou que sais-je encore. Nous sommes face à l'inconnu quasi absolu. Cependant, nous ne pouvons nous permettre de ne pas emmener avec nous l'homme le plus qualifié dans cette fonction.

— Je ne suis pas le plus qualifié.

— Pas de fausse modestie, coupa l'Américain. Ce n'est pas le moment. – Il respira profondément. – Écoutez, quand on m'a parlé de vous, j'ai fait ma petite enquête, je suis allé voir ce que vous aviez déjà fait, j'ai essayé de comprendre votre talent, et je vous le dis en toute sincérité : j'ai été sidéré ! Vous êtes le meilleur cryptanalyste qui existe sur la planète. Cette mission historique est vouée à l'échec si nous ne nous entourons pas des meilleurs dans chaque domaine. L'humanité a besoin de ses champions. C'est pour ça que nous avons besoin de vous. Je vous en prie, revenez sur votre décision.

L'historien resta coi. Une telle démonstration de confiance l'émut. Il regarda les trois visages qui le fixaient et comprit qu'ils espéraient tous un oui. Mais…

Il secoua la tête, découragé.

— Je ne peux pas.

La réponse suscita un murmure. Personne ne comprenait sa décision.

— Vous en êtes sûr, Tom ?

Le Portugais demeurait tête basse, les yeux rivés au plancher, la respiration lourde, les épaules légèrement courbées sous le poids de la décision.

— Oui.

— *Ma perché* ? s'impatienta le cardinal Panunzio. Pourquoi, *mio figlio* ? Il s'agit d'une mission unique dans l'histoire de l'humanité. Vous ne comprenez pas l'importance du moment ?

Tomás ne savait que dire.

— Je comprends… je comprends, murmura-t-il. Le problème c'est que… que… enfin, je ne peux pas.

— Vous ne pouvez pas pourquoi ?

— Je vous en prie, ne rendez pas les choses plus difficiles qu'elles ne le sont déjà, demanda-t-il. Vous n'imaginez pas combien il me coûte de gâcher cette opportunité extraordinaire. Mais, le fait est que je ne peux pas.

Le secrétaire d'État du Saint-Siège soupira.

— *Bene*, accepta-t-il. Mais, j'aimerais juste que vous me disiez pourquoi. Il me semble que *Sua Santità* et moi-même méritons au moins ça, vous ne croyez pas ?

En effet, pensa Tomás. S'il refusait l'invitation, après tout ce que le chef de l'Église et son numéro deux avaient fait pour lui, le moins qu'il pouvait faire était d'expliquer son refus.

— Vous n'ignorez pas, monsieur le Cardinal, que je vais me marier ce week-end, n'est-ce pas ?

— Bien sûr que non, rétorqua l'ecclésiastique. *E allora* ?

— Eh bien, si j'accepte la proposition, le professeur Dyson a clairement indiqué que je devrai partir aujourd'hui même pour les États-Unis. Donc, je ne pourrai pas me marier.

— *E allora* ? insista le cardinal. Et alors?

— Et alors ? Mais je ne peux pas faire ça à Maria Flor. Elle va m'épouser dans la basilique Saint-Pierre et le mariage va être célébré par le pape. Vous pouvez imaginer ce que cela représente pour une catholique ? Cela fait des mois qu'elle ne parle que de cela monsieur le Cardinal ! Même moi, qui suis pourtant un homme de science sans aucun lien avec la religion, je me suis initié au catholicisme juste pour lui faire plaisir. Vous n'imaginez pas à quel point ce mariage est important pour elle. Et par conséquent, pour moi. Je veux la rendre heureuse et rien ne doit faire obstacle à cela. Rien.

Seth était bouche bée.

— C'est pour ça que vous refusez de faire partie de la plus importante mission de l'histoire de l'humanité ?

— Pour celle que j'aime, je suis prêt à refuser tout ce qui doit l'être.

L'homme de la NASA ne se résignait pas.

— Incroyable ! s'exclama-t-il. Si on me racontait ça, je n'y croirais pas ! Voici un homme qui échange sa place dans l'Histoire pour une… une… nana ! Est-ce possible ?

Le visage de Tomás se durcit.

— Je vous saurais gré, professeur Dyson, d'être plus respectueux lorsque vous parlez de ma fiancée.

— Veuillez m'excusez Tom, mais je ne comprends pas votre décision, insista l'Américain. Je ne comprends pas. Ce qui est en jeu est bien plus important qu'un mariage. Comment pouvez-vous refuser la mission *Phanès* pour ça ?

— C'est une question de priorités, rétorqua le Portugais. Pour moi, il est bien plus important de rendre Maria Flor heureuse que d'entrer dans l'Histoire. Si je ne vais pas dans l'espace, un autre ira à ma place. Quelle importance ?

Ses trois interlocuteurs échangèrent un regard, comme s'ils ne savaient pas quoi faire face à tant d'obstination. Le cardinal Panunzio intervint.

— Et si le mariage était ajourné ?

— C'est impensable, monsieur le Cardinal. Le pape s'est engagé. J'espère qu'il ne va pas reculer maintenant.

— Mais comment réagirait votre fiancée ?

— Pas très bien, comme vous pouvez le comprendre.

— S'il n'y avait pas ce mariage, quelle serait votre position ? Accepteriez-vous de faire partie de la mission ?

— Je n'accepte pas que vous l'annuliez.

— Je ne vais rien annuler du tout, soyez rassuré, affirma-t-il. J'aimerais simplement savoir si vous accepteriez de faire partie de la mission si le mariage n'avait pas été prévu à cette date ?

— Bien sûr que oui, répondit Tomás avec emphase. Il s'agit d'une chance unique. Aller dans l'espace et rencontrer des extra-terrestres ? Représenter l'humanité à un moment aussi extraordinaire ? C'est... c'est tout simplement incroyable ! À vrai dire, je reconnais que c'est pure folie de refuser.

— *Vero, vero...*

— Dans des conditions normales, je donnerais n'importe quoi pour avoir une telle opportunité, assura-t-il. Cela étant, les circonstances sont ce qu'elles sont. Ma fiancée ne pouvait pas imaginer un tel mariage, dans la basilique Saint-Pierre et par le pape en personne. Cet événement est extrêmement important pour elle et donc pour moi. Je ne la décevrai pas.

— Cette position vous honore, *mio figlio.* Vous placez l'amour au-dessus de tout. Vous pouvez ne pas être croyant, mais vous avez l'âme d'un véritable chrétien. Et si nous parvenions à régler cette question ?

— Que voulez-vous dire par là ? Vous m'avez assuré que vous n'annuleriez pas le mariage.

Le secrétaire d'État du Saint-Siège demeura silencieux pendant quelque temps. Il prit le téléphone qui se trouvait sur le bureau et pressa le bouton qui le mettait en contact avec son secrétaire particulier.

— *Pronto*, Renzo ? Faites entrer la signorina Maria Flor…

XVI

Maria Flor entra dans le bureau et, après qu'elle eut été présentée aux scientifiques, le cardinal pria Emese et Seth de bien vouloir se retirer. Il voulait avoir une conversation en privé avec le couple. Une foi seuls, il demanda qu'on apporte du café et posa à la Portugaise quelques questions innocentes sur le mariage qui devait être célébré à la fin de la semaine afin de la mettre à l'aise.

Puis, il posa sa tasse et la dévisagea avec gravité.

— J'aimerais vous demander quelque chose, *signorina*. Que diriez-vous si le mariage était retardé ?

La Portugaise écarquilla les yeux et regarda Tomás, comme si elle lui demandait conseil. Mais il était aussi surpris qu'elle, et ce d'autant plus qu'on venait de lui garantir que la cérémonie ne serait pas annulée.

— Y a-t-il un problème avec le Saint-Père ? s'enquit Maria Flor. Sa Sainteté ne peut pas être là ce week-end ?

— Si, si, répondit le cardinal Panunzio. Elle le peut et elle le sera, si Dieu le veut. La question n'est pas là. – Il fit un geste en direction de l'historien. – Il se peut que votre fiancé doive s'absenter quelque temps.

— Combien de temps ?

— Quelques semaines.

— Combien ?

— Trois ou quatre, assura l'ecclésiastique. Pas plus d'un mois, soyez rassurée.

Elle se tourna de nouveau vers Tomás pour l'interroger du regard.

— Je ne veux pas reporter le mariage, crois-moi, s'empressa-t-il de préciser. À la fin de la semaine, quoi qu'il arrive nous nous marierons. – Il regarda le numéro deux du Vatican avec une certaine irritation. – Vous m'aviez garanti, monsieur le Cardinal, qu'il n'y aurait pas d'annulation. J'espère que vous n'êtes pas en train de revenir sur votre parole.

Ignorant le sarcasme, le secrétaire d'État s'éclaircit la voix.

— J'insiste sur le fait que le mariage n'est pas en cause, souligna-t-il. La question est celle de l'opportunité. Il serait extrêmement utile de reporter la cérémonie de quelques semaines. La *signorina* n'y verrait sans doute pas d'inconvénient…

— Mais quelle est la raison du report ?

La question était parfaitement raisonnable et légitime, et l'ecclésiastique ne pouvait l'ignorer.

— Nous ne sommes hélas pas en mesure, à l'heure actuelle, de vous révéler les détails de la mission qui a été confiée au professeur Noronha.

— Mais c'est ridicule, monsieur le Cardinal, protesta Tomás. Sous peu, tout cela deviendra un secret de polichinelle. Lorsque le président des États-Unis a informé les dirigeants politiques internationaux, et que la NASA a contacté les institutions scientifiques, l'information a commencé à circuler et c'est juste une question de temps, peut-être même d'heures, avant qu'elle ne soit sur Internet puis dans les médias.

— Peut-être, reconnut le cardinal. Cependant, nous sommes tenus à la confidentialité et nous devons respecter cet engagement coûte que coûte. Comme vous le savez, le moment venu, une communication publique officielle sera faite. D'ici là, nous maintiendrons le silence.

— Certes, mais Maria Flor a le droit de savoir avant tout le monde, surtout compte tenu des risques encourus.

À ces mots, la jeune femme sursauta.

— Des risques ? Quels risques ?

— La mission à laquelle on veut que je participe comporte des risques, expliqua Tomás.

— Quelques-uns, souligna la secrétaire d'État, minimisant le danger. Juste quelques-uns. Mais sachez, *signorina*, que cette mission a une énorme importance pour l'humanité. Le professeur Noronha est appelé à jouer un rôle historique. Je suis convaincu que vous serez fière lorsque vous l'apprendrez.

La Portugaise parut préoccupée.

— Il… il peut mourir ?

— Oh, les grands mots ! s'exclama le cardinal. S'il peut mourir ? Oui, il le peut, ma fille. Mais en sortant d'ici et en allant Via della Conciliazione, le professeur Noronha ne court-il pas le risque d'être renversé par une voiture ? Ou bien, demain il peut faire une chute dans l'escalier et mourir. Le danger est partout. Tout est risqué dans la vie. – Il se pencha vers elle. – N'êtes-vous pas catholique, *signorina* ?

— Oui, bien sûr.

— Alors, ayez confiance dans le Seigneur, mettez le destin de votre fiancé entre Ses mains, laissez-Le le protéger. Dieu ne manquera pas de le guider.

Elle se tourna vers son fiancé pour avoir son avis.

— Tomás ?

L'historien ébaucha un geste résigné.

— La mission n'est pas sans danger, mais le cardinal a raison. Tout dans la vie est risqué, même le quotidien le plus simple. Et le risque que je vais courir est très relatif. Cela ne me préoccupe pas outre mesure. Les avantages dépassent les risques de très loin, il n'y a aucun doute là-dessus.

— Tu vas participer à une guerre ?

— Bien sûr que non. Il s'agit d'une mission scientifique.

Maria Flor haussa un sourcil, surprise par le dernier mot qu'il avait prononcé.

— Scientifique ?

— Oui, scientifique.

— Comment une mission scientifique peut-elle être dangereuse ?

— La mission implique un voyage… comment dire ? euh… compliqué, précisa-t-il. Mais ne t'en fais pas pour ça. Le véritable problème, c'est que la mission nécessite le report du mariage et c'est ce qui m'incite à la refuser.

Le cardinal Panunzio fit un geste théâtral de découragement.

— Ah, *Sua Santità* sera extrêmement déçue par le refus du professeur Noronha.

La mention du pape intrigua Maria Flor.

— Le Saint-Père est au courant ?

— C'est *Sua Santità* qui a personnellement choisi le professeur Noronha pour cette mission. Nous avons reçu du ciel ce que nous pouvons considérer comme un signal de Dieu et le Saint-Père a désigné votre fiancé comme représentant de l'humanité.

La Portugaise ouvrit la bouche, stupéfaite, et se tourna de nouveau vers son fiancé, l'air accusateur.

— Et tu… tu veux refuser ?

Tomás parut embarrassé.

— C'est-à-dire… il y a notre mariage, non ? Je ne veux en aucune façon reporter le…

— C'est absolument hors de question, Tomás Noronha ! coupa-t-elle, presque furieuse. Tu entends ? C'est hors de question !

— Qu'est-ce qui est hors de question ?

— Il est hors de question que tu opposes un refus à Sa Sainteté. Absolument hors de question ! Si le Saint-Père t'a choisi pour une mission de cette importance, quelle qu'elle soit d'ailleurs, comment peux-tu simplement envisager de refuser ?

— Mais... mais...

Maria Flor se leva brusquement, son regard d'ange décochant des flèches réprobatrices en direction de Tomás, et se tourna vers le cardinal, sa décision prise.

— Dites à Sa Sainteté qu'il partira.

XVII

— … versons une zone de turbulences. Veuillez regagner vos sièges et attacher vos ceintures. Merci.

L'annonce tira Tomás du sommeil dans lequel l'avait plongé un somnifère juste après avoir décollé de l'aéroport de Rome. Une série de clics se firent entendre. Avec une moue agacée, l'historien regarda autour de lui et vit ses compagnons de voyage attacher leur ceinture. À l'intérieur, l'espace était restreint, ils étaient à bord d'un Gulfstream V, un petit avion, plutôt étroit, pouvant accueillir quatorze passagers. Cependant, sept personnes seulement faisaient le voyage. Bien qu'appartenant à la NASA, l'appareil transportait essentiellement des membres de l'Agence spatiale européenne.

Il sentit que quelqu'un s'asseyait à sa gauche ; c'était Bozóki Emese, l'astrobiologiste de l'ESA.

— Vous permettez que je m'assoie ici ?

— Bien sûr. Je vous en prie.

Elle serra sa ceinture.

— Ouf !

Elle était d'abord à côté de Seth Dyson, Tomás s'étonna qu'elle change de place.

— Que s'est-il passé ? plaisanta-t-il. Vous vous êtes fâchée avec Seth ?

La Hongroise prit un air dégoûté.

— Disons qu'il y a des hommes qui ne peuvent pas voir un jupon…

— Ah.

Visiblement, Emese se sentait un peu trop appréciée par son collègue américain. Rien de surprenant vu le genre de femme qu'elle était. Élégante, intelligente, le visage plein de douceur, éclairé par deux yeux bleus aussi brillants que des phares.

Une secousse se fit sentir et, sans le vouloir, Tomás poussa un petit cri.

— Vous avez peur en avion ?

La question aiguisa l'orgueil de l'historien.

— Peur ? demanda-t-il, vexé. Je n'ai absolument pas peur. Absolument pas. J'ai juste… euh… une crainte.

La Hongroise rit.

— J'ai lu le dossier à votre sujet et, avec toutes les choses incroyables que vous avez déjà accomplies dans votre vie, je vous voyais presque comme un surhomme. C'est choquant de voir que vous êtes aussi humain que tout un chacun. Choquant et réconfortant, je dois l'avouer.

— Vous aussi vous avez peur de voler ?

— Absolument pas. Je ne peux pas avoir peur, n'est-ce pas ?

— Je ne vois pas pourquoi.

— Parce que je suis astronaute.

Le Portugais désigna Seth, qui conversait avec un ingénieur de la NASA.

— Je pensais que vous étiez une simple scientifique, recrutée à la va-vite comme moi, en raison de votre domaine de compétence, et que l'astronaute du groupe c'était Seth…

— Seth est un vaniteux qui n'arrête pas de se vanter d'être astronaute parce qu'il aime impressionner les gens, surtout les femmes. En réalité, mon cher, tous les membres de la mission *Phanès* sont astronautes. Hormis vous.

— En somme, je suis le vilain petit canard du groupe…

— Ne me dites pas que vous pensiez que les agences spatiales étaient disposées à confier une mission de cette importance à une bande d'amateurs sans expérience de l'espace.

— Eh bien, Seth a dit que seuls le commandant et le pilote étaient professionnels. Et que les autres spécialistes étaient des scientifiques.

— C'est vrai. Les spécialistes de la mission sont effectivement des scientifiques. Mais ils sont aussi astronautes. Ils ont besoin d'une formation spécifique, cela va de soi.

— Mais Seth a dit qu'on allait nous former.

Elle éclata de rire.

— En deux semaines ?

— Vous ne l'avez pas entendu ? Il l'a pourtant dit devant vous.

Emese réprima un sourire.

— Pour votre information, sachez que la formation d'un astronaute, qu'il s'agisse ou non d'un scientifique, peut prendre jusqu'à deux ans. Pour cette mission, on a dû recruter des astronautes déjà formés, parmi lesquels des scientifiques. Il n'y avait pas assez de temps pour former des scientifiques qui ne sont jamais allés dans l'espace.

— Mais, et moi alors ? Je ne suis jamais allé dans l'espace…

— Vous êtes un cas particulier. Pour la fonction de cryptanalyste, personne n'avait une expérience d'astronaute. Comme vous le comprenez, nous n'avons encore jamais eu besoin de ce profil dans l'espace. C'est pourquoi nous avons dû faire appel à une personne sans expérience.

— Moi.

— Exactement.

— Mais alors, quelle formation va-t-on nous dispenser ?

— À vous, la formation de base. Vous serez ce qu'on appelle un spécialiste de charge utile, quelqu'un qui a une compétence spécifique, nécessaire pour cette mission. La formation des autres, pilotes et spécialistes de mission, portera sur les systèmes de la navette. N'oubliez pas que je suis une astronaute européenne, je n'ai volé que sur le *Soyouz* et j'ai été en orbite dans la Station spatiale internationale. Le programme de la navette ayant été abandonné en 2011, même les Américains devront recevoir une formation car ils vont devoir réapprendre à piloter la navette *Atlantis*. En outre, celle-ci est spécialement équipée pour répondre à toutes les spécificités de cette mission et les astronautes professionnels doivent parfaitement les connaître.

Tomás se décida à poser sa question.

— Est-ce grave que je n'aie pas d'expérience ?

— Étant donné que vous allez être formé pendant deux semaines à Houston et que les autres membres de la mission sont des astronautes professionnels et expérimentés, le risque est parfaitement gérable. Ne vous en faites pas.

— Je me réjouis de l'apprendre. Puis-je vous demander comment une astrobiologiste est devenue astronaute ?

— Oh, c'est une longue histoire…

— Le vol jusqu'à Houston va être long, lui aussi. Vous devriez avoir suffisamment de temps pour me la raconter.

Elle sirota un peu d'eau dans le verre qu'elle tenait à la main.

— Eh bien, j'ai obtenu ma maîtrise en biologie à l'université de Budapest et, lorsque j'ai décidé de faire un doctorat, j'ai choisi un sujet sur d'hypothétiques formes de vie extra-terrestre. Après avoir soutenu ma thèse à la Sorbonne, j'ai postulé à l'Agence spatiale européenne, dont le siège est justement à Paris. J'ai obtenu un poste et au lieu de rentrer à Budapest, j'ai commencé à travailler à l'ESTEC, le centre scientifique et technique de l'ESA, situé en Hollande. J'ai proposé une expérience dans l'espace avec des micro-organismes extrêmophiles et suggéré qu'elle soit réalisée dans la Station spatiale internationale. La proposition a été acceptée et j'ai dû suivre une formation d'astronaute au Centre des astronautes européens, à Cologne. Trois ans plus tard, je suis allée à Baïkonour, on m'a mise dans un *Soyouz* et hop !, on m'a envoyée dans l'espace pour que je réalise mon expérience.

— Aussi simple que ça ?

— En effet.

L'avion subit une forte secousse et Tomás pâlit. Il avait l'impression de se trouver dans un cercueil volant et il eut envie de se mettre à crier pour exiger un parachute et sauter, mais il se contint. Il savait que le problème était dans sa tête, pas dans l'avion ni dans les turbulences. S'il dominait sa peur, il se dominerait lui-même et, partant, maîtriserait la situation. Il ne pouvait pas prendre un autre calmant, la meilleure solution était donc de s'occuper.

— Vous avez dit que le sujet de votre doctorat portait sur la biologie extra-terrestre, observa-t-il, en reprenant la conversation sur un point qui l'intéressait tout particulièrement. Comment peut-on faire un doctorat sur un objet que l'on n'a, jusqu'à présent, jamais rencontré ?

— Qu'est-ce qu'on n'a jamais rencontré ? La vie extra-terrestre ?

— Oui.

— Qui vous a dit ça ?

— Écoutez, je ne me réfère pas au signal « *Wow!* » Lorsque je parle de vie extra-terrestre, je fais évidemment allusion à des êtres vivants extra-terrestres ou à des vestiges tangibles de vie extra-terrestre.

— Qui vous dit qu'on n'en a jamais rencontré ?

L'assurance de la Hongroise le fit douter. Que savait-elle qui lui avait échappé ?

— Eh bien… si on avait déjà rencontré de la vie extra-terrestre, un événement aussi important serait connu du public, vous ne pensez pas ?

— Et il l'est.

— Il l'est ?

L'historien regardait Emese avec perplexité, comme si la conversation était devenue irréelle. Et elle lui parut encore plus irréelle lorsqu'il entendit sa réponse.

— On a déjà rencontré de la vie extra-terrestre, Tomás.

Elle dit cela le plus naturellement du monde.

XVIII

Une nouvelle turbulence interrompit la conversation. Le petit avion de la NASA se transforma pendant un instant en un jouet balloté par le vent au-dessus de l'Atlantique et Tomás en vint à penser que cette fois-ci allait être la bonne et que l'appareil allait vraiment s'abîmer, mais le Gulfstream V se rétablit rapidement et poursuivit son vol comme si de rien n'était.

— Avez-vous déjà entendu parler des missions *Viking* ?

La question de Bozóki Emese vint distraire l'historien et l'empêcha de céder à la panique. Elle tomba à pic. Au moins, pendant qu'il écouterait l'astrobiologiste, son esprit serait occupé et il oublierait qu'il se trouvait dans un tout petit avion secoué par les turbulences.

— Si ma mémoire est bonne, le programme *Viking* a consisté en deux missions de la NASA sur Mars, dans les années 1970, mais elles n'ont pas permis de détecter de la vie.

— Au contraire, elles en ont détecté.

Il écarquilla les yeux.

— Pardon ?

L'avion bougea encore et la Hongroise serra davantage sa ceinture.

— La NASA s'est fondée sur deux présupposés pour élaborer trois expériences que les deux *Viking* allaient mener afin de détecter de la vie. Le premier présupposé était que, les microbes étant la forme de vie la plus simple et la plus commune sur Terre, ils devaient l'être aussi ailleurs. Le second partait de l'idée que, s'il existe de la vie microscopique dans les couches intérieures de l'Antarctique où les conditions sont plus rudes qu'à la surface de Mars, alors il y avait aussi de fortes probabilités de rencontrer de la vie microscopique sur la planète rouge.

— Mars est plus accueillante que l'intérieur de l'Antarctique ?

— À maints égards. Dans le cadre du projet, la NASA a installé un bras mécanique sur chacune des sondes *Viking*, destiné à recueillir de la terre et la déposer dans un caisson en vue de procéder à des expériences biologiques. Trois expériences ont ainsi été conçues, en partant du principe simple que tout organisme vivant devait consommer des nutriments et libérer des toxines ; un détecteur de carbone 14 a été installé pour identifier le dioxyde de carbone, l'hydrogène ou le méthane, qui sont des gaz associés aux métabolismes actifs.

— Et ils en ont décelé ?

— J'y viens, soyez patient car la question comporte quelques subtilités. Sur les deux sondes, plusieurs instruments ont été installés dans le but de rechercher la vie, notamment un spectromètre destiné à détecter des molécules organiques et un appareil pour identifier la présence de gaz spécifiques libérés ou absorbés par tout organisme lorsqu'il est en présence de nutriments. L'expérience la plus intéressante a été la troisième. Conçue par l'un des pionniers de l'astrobiologie, un scientifique nommé Gilbert Levin, elle consistait à détecter des émissions de carbone lorsqu'on dépose un bouillon de nutriments sur le sol martien. De telles émissions seraient un signe de métabolisation par des micro-organismes. La libération de dioxyde de carbone ou de méthane, par exemple, indiquerait clairement que le bouillon était effectivement consommé par des microbes.

Le bouillon avait été marqué par des isotopes radioactifs de carbone 14. Si les instruments détectaient ces isotopes, ce serait un signe d'émission de carbone ou de méthane. En d'autres termes, ce serait la preuve que le bouillon était consommé par des micro-organismes martiens. La NASA avait préalablement indiqué qu'il suffisait que l'une de ces expériences soit concluante pour qu'on puisse affirmer que de la vie avait été découverte. Un seul résultat positif suffirait. Lorsque les...

L'avion perdit brusquement de l'altitude, sans doute en raison d'un nouveau trou d'air au-dessus de l'Atlantique.

— *Porra !* grommela Tomás en portugais. Maudits avions !

La Hongroise sourit.

— Vous êtes vraiment sûr de vouloir voler dans la navette spatiale ? C'est mille fois pire que ça...

— Je vais devoir m'y faire. Je ne vois pas d'autre solution.

Le Gulfstream V s'était de nouveau stabilisé et poursuivait tranquillement son voyage.

— Bien, je disais donc qu'en 1976, lorsque les sondes *Viking* ont atterri sur Mars et, après avoir envoyé des photos qui montraient une surface aride, elles ont commencé à réaliser les expériences. La première a permis de détecter la synthèse de composés de carbone et d'hydrogène, ce qui suggérait la présence de vie ou d'éléments chimiques liés à la vie. Le problème, c'est que le spectromètre n'a pas rencontré de signes de matière organique, ce qui fut une énorme surprise.

— Tiens donc ! Et pourquoi ?

— Parce que des molécules organiques ont déjà été découvertes dans l'espace, notamment sur des comètes et des nuages moléculaires. Même s'il n'y avait jamais eu de vie sur Mars, il était inévitable que de telles molécules organiques tombent de l'espace au fil des milliards d'années et s'éparpillent à la surface de la planète. Comment se faisait-il que les *Viking* ne parviennent pas à les trouver ? Du reste, les missions *Apollo* avaient identifié de la matière organique même sur la Lune, ô combien plus inhospitalière que Mars. S'il y en avait sur la Lune, pourquoi n'y en avait-il pas sur Mars ? À l'époque, le mystère intrigua les scientifiques.

— Je vois, dit Tomás. Et les autres expériences ?

— Les résultats de la deuxième, quoiqu'ambigus étaient positifs puisque de fortes réactions ont été enregistrées lorsque des éléments gazéifiés ont été introduits dans le sol, avec une importante libération d'oxygène ainsi que d'azote, composants essentiels pour la vie. Les explications, tant biologique que chimique, de ces résultats sont toutes deux acceptables, la question est donc restée ouverte. La troisième expérience, cependant, donna un résultat positif sans ambiguïté.

— Positif dans quel sens ?

— Dans le sens où elle a permis d'enregistrer une activité chimique traduisant la présence de micro-organismes vivants.

L'historien fit une moue dubitative.

— Quoi ?

— C'est la vérité. Dix jours après l'atterrissage de *Viking 1* sur Mars, la troisième expérience a enregistré la présence de l'isotope de carbone 14 utilisé pour marquer les gaz libérés par les nutriments au cas où ils seraient métabolisés, exactement comme cela se serait produit si des micro-organismes avaient existé. Le bouillon de nutriments a été littéralement dévoré par la terre martienne. J'insiste sur le fait que la NASA avait préalablement indiqué que si cela se produisait, on aurait rencontré la vie. Un mois et demi plus tard, *Viking II* fit la même expérience sur un autre point de la planète et obtint exactement le même résultat. Ce qui signifie, selon les critères initialement établis par la NASA, que la troisième expérience a permis de détecter la vie.

— Mais alors, comment se fait-il qu'une telle chose n'ait pas été annoncée ?

— La NASA était préoccupée par le fait que la première expérience n'ait pas permis de déceler des molécules organiques, et que la deuxième ait donné des résultats ambigus. Cela se comprend. Nous devons toujours être guidés par le vieux principe selon lequel des découvertes extraordinaires exigent des preuves extraordinaires. Bien qu'il ait été préalablement précisé qu'il suffirait que l'une des expériences soit positive pour qu'on puisse affirmer que de la vie extraterrestre avait été découverte, au bout du compte la NASA a décidé qu'il fallait que toutes les expériences soient positives pour que l'on puisse annoncer, avec suffisamment de certitude, une découverte aussi extraordinaire. Les autres expériences n'ayant pas été concluantes, la NASA a reculé et finalement décidé d'annoncer officiellement qu'on n'avait pas décelé de vie.

— Et comment a-t-elle expliqué les résultats positifs de la troisième expérience ?

— Elle a allégué que le sol martien est hautement réactif du fait des conditions très rudes de l'environnement, en particulier des effets des radiations ultraviolettes. Ce serait pour cette raison que le bouillon de nutriments avait été consommé.

— Ça paraît logique…

Emese secoua la tête, en signe de dénégation.

— Mais ça ne l'est pas.

— Pourquoi dites-vous cela ?

— Parce que je ne vous ai pas encore tout raconté. Les sondes *Viking* étaient équipées d'une espèce de four. Lorsque le bouillon de la troisième expérience a été versé sur le sol de Mars, il s'est produit une forte réaction chimique, détectée par la libération de carbone 14, signe qu'il y avait des micro-organismes dans le sol qui consommaient les nutriments. Le four a alors été branché et, plus la température augmentait, plus la réaction chimique diminuait, jusqu'à s'arrêter complètement lorsque les cent soixante degrés ont été atteints. La terre martienne a alors cessé de consommer les nutriments. Vous comprenez ce que cela signifie ?

Le Portugais acquiesça.

— Les microbes étaient morts.

— Exactement. Si la consommation du bouillon était due uniquement à l'activité chimique liée aux conditions hostiles de Mars et à la radiation ultraviolette, il n'y avait pas de raison que la réaction s'arrête justement à cent soixante degrés. Partout, elle s'est arrêtée. En d'autres termes, lorsque la terre avec les nutriments a été exposée à une chaleur extrême, l'activité chimique a diminué jusqu'à cesser exactement aux points aujourd'hui prévus pour la mort des micro-organismes. Aucun agent chimique connu ne pourrait reproduire le modèle de sensibilité à la chaleur rencontrée. Aucun. Cela montre que la consommation du bouillon de nutriments était effectivement due à l'activité des micro-organismes. Les microbes étant morts, la consommation de nutriments s'est arrêtée. Qui plus est, l'une des expériences a été réalisée avec un échantillon de terre ramassée sous une pierre dont il a été établi qu'elle n'avait pas été exposée à la radiation ultraviolette des millions d'années auparavant. Eh bien, même comme ça, les résultats ont été les mêmes. Aujourd'hui encore, Gilbert Levin, l'auteur de l'expérience, soutient que les *Viking* ont réellement rencontré de la vie sur Mars. Cette conclusion a été corroborée par des études ultérieures, menées par d'autres scientifiques qui ont analysé à nouveau les données de toutes les expériences des *Viking*, y compris la première.

— Laquelle ? Celle qui n'a pas détecté de matière organique sur le sol de Mars ?

— Celle-là même. On a découvert que cette expérience avait été mal conçue. Une étude réalisée par Dirk Schulze-Makuch et Joop Houtkooper a montré que ce sont justement les micro-organismes martiens qui ont empêché la détection de molécules organiques.

— Quoi ?

— Comme vous le savez, la température sur Mars est très basse, ce qui signifie que dans ces conditions l'eau gèlerait ou se sublimerait. Par conséquent, il est fort possible que la vie sur Mars ait évolué sans dépendre de l'eau, mais d'autres substances qui demeurent liquides à des températures inférieures à zéro, comme le peroxyde d'hydrogène. Ce liquide est fatal pour les bactéries terrestres, mais lorsqu'il est associé à certains composants, il est toléré et il facilite même des fonctions dans les cellules existant sur Terre. Schulze-Makuch et Houtkooper ont fait valoir que la première expérience des *Viking* n'a pas détecté de composés organiques car le peroxyde d'hydrogène libéré par les cellules des micro-organismes martiens a oxydé ces composés. Ils en ont conclu que les réactions de microbes qui utilisent du peroxyde d'hydrogène expliquent presque tous les résultats des expériences biologiques des *Viking*.

— Ah !

— D'autres études ont montré que le spectromètre utilisé pour cette première expérience n'a même pas été capable de détecter certains composés organiques sur Terre, notamment en Antarctique et dans d'autres lieux extrêmes, alors même que d'autres instruments ont démontré qu'il y en avait. En somme, le dysfonctionnement du spectromètre ne pouvait donner qu'un résultat négatif. Pire encore, la seule chose qu'il a pu détecter sur Mars ce sont des traces organiques de chlore, qu'on avait attribuées à l'époque à une contamination supposée amenée de la Terre par les *Viking*. Il se trouve qu'entre-temps Rafael Navarro-González et Christopher McKay ont fait de nouvelles études qui établissent que le chlore était précisément la seule chose qui resterait d'une destruction de matériel organique martien par le spectromètre des sondes *Viking*. Ainsi, cette première expérience, dont les résultats négatifs furent invoqués par la NASA pour minimiser les résultats positifs de la troisième expérience, a été totalement discréditée. Vous comprenez les conséquences de tout cela, n'est-ce pas ?

— Les *Viking* ont effectivement détecté de la vie sur Mars.

— C'est ce qu'on peut conclure des résultats positifs de la troisième expérience et du réexamen du résultat des autres expériences, en particulier de la première.

— Mais la NASA ne le reconnaît pas.

— Non.

Tomás regarda les nuages par-delà le hublot.

— Des découvertes extraordinaires exigent des preuves extraordinaires, dit-il en répétant la devise des astrobiologistes. Vous savez Emese, on ne pourra peut-être annoncer la découverte de vie extra-terrestre que lorsqu'elle aura été directement observée, soit à l'état de vie, soit sous forme fossile. Il faut une photographie, une vidéo, quelque chose de visuel. Il n'y a que ça qui nous convaincra, au-delà de tout doute raisonnable.

L'astrobiologiste de l'Agence spatiale européenne ne dit rien pendant quelques instants, elle semblait encore focalisée sur la troisième expérience des *Viking* sur Mars. Mais son silence fut bref.

— Ce critère a lui aussi déjà été pris en compte.

— Pardon ?

Emese leva les sourcils pour souligner son affirmation.

— La vie extra-terrestre a déjà été observée directement.

XIX

La vie extra-terrestre aurait déjà été observée ; Tomás resta sceptique. Il est vrai que depuis la réunion au Vatican, il avait pris conscience d'une série de découvertes scientifiques déconcertantes, mais que l'on ait déjà directement observé des êtres extra-terrestres lui semblait trop incroyable pour être vrai.

— Quelqu'un a vu la vie extra-terrestre ? demanda-t-il. Qui ? Vous ne faites pas allusion à ces âneries sur les OVNI, j'espère.

— Absolument pas.

— Alors, de quoi parlez-vous ?

— De Mars.

— Les sondes *Viking* ont photographié de la vie ?

Emese fit un geste négatif.

— Les photos prises en 1976 ne montraient que la surface aride de Mars, souligna-t-elle. Comme je vous l'ai dit, et malgré les expériences des sondes *Viking*, la NASA a été prudente et a conclu que la vie n'avait pas été découverte. Mais cette thèse est actuellement remise en question.

— En raison des réexamens effectués par d'autres scientifiques ?

— Oui, en raison de ce qui a été découvert, des années plus tard, lorsque les expériences des *Viking* ont été réexaminées, et aussi parce que Levin a insisté sur le fait que la troisième expérience était positive. Mais pas seulement. Au fil des années, et à mesure que les missions vers Mars se succédaient, d'autres découvertes stupéfiantes ont été faites.

— Vous faites évidemment allusion à l'eau.

— Oui, entre autres choses. Effectivement, les signes de l'existence d'eau sur Mars ont commencé à s'accumuler. L'eau est un élément central dans la recherche de la vie ; sur Terre, nous savons que là où il y a de l'eau, il y a forcément de la vie et nous supposons qu'il en est de même hors de notre planète. Du reste, la NASA part du principe que la présence d'eau constitue un indice nécessaire, mais peut-être pas suffisant, de la vie. Or, les photos de la surface martienne révèlent des lits de rivières et des lacs anciens, et différents tests effectués par les sondes confirment que de l'eau liquide a déjà couru sur ces vieilles pierres. Nous savons aujourd'hui qu'il y a de l'eau dans les calottes polaires martiennes, et on pense qu'elle peut parfois être liquéfiée à la surface avec l'impact d'astéroïdes et l'activité volcanique de la planète. D'ailleurs, on a découvert des traces de systèmes hydrothermaux martiens. En outre, il y a trois ou quatre milliards d'années, Mars était beaucoup plus chaude et humide. Il est probable que la vie existait à cette époque, et même qu'une partie de celle-ci ait résisté, et ensuite évolué pour dépendre du peroxyde d'hydrogène afin de survivre à la congélation de l'eau.

— Tout cela est très joli, s'impatienta Tomás. Mais, *quid* de la soi-disant observation directe de la vie extra-terrestre dont vous avez parlé ? Où a-t-elle eu lieu, et dans quelles circonstances ?

— J'y viens, dit l'astrobiologiste pour lui demander d'être patient. Afin de comprendre l'observation directe qui a été faite, il faut d'abord saisir ce qui a été découvert sur Mars. Cela a commencé avec les indices de l'existence de l'eau, ce qui est déjà en soi extrêmement significatif. Mais, ce n'était qu'un début. En 2009, on a annoncé la découverte de méthane sur Mars.

— Et alors ? Le méthane peut résulter de l'activité géologique…

— Le problème, c'est qu'on n'en a rencontré qu'à cinq endroits qui ont tous un point commun : ce sont les zones où les vestiges de la planète ancienne ont été le moins perturbés, lorsqu'elle était plus favorable à la vie parce qu'elle avait un champ magnétique et de l'eau liquide. Les secteurs où le méthane a été récemment détecté sur Mars sont précisément ceux où subsiste le magnétisme qui protège la vie contre les vents solaires. Ce sont aussi des secteurs où on a trouvé des minerais qui ne se forment et se transforment qu'en présence d'eau liquide.

— Ah, ça c'est différent, reconnut-il. Vous pensez que le méthane détecté sur Mars est d'origine biologique ?

— Quatre-vingt-dix pour cent du méthane présent sur Terre est d'origine biologique, mon cher. Vous le saviez ?

— Si je ne me trompe pas, il provient des… des pets des vaches.

Ils éclatèrent de rire.

— En effet, à présent, le méthane sur Terre est produit par les flatulences des bovins, mais auparavant il était émis par les méthanogènes, des micro-organismes qui produisaient et consommaient du méthane avant que l'oxygène n'abonde sur notre planète, confirma Emese. Les êtres vivants sont responsables de la majeure partie du méthane que l'on trouve sur Terre.

— Mais il y a aussi du méthane dans les volcans ?

— C'est vrai. Sauf que, lorsque le méthane est libéré avec la lave, du dioxyde de soufre est également libéré. Or, on n'a jamais détecté de dioxyde de soufre sur Mars. Le plus important, cependant, c'est qu'on ne rencontre le méthane sur Mars que dans les régions où il existe un certain magnétisme, dont l'action protège la vie, et surtout à certaines époques de l'année seulement.

— Pardon ?

— Le méthane n'apparaît sur Mars qu'en été, dans l'hémisphère nord. À ce moment-là, environ vingt mille tonnes de méthane sont libérées. Or, la géologie ne choisit pas les saisons, n'est-ce pas ? Les volcans n'entrent pas en activité uniquement en été. En revanche, l'activité biologique, comme vous le savez, suit les cycles de l'année et tend à croître en été. Eh bien, sur Mars c'est justement en été que le méthane est libéré, un gaz qui, sur Terre, provient à quatre-vingt-dix pour cent de l'activité biologique. Que peut-on en conclure ?

Tomás sifflota, impressionné.

— Qu'il y a sur Mars des micro-organismes qui pètent énormément.

Ils éclatèrent à nouveau de rire.

— Il y a un détail important. Le méthane atmosphérique est très instable. Il est détruit pas les rayons ultraviolets et les réactions chimiques avec d'autres gaz. Cela signifie que le méthane découvert a été produit récemment et qu'il est très vraisemblablement dû à l'activité biologique. Cette découverte est décisive pour confirmer le succès de la troisième expérience des *Viking* et comprendre que Mars est une planète qui abrite la vie. Selon moi, la démonstration est faite. La deuxième chose qu'il faut à présent prouver c'est la résilience de la vie. La vie est beaucoup plus résistante qu'on ne le pensait.

— Résistante dans quel sens ?

Les turbulences vinrent secouer une fois de plus le Gulfstream V de la NASA.

— Eh bien, plus résistante que cet avion, par exemple.

Oppressé, Tomás lui décocha un sourire jaune.

— J'espère bien qu'il est plus résistant que quelques microbes insignifiants…

— Ça dépend des microbes, répondit-elle. Pendant très longtemps, on a pensé que la température maximale que les êtres vivants pouvaient supporter était 80 °C ; au-delà, la chaleur détruisait la structure des organismes, y compris l'ADN. En réalité, on avait identifié toute une série de bactéries, dites thermophiles, qui parvenait à vivre dans l'eau à des températures comprises entre soixante et quatre-vingts degrés, et avaient donc atteint la limite thermique. Or, en 1964, un microbiologiste qui visitait le parc de Yellowstone, aux États-Unis, a remarqué des tâches colorées sur des sources thermales à la température élevée. En les analysant de plus près, il a observé sur ces sources une masse gélatineuse de couleur rose, d'origine indubitablement biologique. Le microbiologiste a mesuré la température de ces sources et découvert que l'eau y atteignait les quatre-vingt-dix degrés.

— Soit au-dessus de la limite thermique.

— Tout à fait.

— Et l'ADN de ces bactéries résistait ?

— Visiblement. Ces bactéries ont été appelées hyperthermophiles et, quelques années plus tard, incluses dans une nouvelle catégorie, celle des extrêmophiles.

— Parce qu'elles supportent des situations extrêmes, je présume, conclut Tomás. Mais, si on a créé une nouvelle catégorie, c'est parce qu'on a découvert d'autres organismes qui pouvaient vivre dans des conditions extrêmes.

— C'est exact, confirma-t-elle. Pendant très longtemps on a aussi pensé que la vie ne pouvait pas exister dans la mer au-delà de 600 m de profondeur, limite jusqu'où peut aller la lumière solaire, or la lumière est, comme vous le savez, la principale source d'énergie de la vie sur Terre. Sans lumière, pas de phytoplancton et sans phytoplancton pas de chaîne alimentaire. Partant, les profondeurs océaniques devaient forcément être stériles.

— Jusqu'à ce qu'on découvre de la vie dans les abysses…

— À vrai dire, cette découverte a été faite en 1960. Un bathyscaphe américain a plongé dans la fosse des Mariannes, l'endroit le plus profond de la Terre, et tout au fond, à plus de 11 km de profondeur, il est tombé sur un poisson.

— À 11 km de profondeur ?

— Plus de 11. Les biologistes furent surpris mais ils minimisèrent la découverte, affirmant que la présence du poisson résultait de situations rares et exceptionnelles, et que les êtres vivants qui se trouvaient à de telles profondeurs devaient être affamés. C'est pourquoi la règle des 600 m demeura en vigueur. Ce n'est qu'en 1977, soit un an après les missions *Viking* sur Mars, que cette conception a été définitivement ébranlée, grâce à la découverte dans les Galápagos d'un écosystème d'une richesse incroyable à 2 km de profondeur. Il abritait des mollusques géants, des crabes blancs, des poulpes pourpres, des animaux orange qu'on n'avait jamais vus, et même un tas de vers tubicoles. Près de cet écosystème on a trouvé une source souterraine d'eau chaude.

— Comme les sources hydrothermales dont on présume l'existence sur Mars ?

La scientifique hongroise parut impressionnée par l'opportunité de la remarque.

— Précisément, Tomás, rétorqua-t-elle. Je vois que vous avez l'esprit vif. Des biologistes ont prélevé des échantillons de cette eau chaude et découvert qu'elle contenait une concentration élevée d'hydrogène sulfuré. La quasi-totalité des êtres vivants sur Terre utilisent directement ou indirectement l'énergie recueillie par le biais de la photosynthèse, mais on connaît quelques bactéries dont l'énergie provient précisément de l'hydrogène sulfuré, selon un procédé appelé chimiosynthèse. La photosynthèse n'étant pas possible à 2000 m de profondeur car la lumière du soleil y est absente, les micro-organismes qui alimentaient toute cette étrange faune procédaient à la chimiosynthèse de l'hydrogène sulfuré pour aller chercher l'énergie dont ils avaient besoin. En somme, les scientifiques ont compris qu'il existait toute une série d'êtres vivants qui n'avaient pas besoin de l'énergie du soleil.

L'historien considéra les incidences de cette découverte.

— Cela signifie donc que les conditions d'existence de la vie sont plus amples qu'on ne le pensait…

La scientifique de l'Agence spatiale européenne leva les sourcils pour valider cette idée, mais aussi la souligner.

— Les extrêmophiles contiennent le secret de la vie terrestre.

XX

Tomás ne comprenait pas où Emese voulait en venir ; alors qu'il espérait entendre une chose, c'en était une autre, totalement différente, qu'on lui présentait. Avant qu'elle ne continue, il leva la main.

— Attendez un peu. Vous m'avez dit tout à l'heure qu'on avait déjà décelé de la vie extra-terrestre, mais au lieu de m'expliquer quand, où et comment, vous êtes en train de me parler d'extrêmophiles et je ne sais quoi d'autre.

— Ah, que vous êtes impatient, Tomás ! le sermonna la Hongroise. Je vous ai déjà expliqué que pour comprendre la vie extra-terrestre qui a été directement observée, il faut d'abord saisir certaines choses élémentaires sur la vie. Patientez un peu, j'y viens, d'accord ?

— D'accord, mais ne cherchez pas à…

Le ton légèrement irrité sur lequel il lui avait parlé suscita un petit sourire chez l'astrobiologiste ; de toute évidence, le vol, et surtout les turbulences, mettaient ses nerfs en pelote.

— Patientez un peu, Tomás, répéta-t-elle. Ces choses…

Une silhouette apparut à cet instant, interrompant la conversation. C'était Seth.

— Eh alors, ma chère ? demanda l'Américain. Vous vous êtes enfuie ?

Emese lui sourit jaune.

— J'avais… j'avais quelques questions à régler avec Tomás.

— Nous aussi nous devons parler. Il y a tant de choses à régler et j'aimerais avoir votre avis. – Il fit un mouvement de la tête pour indiquer son siège. – Vous ne voulez pas venir vous asseoir à côté de moi ?

— Dès que j'aurai fini avec Tomás.

L'homme de la NASA fit demi-tour, mais en se dirigeant vers son fauteuil, il ne put s'empêcher un petit commentaire.

— N'oubliez pas que Tom est déjà pris…

La Hongroise le laissa s'éloigner avant de parler.

— Vous avez vu ? murmura-t-elle. Maintenant il faut que je supporte ça…

— Vous devez être habituée à ce genre de remarques.

— Certes, mais c'est assommant… – Elle soupira. – Enfin ! Où en étions-nous ?

— On parlait des extrêmophiles.

— Ah oui ! se rappela-t-elle. Je disais que ce n'est qu'après les missions *Viking* que la NASA a pris conscience de l'importance des extrêmophiles pour la recherche de la vie extra-terrestre. Les scientifiques réalisèrent que les extrêmophiles montraient que les limites de la vie et les conditions dans lesquelles celle-ci est possible vont plus loin qu'on ne le pensait, et que la capacité d'adaptation des organismes à des environnements apparemment hostiles est beaucoup plus grande qu'on ne l'avait imaginé. Tout à coup, Mars a cessé de paraître si inhospitalière. Il n'y avait plus qu'un problème à régler. L'eau. En effet, toutes les recherches montrent que, indépendamment de tout le reste, c'est un élément qui semble indispensable à la vie. Sur Terre, partout où les scientifiques ont rencontré de la vie, ils ont également trouvé de l'eau à l'état liquide à proximité. Et presque partout où ils ont trouvé de l'eau à l'état liquide, ils ont aussi repéré de la vie.

Il semblerait donc qu'il y ait une forte corrélation entre la vie et l'eau.

— Nous avons déjà parlé de ça, rappela le Portugais. Mais sur Mars, faute d'eau liquide, les micro-organismes présumés auraient utilisé le peroxyde d'hydrogène.

— En effet, mais cela n'arrive que parce qu'il n'y a pas d'eau à proximité, indiqua l'astrobiologiste. L'eau est si nécessaire à la vie qu'on dirait qu'elle a été conçue pour ça.

— Mais quelles propriétés a donc l'eau qui la rendent aussi spéciale ?

— Elle présente plusieurs avantages. Tout d'abord, elle protège l'ADN des radiations ultraviolettes et conserve la chaleur pendant très longtemps. En outre, et contrairement à d'autres éléments chimiques, elle reste à l'état liquide dans un large spectre de températures, en fait jusqu'à cent degrés, ce qui permet à la vie d'exister dans ce même spectre. Lorsqu'elle se solidifie, et contrairement à la majorité des autres substances, l'eau augmente de volume et crée une couche solide à la surface qui protège les organismes qui se trouvent en dessous, comme cela se produit en Arctique et en Antarctique. Elle est tellement utile que les organismes adoptent les stratagèmes les plus ingénieux pour en obtenir. Il existe une mousse qui extrait l'eau directement de l'air, tandis qu'une espèce de souris kangourou l'extrait d'aliments métabolisés. Quant aux séquoias californiens, ils ont développé des procédés pour la faire monter jusqu'aux branches les plus hautes, à plus de cent mètres d'altitude.

— Et les extrêmophiles, demanda Tomás. Il y en a qui ont besoin d'eau ?

— Les extrêmophiles, eh bien, comme leur nom l'indique, ils sont dans les extrêmes, répondit Emese. À des pressions très élevées, l'eau demeure à l'état liquide au-dessus de 100 °C. Et lorsqu'elle est mélangée à d'autres éléments chimiques, l'eau peut aussi rester liquide en dessous de zéro. C'est d'ailleurs parce qu'elle est mélangée au sel que l'eau de mer ne gèle qu'à quelques degrés en dessous de zéro. Or, les extrêmophiles usent et abusent de ces frontières mouvantes.

— Que voulez-vous dire par là ?

— Vous comprendrez peut-être mieux si je vous raconte une histoire. Vous vous rappelez que je vous ai dit qu'en 1964, on avait trouvé dans le parc de Yellowstone une bactérie qui survivait à plus de 80 °C.

— Vous avez même dit 90.

— En effet. Eh bien, en 2003, on a recueilli des bactéries d'une source hydrothermale très chaude, que l'on a cultivées en laboratoire. Puis, on les a placées dans un environnement à 100 °C et… elles ont survécu.

— Elles ont battu le record ?

— Et comment ! Les biologistes ont ensuite porté la température à 120 °C et, aussi incroyable que cela puisse paraître, elles l'ont supporté. Qui plus est, elles ont même continué à se reproduire. Puis, la température a été portée à 130 °C et les bactéries ont survécu encore pendant deux heures. Ça c'est le record actuel, mais selon certaines informations, des bactéries auraient survécu près de sources hydrothermales à des températures encore supérieures.

— Bon sang ! Mais quelle est la chaleur limite alors ?

— On ne l'a pas encore trouvée, dit l'astrobiologiste. Il en va de même pour la limite du froid. Nous savons que le gel menace sérieusement la vie car il enlève aux organismes le solvant dont ils ont besoin, et en outre, les cristaux de gel tendent à détruire les membranes des cellules. Lorsque l'eau qui se trouve dans les cellules gèle, celles-ci meurent.

— Ah, je comprends. Le problème ce n'est pas vraiment le froid mais l'eau gelée.

— Vous voyez comme vous êtes futé, dit-elle en souriant. En incorporant les sels idoines, il est possible de conserver l'eau à l'état liquide jusqu'à -30 °C. Et avec les solvants organiques et les acides aminés adéquats, elle peut rester liquide à des températures encore plus basses. Certaines enzymes parviennent à catalyser à -100 °C.

— -100 °C ?

— Étonnant, n'est-ce pas ? On a découvert que les extrêmophiles utilisent ces sels et ces solvants chaque fois qu'ils le peuvent pour survivre à des températures inférieures à zéro. L'une des étranges propriétés de l'eau est qu'elle préserve de minuscules veines liquides à l'intérieur de blocs de glace plusieurs degrés en dessous de zéro, créant de véritables écosystèmes dans la glace. Eh bien, on a découvert des micro-organismes vivant dans ces veines. On a aussi détecté des signes de vie à plus de 4000 m de profondeur dans la glace de l'Antarctique, ce qui signifie que la glace doit être considérée comme un habitat. Certains scientifiques pensent qu'en réalité il n'y a pas de limite de températures négatives pour la vie. Les organismes arrivent à survivre dès lors qu'ils ont des solvants liquides à leur disposition.

— Que ce soit de l'eau ou du peroxyde d'hydrogène.

— Par exemple. Les découvertes d'extrêmophiles n'ont cessé d'étonner les scientifiques. On a découvert des bactéries dans les eaux extrêmement salées de la mer Morte, dans les eaux acides du Rio Tinto, en Espagne, en des lieux situés plusieurs kilomètres sous la surface de la Terre et dans les nuages de la stratosphère, à plus de 30 km d'altitude, où le rayonnement ultraviolet est censé être fatal. On a même identifié une bactérie qui puise son énergie dans la radioactivité des roches. Plus incroyable encore, on a trouvé des champignons dans l'eau radioactive de Tchernobyl, qui utilisaient la radiation nucléaire comme source d'énergie, ainsi que des micro-organismes qui, lorsqu'ils étaient protégés par des grains carbonés microscopiques, pouvaient survivre pendant des heures et des heures à une source d'intense rayonnement synchrotron, équivalant à une dose de radiation cumulée de millions d'années de radiation solaire.

— Ça alors !

— Surprenant, n'est-ce pas ? Mais ce n'est pas tout. On a découvert des semences capables de suspendre indéfiniment leur métabolisme. Dans les années 1960, on a réussi à faire germer l'une de ces semences, vieille de deux mille ans, et en 1995 on a ressuscité des spores de bacilles figés dans de l'ambre depuis au moins vingt-cinq millions d'années.

— Comme dans Jurassic Park ?

— Oui, mais c'est arrivé après la publication du livre, comme quoi la réalité peut imiter la fiction.

— Tout cela est extraordinaire.

— Plus extraordinaire encore est le comportement de la vie dans l'espace, dit Emese. Comme vous le savez, il n'y a pas de lieu plus hostile à la vie que l'espace sidéral. L'absence d'air, les températures extrêmes et, surtout, les intenses rayonnements mortels, tout cela semble être incompatible avec la vie. Pourtant, lorsque les modules lunaires sont revenus de leurs voyages sur la Lune, au cours des missions *Apollo*, on a trouvé dessus des bactéries encore vivantes. De toute évidence, elles avaient résisté au décollage de la fusée, au voyage vers la Lune et au retour sur Terre, malgré la violence de la rentrée atmosphérique. Les bactéries ont survécu à tout ça.

— Vous êtes sérieuse ?

— C'est incroyable, n'est-ce pas ? Cette découverte a amené la NASA à faire une expérience très intéressante. Comprenant que les spores étaient extrêmement résistantes, les astrobiologistes ont décidé de les emmener dans l'espace et de les placer à l'extérieur d'une station orbitale sans protection, hormis une fine couche d'aluminium. Au bout de six mois, on les a récupérées et analysées. Vous savez ce qu'on a découvert ?

— Elles étaient toujours vivantes.

— Impressionnant, non ? Les spores ont survécu au vide, aux rayonnements et aux variations extrêmes de température durant six mois. On en a conclu qu'elles résistent à tout, sauf au rayonnement ultraviolet. Mais il suffit qu'elles soient protégées de ce rayonnement par une simple feuille d'aluminium ou bien de manière naturelle, si elles se trouvent sous une pierre ou dans un peu de terre.

Le Gulfstream V fut de nouveau secoué, mais cette fois Tomás ne se laissa pas intimider ; en fait, il éclata presque de rire.

— Je me rends, dit-il. Vous avez raison, Emese. La vie est plus résistante que cet avion.

La scientifique de l'Agence spatiale européenne se cala dans son siège, l'air satisfait. Après avoir exposé l'ensemble des informations nécessaires, elle pouvait à présent porter l'estocade finale.

— Venons-en enfin à l'observation de la vie extra-terrestre.

XXI

Alors que Bozóki Emese allait expliquer comment la vie extraterrestre avait déjà été observée directement, l'avion amorça sa descente et une voix se fit entendre.

— Mesdames et messieurs, ici le commandant. Nous approchons de Houston. Veuillez retourner à vos sièges et attacher vos ceintures. Au nom de la NASA, j'espère que vous avez effectué un agréable voyage et que votre prochain vol, qui va vous emmener vers l'infini et au-delà, sera couronné de succès. Merci et… bonne chance !

Tomás ébaucha un sourire.

— Enfin ! s'exclama-t-il avec soulagement. Il était temps…

Comme le voyage tirait à sa fin, la Hongroise reconsidéra sa décision.

— Il vaudrait peut-être mieux que je vous raconte ça une autre fois, ne serait-ce que…

— Non, non ! coupa l'historien. J'ai passé la moitié du vol à attendre vos révélations, et à présent vous vous défilez. Pas question ! Vous allez me raconter ça et tout de suite.

En fait, Emese savait que la descente allait durer une bonne demi-heure, plus de temps qu'il n'en fallait pour le satisfaire.

En outre, cela lui donnait un bon prétexte pour ne pas retourner auprès de Seth. Le Portugais lui était bien plus sympathique que l'Américain.

— Soit, concéda-t-elle. La première chose que vous devez comprendre c'est qu'il y a quatre milliards d'années, Mars avait une atmosphère dense, différente de celle de la Terre actuelle car elle était surtout formée de dioxyde de carbone, mais avec de la pluie, des ruisseaux et des cours d'eau liquide qui se jetaient dans des lacs et des mers peu profonds.

— Presque un paradis pour la vie, en somme…

— C'est justement ce que nous, astrobiologistes, avons noté. Et, tout comme la Terre, Mars était régulièrement touchée par des météorites. Certaines frappaient la planète avec une telle violence que l'explosion projetait des fragments de roches dans l'espace. Cela était facilité par la gravité de Mars, plus faible que celle de la Terre. Certains de ces fragments sont devenus des météorites et se sont répandus dans le système solaire pour s'écraser, des milliers ou des millions d'années plus tard, sur d'autres planètes.

— Où voulez-vous en venir avec cette histoire ?

— Je veux en venir au ALH 84001.

— Au quoi ?

Elle jeta un regard par le hublot du Gulfstream V et constata que la Terre était proche. Le long des eaux bleues du golfe du Mexique s'étendait une ville aux gratte-ciel reluisants, presque entassés les uns sur les autres ; Houston était en vue.

— Une équipe américaine qui explorait les Allan Hills, à l'extrémité de la chaîne Transantarctique, a découvert une météorite d'un peu moins de 2 kg et de la taille d'une pomme de terre. Comme c'était la première météorite qui était découverte en 1984 dans les Allan Hills, on l'a cataloguée ALH 84001. Le caillou a été amené en Amérique et son analyse a montré que ses compositions élémentaires et isotopiques étaient différentes de celles qui étaient habituelles sur Terre, mais ressemblaient davantage à celles des pierres et des gaz atmosphériques que diverses sondes, y compris les *Viking*, avaient détectés sur Mars au fil du temps. En somme, il s'agissait d'une pierre martienne.

— C'est l'une de ces pierres projetées dans l'espace par l'impact d'une météorite sur Mars ?

— Vraisemblablement, rétorqua Emese. Les analyses qui ont été faites ont permis de conclure qu'il s'agissait de la plus vieille météorite jamais trouvée, plus âgée encore que la plus vieille pierre découverte sur Terre. Éjectée de Mars il y a seize millions d'années, elle a fini par tomber sur notre planète il y a treize mille ans. La météorite a été conservée au Johnson Space Center, à Houston, et on l'a pratiquement oubliée. Quelques années plus tard, cependant, des scientifiques de la NASA ont décidé de la réexaminer avec un microscope électronique et ils ont décelé, à l'intérieur, la présence de carbonates, des minéraux qui ne se forment qu'en présence d'eau liquide. Des voix se sont élevées pour critiquer la découverte car tout indiquait à l'époque, qu'il n'y avait pas et qu'il n'y avait jamais eu d'eau liquide sur Mars.

— Mais il y en a eu.

— C'est ce qui a été découvert plus tard et a permis de confirmer la prévision faite par les scientifiques de la NASA. Mais qui plus est, on a aussi décelé la présence de cristaux de magnétite sur les carbonates. Or ces cristaux indiquent de manière indubitable que des bactéries et d'autres microbes se sont métabolisés sur la pierre, la transformant de façon caractéristique et laissant des signatures du champ magnétique de la planète.

— Ces cristaux sont vraiment des signes de vie ?

— Indubitablement. Cette conclusion a aussi été critiquée car, à l'époque, on pensait qu'il n'y avait jamais eu de champ magnétique sur Mars. Comment les bactéries martiennes avaient-elles pu laisser la signature du champ magnétique de Mars si celle-ci n'avait jamais eu de champ magnétique ? Seulement voilà, quelques années plus tard, la sonde *Mars Surveyor* a effectivement décelé des signes d'un champ magnétique fossile sur Mars. La découverte a confirmé une fois de plus la prévision des scientifiques de la NASA et obligé à reconsidérer les cristaux de magnétite trouvés sur ALH 84001. L'Institut de technologie de Californie a même conclu que les cristaux décelés sur le carbone de la météorite martienne étaient, eu égard à leur format et à leur composition, exactement identiques à ceux que l'on trouve sur les bactéries terrestres. Des cristaux aussi purs ne pouvaient être obtenus que sur Terre par des processus biologiques, et leur alignement en chaîne constituait le plus fort indice de leur origine biologique.

— Ces cristaux étaient vraiment un signe de vie alors...

— En effet et ce n'était pas le seul. L'étude d'ALH 84001 a révélé une troisième chose extraordinaire. Toujours à l'aide de microscopes électroniques, les scientifiques de la NASA ont détecté des filaments minuscules, d'un diamètre compris entre vingt et cent nanomètres, qui étaient selon eux des fossiles de nanobactéries, c'est-à-dire...

Tomás écarquilla les yeux.

— Des bactéries ?!!

— Des nanobactéries, rectifia Emese. Ce sont des structures protobiologiques, semblables à des bactéries, mais environ dix fois plus petites, si petites qu'elles n'avaient même pas de ribosomes.

— Mais les ribosomes ne sont-ils pas nécessaires pour produire des protéines et relier les acides aminés ?

— Correct.

— Si les nanobactéries n'ont pas de ribosomes, elles ne peuvent pas produire de protéines ni relier les acides aminés. Comment une structure peut-elle être biologique sans protéines ?

L'astrobiologiste ébaucha un regard admiratif.

— Je vois que vous n'avez pas oublié les cours de biologie du lycée, constata-t-elle. En fait, l'idée que les nanobactéries sont des êtres vivants est controversée. D'aucuns pensent que oui, d'autres que non. Les ribosomes sont effectivement essentiels à la vie et on pensait que, pour en contenir dans leurs parois, les bactéries devaient avoir au moins quelques centaines de nanomètres de diamètre, raison pour laquelle la majorité des microbiologistes estimait qu'il était impossible qu'il y ait des cellules plus petites que ça.

— Mais les nanobactéries sont plus petites.

— En effet. Entre-temps, on a découvert trois variétés d'un microbe primitif terrestre de moins de deux cents nanomètres, ce qui prouve que la taille des nanobactéries martiennes n'est pas si extraordinaire que ça. Quoi qu'il en soit, il est clair que les nanobactéries sont dans une phase de transition prébiologique. Elles sont peut-être une forme étrange de vie qui produit des protéines d'une manière différente ou bien qui utilise d'autres types d'enzymes, on ne sait pas. Ou alors, les nanobactéries ne sont pas vraiment vivantes, ce sont des structures protobiologiques, c'est-à-dire des structures en transition entre la chimie et la biologie. Quoi qu'il en soit, c'est bien ce type de structure que les microscopes électroniques ont révélé et photographié sur ALH 84001. Ce sont des fossiles de vie, ou de protovie, que l'on a trouvés sur cette météorite provenant de Mars, et donc des êtres extra-terrestres.

Tout cela paraissait vaguement familier à Tomás qui serra les paupières, faisant un effort pour se souvenir.

— Attendez un peu, cette histoire de micro-organismes trouvés sur la météorite provenant de Mars… cela n'a rien à voir avec l'annonce faite par Bill Clinton ?

La Hongroise garda ses yeux bleus, limpides, fixés sur lui.

— Vous avez une bonne mémoire, déclara-t-elle. C'est bien le président Clinton qui a annoncé, en août 1996, la découverte de la vie extra-terrestre sur ALH 84001.

— Mais je crois me souvenir que cette affirmation a été contestée par la communauté scientifique…

— Comme je vous l'ai dit, on a du mal à déterminer si les nanobactéries correspondent ou non à ce qu'on pourrait raisonnablement appeler de la matière vivante. La thèse des partisans de la vie est renforcée par la découverte sur Terre de fossiles semblables en trois occasions différentes. L'un d'eux, trouvé sur la côte occidentale de l'Australie, contenait même de l'ADN, ce qui conforte l'idée que les nanobactéries de l'ALH 84001 ne sont pas trop petites pour qu'on les considère vivantes. Le problème, c'est qu'on n'est pas certain que l'ADN appartienne aux fossiles des nanobactéries australiennes, la question reste donc ouverte.

— N'a-t-on pas aussi soutenu que ces fossiles avaient été contaminés par de la vie terrestre ? Il me semble avoir lu qu'on a suspecté qu'une fois sur Terre, la météorite martienne avait été infectée par des microbes et que ce sont les fossiles de ces microbes qui ont été analysés. Si tel est le cas, nous n'avons pas affaire à de la vie extra-terrestre mais terrestre.

Elle soupira.

— C'est vrai, cela s'est produit sur d'autres météorites martiennes, et il est vraisemblable que des micro-organismes terrestres ont aussi contaminé ALH 84001. Cela étant, les fossiles de nanobactéries rencontrés sur cette météorite sont différents de ceux qui sont apparus sur les autres météorites de Mars. Non seulement les fossiles de l'ALH 84001 correspondent à des micro-organismes plus petits que ceux qui se trouvent sur Terre, mais ils sont aussi mêlés aux composants originaux de la météorite, ce qui n'est pas le cas des microbes terrestres qui ont contaminé les autres météorites martiennes. Il est vrai que des formats fossilisés similaires ont été recréés en laboratoire sans recourir à du matériel biologique, mais cela s'est produit dans des conditions qui ne sont guère plausibles. Qui plus est, on a découvert que les fossiles des nanobactéries de l'ALH 84001 recelaient peu d'azote. Cela a réglé la question, vous ne trouvez pas ?

Tomás la dévisagea d'un regard sombre.

— Les fossiles contenaient peu d'azote ? Et alors ?

L'astrobiologiste fit une grimace.

— Ah, excusez-moi. Parfois, j'oublie que je parle à un profane. L'azote est un élément essentiel à la vie, qui met des millions d'années à disparaître lorsque les organismes meurent. Cela veut dire que les bactéries récemment fossilisées ont une teneur élevée en azote, contrairement à celles qui le sont depuis longtemps. Comme les microfossiles de l'ALH 84001 contenaient peu d'azote, on peut en déduire qu'ils ont été formés il y a plusieurs millions d'années. Le problème c'est que l'ALH 84001 n'est tombé sur Terre qu'il y a treize mille ans. Pour conséquent, la fossilisation s'est produite avant que la météorite ne nous parvienne.

Elle souligna le terme « avant ».

— Ah !

— L'hypothèse extra-terrestre a ensuite été renforcée par d'autres études réalisées par des scientifiques de la NASA, ici à Houston. On a découvert de nombreuses structures fossilisées sur d'autres météorites martiennes. Sur deux d'entre elles, l'une trouvée en Égypte, l'autre en Antarctique, on a détecté des microfossiles dans un minéral cristallin qui ne se forme qu'en présence d'eau. L'eau n'a vraisemblablement pas pénétré dans ces météorites martiennes après leur arrivée sur Terre, ce qui signifie que les microfossiles se sont formés dans le minéral alors qu'il était encore sur Mars. Il est d'ailleurs significatif d'observer que les microfossiles des deux météorites étaient identiques, alors que les micro-organismes que l'on trouve typiquement en Égypte et en Antarctique sont très différents les uns des autres. D'ailleurs, il n'y a là rien de surprenant, en effet les uns sont typiques de régions désertiques très chaudes, et les autres sont caractéristiques de zones très froides, ce qui exclut la contamination par des microbes terrestres. Par ailleurs, en étudiant diverses météorites de carbone, un astrobiologiste de la NASA a également trouvé d'énormes quantités de micro-organismes qui n'ont pas été fossilisés sur Terre. Sur une météorite qui est tombée en 1969 à Murchison, une localité extrêmement chaude en Australie, et qui a été recueillie quelques heures plus tard, on a trouvé soixante-dix acides aminés différents, dont certains n'existent même pas sur notre planète. La météorite de Murchison contient des restes de micro-organismes typiques de l'Arctique et de l'Antarctique, régions glacées qui n'ont rien à voir avec la chaleur de l'Australie, et ces microfossiles ne contiennent pas d'azote, ce qui prouve qu'ils ont été formés il y a des millions d'années. Comme la météorite n'est tombée qu'en 1969, on peut en conclure que les microfossiles ne se sont pas constitués sur Terre. Vous comprenez ce que cela signifie ?

— Eh bien… cela change tout, admit le Portugais. Si la découverte de fossiles de structures vivantes extra-terrestres ne se limite pas à l'ALH 84001, alors nous disposons de multiples preuves.

— Ni plus, ni moins.

Tomás gigota sur son siège, ressassant le problème.

— D'accord, mais comment des organismes vivants ont-ils pu faire le voyage de Mars jusqu'à la Terre pendant dix-sept millions d'années ? Je croyais que les êtres vivants ne pouvaient pas survivre dans l'espace en étant soumis à des températures extrêmes et à des radiations constantes pendant si longtemps.

— Et les extrêmophiles, alors ? demanda l'astrobiologiste hongroise. Permettez-moi de vous rappeler en particulier les spores que la NASA a placées pendant six ans dans l'espace et qui n'en sont pas mortes pour autant. Si les spores ont survécu au vide sidéral, pourquoi les nanobactéries martiennes ne le pourraient-elles pas ? N'oubliez pas que les nanobactéries de l'ALH 84001 se trouvaient à l'intérieur de la météorite, ce qui signifie qu'elles étaient protégées des dangereuses radiations ultraviolettes.

— Six ans dans l'espace c'est une chose, dix-sept millions d'années c'en est une autre…

— La vie, mon cher, est plus résistante que vous ne le pensez. Si elle peut endurer dix ans, elle peut le faire des millions d'années. Finalement, nous découvrons que la vie n'est pas fragile, mais incroyablement tenace.

— Je l'admets volontiers, déclara Tomás. Cependant, lorsque vous affirmez qu'on a observé la vie extra-terrestre, ce n'est pas tout à fait exact. Tout d'abord, nous ne sommes pas certains que les nanobactéries peuvent être désignées comme de la matière vivante. Ensuite, on n'est pas absolument sûr que les météorites martiennes en cause n'ont pas été contaminées par la vie terrestre, ce qui signifierait que les fossiles découverts pourraient ne pas être extra-terrestres. Ce que je veux dire par là, c'est qu'il subsiste un doute raisonnable. Or, n'oubliez pas que pour des découvertes extraordinaires, il faut des preuves extraordinaires.

La scientifique de l'Agence spatiale européenne secoua la tête, comme si Tomás l'avait déçue.

— Je vois que vous n'avez pas bien saisi toutes les implications découlant de la découverte des extrêmophiles sur Terre et des micro-organismes sur l'ALH 84001 et d'autres météorites.

— De quelles implications parlez-vous ?

D'un geste, elle désigna toutes les personnes qui se trouvaient avec eux dans l'avion.

— Nous sommes peut-être tous des extra-terrestres.

XXII

Le Gulfstream V de la NASA effectuait un ample virage au-dessus du golfe du Mexique, contournant Houston pour se positionner dans l'alignement de la piste de l'aéroport. L'atterrissage aurait lieu dans une dizaine de minutes, peut-être moins.

Dans des conditions normales, Tomás se serait rongé les ongles d'angoisse. Bien que les décollages soient plus impressionnants, l'historien n'ignorait pas que, d'après les statistiques, la majorité des accidents aériens se produisaient à l'atterrissage, ce que toute personne qui avait peur de l'avion savait parfaitement. La conversation l'avait pourtant tellement absorbé qu'il ne s'était pas rendu compte que la traversée de l'Atlantique était sur le point de se conclure.

— Ça alors, s'exclama-t-il sur un ton enjoué. C'est bien la première fois qu'on me traite de E.T....

Emese lui retourna son sourire.

— À vrai dire, ce n'est ni vous ni moi que je qualifie d'extra-terrestre, corrigea-t-elle. Ce sont nos ancêtres.

— Je suppose que vous ne faites pas allusion à mes grands-parents...

— Je veux parler des micro-organismes qui sont à l'origine de tous les êtres vivants qui existent aujourd'hui sur notre planète.

— Vous pensez qu'ils sont venus de l'espace ?

— Tout bien considéré, c'est l'une des implications évidentes qui ressort de la découverte des extrêmophiles et des nanobactéries sur l'ALH 84001, dit-elle sur un ton très sérieux. Nous avons de bonnes raisons de penser, compte tenu de l'ALH 84001 et des expériences effectuées par les *Viking* à la surface de Mars en 1976, que la vie a existé et existe encore sur la planète rouge. Cette conclusion a été renforcée par la découverte en 2016 de dépôts de silice sur Mars, présentant des caractéristiques semblables aux biosignatures dans les thermes d'El Tatio, au Chili. Ces dépôts comportent des structures sédimentaires complexes, créées par une combinaison de processus biotiques et abiotiques. Les enquêteurs ont déclaré de manière catégorique que les structures martiennes répondent à une définition de biosignatures potentielles.

— Potentielles ?

— Il faut procéder à la vérification finale, évidemment. Mais les signes que nous avons décelés sur Mars dès 1976 vont tous dans le même sens. D'une part, nous savons que des milliards de météorites martiennes sont tombées sur la Terre.

— Des milliards ?

— C'est incroyable, n'est-ce pas ? On estime que dix pour cent des pierres martiennes projetées dans l'espace par les impacts d'astéroïdes sont tombées sur notre planète. De plus, s'il est vrai qu'ALH 84001 a mis dix-sept millions d'années à faire le voyage entre Mars et la Terre, d'autres météorites martiennes en revanche ont mis beaucoup moins de temps, parfois quelques mois seulement.

— C'est possible ?

— Bien sûr. Les météorites sont de véritables véhicules spatiaux de transport de vie. De la même manière que le vent répand des semences de plantes dans la nature, les météorites peuvent répandre la vie sur les planètes. Si la vie était présente sur Mars il y a quatre milliards d'années, comme cela semble probable, il est à peu près inévitable, vu la fréquence avec laquelle les pierres martiennes projetées dans l'espace atterrissent sur notre planète, qu'au long de tout ce temps quelques micro-organismes martiens vivants soient arrivés intacts sur Terre. C'est une…

— Attendez, coupa Tomás. Si je vous comprends bien, vous insinuez que nous sommes tous martiens ?

Elle fit un signe affirmatif de la tête.

— Cette hypothèse, que Lord Kelvin a suggérée pour la première fois au XIXe siècle, s'appelle « panspermie », dit-elle. Les biologistes prennent de plus en plus au sérieux cette théorie. D'après ses partisans, la vie ne serait pas apparue sur Terre mais sur Mars, et elle serait venue sur Terre grâce aux bombardements successifs de météorites auxquels notre planète a été soumise tout au long de son existence. Cela signifie qu'il est fort possible que l'origine de la vie sur Mars ne soit pas nécessairement différente de celle de la vie terrestre.

L'historien éclata de rire.

— C'est la meilleure. Je suis un martien !

— Vous, non, corrigea la Hongroise. Mais nos ancêtres les micro-organismes, peut-être.

— Et pourquoi ce ne serait pas l'inverse ? suggéra-t-il. Plutôt que la vie soit apparue sur Mars et ait été transportée sur Terre avec les météorites, pourquoi ce ne serait pas l'impact d'un astéroïde sur notre planète qui aurait projeté des pierres dans l'espace avec des microbes terrestres qui se seraient écrasées sur Mars, apportant ainsi la vie à notre voisine ?

— C'est possible, admit Emese. Dans ce cas, la vie martienne serait d'origine terrestre. Je dois cependant souligner que le parcours dans le sens inverse est plus facile, non seulement parce que la gravité martienne, plus faible, facilite la projection de pierres dans l'espace, mais aussi parce que l'atmosphère martienne est moins dense que celle de la Terre, ce qui évite que les micro-organismes soient carbonisés lorsqu'ils sont éjectés.

— Je vois.

— Ou alors, la vie est venue d'une autre partie de l'univers sur des comètes et des astéroïdes, et s'est répandue sur Terre, et éventuellement sur Mars, lorsque ces objets sidéraux sont tombés sur ces planètes. Toutes ces hypothèses, possibles voire plausibles, sont envisagées par la théorie de la panspermie, selon laquelle la vie ne serait pas apparue sur Terre mais serait venue de l'espace et se serait épanouie sur notre planète.

— Possibles voire plausibles, murmura Tomás en répétant les termes employés par son interlocutrice. Mais… sont-elles probables ?

L'astrobiologiste réfléchit à la question.

— Les hypothèses relatives à la panspermie ? – Elle prit un air songeur. – Je ne sais pas. Cette théorie offre au moins l'avantage de résoudre quelques mystères concernant la vie.

— Lesquels ?

— Eh bien, elle règlerait l'une des plus grandes énigmes de la biologie. Vous ne le savez peut-être pas, mais on suppose qu'il n'y a eu qu'une genèse, en d'autres termes, la vie ne serait apparue qu'une fois sur Terre, et ce dès que les conditions sur notre planète ont permis l'apparition de la vie. C'est une idée très étrange. On pourrait penser que la formation de la vie est un processus lent, étant donné sa complexité et sa difficulté, mais en fait, dès que les conditions ont été réunies sur notre planète… la vie serait apparue. Comment une telle chose a-t-elle été possible ?

— Il se peut que la vie apparaisse dès que sont réunies les conditions permettant son apparition.

— Ça c'est la théorie de l'impératif cosmique, fit observer Emese. Là où existent les conditions pour la vie, elle apparaît. Mais, s'il en était ainsi, la vie se serait formée plusieurs fois au cours de l'histoire de notre planète, vous ne pensez pas ?

Il y aurait eu des genèses successives. Nous savons, cependant, par l'analyse du code génétique, que tous les êtres vivants sont liés et qu'ils ont eu un ancêtre commun. Cela tendrait à montrer que la vie n'est apparue qu'une seule fois. Et, coïncidence extraordinaire, cela s'est produit dès que les conditions ont été rassemblées sur Terre. Pourquoi ? Cela a toujours intrigué les biologistes. La panspermie a l'avantage d'expliquer ce mystère. La vie s'est formée presque instantanément sur Terre car, en réalité, elle est tombée du ciel.

— Elle est vraiment prouvée cette… cette idée qu'il n'y a eu qu'une seule genèse ?

La Hongroise hésita.

— Eh bien, pour être rigoureuse, je dois reconnaître qu'il s'agit d'une opinion majoritaire, mais pas totalement consensuelle. Dans le monde des micro-organismes, il y a deux groupes dominants, les bactéries et les Archaea. Or, quelques biologistes considèrent que chacun de ces groupes résulte d'une genèse distincte.

— Donc, il se peut qu'il y ait eu deux genèses…

— Ou plus. Selon certains scientifiques très réputés, il existe sur Terre une biosphère de l'ombre constituée par des formes de vie que nous n'avons pas encore identifiées et qui recourent à des processus biochimiques et moléculaires totalement différents de ceux que nous connaissons. Cette hypothèse ne doit pas être écartée, ne serait-ce que parce que la découverte des Archaea est relativement récente.

— Cela éliminerait la panspermie.

— Pas nécessairement, car chaque genèse peut procéder de panspermies distinctes. Notez que la thèse de la panspermie contribuerait également à expliquer la constitution rudimentaire des extrêmophiles. Bien que complexe, comme pour toute forme de vie, la structure de ces micro-organismes ultrarésistants semble… primitive, pour ainsi dire. La panspermie expliquerait pourquoi. Les extrêmophiles ont l'air primitifs parce qu'ils le sont vraiment. Seuls les extrêmophiles pouvaient faire le voyage dans l'espace sidéral jusqu'à notre planète, et ils seraient ainsi les premières formes de vie existant sur Terre, les plus primitives. Grâce aux conditions plus favorables qu'ils y ont rencontrées, certains extrêmophiles ont évolué pour se transformer en êtres vivant plus sophistiqués et délicats.

— Cette théorie est intéressante mais elle ne résout pas le mystère de l'origine de la vie, n'est-ce pas ? Elle se limite à le repousser.

— En effet. À supposer que la vie sur Terre soit apparue par panspermie, comment a-t-elle surgi initialement ? En effet, cette question demeure ouverte, c'est pourquoi la panspermie n'est pas une hypothèse très satisfaisante. Les biologistes cherchent...

Une secousse ébranla subitement l'avion, qui se mit à rouler sur le sol, tandis que la carlingue vibrait et que les moteurs rugissaient. Tomás bondit sur son siège et regarda autour de lui avec anxiété.

— Que s'est-il passé ?

Ils avaient atterri.

XXIII

Le Texas était connu pour sa chaleur torride et Tomás fut surpris par la verdure qu'il découvrit lorsque la camionnette de la NASA franchit le portail du Johnson Space Center. Le complexe était constitué de bâtiments rectangulaires, tous identiques, alignés de façon géométrique sur un vaste espace près de la mer, dans la banlieue de Houston. La camionnette passa près d'une fusée posée à l'horizontale sur le sol près de l'entrée ; il s'agissait d'un lanceur *Saturne V*, semblable à celui qui avait emporté Armstrong, Collins et Aldrin sur la Lune en 1969, et était le seul indice montrant qu'ils se trouvaient dans un complexe spatial.

Le véhicule s'immobilisa devant un bâtiment d'apparence anodine. Ils étaient arrivés, mais le Portugais se sentait presque déçu. Il s'était attendu à une architecture futuriste et audacieuse, digne d'un véritable centre spatial, et ce qu'il découvrit ressemblait davantage à un campus universitaire ou à un simple quartier de bureaux, avec des pins et des chênes disséminés ici et là.

— C'est ça ?

La porte de la camionnette s'ouvrit et un homme corpulent, en bras de chemise, une casquette recouvrant une épaisse chevelure rousse comme de la paille, vint les accueillir.

— *Hi folks !* les salua-t-il avec une décontraction typiquement américaine. Je m'appelle William Gibbons, mais ici tout le monde m'appelle Billy. Je suis le directeur de la mission *Phanès* et le chef de l'équipe des formateurs. Bienvenue au Johnson Space Center !

L'accueil fut déconcertant tant il était simple. Pas de cérémonie, ni réception, ni discours comme on aurait pu s'y attendre au seuil d'une mission historique ; on se contenta de transporter leurs valises jusqu'à la réception et de leur remettre un dossier avec les informations utiles et les clés de leurs chambres, comme s'ils venaient d'arriver à l'hôtel pour une simple conférence.

— Vos bureaux se trouvent dans le bâtiment 4S, annonça Billy. Le S veut dire *South*, ou Sud. À ne pas confondre avec le 4N, situé au nord. Vous êtes fatigués ?

Tomás n'aimait pas afficher ses faiblesses, mais les tensions dues au long voyage en avion, qui plus est dans un petit appareil et au milieu de turbulences quasi ininterrompues, l'avaient beaucoup éprouvé. Aussi n'hésita-t-il pas.

— Moi je le suis.

— Pas de chance ! répondit le directeur de la mission. Vous avez une petite heure pour vous poser, puis on commencera à travailler aussitôt après car le temps presse. Un technicien viendra dans vos chambres prendre vos mesures pour les combinaisons. Ensuite nous nous réunirons. – Il regarda sa montre. – Réunion dans une heure dans la salle de conférence située au sixième étage du bâtiment 4S. C'est la salle 6600. Ne traînez pas.

Un « oh ! » de contrariété se fit entendre et le Portugais leva les yeux au ciel ; travailler était bien la dernière chose dont il avait envie en ce moment. Ils durent pourtant se résigner. Se joignant aux autres nouveaux venus, Tomás saisit sa valise et se dirigea vers la chambre qui lui avait été attribuée. En temps normal, les astronautes louaient des maisons à l'extérieur du complexe, mais la NASA disposait de quelques chambres où elle hébergeait les équipages en quarantaine une semaine avant chaque mission, afin de s'assurer qu'ils ne tomberaient pas malade en attrapant un virus quelconque, et c'est là qu'ils furent logés.

Dans le couloir, Emese s'approcha du Portugais.

— Seth m'a fait attribuer la chambre à côté de la sienne.

Tomás sourit.

— Privilège de chef.

— Ne plaisantez pas. C'est très énervant ! – Elle passa la main dans ses cheveux. – Vous savez, j'ai beaucoup aimé discuter avec vous dans l'avion. Rares sont les hommes qui peuvent passer du temps avec moi sans essayer de me séduire.

Il secoua la tête.

— Je les comprends parfaitement.

Ils arrivèrent à la porte de sa chambre et, avant de continuer vers celle qui lui avait été attribuée, la Hongroise soupira.

— Quel dommage qu'on ne m'ait pas mise à côté de vous…

Tomás ne sut que répondre. Comme pour tourner le dos à la tentation, il la salua d'un geste, ouvrit hâtivement sa porte et entra. Cette femme allait lui donner du fil à retordre, se dit-il.

Sa chambre était simple, semblable à celle d'un hôtel. Épuisé par le voyage, le Portugais rangea ses vêtements dans l'armoire puis se déshabilla et prit une douche.

Il entendit que l'on frappait à la porte et sortit la tête de la douche.

— Qui est-ce ?

Il n'entendit pas la réponse, l'eau étouffant les autres sons. En marmonnant, il ferma le robinet et, s'enroulant dans une serviette, se dirigea vers la porte. Il l'ouvrit et se trouva en face d'un employé de la NASA armé d'un bloc-notes, d'un mètre et d'un crayon à papier.

— Veuillez m'excuser, dit l'homme. Je m'appelle Ted. Je suis venu prendre vos mesures.

Tomás n'eut que le temps d'enfiler un peignoir.

— C'est vraiment pour la combinaison d'astronaute ?

— Tout à fait, *sir*, dit Ted en prenant ses mesures. J'espère que vous aimez le bleu.

— Elle va être bleue ?

— Les uniformes des militaires sont verts et ceux des astronautes bleus, précisa-t-il en notant les mensurations. Mais le scaphandre pour les sorties est blanc, bien sûr. Le problème, ce sont les symboles. D'habitude, on met le logo de la NASA au niveau de la poitrine, à droite, et le drapeau américain sur l'épaule gauche. Mais, ça ne va pas être possible dans votre cas, n'est-ce pas ?

— Bien sûr que non.

— Vous avez une idée pour régler la question ?

— Rien de plus simple, mon cher. Comme je suis Portugais et que je représente les Nations unies, vous n'avez qu'à mettre l'emblème de l'ONU sur la poitrine et le drapeau portugais sur l'épaule.

— *Aye, aye, sir.* – Ted hésita. – Et les galons, *sir* ?

— Les galons ?

— Les galons d'astronaute sont blancs, argentés ou dorés. Pour la majorité des civils, ils sont blancs.

— Eh bien alors, mettez-moi des blancs !

Le tailleur mesura aussi la tête de Tomás, arguant que c'était pour le casque. Puis, il lui fit poser le pied sur une feuille de papier et en dessina les contours, c'était indispensable pour les bottes, selon lui. L'opération fut rondement menée, l'Américain étant plutôt rapide avec son ruban et son crayon.

Au bout d'un quart d'heure, Ted repartit en promettant que tout serait prêt dans deux jours.

XXIV

Vingt minutes plus tard, lavé et portant des vêtements propres, Tomás sortit de sa chambre revigoré. Il imagina, non sans forfanterie, que si on l'avait immédiatement envoyé dans une centrifugeuse pour tester sa résistance à des accélérations de trois ou quatre G, il aurait été fin prêt.

Il traversa le Johnson Space Center d'un pas leste, car il craignait d'arriver en retard et ne voulait pas donner une mauvaise impression. La chaleur était insupportable et une nuée d'insectes l'assaillait ; il ne parvint à s'en libérer qu'une fois parvenu au bâtiment 4S.

Une bouffée d'air frais et sec l'accueillit à peine eut-il franchi le seuil. Le bâtiment 4S était en tout semblable aux autres constructions du Johnson Space Center ; ce n'était qu'un simple édifice qui abritait les bureaux d'appui aux missions, et la division des opérations des équipages, avec notamment le fameux bureau des astronautes, au sixième et dernier étage. Il entra dans l'ascenseur et monta jusqu'au sixième.

L'étage des astronautes comportait une partie réservée à l'administration et une petite cafétéria. L'aménagement intérieur était bon marché. En guise de murs, il y avait des panneaux amovibles, et les bureaux et les tables paraissaient on ne peut plus ordinaires. Même les armoires étaient d'un gris monotone et l'ensemble du bâtiment était illuminé par des néons fluorescents qui lui conféraient un air froid et impersonnel.

Il entendit un murmure provenant de l'autre côté d'une porte à sa gauche, sur laquelle figurait l'indication « Room 6600 ». Il comprit qu'il s'agissait de la salle de conférence. Il entra et se trouva face à un petit groupe qui bavardait. Il y avait des ingénieurs, des scientifiques et des directeurs de la NASA et des autres agences spatiales engagées dans la mission.

— Alors ? demanda Emese, une cannette de soda américain à la main. Prêt pour la grande aventure ?

— Je n'ai pas encore bien compris. – Il fit un geste en désignant la décoration. – Dans quelle espèce de taudis sommes-nous ? Où est l'ambiance futuriste qui sied à un centre spatial digne de ce nom ?

Elle rit.

— Bienvenue dans le monde des agences spatiales, où l'on consacre des milliards de dollars à tout sauf au confort des astronautes. Vous feriez mieux de vous habituer car, vous allez voir, ça va être de mal en pis, très cher. Nous sommes taillables et corvéables à merci !

— Vous vous payez ma tête…

— Attendez de voir les entraînements et, surtout le décollage de la navette. On en reparlera, avertit la Hongroise avec un sourire forcé. Si un simple vol au-dessus de l'Atlantique vous a rendu nerveux, je suis curieuse de voir ce qui se passera lorsqu'on en viendra aux choses sérieuses. Vous allez faire une syncope.

— Vous essayez de me faire peur ?

— Non, j'essaie simplement de vous préparer à ce qui va venir. Vous ne le savez peut-être pas, mais, à certains égards, la vie des astronautes ressemble à celle des commandos des forces spéciales.

— Pourquoi ? On va nous tirer dessus ?

— Non, mais ce qui nous attend est beaucoup plus dur que les gens ne l'imaginent lorsqu'ils voient un film de science-fiction. Après nous avoir torturés pendant les entraînements préparatoires, on va nous installer dans un vaisseau spatial qui sera lancé dans l'espace par des fusées chargées de tonnes de combustible solide hautement explosif. Après la mise à feu, ces fusées ne pourront pas être stoppées. Soit elles fonctionnent et nous emportent dans l'espace, soit elles explosent et tout est fini. Il n'y a pas de troisième option.

— Ni de sorties de secours ?

L'astrobiologiste de l'Agence spatiale européenne éclata de rire une fois de plus, mais cette fois c'était un rire manifestement nerveux.

— Ce serait bien, en effet. Les capsules *Mercury* et *Apollo* avaient des systèmes de secours qui les détachaient des fusées quand ça tournait mal et les capsules *Gemini* disposaient de sièges éjectables pour permettre de sauver les astronautes en cas de difficulté. La navette n'a rien de tout ça. Nous y serons enfermés sans aucune échappatoire. C'est comme si on nous attachait à une bombe volante, vous voyez le genre ? Lorsque les fusées s'allumeront avec nous à l'intérieur, je serai curieuse de voir comment vous réagirez.

Le Portugais la regarda de biais.

— Vous serez surprise.

— J'en doute.

Tomás lui tendit la main.

— Alors, faisons un pari. Si le voyage se passe bien, vous m'invitez à dîner. Si nous mourons, c'est moi qui vous invite.

Emese lui jeta un regard coquin.

— J'accepte, mais à condition que ce soit un dîner aux chandelles.

Sa réponse embarrassa Tomás qui détourna aussitôt le regard vers les murs de la salle de conférence ; ils étaient couverts de plaques avec des noms. S'approchant un peu, le Portugais en identifia quelques-unes.

— Tiens donc, Gordon Cooper…

— Cette salle est chargée d'histoire, dit Emese. À chaque mission de la NASA correspond une plaque avec les noms des astronautes qui y ont participé. Celle-ci est celle de Gordon Cooper, qu'on appelait Gordo, sur *Gemini 5*, en 1965. Là, c'est celle d'Alan Shepard, sur *Mercury*, en 1961.

— Et quelle est celle d'*Apollo 11* ?

Elle sourit.

— C'est de loin la plus recherchée. – Elle désigna une plaque, un peu plus loin. – *Apollo 11*, 1969, avec Neil Armstrong, Buzz Aldrin et Michael…

Ils entendirent des claquements et se retournèrent. Seth Dyson était monté sur l'estrade et tapait du plat de la main sur le bureau pour attirer l'attention, tout en faisant signe aux personnes présentes de s'asseoir. Les conversations cessèrent et tous s'installèrent, regardant l'astrophysicien de la NASA avec des expressions d'impatience.

La réunion allait commencer.

XXV

Un grésillement signala que les micros sur la table avaient été branchés. La salle de conférence du bâtiment 4S était simple. Quelques dizaines de chaises étaient occupées par des membres des différentes agences spatiales concernées par la mission, ceux de la NASA étant évidemment majoritaires, tandis que six personnes, parmi lesquelles Tomás et les deux scientifiques qui étaient venus de Rome avec lui, Seth et Emese, avaient pris place sur l'estrade. Derrière eux se trouvaient un écran et un haut-parleur, et dans les coins de la salle deux téléviseurs étaient allumés et branchés sur des chaînes d'information ; le son avait été coupé mais on pouvait lire, dans la partie inférieure de l'écran et en grandes lettres, la mention *Breaking News* et le titre « Signe de vie ».

Après avoir branché l'ordinateur portable qui était posé sur le bureau et ajusté le micro, Seth Dyson attendit quelques instants que tous fussent installés puis il démarra la réunion.

— Mesdames et messieurs, bienvenue à la mission *Phanès*. Inutile que je vous explique ce que nous faisons ici, mais en tant que responsable scientifique de la mission je peux vous dire qu'à l'heure qu'il est, les médias diffusent la nouvelle de la réception du signal envoyé par le vaisseau spatial extra-terrestre auquel nous avons donné le nom de code *Phanès.* – Il désigna les deux téléviseurs. – Le cirque a commencé.

Une voix dans la salle l'interpella.

— L'annonce officielle a déjà été faite ?

— Elle sera faite ce soir, par le secrétaire général de l'ONU devant l'Assemblée générale, à New York. Mais, l'information ayant commencé à parvenir à des dirigeants du monde entier, il était inévitable que les médias finissent par en avoir connaissance. C'était prévu et nous n'avons pas été surpris. Quoi qu'il en soit et pour être franc, je pense que la déclaration du secrétaire général aurait déjà dû être faite. Mais, mieux vaut tard que jamais, n'est-ce pas ?

Les regards étaient attirés par les deux écrans ; tous tentaient de deviner ce qui était dit. Les chaînes d'information en continu alternaient les titres ; outre « Signe de vie », on pouvait également lire « Signe de l'espace » ou encore « E.T. a téléphoné ».

— Le secrétaire général va-t-il seulement évoquer le signal reçu par l'Allen Telescope Array ? voulut savoir quelqu'un. Ou bien va-t-il aussi parler de la mission *Phanès* ?

Avant de répondre, Seth saisit la télécommande et éteignit les téléviseurs, seule manière de conserver l'attention de tous.

— Il va bien évidemment parler de la mission, confirma l'astrophysicien. Mais avant qu'il ne le fasse, j'aimerais que vous soyez les premiers à savoir que l'équipe qui sera à bord d'*Atlantis* pour cette rencontre historique avec *Phanès* a déjà été sélectionnée. D'un geste, il désigna les personnes assises à la table. Nous sommes cinq astronautes et nous sommes tous ici.

Une salve d'applaudissements enthousiastes, de sifflements, de hourras et de vivas, emplit la salle de conférence.

— *Atta boy!*

— *Way to go!*

Lorsque le calme fut revenu, Seth reprit la parole.

— Tous les membres de la mission *Phanès* sont dans cette salle et, étant donné que nous allons passer les prochains jours ensemble, je crois qu'il serait utile qu'ils se présentent individuellement. – Il désigna un homme noir costaud, vêtu d'un uniforme de la NASA couvert de tâches d'huile, comme celui d'un mécanicien. – Le mieux c'est de commencer par toi, Duck. Le personnel de la NASA te connaît, mais pas les autres.

Duck brancha son micro.

— Je m'appelle John Daugherty. Nous avons l'habitude de donner des surnoms aux astronautes, aussi vous pouvez m'appeler Duck. – Il montra son uniforme. – Désolé de me présenter devant vous dans cet état, crasseux et sentant l'huile, mais je viens de passer les deux derniers jours enfermé dans le MBS à simuler des décollages. C'est de là que je viens et je retournerai au simulateur dès que cette présentation sera terminée car, comme vous le savez, s'il y a une chose qu'on ne doit pas rater c'est bien le décollage.

Un murmure d'approbation se fit entendre.

— Ni le décollage ni le reste, ajouta Seth avec un rire nerveux. Nous voulons tous revenir entiers à la maison, il me semble.

Duck reprit sa présentation.

— Comme beaucoup d'entre vous le savent, je serai le commandant d'*Atlantis* pour cette mission. Cela veut dire que, tant que nous sommes sur terre c'est Billy Gibbons, le chef de la mission qui commande ; mais, dès que les malheureux assis à cette table mettront les pieds dans la navette, y compris Seth en tant que responsable scientifique, c'est moi qui commanderai. Et à partir de ce moment-là, même pour roter, ils devront me demander l'autorisation.

La dernière phrase déclencha les rires dans la salle.

— Je crois que nous allons changer le nom de la navette, plaisanta Seth. Au lieu d'*Atlantis* on va l'appeler *Bounty*. Et on verra alors si c'est Donald Duck ou l'équipage qui commande.

Nouveaux éclats de rire.

— Le commandant est Dieu et maître à bord, souligna Duck. Je suis colonel de la Marine des États-Unis, j'ai fait mon service sur le porte-avions *USS Washington*, et j'ai piloté des chasseurs bombardiers F-14 Tomcat au-dessus de l'Irak pendant la Guerre du Golfe. Ça fait vingt ans que je suis à la NASA et j'ai participé à huit missions sur des navettes, dont trois sur *Atlantis* en tant que commandant. Bien que le programme des navettes ait été arrêté, je ne vous cacherai pas que je me réjouis qu'*Atlantis* reprenne du service pour une dernière mission, surtout si l'on considère qu'il s'agit de la plus importante de toutes. J'aime à penser que je suis le meilleur astronaute et le plus expérimenté dont dispose la NASA et c'est un grand honneur de commander la mission *Phanès*, non seulement au nom de la NASA et des États-Unis, mais aussi au nom de toute l'humanité.

À peine eut-il achevé sa phrase que Duck débrancha son micro, signifiant par là qu'il avait fini sa présentation et ce fut l'homme à côté de lui, un individu très pâle, aux cheveux bouclés châtain clair, qui prit la parole.

— Mon nom est Hubert Charbit, je suis né à Montréal, au Québec. Lorsque je suis arrivé ici et que mes collègues m'ont entendu parler anglais avec un léger accent français, ils m'ont surnommé *Frenchie*. J'ai eu beau protester, et pas qu'un peu, mais en vain… le surnom m'est resté. Pendant des années, j'ai piloté un F-18 Hornet de l'escadre de Bagotville, de l'Aviation royale canadienne, et à présent je suis astronaute à l'Agence spatiale canadienne. J'ai effectué plusieurs vols sur des navettes en qualité de pilote, au titre d'un programme de coopération entre la NASA et l'ASC, l'agence spatiale de mon pays. Je serai le pilote de cette mission, mais ne craignez rien pour votre sécurité car celui qui sera aux commandes d'*Atlantis* ce sera Duck. – Il ébaucha un sourire forcé. – Je crois qu'il a tellement confiance en moi qu'il ne me laissera pas toucher aux manettes.

L'humour et l'autodérision du Canadien furent bien accueillis dans la salle. Seth passa ensuite la parole au seul spécialiste de charge utile de la mission *Phanès*, Tomás en l'occurrence, qui se présenta en quelques mots, puis ce fut le tour des spécialistes de la mission, Bozóki Emese, qui se présenta aussi brièvement, et un Asiatique au visage joufflu, portant le drapeau chinois sur l'épaule de son uniforme.

— Je m'appelle Yao Jingming, je n'ai aucun surnom et je suis astronaute à la CNSA, l'Administration spatiale nationale chinoise, dit le Chinois en s'inclinant légèrement. J'ai été professeur à l'université de Shanghai, où j'ai enseigné l'astronomie et les mathématiques avant de devenir astronaute. J'ai déjà effectué deux vols spatiaux sur des fusées *Longue Marche* et j'ai travaillé dans le module de notre station spatiale *Tiangong 1*. Hier, j'étais à la Cité aérospatiale Dongfeng, où je préparais la prochaine étape de notre programme spatial Shenzhou, lorsque j'ai reçu l'ordre de me présenter ici de toute urgence. Comme vous pouvez l'imaginer, voler de Mongolie intérieure au Texas n'est pas de tout repos, mais enfin… je suis là. J'avoue que je ne sais pas encore bien ce qui se passe, mais je ne doute pas qu'à la première occasion mes collègues auront la gentillesse de m'éclairer.

Le Chinois fit une nouvelle courbette, un geste ancestral aujourd'hui presque totalement oublié en Chine, et débrancha son micro. Seth Dyson, en sa qualité de responsable scientifique de la mission, passa alors la parole à Billy Gibbons, le directeur de la mission, qui était monté sur l'estrade pour faire une communication.

— J'ai une première nouvelle pour vous, *folks,* annonça le responsable de la mission et du programme d'entraînement. Les exercices des spécialistes de mission et du spécialiste de charge utile commenceront demain, à six heures du matin.

L'annonce provoqua un léger brouhaha dans la salle : de toute évidence, les spécialistes de mission appréciaient peu le choix de l'horaire.

— Six heures du mat ?!!

— C'est très tôt, je sais les gars, convint Billy. Cependant, comme vous le savez, le temps presse et nous devons faire le maximum pour être prêts le jour J. Le programme d'entraînement sera commun à tous les astronautes dans certains domaines et individualisé dans d'autres, selon les fonctions de chacun. Vous trouverez des précisions dans le dossier qui vous a été remis à votre arrivée. Consultez-le, il contient toute l'information dont vous pourrez avoir besoin. Si vous n'y trouvez pas la réponse à vos questions, venez me voir ou parlez-en à Seth. – Il jeta un regard sur l'assistance. – Des questions ?

Le groupe demeura silencieux, et ce fut l'astronaute chinois qui finit par lever la main.

— Comme je l'ai dit à l'instant, la nature de notre mission ne m'a été que très succinctement expliquée avant que l'on m'envoie ici, rappela Yao. C'est pourquoi, je crois qu'il serait très utile qu'on nous montre le fameux signal qui a été reçu par vos radiotélescopes.

Un chœur d'approbation parcourut la salle de conférence.

Pendant que Billy regagnait sa place, Seth Dyson pianota aussitôt sur son ordinateur portable. Puis il relia un câble au projecteur et l'image apparut sur l'écran derrière l'estrade. C'était une image bleue, la même que celle de millions d'ordinateurs du monde entier, avec les icônes alignées en rangs successifs. Se servant du bout de son index comme d'une souris, l'astrophysicien de la NASA pointa le curseur sur l'une des icônes, intitulée *Phanès Signal*, et fit un double clic. La flèche se transforma en sablier.

— Nous allons donc entendre la voix des extra-terrestres.

Le contenu du dossier apparut.

XXVI

Sur l'image qui emplit l'écran de la salle de conférence, on voyait deux symboles, celui de l'Institut SETI et celui de la NASA, ainsi qu'un titre, « Signal capté par le Allen Telescope Array ». En dessous, à l'horizontale, se trouvait la signalétique habituellement associée à des enregistrements, *Stop, Play, Pause, Rewind* et *Forward.* Le curseur était posé sur le symbole *Pause.*

— Comme vous le savez tous, il y a deux semaines, le Allen Telescope Array, un système en réseau d'antennes de radiotélescopes liés à l'Institut SETI, a capté un signal provenant de la zone du ciel correspondant à Tau Sagittarii, dit Seth Dyson. Les triangulations successives effectuées par divers radiotélescopes sur l'ensemble de la planète ont permis de déterminer que la source se trouve dans l'espace. Celle-ci traverse actuellement le système solaire, et semble se diriger vers la Terre. Nous lui avons donné le nom de code *Phanès.* Il s'agit évidemment d'un vaisseau spatial. Les télescopes sont orientés vers l'origine des signaux afin d'essayer de capter une image de *Phanès* et de comprendre le type de technologie qu'il utilise, mais malheureusement cela n'a pas encore été possible, sans doute parce qu'il s'agit d'un petit véhicule, probablement de la taille d'un Boeing. – Il fit un geste en direction de l'écran où l'image était figée. – Ce que nous allons vous faire entendre est le signal que *Phanès* émet sans interruption. Écoutez.

Du bout du doigt, il déplaça le curseur sur l'écran de l'ordinateur et appuya sur le symbole *Play*. On entendit alors une succession de courts sifflements.

... ti-ti-ti-ti-ti. Ti-ti-ti-ti. Ti. Ti-ti-ti-ti-ti-ti-ti-ti-ti. Ti-ti-ti-ti-ti-ti-ti. Ti-ti-ti. Ti. Ti-ti...

Le groupe assemblé dans la salle de conférence écouta les signaux dans un profond silence. Ils savaient tous ce qui se passait, mais c'était la première fois que la grande majorité des participants entendait le message émis par *Phanès*. L'enregistrement durait trois minutes et, bien qu'il fût monotone et répétitif, personne ne dit un mot ni ne toussa pendant qu'il était diffusé. Fasciné, Tomás écoutait cette étrange succession de sifflements comme s'il s'agissait de la voix des extra-terrestres.

À la fin de l'enregistrement, l'image figée avec le logo de l'Institut SETI et celui de la NASA réapparut sur l'écran, et Seth regarda le groupe, curieux de connaître sa réaction.

— Alors, qu'en dites-vous ? demanda-t-il.

— *Awesome !*

— *Ach ! Wunderbar !*

— *Mamma mia !*

— *Ding hao !*

Quelqu'un leva la main.

— Seth, ce son est-il celui émis par *Phanès* et capté directement par nos radios, ou bien s'agit-il d'une transposition sonore que nous avons effectuée à partir de signaux ayant une autre origine ?

— Il s'agit des sons effectivement émis par *Phanès,* sur la fréquence des 1,42 GHz qui, comme vous le savez, est la ligne de l'hydrogène, marquant le début du *waterhole*.

Nouveau brouhaha dans la salle ; les implications de toutes ces informations étaient immenses. L'astronaute chinois intervint.

— Excusez-moi de poser cette question, dit Yao Jingming. J'ai écouté avec la plus grande attention l'enregistrement que mon cher collègue, le professeur Dyson, a eu la courtoisie de diffuser, et je me suis rendu compte, comme vous tous ici présents je présume, qu'il y a de courts intervalles entre les sifflements, comme s'il s'agissait de mots différents, une espèce de morse en somme. Avez-vous déjà examiné cette question ?

L'astrophysicien sourit.

— Affirmatif.

— Et... quelles sont vos conclusions ?

— Ce ne sont pas des lettres, dit Seth. Ce sont des chiffres.

Un brouhaha emplit la salle de conférence ; tout le monde commentait cette information et les possibilités que cela offrait.

— Comment le savez-vous professeur Dyson ? voulut savoir un Européen. Et quels sont ces chiffres ?

Le responsable scientifique de la mission posa de nouveau le doigt sur l'écran interactif de son ordinateur.

— Je propose que nous écoutions à nouveau l'enregistrement, dit-il. Soyez attentifs au nombre de battements à chaque pause.

Il appuya sur *Play* et une fois de plus le son sortit des haut-parleurs.

... ti-ti-ti-ti-ti. Ti-ti-ti-ti. Ti. Ti-ti-ti-ti-ti-ti-ti-ti-ti. Ti-ti-ti-ti-ti-ti-ti. Ti-ti-ti. Ti. Ti-ti...

Certains des participants prenaient frénétiquement des notes tout en écoutant la suite de sons intermittents. Au bout de trente secondes, Seth arrêta la diffusion ; il était inutile de tout réécouter jusqu'au bout, la NASA ayant de toute évidence déjà fait le travail.

L'astrophysicien se tourna vers le Chinois pour avoir son avis, non en tant qu'astronaute mais en tant que mathématicien.

— Alors Yao ? demanda-t-il sur un ton informel. À la lumière de ce que j'ai dit à l'instant, quelles conclusions en tirez-vous ?

Yao Jingming consulta ses notes.

— Je pars du principe logique que chaque sifflement correspond à une unité et que chaque ensemble de sifflements est un chiffre formé par le nombre d'unités en base dix, dit-il. En d'autres termes, et à titre d'exemple, je crois que nous devons considérer que trois sifflements correspondent au chiffre trois, quatre sifflements au chiffre quatre, et ainsi de suite. En partant de ce principe élémentaire, j'ai noté les chiffres quatre, un et… eh bien les autres sont plus longs et il est difficile de les noter en les écoutant comme ça, rapidement. Mais je suppose que vous l'avez déjà fait.

Seth confirma.

— Affirmatif. – Il revint à l'écran de son ordinateur et, avec la pointe du doigt, il chercha un nouveau dossier. Il s'immobilisa sur une icône intitulée *Phanès-Visuels*. – Voici.

Il appuya sur l'icône et, aussitôt, le contenu du dossier apparut sur l'écran.

84197163141592653589793238462643383279502884197
16314159265358979323846264338327950288419716314
15926535897932384626433832795028841971631415926
53589793238462643383279502884197163141592653589
79323846264338327950288419716314159265358979323
84626433832795028841971631415926535897932384626

Une nouvelle clameur se fit entendre dans la salle. Les ingénieurs échangeaient pour essayer de trouver un sens à cette suite apparemment incohérente de chiffres.

— Le premier chiffre que nous voyons correspond au premier signal que nous avons enregistré, expliqua Seth. Il s'agit uniquement de la séquence initiale, la séquence complète se poursuit ensuite de façon interminable. – Il regarda le Chinois. – Yao, vous arrivez à trouver du sens dans tout ça ?

Le mathématicien chinois hésita.

— Eh bien… euh… donnez-moi un peu de temps…

Le responsable scientifique chercha du doigt l'icône pour passer à la page suivante du même dossier.

— Inutile de vous donner cette peine, Yao. Nous avons effectivement déjà analysé avec le plus grand soin tous ces nombres et nous avons immédiatement détecté un modèle, précisa-t-il. Nous sommes en présence d'une suite de chiffres qui se répète indéfiniment. La séquence originale, celle qui se répète sans cesse, est celle-ci.

8419716314159265358979323846264338327950 28

Nouveaux murmures.

— Est-ce que quelqu'un reconnaît ça ?

Tous les yeux se fixèrent sur les premiers chiffres, pour essayer de discerner un modèle.

— Comme je vous l'ai dit, il s'agit d'une séquence qui se répète sans arrêt. On en présente ici le début, tel qu'il a été enregistré par l'Allen Telescope Array, expliqua Seth. La transmission ne commence pas au début d'un nombre mais quelque part au milieu. Ainsi, et étant donné que c'est une séquence qui se répète à l'infini, quel peut bien être le premier chiffre ? – Avec son doigt, il fit glisser le curseur jusqu'à l'icône permettant de changer de page. – Voici la réponse.

Il cliqua sur l'icône.

3141592653589793238462643383279502884197 16

Tous les yeux se fixèrent avec stupeur sur les premiers chiffres de la séquence.

— Je vois que la majorité d'entre vous a compris où tout cela nous mène, constata Seth avec un sourire. Précisons que *Phanès* n'a trouvé aucune forme universelle pour émettre une virgule, c'est donc nous qui l'avons ajoutée.

Il changea de page une nouvelle fois, et la séquence apparut avec une virgule après le premier chiffre.

3,141592653589793238462643383279502884197 16

— Vous avez compris ?

Toutes les personnes qui étaient dans la salle regardaient ébahies les chiffres que *Phanès* émettait en continu et que la NASA avait fini par décoder. Elles les reconnurent aussitôt, soit parce qu'elles l'utilisaient chaque jour dans leur travail – ce qui était le cas de la majorité d'entre eux – soit parce qu'elles ne les avaient pas oubliés depuis l'école primaire.

C'était le nombre Pi.

XXVII

D'un geste qui se voulait théâtral, Seth Dyson changea la page du fichier qu'il avait ouvert sur son ordinateur et l'image suivante emplit l'écran suspendu au mur, affichant sur toute sa surface le symbole grec Pi.

$$\pi$$

Le responsable scientifique de la mission *Phanès* regarda les visages ébahis des personnes qui étaient dans la salle de conférence de la NASA, savourant l'effet qu'il venait de provoquer. Dans ce contexte, la lettre Pi acquérait une dimension mystérieuse, comme si elle provenait d'un alphabet inconnu.

— Aucun d'entre vous, je suppose, n'ignore l'importance de cette constante mathématique, dit-il sur un ton grave. Nous l'avons tous apprise à l'école. Le fait que *Phanès* nous envoie en permanence la séquence initiale de Pi constitue la preuve indubitable, si le moindre doute était encore permis, qu'il s'agit d'un signal intentionnel et que nous avons affaire à une civilisation avancée. Non seulement l'équipage du *Phanès* émet sur la fréquence de 1,42 GHz, la ligne d'hydrogène, mais il l'utilise aussi pour nous transmettre des séquences successives de la plus importante constante mathématique.

Une main se leva dans l'assistance.

— Dites-moi, Seth, cela ne serait-il pas conforme à l'une des particularités du signal « *Wow!* », capté par le radiotélescope de l'Ohio dans les années 1970 ?

— C'est le cas, en effet, reconnut l'astrophysicien de la NASA Le signal « *Wow!* », qui provenait du même secteur de l'espace et utilisait la même fréquence de 1,42 GHz, semblait inclure la série de Lyman, ce qui à l'époque a renforcé la conviction qu'il s'agissait d'un message intentionnel envoyé par une civilisation extra-terrestre. Nous avons des raisons de croire que l'origine du signal « *Wow!* » est la même que *Phanès*.

— Peut-il s'agir du même émetteur ?

— Oui, c'est possible, même si nous avons tendance à penser qu'il s'agit plutôt de messages envoyés par deux sources différentes de la même civilisation. Imaginez que sur Tau Sagittarii ils reçoivent deux signaux de la Terre, l'un émis par les États-Unis et l'autre par la Russie. L'émetteur est-il le même ? Eh bien, ça dépend de ce qu'on entend par là. Les deux messages sont partis de la Terre et en ce sens l'émetteur est bien le même. Mais leurs auteurs sont différents. Vous saisissez ? Nous supposons, sans en avoir la certitude, que nous nous trouvons dans une situation semblable. Le signal « *Wow!* » que nous avons reçu en 1977, a été envoyé par la même civilisation que celle qui nous a envoyé *Phanès*, mais *Phanès* n'est pas l'auteur du signal « *Wow!* ».

— Comment êtes-vous parvenus à cette conclusion ?

— Il suffit de faire un peu de calcul. Si Tau Sagittarii se situe à plus de cent années-lumière de distance et que le signal « *Wow!* » a été reçu en 1977, ça signifie qu'il est parti de Tau au XIXe siècle. En revanche, *Phanès*, qui voyage à une vitesse nettement inférieure à celle de la lumière, à moins qu'il n'ait utilisé des raccourcis comme les trous de vers qui existent théoriquement dans l'espace-temps, doit être parti de Tau Sagittarii il y a quelques milliers d'années. Il n'est donc guère crédible que l'émetteur soit le même, bien que la civilisation qui les a envoyés soit probablement la même.

— En somme, on suppose que, bien qu'il n'arrive que maintenant, *Phanès* est plus âgé que le signal « *Wow!* »...

Tomás avait suivi la conversation avec une grande attention et en silence. À ce moment-là, cependant, il leva la main pour demander la parole.

— Oui, Tom ?

— Vous vous souvenez que nous avons parlé à Rome des intentions de l'équipage de *Phanès* ? demanda-t-il. Vous m'avez alors dit que le message de *Phanès* contenait un élément supplémentaire qui permettait de penser que leurs intentions ne représentent pas une menace. À quoi faisiez-vous allusion ?

Seth fit un geste pour indiquer le symbole mathématique qui emplissait l'écran sur le mur derrière eux.

— Pi.

— Je ne comprends pas, répondit le Portugais. Comment Pi peut-il révéler des intentions pacifiques ?

— Vous êtes aussi scientifique que moi, Tom, répondit l'astrophysicien. Vous ne trouvez pas de réponse à cette question ?

L'historien se gratta le menton en regardant le symbole grec projeté sur l'écran.

— Eh bien... on peut déduire de la transmission de cette constante mathématique que ses auteurs s'intéressent à la science et à la connaissance, dit-il. Dans le fond, en envoyant un message dans lequel Pi se répète, ils nous disent qu'ils connaissent Pi et demandent si quelqu'un d'autre connaît ce symbole. En pariant sur cette constante mathématique, ils montrent qu'ils s'intéressent à la connaissance pure, et pas à la conquête ou à l'agression. On peut en effet voir ça comme un signe encourageant.

— C'est tout à fait ça, Tom, acquiesça Seth. – L'astrophysicien se tourna vers le collègue chinois. – Yao, en tant que mathématicien de la mission *Phanès*, que pensez-vous du fait que l'équipage de *Phanès* ait choisi le symbole Pi pour communiquer avec nous ?

Interpellé par le responsable scientifique, Yao Jingming saisit la bouteille d'eau minérale posée devant lui, en ôta le bouchon, versa de l'eau dans son verre et but une gorgée. Ce n'est qu'après avoir reposé le verre qu'il répondit.

— Le choix de Pi est effectivement très intéressant, cher collègue, finit par dire le Chinois. Intéressant et significatif, si vous me permettez. En mathématiques, Pi est connu comme la constante du cercle, car il établit la relation entre le périmètre et le diamètre d'une circonférence. C'est apparemment une chose simple, mais la valeur de Pi est très étrange car elle ne renvoie pas à un nombre entier, comme un, deux, trois, ni à des fractions de nombres entiers, comme la moitié, un tiers, deux tiers, et ainsi de suite ; ce qu'on appelle les nombres rationnels. Il faut dire que l'école de Pythagore attribuait une très grande valeur aux nombres rationnels, car elle pensait qu'ils jouaient un rôle fondamental dans le cosmos. Seulement, Pi n'est rien de tout ça. C'est un nombre irrationnel dont les décimales se prolongent infiniment, sans répétition ni modèle. Et on a découvert que c'est précisément un de ces nombres qui jouent un rôle si important dans la structuration de la réalité, ce qui n'a pas manqué d'étonner les Grecs de l'Antiquité.

— Pi était déjà connu dans la Grèce antique ?

— Il l'était même avant. Toutes les civilisations, lorsqu'elles ont commencé à approfondir leur connaissance des mathématiques, se sont très vite aperçues de l'existence de Pi et de son importance, et elles ont aussitôt essayé de calculer sa valeur. Cela s'est passé il y a quatre mille ans en Égypte et à Babylone, plus tard en Grèce, en Chine avec Hou Han Shu et Liu Hui, en Inde…

— Est-ce la raison pour laquelle *Phanès* a utilisé Pi pour communiquer avec nous ? demanda Emese, qui jusque-là n'avait rien dit. Vous pensez qu'ils sont en train de nous dire qu'ils savent que nous connaissons Pi, puisque toutes les civilisations scientifiques connaissent nécessairement cette constante ? La découverte de Pi serait-elle un impératif universel, je dirais même cosmique, de la civilisation ?

Yao Jingming examina la question.

— Peut-être.

— Ou bien alors, Pi étant la constante du cercle, lorsqu'il utilise ce concept mathématique pour entrer en contact avec nous, l'équipage du *Phanès* n'essaie-t-il pas de nous communiquer l'idée de cercle ?

Le Chinois réfléchit encore.

— Peut-être.

Tout le monde éclata de rire ; il était clair que ni l'astronaute et mathématicien chinois ni personne d'autre n'avait de réponse définitive à la question. On pouvait juste faire des conjectures. Au milieu des rires, ce fut Tomás qui vint au secours de la Hongroise.

— L'hypothèse selon laquelle *Phanès* utilise Pi pour vouloir nous communiquer l'idée de cercle me semble intéressante et elle devrait être dûment considérée et examinée, argumenta l'historien. Le cercle n'a ni début ni fin, c'est pourquoi il est devenu un symbole universel d'intégrité, d'éternité, d'homogénéité et de perfection, conception qui tend à renforcer les buts pacifiques et gnostiques de l'équipage du *Phanès*. Le cercle est l'absence de divisions ou de distinctions, c'est le symbole de l'unité, l'idée selon laquelle, malgré des différences apparentes, nous sommes tous pareils, nous sommes tous reliés, nous ne formons qu'un. La différence est une illusion. Pour les hindous et les bouddhistes, le cercle représente la naissance, la mort et la renaissance, le cycle éternel de la vie et de la mort, le temps qui s'achève sans jamais s'achever, une chose en amenant une autre, tout change et tout demeure identique. Même le yin et le yang sont dans un cercle. Plus important encore, historiquement le cercle est un symbole que la plupart des cultures associent au concept le plus éminent de tous. Savez-vous lequel ?

Les personnes qui étaient dans la salle le dévisagèrent avec une expression vide.

— Le soleil ?

Un sourire aux lèvres, n'ignorant pas qu'il allait évoquer une question sensible pour des scientifiques, Tomás fit une pause avant de répondre à la question qu'il avait lui-même posée.

— Dieu.

XXVIII

Le mot Dieu étant le plus grand tabou pour des scientifiques, il suffit de le prononcer pour provoquer un choc dans l'assistance. Après un bref silence horrifié, comme s'ils digéraient un affront indescriptible, il y eut un brouhaha dans la salle de conférence. Certains scientifiques se levèrent, d'autres ironisaient avec ce qu'ils prenaient clairement pour une notion ridicule émanant d'esprits superstitieux, d'autres encore secouaient la tête avec réprobation. Les protestations fusaient de toutes parts et l'air semblait vibrer sous les clameurs d'indignation.

— Dieu n'a rien à faire ici !

— Il est question de science, pas de superstition !

— Nous sommes à la NASA ou dans une église ?

Le tumulte avait pris une telle ampleur que Seth Dyson se vit contraint d'intervenir. Il écarta les bras et essaya de faire taire la salle.

— Du calme ! Du calme ! s'écria-t-il. Calmez-vous ! Personne ne veut mêler la religion au débat ! Ne vous exaltez pas, je vous en prie ! – Le brouhaha commença à s'atténuer. – Tom voulait seulement insister sur la dimension historique et culturelle du cercle, la forme géométrique associée à Pi. La question de la divinité n'est pertinente que si elle fait partie intégrante du message que nous avons reçu, cela va de soi. L'hypothèse soulevée par Emese et par Tom nous ouvre une perspective sur la façon de penser de l'équipage du *Phanès*. C'est dans cette optique que nous devons la prendre en compte.

L'intervention de l'astrophysicien de la NASA apaisa la salle, ce qui permit à Tomás de reprendre la parole.

— L'association de Pi au divin nous permet d'envisager la possibilité que les extra-terrestres aient, eux aussi, l'idée de Dieu, déclara le Portugais, imperturbable. Vous n'êtes pas sans savoir que le concept de divinité est universel dans les cultures humaines, et Pi lui est très souvent associé. Dans un passage célèbre de la Bible, 1 Rois 7:23, il est question d'un bassin de bronze construit dans le Temple de Jérusalem en se basant sur Pi. En nous communiquant la valeur de Pi, l'équipage du *Phanès* serait-il en train de nous transmettre aussi l'idée de Dieu ? Cette question mérite notre attention.

L'explication de l'historien plongea tout le monde dans la réflexion. Les possibilités ouvertes par la réception du signal, avec l'indication de Pi, émis par le vaisseau extra-terrestre étaient vraiment immenses.

— Que proposez-vous que nous leur répondions, professeur Noronha ? voulut savoir l'un des ingénieurs de la NASA. Pensez-vous que nous devons leur signaler nos symboles religieux, tels que la croix, l'étoile à six branches ou le croissant ?

Tomás secoua la tête.

— Ces symboles sont arbitraires et résultent de circonstances historiques propres à nos cultures que l'équipage du *Phanès* ne comprendrait pas, cela va de soi, répondit-il. Si vous me permettez, il me semble qu'avant de songer à envoyer des réponses à qui que ce soit, notre priorité actuellement est de comprendre toutes les dimensions du message que nous avons reçu. Nous avons déjà vu que la communication a été établie sur 1,42 GHz, ce qui est significatif car ils ont délibérément choisi la fréquence d'émission de l'hydrogène froid, l'élément le plus simple et le plus commun de l'univers. Cela constitue la première dimension sémantique du message. La deuxième est le contenu du message lui-même, c'est-à-dire l'utilisation de Pi, la constante mathématique qui nous renvoie au cercle, une forme qui, dans les cultures humaines est associée à l'idée de divinité. L'équipage du *Phanès* peut-il faire la même association ? Nous le saurons bientôt, je l'espère. Quant à la troisième dimension du message que nous avons reçu, personne ne l'a encore abordée.

Seth haussa les sourcils.

— Il y a une troisième dimension ?

Le Portugais fit un signe vers l'écran où le symbole π était resté affiché.

— Pouvez-vous revenir à la page précédente de ce dossier, celle où figure la valeur de Pi que *Phanès* nous envoie sans discontinuer.

L'astrophysicien de la NASA obéit et appuya sur l'icône de l'ordinateur pour revenir en arrière. Le symbole π fut aussitôt remplacé sur l'écran par la valeur de Pi, à laquelle la NASA avait ajouté une virgule après le premier chiffre.

3,141592653589793238462643383279502884197

— C'est ce que vous voulez, Tom ?

— Tout à fait, confirma l'historien, en regardant les chiffres à l'écran. C'est la séquence de la valeur de Pi qu'ils répètent constamment, n'est-ce pas ?

— Affirmatif.

— Tout à l'heure, je me suis mis à compter les chiffres et...

— Il y en a quarante-deux en base dix.

— Exactement. – Il plissa les paupières, comme pour montrer que la question qu'il allait poser n'était pas innocente. – Mais... pourquoi quarante-deux ?

La question embarrassa Seth.

— Eh bien… je ne sais pas. Ils ne pouvaient pas mettre toute la séquence, je suppose. Comme vous le savez, Pi a un nombre infini de décimales. Nos ordinateurs en ont déjà calculé des trillions, mais *Phanès* ne pouvait pas émettre une infinité de décimales, sous peine de rendre le message incompréhensible. Ils devaient s'arrêter quelque part et ils se sont arrêtés à quarante-deux chiffres en base dix, mais ils auraient très bien pu s'arrêter après n'importe quelle autre décimale.

— En général, combien de décimales de Pi faut-il pour trouver la solution à un problème mathématique ou physique ?

L'astrophysicien hésita.

— Eh bien… euh. – Il hésita à nouveau. – Pas plus de dix.

— Dix chiffres suffisent pour résoudre la plupart des problèmes ? réfléchit Tomás. Alors pourquoi quarante-deux chiffres ? Pourquoi pas dix ? Ou trois ? Voyez-vous, s'ils se contentaient de répéter 3,14, je crois que tout le monde aurait vite compris qu'ils communiquaient la valeur de Pi. Alors qu'il dispose d'une option plus courte et plus simple, pourquoi *Phanès* préfère-t-il émettre quarante-deux chiffres de Pi et pas une autre fraction quelconque, de trois chiffres ou plus ?

La question était vraiment pertinente, comme le remarquèrent les participants. Les yeux des directeurs, ingénieurs et scientifiques réunis dans la salle de conférence se fixèrent sur la ligne avec les quarante-deux chiffres, en essayant de trouver un sens au choix de cet ordre de grandeur.

— Vous voulez dire… que…

En réalité, personne ne comprenait.

— Le choix des quarante-deux premiers chiffres de Pi est un message en soi, souligna Tomás. Reste à savoir lequel. – Il regarda autour de lui, cherchant de l'aide. – Il y a ici tellement d'hommes de science, aucun n'entrevoit la réponse ?

Les scientifiques présents semblaient perdus et, se sentant impuissant, Seth lança un regard interrogateur vers le Portugais.

— Vous connaissez la réponse, Tom ?

— Ma question n'est pas rhétorique, répondit l'historien. Si je la pose, c'est parce que, sincèrement, je ne connais pas la réponse. C'est vous les mathématiciens et les physiciens, pas moi. Mais, moi, je suis le cryptanalyste que vous avez recruté pour cette mission et je ne fais que mon travail lorsque je vous dis une chose de façon claire. – Il désigna la suite de chiffres sur l'écran. – Le choix des quarante-deux premiers chiffres de Pi ne saurait être dû au hasard. Le signal de *Phanès* est une holographie, on dirait que c'est un message unique, mais en fait il en cache plusieurs, c'est un message à plusieurs dimensions. En choisissant les quarante-deux premiers chiffres de Pi, l'équipage du *Phanès* nous envoie un nouveau message. Lequel ?

Les scientifiques regardèrent désespérément l'écran, essayant d'y trouver un sens.

— Je… je… hésita Seth. Je ne vois pas…

— Y aurait-il un lien entre cette valeur décimale de Pi et une structure cosmique ?

La question fit réfléchir l'astrophysicien américain. Il se pencha sur son ordinateur et se mit à pianoter hâtivement sur le clavier, recherchant des informations et effectuant des calculs. Après quelques instants, comme s'il avait été frappé par un rayon divin, il écarquilla les yeux et son visage s'illumina.

— Je sais !

XXIX

Aussi excité qu'un enfant, Seth Dyson sautait presque sur sa chaise ; il avait du mal à se contenir après les calculs qu'il avait effectués et, surtout, la découverte qu'il venait de faire. Cependant, comme s'il doutait de son raisonnement, il refit le calcul, puis, peut-être parce qu'il n'y croyait toujours pas, il le répéta. Il voulait être absolument sûr.

Quand il eut fini tous les calculs, il se leva d'un bond et se tourna vers l'écran, haletant et agité, pour contempler presque en extase la séquence que *Phanès* émettait sans cesse.

3,141592653589793238462643383279502884197

Il indiqua le nombre.

— L'univers ! s'exclama-t-il. L'univers !

C'était le seul mot qu'il semblait capable de prononcer, ce qui en impatienta certains.

— Quel est le problème, Seth ? demanda quelqu'un. Qu'a-t-il de spécial ce nombre ?

Toujours très excité, l'astrophysicien se tourna vers l'assistance et, du pouce, indiqua l'écran.

— J'ai fait le calcul et je l'ai vérifié deux fois, dit-il. Il n'y a pas le moindre doute. Les quarante-deux premiers chiffres de Pi nous permettent d'établir avec une précision millimétrique le périmètre d'un cercle qui couvre la dimension de tout l'univers visible à partir du rayon d'un électron.

— Vous en êtes sûr ?

— Absolument. Cette valeur de Pi permet de faire un calcul avec l'exacte précision du rayon d'un électron. Comprenez-vous ce que je vous dis ? En transmettant en permanence les quarante-deux premiers chiffres de Pi, *Phanès* nous communique en fait la taille exacte de l'univers visible à partir du rayon d'un électron, la plus petite particule élémentaire sans structure interne !

Les regards des personnes présentes dans la salle se tournèrent vers le Portugais. La découverte de Seth avait renforcé la crédibilité de Tomás en tant que cryptanalyste. Tous voulaient savoir quelle lecture il faisait de cette nouvelle donnée.

— Qu'en pensez-vous, professeur Noronha ? demanda un astronome de l'ESA. Que nous indiquent-ils ?

L'historien sentit le fardeau de la responsabilité qui pesait sur lui ; ces gens semblaient croire qu'il avait des pouvoirs magiques de déduction, ce qui ne manqua pas de l'inquiéter. En vérité, il le savait, il n'avait pas réponse à tout, encore moins à une telle question.

— C'est difficile à dire, admit-il. Il est sans doute prématuré que je me prononce sans en savoir davantage. Je vous ai déjà expliqué l'importance de Pi dans l'histoire, dans la culture et la symbolique humaine, mais il me reste à connaître l'impact de cette constante mathématique sur l'apparition de l'univers.

Bien qu'il fût toujours excité, Seth se rassit.

— C'est mon domaine, intervint l'astrophysicien américain. Et je peux vous assurer que Pi est une valeur absolument fondamentale dans la création de l'univers. Fondamentale !

— Dans quel sens ?

— Dans tous les sens, répondit-il. Tenez, commençons par la genèse de l'univers, le moment de la création que nous appelons le Big Bang. Comme vous le savez, Tom, l'univers a été créé à un moment où l'énergie et l'espace ont émergé d'un point infiniment petit, créant d'un seul coup la matière et le temps. Le premier moment de l'histoire de l'univers, le tout premier moment, est appelé le temps de Planck ; il représente moins d'un trillionième de seconde, quand l'univers avait la plus petite taille possible, que l'on désigne longueur de Planck. Ce fut le premier moment et la première dimension de l'univers, l'instant de la genèse. Or, dans les formules mathématiques de ces unités fondamentales et primordiales, le temps et la longueur de Planck, que trouve-t-on ? La constante du cercle. Pi. Croyez-le ou non, Pi était présent dans la genèse.

— Vous êtes sérieux ?

— Pi est une constante absolument fondamentale dans la nature, insista Seth, encore excité. Nous détectons également la présence mystérieuse de Pi dans les valeurs de la température et de la masse de l'univers à l'échelle de Planck, l'échelle primordiale. Dans toutes ces formules, nous retrouvons la constante de Planck, la plus petite quantité d'énergie possible. Il se trouve que cette constante peut être calculée en la divisant par une valeur. Savez-vous quelle est cette valeur ?

Il tapa deux chiffres sur le clavier de son ordinateur et l'image emplit immédiatement l'écran.

$$2\pi$$

Un murmure d'assentiment parcourut la salle de conférence ; la majorité de l'assistance était des scientifiques ou des ingénieurs et tous savaient que Pi était omniprésent dans les mathématiques et les structures fondamentales du cosmos.

— Pi est présent dans la genèse de l'univers en tant qu'entité mathématique, déclara l'astrophysicien. Mais il est plus que ça. Pi domine les phénomènes physiques qui se déchaînent avec le Big Bang. C'est une valeur qui précède la matière et la conditionne. Et, notez-le, il s'agit d'une valeur infinie, un peu comme le cercle, qui n'a ni début ni fin. Il est impossible d'atteindre la dernière décimale de Pi, car ses décimales s'étendent à l'infini. Et bien que toute la suite de décimales ne cesse jamais et semble se prolonger au hasard, elle est en fait prédéterminée. Est-ce que vous réalisez ? Pi est infini et aléatoire, mais la valeur de cet infini et de cet aléatoire est prédéterminée ! Ça a l'air d'une coïncidence, mais tout est défini. Par exemple, si nous choisissons deux nombres entiers, la probabilité que ces deux nombres soient premiers est de six divisé par Pi au carré. Qu'est-ce que Pi a à voir avec le choix aléatoire de nombres premiers ? C'est incompréhensible ! C'est comme si Pi feignant le hasard, contrôlait en fait le destin, était la main invisible derrière tout.

Tomás se sentit impressionné par ce qu'il venait d'entendre.

— C'est tout simplement incroyable.

— Il s'agit d'une sorte de code universel, qui est présent dans la création de l'univers et ouvre la porte à l'infini, qui montre que le hasard n'existe pas, que c'est une illusion, comme si le chaos lui-même était prédéterminé, conclut Seth. En ce sens, Pi est une valeur-univers, une valeur qui contient tout ce qui a existé, existe et existera dans l'univers. Pour Einstein, Pi jouait un rôle fondamental dans la description de la réalité. Pi est caché dans certaines formules fondamentales de la physique, telle une divinité qui contrôle tout sans que personne ne la voie, une sorte de manipulateur derrière le rideau. On trouve cette constante mystérieuse dans des situations tout à fait inattendues, telles que les équations qui régissent le comportement d'une balle au bout d'un fil, le flux de liquides tels que l'huile, ou la constante de la structure fine ou même la simple propagation d'un signal. Vous avez saisi son importance ?

Yao Jingming leva la main pour demander la parole.

— Je pense qu'il faut se souvenir, cher collègue, qu'avant d'apparaître en physique, Pi est avant tout, et par essence, un concept mathématique, souligna l'astronaute et mathématicien chinois. On le trouve, par exemple, dans la formule d'Euler, qui relie cinq constantes fondamentales de la nature, dont l'une est Pi. La constante d'Euler, élevée à la puissance de l'unité imaginaire que multiplie Pi plus un, est égale à zéro. Cela semble un miracle. Il n'y a aucune explication, mais pour une raison mystérieuse, les opérations de la nature impliquent Pi, comme si cette constante était l'une des clés des grands mystères de l'univers. Nous le voyons aussi très souvent dans la théorie des probabilités. Après de multiples doutes quant à la véritable nature de Pi, Lindemann a démontré que nous avons affaire à une valeur transcendante, c'est-à-dire une valeur qui n'est pas la solution d'une équation polynomiale à coefficients entiers. Je vous rappelle aussi que le célèbre génie indien Ramanujan a pu découvrir dix-sept représentations de Pi sous la forme de séries infinies, un exploit qui, encore aujourd'hui, laisse tout mathématicien bouche bée. Et, bien qu'il implique un nombre infini de décimales qui jouent un rôle énigmatique dans l'architecture de l'univers, n'oublions pas chers collègues que, sur le plan géométrique, Pi n'est en fin de compte qu'un innocent concept abstrait qui apparaît dans un simple cercle.

Lorsque Yao se tut, le silence se fit dans la salle. Tous digéraient cette information, que la plupart d'entre eux connaissaient, mais qu'ils n'avaient jamais envisagée sous cet angle. Enfin les regards revinrent sur Tomás, comme si tous s'attendaient à ce qu'il résolve le mystère. Réalisant qu'il était soudainement devenu le centre de l'attention, le Portugais gigota sur son siège, de nouveau embarrassé et bien conscient de la responsabilité qui lui était ainsi dévolue.

— Il est clair que Pi est une constante mathématique d'une telle importance que son choix par l'équipage du *Phanès*, compte tenu en particulier des multiples dimensions du message émis par les extra-terrestres, revêt une signification profonde, déclara-t-il. C'est effectivement une indication très forte que nous avons affaire à une civilisation ayant un intérêt pour la science et la connaissance, mais aussi pour une certaine spiritualité. Je dirais que le choix de Pi montre qu'elle a conscience de l'importance de cette constante en tant que concept mathématique et qu'élément qui a contrôlé le Big Bang et contrôle aujourd'hui l'univers, mais peut-être aussi en tant qu'expression mathématique de la formule qui nous conduit au cercle, le symbole de Dieu. De plus, la décision de transmettre uniquement les quarante-deux premiers chiffres de Pi indique que cette civilisation a conscience de la dimension de l'univers, de sa grandeur mais aussi de ses limites. Enfin, le choix de 1,42 GHz, la ligne d'hydrogène qui marque le début du *waterhole*, suggère l'importance que *Phanès* attribue à l'existence de la vie et à son rôle dans l'univers.

L'historien se tut et le groupe demeura silencieux, comme s'il attendait la suite, ou peut-être parce qu'il se sentait étourdi face aux horizons ouverts par le message déconcertant de *Phanès*. Personne dans la salle ne semblait douter du sens de ce qu'il avait vu et entendu, le sens ultime de tout cela étant devenu parfaitement clair dans l'esprit de chacun.

XXX

Le dîner, prévu dans la cafétéria du troisième étage, était réservé aux astronautes de la mission *Phanès*. Cependant, immédiatement après la conférence, le commandant et le pilote retournèrent aux simulateurs pour d'autres essais de décollage d'*Atlantis*. Tomás s'assit à une table carrée entre Seth et Emese, avec Yao en face de lui.

La cafétéria des astronautes avait une ambiance très caractéristique, avec des photos de ceux qui étaient passés par là durant leur formation pour les missions spatiales. La place prééminente était occupée par l'inévitable Neil Armstrong et ses deux compagnons d'*Apollo 11*, lors de la conquête de la Lune en 1969, Edwin « Buzz » Aldrin et Michael Collins, mais on voyait aussi des photos de John Glenn, Scott Carpenter, Alan Shepard, Gordon Cooper et bien d'autres. Aux photos des astronautes venaient s'ajouter celles des fusées *Saturne* en train de décoller dans une mer de flammes et des nuages de fumée et de vapeur, des capsules *Gemini* en orbite autour de la Terre, des hommes sautillant comme des enfants sur la Lune autour du drapeau américain et d'une navette atterrissant à Cap Kennedy sous le regard incrédule d'un alligator.

— Vous avez vu la télé là-bas ? demanda Seth. On dirait que la nouvelle ne laisse pas les gens indifférents, hein ?

Les regards se tournèrent vers l'écran de la télévision de la cafétéria, branchée sur une chaîne d'informations qui transmettait des images en direct de Times Square. Une foule s'était rassemblée sur la grande place de New York. Des gens chantaient et dansaient en se tenant par la main, d'autres s'étaient déguisés en bonshommes verts, d'autres encore tenaient des pancartes tournées vers le ciel, avec le mot *Welcome !* écrit à la main, ou portaient des chemises sur lesquelles on pouvait lire *Jesus loves E.T. too.*

Les images suscitèrent des sourires.

— Le cirque a déjà commencé.

Après Times Square, des images parvinrent en direct du Trocadéro, à Paris, où une foule regardait les éclairs intermittents émis du haut de la Tour Eiffel en direction de l'espace, la légende en bas de l'écran précisant qu'ils transmettaient en morse le mot « amour ». Puis on vit un journaliste qui interrogeait, devant les télescopes de l'Observatoire européen austral dans le désert d'Atacama, l'un des astronomes chargé de saisir les premières images de *Phanès* approchant de la Terre.

— Ça va être un de ces cirques à présent, dit Seth sans détacher les yeux de l'écran. Il paraît qu'il y a déjà des journalistes, ici à Houston, qui essaient de nous prendre en photo. La presse demande des interviews avec l'équipage de la mission *Phanès.*

— Et que va-t-on faire ?

— Dans des conditions normales, nous sommes censés nous impliquer dans la campagne de relations publiques, déclara le responsable scientifique. Mais nous ne sommes pas dans des conditions normales, n'est-ce pas ? Nous avons deux semaines pour nous préparer, et Dieu sait à quel point ce délai est serré. Duck et Frenchie enchaînent les séances d'entraînement et nous ferons la même chose à partir de demain matin. Il n'y a pas de temps pour la presse, et nous sommes donc dispensés de faire de la figuration.

Après le direct depuis l'observatoire au Chili, l'émission se poursuivit en studio, où le présentateur de la chaîne récapitulait les nouvelles de la soirée. La première était bien sûr l'annonce officielle faite une heure plus tôt à New York par le secrétaire général de l'ONU devant l'Assemblée générale. Les images montraient le numéro un des Nations unies qui prononçait un discours, tandis qu'en bas de l'écran on pouvait lire « Signe de vie » sur un bandeau, ainsi que des citations de l'orateur, notamment des phrases et expressions telles que « Message d'intelligence extra-terrestre » et « Mission spatiale à la rencontre des extra-terrestres ». Le son de la télévision étant coupé, on ne pouvait pas entendre ce que disait le secrétaire général, mais on pouvait facilement l'imaginer.

Puis, des images montrant les visages souriants des six astronautes sélectionnés pour la mission *Phanès* apparurent sur l'écran, ce qui donna lieu à quelques traits d'humour.

— Je suis sûr que lorsque les E.T. verront Emese, ils vont tomber fous amoureux, observa Seth. Je vois d'ici les gros titres dans les journaux : « Coup de foudre dans l'espace entre la belle Hongroise et un Phanésien vert ». – Il fit un clin d'œil. – C'est la version futuriste de la Belle et la Bête.

L'astrobiologiste de l'Agence spatiale européenne ne s'en laissa pas compter.

— Le problème, ce sera quand les extra-terrestres vont voir notre responsable scientifique, rétorqua-t-elle, mordante. Je vous donne un exemple de une : « E.T. terrifié par l'homme de Néandertal ! »

L'Américain ébaucha un sourire embarrassé devant les rires qui éclatèrent dans la cafétéria.

— Elle était bonne, celle-là, hein Seth ?!!

Sur l'écran apparurent ensuite des images en direct de Cap Kennedy, en particulier du bâtiment géant où *Atlantis* était en cours de préparation pour la mission et du hangar où elle serait mise en quarantaine au retour. Après quelques interviews avec des ingénieurs de la NASA, l'émission se poursuivit en studio avec un reportage sur la coopération internationale que suscitait la mission *Phanès*. On pouvait voir des images d'une navette spatiale avec le logo de la NASA, puis le décollage d'une fusée *Ariane* de l'Agence spatiale européenne en Guyane française, et enfin un sujet sur le Centre de lancement de satellites de Jiuquan en Chine ; il était évidemment question du projet commun qui unissait la NASA américaine, l'ESA européenne et la CNSA chinoise. Puis apparut une image du Kremlin avec la légende suivante : « La Russie abandonne ! »

— Bon vent à eux ! marmonna Seth Dyson, encore sous le coup de la pique d'Emese. Heureusement qu'ils ne sont pas là, ils auraient tout gâché.

Le repas arriva et fut déposé sur la table. Les Européens et le Chinois constatèrent avec déception que c'étaient des hamburgers avec du ketchup, accompagnés de frites et d'une boisson pétillante américaine, le cauchemar de tout gourmet. Seul l'astrophysicien de la NASA ne semblait pas s'en soucier ; en fait, Seth était ravi et il se jeta avec enthousiasme sur son repas.

— Une question me turlupine, Tomás, dit Emese, s'efforçant de trouver du courage pour croquer dans son hamburger. Avez-vous une idée de la façon dont nous allons communiquer avec l'équipage du *Phanès* ?

Tomás tentait de mâcher la nourriture qui leur avait été offerte.

— Avant, non, dit-il. Mais maintenant, oui. J'ai réalisé que les extra-terrestres et nous avons en fait un langage commun.

— Vraiment ? s'étonna-t-elle, particulièrement intéressée par le sujet. Lequel ?

L'envie de cracher son hamburger au goût de plastique était presque irrésistible, mais Tomás savait qu'il ne pouvait pas céder à la tentation. S'il ne mangeait pas ce maudit hamburger, il aurait faim. Il se résigna et prit une nouvelle bouchée, avant de répondre à Emese.

— Les mathématiques, bien sûr.

XXXI

La référence aux mathématiques attira l'attention de Yao Jingming. L'astronaute et mathématicien chinois se débattait lui aussi avec son hamburger, se demandant sérieusement s'il devait avaler ça. Les mots de Tomás lui mirent du baume au cœur.

— Je vois, cher collègue, que les options offertes par *Phanès* au sujet de Pi vous ont inspiré, vous aussi. À vrai dire, le message des extra-terrestres a résolu certains des plus grands mystères de la science, en particulier des mathématiques.

— Comment ça ? demanda Emese. Quels mystères ?

— Les mathématiques ont-elles été inventées ou découvertes ? Cette question divise les mathématiciens depuis des siècles. Pour certains, il existe une réalité mathématique qui est en quelque sorte transcendante, c'est-à-dire qui existe dans une réalité fantasmagorique et se matérialise dans notre réalité, qu'elle structure et organise. Pour d'autres, en revanche, il n'existe que notre réalité, et le monde des chiffres n'est qu'une de nos inventions.

— Une invention ? s'étonna la Hongroise. Les nombres n'existent pas ?

— Dans un certain sens, non. Les concepts deux ou sept, par exemple, sont des créations humaines. Le chiffre sept n'existe pas dans la nature de la même manière qu'existent les nuages ou les montagnes, n'est-ce pas ? C'est juste une abstraction.

— Désolée, mais c'est une abstraction qui a une correspondance dans la réalité…

Yao sourit.

— Je vois, chère collègue, que vous défendez l'idée que les mathématiques ont une existence réelle. Dois-je donc en conclure que vous ne les considérez pas comme une méthode ?

La question embarrassa l'astrobiologiste ; de toute évidence, nier que les mathématiques étaient une méthode n'avait aucun sens.

— Je ne vois pas de contradiction entre les deux concepts, dit Tomás en venant à la rescousse d'Emese. Il est clair que les mathématiques sont une méthode pour comprendre une réalité, mais il me semble que d'une certaine manière, cette réalité, la réalité des nombres, a une existence effective, ce n'est pas une pure invention. Quand on voit cinq vaches en train de paître, par exemple, dans n'importe quelle culture il est possible de concevoir le concept de cinq. Bien sûr, les mots seraient différents : un Portugais dirait *cinco,* un Russe *piat* et un Anglais *five.* Cinq peut être écrit de différentes manières, en utilisant des chiffres arabes, ou chinois, ou bien encore des chiffres romains, mais bien que les mots ou les symboles écrits changent d'une culture à l'autre, le concept de cinq est universel. Un Chinois comprend la notion de cinq de la même manière qu'un Français. Cinq vaches sont cinq vaches, que ce soit en Bulgarie, en Suisse ou au Brésil. Cela signifie que le concept de cinq est bien réel.

— Pour vous, les mathématiques sont donc une découverte.

— Et aussi, d'une certaine façon, une invention, insista le Portugais. Cela dépend de ce dont on parle. Prenez l'étoile Castor dans la constellation des Gémeaux, par exemple. Eh bien, on a découvert récemment qu'en réalité Castor n'est pas une seule étoile, mais trois paires d'étoiles binaires qui, de loin, semblent n'en faire qu'une. Deux étoiles, plus deux étoiles, plus deux étoiles, combien ça fait ? Six. Le nombre d'étoiles composant

Castor est réel et le concept de six universel, que le calcul soit fait ici à Houston, à Bruxelles ou dans la constellation des Gémeaux. Mais c'est le moyen d'arriver à cette réalité, la méthode, qui peut être une création. Nous pouvons inventer une méthode consistant à additionner, et dans ce cas deux plus deux plus deux font six, ou à multiplier, auquel cas deux fois trois font six. Nous pouvons concevoir successivement différentes méthodes, et en ce sens les mathématiques seraient effectivement une invention. Cependant, il me semble que la réalité que cette invention dévoile n'a pas été inventée par nous, elle existe vraiment. On peut dire, sans l'ombre d'un doute, que Castor a six étoiles. Six. En ce sens, les mathématiques sont une découverte.

Seth ne put s'empêcher de se mêler à la conversation.

— Il en va de même pour la physique. On peut faire un calcul quantique en utilisant les matrices de Heisenberg, l'équation de Schrödinger, l'intégrale de chemin de Feynman ou toute autre méthode. Chaque physicien peut inventer la méthode de son choix, mais le résultat final est toujours le même. La méthode de calcul est une invention, le résultat du calcul une découverte.

L'astronaute chinois réfléchit à cette analyse.

— Je pense, chers collègues, que vous avez très bien posé la question, acquiesça Yao avec sa politesse habituelle. Les mathématiques sont une invention pour ce qui est de la méthodologie, et une découverte en ce qui concerne la réalité qu'elle dévoile. D'ailleurs, considérons le cas de Pi, choisi par l'équipage du *Phanès* pour communiquer avec nous. Chaque culture humaine a élaboré une méthode pour calculer Pi, à l'instar de Ramanujan qui a conçu dix-sept façons différentes de déterminer sa valeur. Chaque méthodologie est une invention. Mais Pi a une existence effective, peut-être pas en tant que réalité palpable, parce que je ne peux pas ramasser Pi par terre et le jeter à la poubelle, mais comme une espèce de sous-réalité, une structure mathématique invisible qui organise le réel et ne se matérialise que dans l'énergie et la matière.

— En somme, Platon avait raison, acquiesça Tomás. Derrière notre monde, notre réalité, il y a un monde fantasmagorique, un monde de concepts, que Platon a appelé le monde des Idées. Les mathématiques appartiennent à ce monde.

— La question est de savoir si une civilisation extra-terrestre a aussi accès à ce monde.

Le Portugais se força à croquer à nouveau dans le hamburger.

— Je pense que le message de *Phanès* et le signal « *Wow!* » nous ont déjà donné la réponse, observa-t-il. En mettant la série de Lyman dans le message de 1977, les auteurs du signal « *Wow!* » ont montré qu'ils connaissaient la physique nucléaire, notamment le plus petit niveau d'énergie d'un électron. Et en chiffrant leur message avec les quarante-deux premiers chiffres de Pi, l'équipage du *Phanès* a révélé qu'il comprenait non seulement le concept mathématique de Pi, mais aussi le rapport de Pi avec la dimension de l'univers observable. En d'autres termes, on peut considérer que certains aspects au moins des mathématiques et de la physique sont universels.

— Et cela ne vous surprend pas, cher collègue ?

Tomás fit une grimace.

— À vrai dire, non. Le fait que différentes civilisations humaines soient parvenues, de manière autonome, à la notion de Pi, constitue déjà un indice que ce nombre n'est pas une invention, mais un concept mathématique inhérent à la nature qui peut être compris par quiconque commence à étudier les mathématiques. Si les Babyloniens, les Égyptiens, les Chinois et les Indiens ont découvert séparément la présence de Pi dans le cercle, je ne suis pas surpris qu'une civilisation extra-terrestre développée soit aussi en mesure de saisir ce concept élémentaire. Pi n'est pas une invention humaine, mais une constante mathématique qui existe dans tout l'univers.

Bien que ce ne fût pas son domaine de spécialisation, Bozóki Emese suivait la discussion avec intérêt ne pouvant ignorer combien elle était pertinente pour l'astrobiologie.

— Mais n'y aurait-il pas des mathématiques déconnectées de la réalité ? questionna-t-elle. Je me demande en somme s'il n'existe pas des idées mathématiques qui n'aient pas la moindre application dans d'autres domaines.

Les collègues américains et chinois échangèrent un regard, comme s'ils se demandaient ce que chacun pensait de la question. Sachant qu'il ne maîtrisait pas ce domaine, Tomás préféra écouter ce que Yao et Seth avaient à dire.

— Il est vrai, chère collègue, que des recherches mathématiques touchent des domaines qui, d'après ce que l'on sait, n'ont aucune pertinence pour le monde réel, confirma l'astronaute et mathématicien de la CNSA. Ce sont des curiosités que nous autres, mathématiciens, aimons approfondir. Cela étant, il n'est pas exclu qu'elles finissent, de nombreuses années plus tard, par être pertinentes pour expliquer certaines caractéristiques de la réalité.

— Affirmatif, s'exclama Seth. C'est déjà arrivé plusieurs fois en physique !

— Que voulez-vous dire par là ? demanda la Hongroise. Dans quelles circonstances ?

— Avec Einstein, par exemple, déclara l'astrophysicien. Au XIXe siècle, Gauss a élaboré la théorie des surfaces comme une simple curiosité mathématique, tandis que Riemann, Levi-Civita et Ricci se sont intéressés au tenseur de courbure, purement dans une optique de prospection. Ces recherches étaient des mathématiques pures, sans aucune application apparente dans la réalité. Cependant, quand Einstein a développé sa théorie de la relativité, les instruments mathématiques sur lesquels il s'est appuyé ont été précisément ceux créés par Gauss, Riemann, Levi-Civita et Ricci. Autrement dit, on a réalisé que ces recherches en mathématiques fondamentales au XIXe siècle ont finalement permis de structurer un aspect de la réalité physique qui n'a été découvert qu'au siècle suivant. Cela arrive tout le temps. Le mathématicien grec Ménechme s'est mis à étudier les ellipses comme simple exercice mathématique et sans que les ellipses aient le moindre lien avec le monde réel. Du moins, à ce qu'il semblait. Or, deux millénaires plus tard, Kepler et Newton ont utilisé les mathématiques des ellipses pour montrer comment les planètes tournent autour du Soleil.

Tomás revint à la conversation.

— Tout cela montre qu'en mathématiques rien n'est anodin pour l'étude de la réalité. Il se peut même que de multiples recherches mathématiques semblent n'avoir aucune application dans la réalité. – Il fit une pause pour souligner le mot. – Je dis bien, semblent. Cependant, des années, des décennies, des siècles, voire des millénaires plus tard on découvre que ce qui n'était, apparemment, qu'un simple exercice de mathématiques pures s'applique en fait à un certain aspect du réel. Heisenberg s'est servi d'un concept mathématique qui existait déjà, celui des matrices, pour calculer et comprendre une réalité physique jusqu'alors inconnue, le monde de la physique quantique. Cela montre qu'en mathématiques, il n'y a pas de coïncidences et que même ce qui semble n'avoir aucune pertinence vis-à-vis de la réalité joue en fait un rôle qui ne sera découvert qu'a posteriori.

— C'est peut-être vrai, en effet, déclara Yao. Cependant, ce processus n'est pas linéaire, il faut prendre en considération certaines subtilités. Subtilités liées au divin.

— Seulement sur un plan symbolique...

— Non, cher collègue. Les mathématiques touchent vraiment au divin.

La déclaration surprit tout le monde.

— Au divin ?!! dit Seth avec une expression d'incrédulité. – Il était évident que pour lui, la dimension mystique n'avait pas la moindre place dans le travail scientifique, encore moins après la réaction des collègues une heure plus tôt, dans la salle de conférence. – En mathématiques ?

— Certainement.

— Où diable trouve-t-on le divin dans les mathématiques ?!!

Le mathématicien chinois prit un air mystérieux, comme s'il se préparait à aborder l'une des plus grandes énigmes posées par la recherche dans sa discipline.

— Dans le problème de l'infini.

XXXII

Les scientifiques plongèrent dans un silence consterné, comme si une loi non écrite entre eux venait d'être brisée, et ce pour la deuxième fois ce soir-là. De façon très surprenante, Yao Jingming avait lié les mathématiques au divin, un sujet très controversé parmi les hommes de science.

— Je vais vous raconter l'histoire de Georg Cantor, proposa Yao. Lorsqu'il travaillait sur le concept de l'infini et la théorie des ensembles, ce grand mathématicien essaya d'établir une correspondance entre l'ensemble des nombres naturels et l'ensemble des nombres réels. Or, il découvrit que cette correspondance n'existait pas. Il y a plus de nombres réels que de nombres naturels, bien que ces deux ensembles soient infinis. Autrement dit, il y a des niveaux d'infini. Certains ensembles sont plus infinis que d'autres. J'irais même plus loin. Cantor a montré qu'il y a des nombres encore plus grands que l'infini.

— Ça n'a pas de sens ! protesta Bozóki Emese. L'infini c'est l'infini. Comment pouvez-vous dire qu'il y a des infinis plus infinis que d'autres et des nombres plus grands que l'infini ?

— Vous avez raison, chère collègue, mais en mathématiques il y en a. Grâce à une méthode mathématique appelée diagonalisation, Cantor a montré qu'il y a plus de nombres réels entre zéro et un que de nombres naturels.

— C'est incroyable !

Yao sourit, satisfait de l'effet produit par ses propos.

— Le concept d'infini est réellement très intéressant, comme le montre un exemple donné par le mathématicien David Hilbert. Imaginez qu'un hôtel ayant un nombre infini de chambres n'en ait plus de disponibles. Que se passe-t-il si dix nouveaux clients arrivent ? Le propriétaire de l'hôtel pourra-t-il les accueillir ?

— Non. L'hôtel est complet.

— Mais l'hôtel a un nombre infini de chambres, chère collègue, et il est donc toujours possible de trouver dix autres chambres. Qui plus est, même en étant complet, si l'hôtel reçoit de façon inattendue un nombre infini de nouveaux clients, le propriétaire sera toujours en mesure de tous les héberger.

— C'est un paradoxe !

— Bien sûr, mais que les mathématiques permettent. À présent, considérons l'exemple inverse. Les galaxies ont des millions et des millions d'étoiles, n'est-ce pas ? Imaginez maintenant que l'on découvre que le nombre de galaxies est infini. Cela signifierait que le nombre d'étoiles est lui aussi infini. Par conséquent, y aurait-il plus d'étoiles ou plus de galaxies ?

— Si les galaxies sont constituées de millions d'étoiles, alors il y aura toujours plus d'étoiles que de galaxies.

— Vous pensez qu'il y a plus d'étoiles que de galaxies ? N'oubliez pas que les deux ensembles sont infinis.

— Oui, mais si des millions d'étoiles composent les galaxies, il y aura forcément plus d'étoiles que de galaxies.

Le mathématicien chinois secoua la tête.

— Ce que vous dites est logique, cher collègue, mais ce n'est pas ce que Cantor a découvert. Puisque les deux ensembles sont infinis, il y a dans l'univers autant d'étoiles que de galaxies car tous deux sont des infinis dénombrables. Je sais que c'est étrange et que cela conduit à un paradoxe. Cependant, rappelez-vous qu'en mathématiques, la plupart des paradoxes sont des propositions qui contiennent l'idée d'infini ou qui, d'une certaine manière, dépendent de l'infini pour être prouvées.

— Mais est-ce vraiment le cas ? interrogea la Hongroise. Le nombre d'étoiles et de galaxies est infini ?

— Je crains bien que non, chère collègue. Dans la réalité, il y a des limites imposées par le temps et l'espace. Chaque fois que nous pensons avoir trouvé l'infini dans la nature, nous constatons que ce n'est en fait que l'extrêmement grand ou l'extrêmement petit. Nous savons, par exemple, que l'univers n'est pas éternel car il a eu un début, le Big Bang, ce qui nous laisse supposer qu'il aura aussi une fin. Et nous savons aussi qu'il n'est pas infini puisqu'il est en expansion. De plus, la réalité n'est pas infiniment petite, elle trouve sa limite dans la longueur de Planck, l'unité minimale d'espace, ni le temps infiniment petit, puisqu'il trouve sa limite dans le temps de Planck, l'unité minimale de temps. Cantor lui-même a écrit que seuls les nombres finis sont réels. Cela signifie que la limite marque une rupture entre la réalité mathématique et la réalité physique. L'une des conséquences des découvertes de la théorie des ensembles, ainsi que de la géométrie, est précisément que le monde des mathématiques n'est pas nécessairement le même que le monde de la réalité physique. Il existe, par exemple, un théorème, appelé théorème de Banach-Tarski, qui montre qu'il est possible de prendre une sphère de la taille d'un petit pois et de la découper en un nombre fini de morceaux, puis de les recoller et d'obtenir deux sphères ou plus, identiques à l'original. Ce théorème montre qu'il existe effectivement des limites dans le rapport entre le monde des mathématiques et le monde réel.

— Je crois d'ailleurs que les paradoxes créés par la théorie des ensembles ont conduit certains mathématiciens à la rejeter complètement, intervint Tomás. Ce n'est pas par hasard qu'en 1900, Hilbert a dit que la première tâche des mathématiciens du XXe siècle serait de résoudre les problèmes posés par les travaux de Cantor. Mais vous ne pensez pas qu'il vaut mieux laisser de côté cette question, qui est complexe et demeure, malgré tout, controversée ?

— Controversée ? Les théories de Cantor sont aujourd'hui acceptées, mon cher collègue.

— Certes. Mais laissez-moi vous rappeler, Yao, que des philosophes et des mathématiciens, tels que Brian Rotman, considèrent que le concept d'infini est fondé sur la présomption, quasi théologique, qu'il est possible de générer des nombres de manière illimitée sans que ce processus soit affecté par l'entropie ou contraint par des limites de temps ou d'espace. Qui nous assure que les extra-terrestres ont des conceptions théologiques semblables aux nôtres ?

— C'est vous, cher collègue qui l'avez suggéré, lorsque vous avez fait observer que Pi renvoie au cercle, qui est un symbole divin.

— Dans les cultures humaines, Yao, précisa Tomás. Le cercle est le symbole de Dieu dans les cultures humaines. Quant à la culture des extra-terrestres, je n'en ai pas la moindre idée, comme vous pouvez l'imaginer. Bien qu'il me semble significatif que *Phanès* ait choisi Pi pour communiquer avec nous, et tout en notant que Pi est associé au cercle et participe donc de la forme géométrique choisie par de multiples cultures humaines pour décrire Dieu, le fait est que nous sommes dans la spéculation pure. Les extra-terrestres ont-ils la notion de Dieu ? Personne ne le sait. Mais nous savons que la notion du divin a conditionné notre science. L'intérêt de la science occidentale pour la façon dont sont apparus l'univers, notre planète ou la vie, par exemple, résulte, dans une large mesure, du récit de la Genèse. Sans le judaïsme et le christianisme, avec leurs histoires sur Adam et Ève et l'arche de Noé, la question n'aurait probablement suscité aucune curiosité. Par voie de conséquence, nous n'aurions pas Darwin. Dès lors que la religion judéo-chrétienne s'est souciée de ces questions, la science occidentale moderne s'y est également intéressée. Dans la Grèce antique ou en Chine, en revanche, la science ne s'est jamais préoccupée de la question des origines parce qu'elle n'était guère pertinente dans leurs religions respectives. Je veux dire par-là que si les extra-terrestres n'ont pas de religion, ou si leurs préoccupations religieuses sont différentes des nôtres, il est naturel que leur science ait eu une orientation différente.

— C'est sensé.

— C'est pourquoi, étant donné le lien entre l'infini et l'idée de divinité, et compte tenu des paradoxes que l'infini crée dans les théories de Cantor, Rotman a proposé une mathématique fondée sur une arithmétique non-euclidienne, n'incluant pas la notion d'infini. Ainsi, si l'on met de côté la théorie des ensembles de Cantor, qui a vraiment un aspect quelque peu théologique et semble présenter des failles dans la description des limites de la réalité, nous pouvons conclure que seules les mathématiques fondées sur la notion de nombres naturels et sur l'arithmétique sont assurément universelles.

Emese parut intéressée par ce raisonnement.

— Vous croyez que l'arithmétique est universelle ?

— Qu'en pensez-vous ? rétorqua Tomás. Les animaux savent-ils compter ?

— Certains, déclara l'astrobiologiste. Nous savons que les rats, les poules et les chimpanzés sont capables de raisonnements numériques rudimentaires. Les corbeaux, par exemple, savent compter jusqu'à quatre.

— Donc s'ils y arrivent, pourquoi une civilisation extra-terrestre n'y parviendrait-elle pas ? Nous ignorons si le calcul intégral est inné, mais les principes fondamentaux de l'arithmétique le sont à coup sûr. Cela nous donne une base solide pour communiquer avec l'équipage du *Phanès*, car il ne fait pas de doute qu'ils connaissent les nombres naturels et l'arithmétique, et il est possible qu'ils aient développé des mathématiques sans le concept d'infini... encore que j'aie des doutes, car c'est par l'infini que nous arrivons au concept de continuum, nécessaire pour formuler les lois de la physique.

Après avoir considéré ce qu'il venait d'entendre, le mathématicien chinois donna son assentiment.

— Oui, admettons, acquiesça-t-il. D'ailleurs, le fait que le signal « *Wow!* » contienne, implicitement, la série de Lyman, qui est associée à l'état d'énergie minimum d'un électron, suggère que les extra-terrestres sont conscients que, dans la réalité physique, l'infiniment petit n'existe pas et qu'il y a dans le monde réel une limite à l'infini, l'unité minimale d'énergie. – Il inclina la tête, comme s'il envisageait le revers de la médaille. – Il convient, toutefois, de ne pas oublier que *Phanès* nous a communiqué la constante Pi. Or, Pi est une valeur infinie puisque ses décimales s'étendent *ad æternam*.

— C'est vrai, reconnut Tomás. Cependant, les membres d'équipage du *Phanès* ne nous ont communiqué que quarante-deux chiffres de Pi. On peut donc en conclure qu'ils ont eux-mêmes imposé une limite, ce qui veut dire que, même s'ils sont conscients que Pi a un nombre infini de décimales, ils savent qu'il existe des limites à l'application de l'infini dans le monde réel. En raison des limites quantiques consubstantielles à l'espace et au temps de Planck, la réalité est finie. Et nos extra-terrestres semblent le savoir.

— Qu'en est-il de la géométrie euclidienne ? N'est-elle pas universelle ?

— Pas nécessairement. Premièrement, parce qu'elle implique aussi le concept d'infini. Deuxièmement, parce qu'elle n'a pas toujours de correspondance avec la réalité, du moins à en juger par ce que nous savons. Et troisièmement, imaginez que les extra-terrestres n'aient pas d'yeux, ce qui est tout à fait possible. Ne pensez-vous pas que cela influencerait grandement leur conception de la géométrie ?

Yao Jingming hocha la tête en signe d'assentiment.

— Vous avez raison, cher collègue.

La question semblait être résolue, mais la scientifique de l'Agence spatiale européenne ne semblait pas satisfaite.

— Désolé, Tomás, c'est bien joli tout ça, mais il y a une chose qu'il faut décider. Quand nous rencontrerons *Phanès*, comment allons-nous communiquer avec l'équipage ?

L'historien sourit.

— N'est-ce pas évident ?

— Non.

Tomás regarda son dernier morceau de hamburger d'un air désolé avant de le mettre à la bouche et de l'avaler presque sans mâcher.

— Grâce aux mathématiques.

XXXIII

Le visage de Bozóki Emese, avec ses lèvres rondes et ses sourcils sombres qui lui donnaient une expression très personnelle, disait clairement que la question n'avait rien d'évident. Astrobiologiste de formation, et ayant passé une partie de sa vie universitaire et scientifique à étudier les problèmes de la vie extra-terrestre, elle était bien placée pour savoir qu'il n'y avait pas de réponses simples aux problèmes dont ils débattaient.

— Désolée, dit-elle. Mais ça ne peut pas marcher.

— Et pourquoi ?

La jeune femme écarta son assiette, avec ce qui restait de son hamburger, comme si c'était un obstacle au raisonnement.

— Imaginons la scène de la rencontre avec *Phanès*, proposa-t-elle. Nos vaisseaux sont dans l'espace, nous sortons de la navette et allons à la rencontre des extra-terrestres, nous entrons dans leur vaisseau et que leur disons-nous ? – Elle prit la pose, comme si elle vivait la scène. – Écoutez, vous autres, est-ce que deux et deux font quatre ? Et ils répondent que quatre moins un font trois ? Et puis quoi ? Où nous conduit cette conversation idiote ?

— Que suggérez-vous ? demanda Seth Dyson. Que nous fassions un joli discours sur la fraternité entre espèces douées d'intelligence ? Que proposez-vous exactement ?

— Je ne propose rien. J'essaie juste de comprendre ce qui va se passer lorsque nous établirons le contact avec eux.

Ce fut Tomás qui lui répondit.

— Personne ne le sait, Emese. L'équation a trop d'inconnues. Nous ne disposons que de quelques pistes qui découlent des caractéristiques que nous avons en commun. La première est que nous vivons dans le même univers. Cela signifie que les mathématiques, ou du moins une partie des mathématiques, et les lois de la physique et de la chimie sont les mêmes, ici ou dans la constellation du Sagittaire. Les lois de la nature sont universelles. L'énergie de Planck est la même ici et sur Tau, la constante de la structure fine aussi, l'énergie de la force nucléaire forte également, et ainsi de suite. La deuxième piste est liée au fait qu'ils ont été en mesure d'envoyer non seulement un signal radio en 1977, mais aussi un vaisseau spatial. On peut en conclure que la technologie dont ils disposent semble obéir aux mêmes principes que la nôtre. Partant, les principes qui régissent nos sciences sont fondamentalement les mêmes. La troisième piste nous est donnée par les messages scientifiques qui nous ont été envoyés, la série de Lyman et la fréquence de 1,42 GHz sur le Signal « *Wow!* », la constante mathématique Pi et la même fréquence de 1,42 GHz sur le message de *Phanès*. Ces trois pistes montrent que nous partageons certaines connaissances qui sont identiques, et fondamentales, en mathématiques et en physique.

— D'accord, mais ne pensez-vous pas que nous courons le risque de partir de présupposés anthropocentriques ? demanda la Hongroise. Je pose cette question parce que c'est précisément l'un des problèmes centraux de l'astrobiologie. Jusqu'à quel point pouvons-nous supposer que l'objet de la science humaine est universel ?

— Nous ne le pouvons pas, convint l'historien. À commencer par le fait que le profil d'une intelligence extra-terrestre est clairement lié aux caractéristiques de son environnement et à l'impact de celui-ci sur l'évolution de l'espèce extra-terrestre. Il est évident que des organismes différents ont des besoins, des comportements et des organes sensoriels différents, et cela se reflétera certainement dans la science qu'ils ont développée. Si l'équipage du *Phanès* est aquatique, par exemple, il y a fort à parier que leurs mathématiques seront basées sur l'hydrodynamique, ce qui nous semblera très étrange.

— Parfaitement ! s'exclama Emese, heureuse de constater qu'elle n'était pas la seule à penser qu'il fallait éviter que l'anthropocentrisme ne contamine l'attitude à adopter face aux extra-terrestres. Nos organes sensoriels conditionnent notre perception du monde.

— Il n'est pas nécessaire d'entrer en contact avec des extra-terrestres pour s'en rendre compte. Par exemple, les esquimaux semblent avoir plusieurs mots pour décrire la neige, tandis que certains peuples des régions tropicales n'en ont pas un seul. L'environnement qui nous entoure conditionne notre façon de percevoir les choses, de penser et de communiquer. Les caractéristiques physiques elles-mêmes affectent la perception. Prenez la couleur, par exemple. Les chiens ne peuvent pas distinguer le rouge du vert. Si on parlait du rouge avec un chien, il ne comprendrait pas. Inversement, un oiseau voit des couleurs que nous ne voyons pas, tandis que les serpents enregistrent l'infrarouge et les chauves-souris captent les échos d'infrasons, à la manière du radar. Le monde que chaque espèce perçoit semble différent. Comment pourrions-nous parler de la mer avec une chauve-souris ? Même si celle-ci était intelligente, la conversation aurait-elle un sens ?

— Si les espèces sont intelligentes, elles pourront certainement trouver un terrain commun…

— Bien sûr, admit Tomás. Si *Phanès* et les auteurs du signal « *Wow!* » ont communiqué par radio avec nous, ils connaissent nécessairement la loi du carré inverse, par exemple. Et si une espèce parvient à survivre, c'est parce qu'elle a des notions de calcul. Si je vois trois crocodiles entrer dans ma piscine et seulement deux en sortir, et que je décide ensuite de piquer une tête, mes chances de survie sont assez minces, non ? Ce que je veux dire c'est qu'une espèce qui ne sait pas faire des calculs arithmétiques n'ira pas loin dans la vie. Et cela est aussi vrai ici que dans la constellation du Sagittaire.

— Précisément.

— D'un autre côté, l'existence de terrains communs entre espèces intelligentes a des limites. Imaginez qu'un érudit anglais du XIe siècle engage la conversation avec un scientifique anglais du XXIe siècle. Bien qu'ils soient tous deux intelligents et qu'ils parlent la même langue, celui du XIe siècle comprendrait-il celui du XXIe ? Nous parlons de scientifiques de la même espèce animale, qui partagent le même intellect et les mêmes caractéristiques cognitives. En outre, dix siècles seulement les sépareraient. Mais seraient-ils néanmoins à même de se comprendre ?

— Eh bien… ils auraient des difficultés, bien sûr. Celui du XIe siècle, s'il est médecin, attribuera la maladie hépatique d'un patient à un déséquilibre quelconque des humeurs et recommandera une saignée, tandis que celui du XXIe siècle examinera son ADN et planifiera une greffe du foie. C'est comme s'ils vivaient dans des mondes différents.

— S'il en est ainsi, imaginez une conversation entre des êtres d'espèces animales complètement distinctes, provenant de planètes différentes et soumis à des réalités qui n'ont rien à voir l'une avec l'autre.

— Oui, vous avez raison. Cela étant, à toutes fins utiles, ils seraient en mesure de calculer de la même manière.

À ces mots, Tomás écarta ses doigts et les tourna vers Emese.

— Vous voyez mes doigts ? Combien y en a-t-il ?

La Hongroise regarda ses mains.

— Dix, bien sûr, dit-elle. Combien voulez-vous qu'il y en ait ?

— Avez-vous déjà imaginé l'impact de ces dix doigts sur le développement des mathématiques humaines ?

Elle le regarda avec une expression de perplexité.

— Vous parlez du système décimal ?

Tomás se tourna vers le collègue de la CNSA.

— Yao, les mathématiques imposent-elles l'utilisation du système décimal ?

Le mathématicien chinois secoua la tête.

— Non, répondit-il aussitôt. Le système décimal est intuitif pour nous parce que nous avons dix doigts, mais rien dans l'essence des mathématiques n'oblige à utiliser ce système. Les Sumériens, par exemple, avaient un système de numération en base soixante.

— Soixante ? s'étonna Emese. Les mathématiques peuvent fonctionner avec un système en base soixante ?

— Ça a marché avec les Sumériens, et à bien y regarder, c'est plus sensé si l'on considère la quantité de chiffres qu'on peut utiliser, par opposition aux dix chiffres du système décimal. D'ailleurs, il y a encore aujourd'hui des vestiges du système sexagésimal dans le calcul des minutes ou des secondes. Il faut soixante secondes pour faire une minute, et soixante minutes pour faire une heure. Le problème avec ce système, c'est la quantité de nombres qu'il faudrait apprendre par cœur, car il faudrait un symbole différent pour chaque chiffre jusqu'à soixante. Le système basé sur les doigts de la main se révèle plus simple et intuitif.

— Et si nous avions douze doigts ?

— Eh bien, dans ce cas, on compterait par douzaines. Et si on n'avait que deux doigts, notre arithmétique reposerait sûrement sur le système binaire, comme les ordinateurs. À cet égard, il est curieux que dans plusieurs cultures, y compris en Europe, on ait utilisé pendant longtemps le système vicésimal, fondé sur la base vingt. Ce système est apparu car on comptait avec tous les doigts, les dix des mains et les dix des pieds, et il en reste des vestiges dans la langue française. Quand ils disent quatre-vingts au lieu de huitante, les Français utilisent le système vicésimal.

Au XIIIe siècle, a été fondé à Paris un hôpital encore aujourd'hui appelé hôpital des Quinze-Vingts, parce qu'il avait été conçu pour trois cents lits.

Emese fit un geste vague.

— Revenons à la question que j'ai soulevée, dit-elle. Comment est-il possible de communiquer avec les extra-terrestres en utilisant les mathématiques si nos mathématiques sont si différentes ? Leur façon de communiquer peut être très différente de la nôtre. Les insectes, par exemple, communiquent par des échanges chimiques. Qui nous dit que l'équipage du *Phanès* n'en fait pas autant ?

— Ou qu'il fait des choses plus étranges encore, ajouta Tomas. La vérité est que nous n'en savons rien et ça m'inquiète depuis le début. On me charge de la communication avec les extra-terrestres, mais nous ne savons presque rien d'eux. Il est très probable que la communication entre nous et eux se révèle impossible.

Sentant le pessimisme envahir ses compagnons, Seth intervint.

— Allons, inutile de s'en faire, recommanda-t-il. Nous devons garder un esprit positif et croire que le génie humain, et peut-être aussi le génie des extra-terrestres, nous permettra de surmonter les difficultés que soulèvera naturellement notre communication. Nous avons vu que le langage mathématique peut nous être commun. D'ailleurs, ils ont communiqué avec nous en utilisant le système décimal, ce qui n'est pas anodin. Je pense que nous pourrons trouver d'autres choses en commun.

— Telles que ?

— Je ne sais pas. La religion, par exemple, puisque vous l'évoquiez.

— C'est possible, admit Tomás. Nous avons déjà vu que Pi renvoie au cercle qui, dans les cultures humaines est le symbole de Dieu. Le fait que *Phanès* nous ait communiqué Pi pourrait être un message religieux. Qui sait ?

L'Américain envisagea d'autres possibilités.

— Et l'esthétique ? se demanda-t-il. Se pourrait-il que les extra-terrestres aient des notions esthétiques semblables aux nôtres ?

— Voyons, c'est absurde ! coupa Emese. L'esthétique renvoie à des questions entièrement subjectives.

Yao Jingming s'éclaircit la voix.

— Ce n'est peut-être pas si absurde que ça, chère collègue.

La déclaration surprit la Hongroise.

— Que voulez-vous dire ?

— L'esthétique peut être universelle, déclara le mathématicien chinois. Si les extra-terrestres maîtrisent les mathématiques, comme cela semble être le cas, rien ne s'oppose à ce qu'ils aient un sens esthétique. L'esthétique peut même être un impératif résultant de la maîtrise des mathématiques.

— Je ne vous suis toujours pas, insista-t-elle. Comment pouvez-vous dire qu'une chose aussi subjective que l'esthétique peut être universelle ? N'y a-t-il pas des gens qui aiment la musique classique et d'autres qui préfèrent le rock ? L'esthétique est relative et subjective, c'est évident. Si elle varie d'une personne à l'autre, imaginez ce que cela peut être d'une espèce à l'autre.

— Je ne dis pas que les goûts ne sont pas subjectifs, chère collègue. Ce que je dis, c'est que nous avons tous des goûts, quels qu'ils soient. Et si je dis cela, c'est parce qu'il y a un rapport entre les mathématiques et l'esthétique. Si les extra-terrestres maîtrisent les mathématiques, cela signifie qu'ils ont aussi un sens esthétique. Les deux choses sont liées.

— Comment pouvez-vous le démontrer ?

Ce fut Tomás qui répondit.

— Avec le nombre d'or.

XXXIV

Devant l'expression interrogative de Bozóki Emese, Tomás sortit un stylo de sa poche et griffonna sur le papier qui servait de nappe.

$$\phi = 1{,}618\ldots$$

— Phi, indiqua-t-il. Le nombre d'or.

La Hongroise serra les paupières.

— Où voulez-vous en venir avec ça ?

Le Portugais regarda vers la fenêtre. Il faisait sombre dehors, la nuit était tombée sur Houston, mais son attention fut attirée par un pot de fleurs posé près de son verre.

— Combien de pétales a l'épine du Christ ?

— Excusez-moi ?

— Emese, vous êtes biologiste et vous connaissez certainement la réponse à cette question simple, déclara-t-il en souriant. Combien de pétales l'épine du Christ a-t-elle ?

— Deux.

Il nota le chiffre deux sur la nappe en papier.

— La fleur de lys en a trois, et la trompette d'or cinq, et… – Il s'arrêta pour réfléchir un instant. – … Les cosmos huit et la majorité des marguerites treize, et ainsi de suite.

L'historien montra les chiffres qu'il avait écrits sur la nappe.

2 3 5 8 13

— Les fractions de la suite convergent vers le nombre d'or, expliqua-t-il. Il s'agit d'une constante mathématique qui est dans la nature, exactement comme Pi, et qui semble liée aux proportions et au sens esthétique. L'expression « nombre d'or » n'est qu'une parmi de nombreuses désignations. La plus connue est probablement « divine proportion ».

L'astrobiologiste de l'Agence spatiale européenne fit un geste pour indiquer qu'elle connaissait l'expression.

— Oui, la suite de Fibonacci, dit-elle. Tout le monde connaît cette histoire.

— Tout le monde la connaît mais personne ne pense vraiment à ses implications, dit-il. La suite de Fibonacci est une suite numérique dans laquelle chaque chiffre est la somme des deux chiffres précédents. Ce qui donne une évolution curieuse.

Il griffonna la suite de Fibonacci sous les chiffres qu'il avait déjà écrits.

2 3 5 8 13
1 1 2 3 5 8 13 21 34 55 89 144

— Curiosités que l'on retrouve dans les fleurs, ajouta l'astrobiologiste hongroise. Si l'on considère les deux spirales qui se croisent dans le cœur d'un tournesol, l'une dans le sens des aiguilles d'une montre, l'autre en sens inverse, on trouve généralement 21 spirales dans un sens et 34 dans l'autre. C'est-à-dire, deux nombres qui se suivent dans la suite de Fibonacci. Dans d'autres espèces de tournesols, on peut dénombrer 34 et 55 spirales, là encore des nombres de la même suite. Et il en est de même avec les marguerites qui ont généralement 34 ou 55 pétales.

— Ne trouvez-vous pas cela étonnant ?

— Incroyable vous voulez dire, admit Emese. Mais il faut souligner qu'il ne s'agit nullement d'une règle absolue. Par exemple, il y a des lys à 6 pétales, tout comme les belladones. Or le 6 ne fait pas partie de la suite de Fibonacci.

— Non, mais c'est un multiple d'un chiffre de Fibonacci. Six est le double de trois.

— Oui, d'accord, reconnut-elle. Et que voulez-vous montrer avec ça ?

— La distribution des pétales d'une fleur n'est pas due au hasard, elle résulte plutôt d'une constante mathématique, répondit Tomás. Si l'on prend deux chiffres successifs de la suite de Fibonacci et qu'on les divise entre eux, par exemple huit divisé par cinq ou treize divisé par huit, le résultat tend vers… vers cette valeur.

Il mit le doigt sur les premiers gribouillis qu'il avait faits sur la nappe en papier.

$$\phi = 1{,}618\ldots$$

— Phi ?

— Il existe un rapport direct entre la suite de Fibonacci et le nombre d'or, rappela-t-il. Ce qui est étrange c'est que cette constante mathématique régisse tant de structures dans la nature si différentes entre elles, des pétales des fleurs à l'ordre des feuilles sur une branche, des triangles isocèles, de la formation en étoile des pépins de pomme à la relation entre les pressions sanguines moyennes systolique et diastolique dans l'aorte, de l'apparence d'un mollusque à la forme d'une galaxie en spirale comme la M74 dans la constellation des Poissons, des angles des liaisons internes des molécules fondamentales pour la vie, telles que l'eau, l'ammoniac et le méthane, aux proportions de certaines parties du corps humain comme les os des doigts, ou à la relation entre la main et l'avant-bras.

L'astrobiologiste de l'Agence spatiale européenne baissa la tête, comme elle le faisait habituellement.

— Je sais tout ça, Tomás, dit-elle. Mais quelle est le rapport avec notre conversation ?

— C'est très simple. Pour une raison quelconque que nous ne comprenons pas, le nombre d'or semble avoir un lien étroit avec l'esthétique. Nous le trouvons même en musique, où il apparaît sur les gammes de base. Le complément naturel d'un accord, la première note, est formé par les troisième, cinquième et huitième notes suivantes. Un, trois, cinq, huit, des chiffres de la suite de Fibonacci. Il y a treize notes dans la période de n'importe quelle note à l'octave. La gamme a huit notes, la troisième et la cinquième constituant le fondement de base de tous les accords. Trois, cinq, huit, treize, la suite de Fibonacci. Dans les gammes du piano, il y a treize touches, huit blanches et cinq noires, et les noires sont regroupées par trois ou deux. Deux, trois, cinq, huit, treize, encore une fois la suite de Fibonacci. D'ailleurs, vous noterez en passant, que le rapport entre le do, accordé à deux cent cinquante hertz, et le la, à quatre cent quarante hertz, donne le nombre d'or. – Il la dévisagea avec intensité. – Vous comprenez ce que je dis ? La divine proportion a un lien direct avec l'harmonie, de sorte que nous la rencontrons dans d'innombrables chefs-d'œuvre, notamment la cinquième symphonie de Beethoven. Bach, par exemple, a exposé le modèle sur vingt-et-un demi-temps, le reprenant aux treize demi-temps, puis huit, cinq, trois, deux et un, jusqu'à ce qu'il finisse par disparaître. La suite de Fibonacci. Et le plus intéressant c'est qu'il y a un nombre limité de gammes musicales possibles, c'est pourquoi, à supposer qu'ils connaissent la musique, celle des extra-terrestres ne sera pas très différente de la nôtre.

— D'accord, acquiesça Emese. Mais qui nous garantit qu'ils aiment la musique ? Il se peut très bien qu'ils n'aient même pas d'oreilles ; d'ailleurs, les conditions pour la propagation des sons sont imposées par l'atmosphère des planètes, qui diffèrent toutes les unes des autres.

Tomás fit une grimace d'impatience.

— Écoutez, vous ne comprenez pas où je veux en venir, répondit-il. Ce n'est pas spécifiquement le rapport du nombre d'or à la musique qui est important. C'est le lien avec l'esthétique en général. De la même manière que la proportion dorée existe dans la musique, elle existe aussi dans d'autres formes artistiques, comme la peinture ou l'architecture. Leonard de Vinci a utilisé le rectangle d'or pour dessiner le visage humain, et le sculpteur grec Phidias s'est servi de Phi pour concevoir le Parthénon. Ce que j'essaie de démontrer, c'est qu'il y a une constante mathématique qui joue un rôle dans la conception de la beauté. Je sais que l'esthétique relève de la subjectivité, mais ce que la présence de cette constante mathématique dans l'art nous dit c'est que, pour une raison mystérieuse, le langage mathématique, qui appartient au monde de l'objectivité totale, s'est immiscé dans le champ de l'esthétique, qui relève pleinement de la subjectivité. L'école pythagoricienne elle-même a étudié la musique pour élaborer la notion mathématique de proportion, et elle a conclu que la vérité exprimée par les mathématiques et la beauté exprimée par la musique sont les deux faces de la même médaille.

— Vous avez absolument raison, cher collègue, intervint Yao. De plus, nous autres mathématiciens, et les physiciens aussi je crois, nous établissons un lien entre les mathématiques et l'esthétique quand nous disons que l'une des propriétés des équations vraies est précisément leur beauté. Si une équation nous semble belle, c'est probablement parce qu'elle est vraie.

— Il se trouve que la réalité révélée par les équations mathématiques et physiques est la même dans tout l'univers, sur Terre ou sur Tau Sagittarii. Autrement dit, si les extra-terrestres maîtrisent effectivement les mathématiques, comme cela semble être le cas, alors…

— … alors ils connaissent probablement le nombre d'or, conclut la Hongroise, comprenant où il voulait en venir. Par conséquent, selon vous, l'esthétique n'est pas propre aux êtres humains, c'est un concept universel susceptible d'être connu d'espèces extra-terrestres.

L'historien sourit, content d'avoir réussi à exposer son point de vue.

— Exactement.

— Mais nous n'en sommes pas sûrs, insista-t-elle, s'appuyant sur sa formation de biologiste. En fin de compte, et à bien y regarder, ce que nous savons c'est que le seul animal qui a des notions esthétiques, c'est l'homme. Un chien, par exemple, a un odorat très développé, mais qu'il utilise uniquement pour évaluer ce qui lui est utile ou inutile. Les chiens ne semblent pas montrer d'aversion pour les mauvaises odeurs, ils vont même jusqu'à renifler l'anus de tout ce qui passe. De même, lorsqu'un paon exhibe son merveilleux plumage, il ne le fait pas pour montrer sa beauté, mais, supposons-nous, pour impressionner les femelles et leur suggérer qu'il serait un bon procréateur. Le concept de beauté semble propre aux êtres humains. Si tel est le cas, on ne peut pas dire que c'est une propriété universelle, propre à tous les êtres vivants, n'est-ce pas ?

— Peut-être avez-vous raison, concéda Tomás. Mais sachez que j'ai déjà lu des études concernant l'effet de la musique sur les animaux.

Emese prit un air sceptique.

— Ce n'est pas tout à fait exact, rétorqua-t-elle. Il est vrai que des études ont montré que les chiens dans les chenils deviennent plus calmes lorsqu'ils écoutent de la musique classique et que les vaches produisent plus de lait quand on leur passe de la musique douce. D'aucuns vont même jusqu'à soutenir que, quand ils pépient, les oiseaux font de la musique, mais rien de tout cela n'est avéré. Et même s'ils réagissent à certaines musiques, cela ne prouve pas qu'ils ont un sens esthétique.

Si vous montrez à une gazelle une peinture d'une lionne qui court vers elle, il est normal que la gazelle s'enfuie, mais ça ne signifie pas qu'elle réagit ainsi parce que la peinture était laide, cela va de soi.

— Vous semblez dire que l'esthétique n'existe que lorsque l'intellect est suffisamment développé, conclut le Portugais. Mais, dans le fond, c'est aussi mon point de vue. Un intellect capable de raisonnements mathématiques avancés est un intellect qui a accès au concept de beauté. L'idée que les extra-terrestres pourraient avoir un sens esthétique découle du fait que le signal « *Wow!* » et le message de *Phanès* montrent qu'ils maîtrisent des concepts mathématiques tels que la constante Pi et la loi de l'inverse du carré, ainsi que la série de Lyman. Si les extra-terrestres ont des connaissances mathématiques approfondies, et s'il existe une relation universelle entre les mathématiques et l'esthétique, alors il est probable qu'ils aient aussi un sens esthétique.

L'astrobiologiste réfléchit à cette conclusion.

— Oui, c'est possible.

— Maintenant, je pose la question suivante : que pouvons-nous…

Le Portugais fut interrompu par le bruit d'un verre frappé sur la table avec insistance ; c'était Seth qui voulait ainsi attirer l'attention.

— Messieurs, vous n'avez pas oublié que demain nous devons commencer nos travaux à six heures du matin ? Cela signifie qu'il nous faut nous coucher tôt. Savez-vous quelle heure il est ?

Dans un mouvement presque synchronisé, tout le monde consulta sa montre.

— Vingt-trois heures.

Tomás se rendit compte qu'il tombait de sommeil, certainement l'effet du décalage horaire. Le responsable scientifique tira bruyamment sa chaise en arrière et se leva, comme s'il invitait le reste de l'équipe à l'imiter.

— Il est temps de faire dodo.

XXXV

Le simulateur mobile du vaisseau spatial, connu sous le nom de *Shuttle Mission Simulator*, ou SMS, était une structure modulaire blanche, reposant sur six pieds hydrauliques ; il ressemblait à une araignée géante au milieu du hangar 35 du Centre spatial Johnson. La porte du simulateur s'ouvrit et un ingénieur agita la main pour inviter les nouveaux arrivants à entrer.

— Allez, les gars, venez ! dit-il. On n'a pas toute la journée.

Les spécialistes de la mission s'alignèrent devant la porte et, avec l'aide des ingénieurs et des techniciens, ils gravirent le petit escalier et entrèrent dans le SMS mobile en file indienne. Tomás était le dernier, et lorsqu'il eut passé le sas, il se trouva face à deux pilotes, les traits fatigués, qui attendaient que tout le monde entre. C'était Duck et Frenchie, le commandant et pilote de la mission *Phanès* qui avaient apparemment passé la nuit à simuler des décollages.

Les scientifiques de la mission s'installèrent à leur siège tandis qu'on leur attachait leur ceinture. Tomás prit place à l'arrière, aux côtés de Bozóki Emese et Yao Jingming. Seth était dans le cockpit, avec Duck et Frenchie.

— On nous a attribué ces places car ce seront celles que nous occuperons dans la navette *Atlantis*, murmura la Hongroise. Les exercices consistent à répéter exactement ce qu'on fera en situation réelle.

À l'intérieur du simulateur, l'espace était incroyablement exigu, comme une petite cellule de prison entourée de boutons et d'écrans, et l'historien se demanda s'il pourrait passer plusieurs jours enfermé là-dedans sans faire une crise de claustrophobie. C'était une copie exacte de la navette spatiale dans laquelle ils allaient voyager deux semaines plus tard, de sorte qu'il se mit à tout examiner avec attention. La panoplie d'instruments lui sembla impressionnante. Y avait-il quelqu'un qui les connaissait tous ?

Une fois les préparatifs terminés, les techniciens quittèrent le SMS et seul le directeur de mission et chef du programme d'entraînement, Billy Gibbons, resta avec eux.

— Ma principale fonction dans ce bâtiment est celle de Sim Sup, dit le directeur de la mission *Phanès* en se présentant. Avant de commencer le programme d'entraînement, j'aimerais savoir si vous êtes à l'aise.

Tout le monde hocha la tête et Tomás en profita pour interroger discrètement Emese.

— Qu'est-ce qu'un Sim Sup ?

— *Simulator supervisor*, expliqua-t-elle. Le superviseur du simulateur. Outre qu'il est le directeur général de la mission *Phanès*, Billy est le chef de l'équipe chargée du programme de formation dans le SMS et de l'ensemble du programme de préparation. Ici, il va créer une succession de simulations avec des tas de problèmes au décollage et à l'atterrissage afin que nous, enfin surtout Duck et Frenchie, les résolvions.

Médusé, le Portugais allait expliquer qu'il était bien incapable de résoudre quoi que ce soit, et que s'il y avait une panne dans le vaisseau et que la survie du groupe dépendait de ses compétences aux commandes de la navette, ils mourraient tous.

Mais le Sim Sup ne lui en laissa pas le temps car il reprit immédiatement la parole.

— Nous sommes à L moins quatorze et à R moins seize, annonça-t-il. Cela signifie que…

Emese lui chuchota la signification du jargon technique.

— L moins quatorze signifie que nous sommes à quatorze jours du décollage, et R moins seize que la rencontre avec *Phanès* est prévue dans seize jours.

— … nous avons donc peu de temps pour nous préparer. Duck et Frenchie travaillent intensivement sur les procédures de décollage et d'atterrissage, et ils en sont déjà à une phase bien avancée, poursuivit Billy. – Il désigna le tableau de bord. – Vous voyez tous ces boutons et ces manettes ? Il y en a plus de mille et le pilote et le commandant devront tous les connaître d'ici le décollage.

Tomás secoua la tête.

— Les pauvres…

— Tous les systèmes devront être simulés, du système hydraulique au système électrique, en passant par les systèmes de contrôle de l'environnement, du moteur principal, des moteurs auxiliaires, de l'altitude, des manœuvres orbitales et j'en passe, ajouta le Sim Sup. – Il désigna les spécialistes de la mission. – Je ne vous demande pas de maîtriser parfaitement ces systèmes, bien sûr, mais il vous faudra en avoir au moins une connaissance de base et vous devrez vous familiariser avec toutes les procédures, c'est la raison pour laquelle vous êtes ici aujourd'hui. Nous allons passer la matinée à simuler le décollage et l'atterrissage. – Il regarda tous les participants. – Des questions ?

Seth Dyson leva la main.

— Quand allons-nous nous entraîner sur le SMS fixe ?

— Dès que nous connaîtrons la trajectoire exacte de *Phanès*, répondit-il. Pour l'instant, nous ne disposons que de projections basées sur les triangulations des radiotélescopes. Elles nous permettent de savoir que nos amis vont passer quelque part entre la Terre et la Lune, une broutille en termes cosmiques, mais une distance encore bien trop grande pour que l'on puisse planifier convenablement la mission. Comme vous le savez, nous devons tenir compte du problème fondamental de l'autonomie de la navette spatiale, qui est conçue uniquement pour des missions de transport de charge et de personnes en orbite terrestre. Or, en l'occurrence, la mission implique de quitter l'orbite de la Terre pour plonger dans l'espace. La navette spatiale n'a tout simplement pas été conçue pour ça.

— Certes, mais c'est déjà pris en considération dans les paramètres de la mission, rappela Seth. Dans quelques jours, les Européens vont lancer de Kourou une fusée *Ariane 5* avec un ATV Jules Verne, habituellement utilisé pour rehausser l'orbite de la Station spatiale internationale et qu'ils vont adapter pour notre mission. En orbite, nous allons coupler l'ATV à *Atlantis* afin que la navette ait suffisamment d'énergie et de carburant pour quitter l'orbite terrestre et aller à la rencontre de *Phanès*. L'adaptation permettra de réaliser une opération plus éloignée de la Terre, il est donc inutile de trop nous inquiéter.

— Mais de combien d'énergie et de carburant supplémentaires aurons-nous besoin, Seth ? interrogea le directeur de la mission. Où la rencontre aura-t-elle lieu exactement ? Comment s'effectuera le retour ? Nous ne savons rien de tout ça, car on n'a pas encore déterminé l'itinéraire exact de *Phanès*. Nous avons absolument besoin d'une identification visuelle du vaisseau spatial extra-terrestre, à des moments successifs, afin de calculer la direction et la vitesse du véhicule et ainsi établir son itinéraire avec précision. Alors seulement, nous pourrons faire un calcul rigoureux qui nous permettra de définir une mission qui ait des chances de succès.

— Quand aurons-nous les données dont nous avons besoin ?

Billy fit un geste vague.

— Je ne sais pas ! Ce satané *Phanès* est si petit que, bien que tous les télescopes du monde soient pointés sur lui, personne n'a encore réussi à le voir.

Il n'y avait rien de plus à ajouter, les éléments inconnus étant encore trop nombreux, de sorte que le directeur de la mission fit demi-tour, quitta le simulateur et ferma le sas, laissant les astronautes à l'intérieur. Quelques minutes plus tard, et après un court échange de messages techniques par l'intercom radio, le SMS mobile fut secoué de façon si inattendue et si brutale, que Tomás sursauta.

L'exercice avait commencé.

XXXVI

Le premier jour d'entraînement à Houston fut extrêmement éprouvant et s'acheva par des examens médicaux. À la fin de la journée, lorsqu'il prit place à table pour dîner avec ses compagnons de mission, Tomás se sentait engourdi et endolori. Passer des heures dans une minuscule cabine à répéter des situations catastrophiques n'avait rien d'amusant et il remerciait le ciel de ne pas avoir à endurer ces exercices pendant des années, comme c'était le cas pour la plupart des astronautes.

La difficulté des simulations tenait non seulement à l'inconfort physique lié au fait d'être enfermé aussi longtemps dans la même position, dans un espace restreint, mais surtout à la pression psychologique permanente à laquelle ils étaient soumis. Le programme de formation avait été conçu pour être stressant, et il l'était, à tous égards ! Pour pimenter les exercices et tester la réactivité et la préparation de l'équipage, le directeur de mission avait introduit une multitude de pannes au décollage et à l'atterrissage qui, à en croire le programme informatique du simulateur, s'étaient soldées la plupart du temps par la destruction de la navette. Ce n'était guère encourageant, d'autant que certains problèmes semblaient vraiment insolubles, notamment les défaillances électriques qui provoquaient l'incendie des fusées de décollage.

Face à une telle situation, Tomás commença à s'interroger sérieusement sur les risques inhérents à cette mission et le bien-fondé de tout cela. Si le simple fait de prendre l'avion lui faisait peur, pourquoi s'était-il embarqué dans une telle aventure ?

— Ne vous en faites pas, déclara Emese quand un employé posa sur la table, une fois de plus, des hamburgers et du ketchup, accompagnés de frites et de boissons gazeuses. Il est vrai que nous sommes tenus par un calendrier très serré, ce qui peut donner lieu à des défaillances et empêcher l'automatisation correcte des mécanismes de réponse. Je ne vais pas nier que cela augmente considérablement les risques. Cependant, en principe, pendant la mission, on ne devrait pas avoir autant de problèmes que ceux que nous avons eus aujourd'hui, et ils ne devraient pas être aussi graves. – Elle fit une courte pause avant d'ajouter une dernière chose, comme une réserve. – Enfin, je l'espère.

Cette déclaration ne rassura pas le Portugais.

— Insinuez-vous qu'il y aura des problèmes pendant notre mission ?

L'astrobiologiste croqua dans le hamburger avant de répondre.

— Dans toutes les missions spatiales, il y a des problèmes, dit-elle, imperturbable. Nous devons y être préparés.

Tomás crut qu'il allait s'évanouir.

— Je ne me sens pas très bien…

— De plus, nous devons considérer que…

— Seth ! cria une voix, interrompant les conversations animées des membres d'équipage. On l'a eu !

Les regards des astronautes qui dînaient au sixième étage du bâtiment 4S se tournèrent vers l'homme qui avait parlé. C'était le directeur de mission qui les avait mis à rude épreuve durant les simulations. Billy avait fait irruption dans la cafétéria et s'était adressé à eux, un ordinateur portable sous le bras.

— Vous avez eu quoi, Billy ?

— *Phanès*, répondit tout excité le responsable de la mission en s'approchant de la table où dînaient les astronautes. On a eu *Phanès !*

Les scientifiques le regardèrent sans bien comprendre le sens de la déclaration qui, telle qu'elle était formulée, pouvait aussi bien signifier la capture du vaisseau spatial extra-terrestre que sa destruction.

— Vous l'avez eu ? Comment ça, vous l'avez eu ? Que veux-tu dire ?

Le directeur posa l'ordinateur sur la table et composa hâtivement un mot de passe.

— On l'a eu ! répéta-t-il. L'ESO vient de nous envoyer des images du VLT !

Une clameur retentit et, bondissant littéralement de leurs sièges, les scientifiques se penchèrent tous en même temps sur l'écran de l'ordinateur pour regarder les images que Billy était venu leur montrer. Sans bien comprendre ce qui se passait, certains détails du jargon technique lui échappant, Tomás tapota le bras d'Emese, comme pour lui demander de l'aide.

— Le VLT, c'est le Very Large Telescope, traduisit-elle en attendant que l'image se forme sur l'écran. C'est un système de quatre télescopes géants de l'ESO, l'Observatoire européen austral, utilisé pour la recherche astronomique dans l'hémisphère sud. Les télescopes se trouvent à Paranal, dans le désert d'Atacama au Chili, et ils peuvent être utilisés conjointement pour obtenir une résolution angulaire élevée. Visiblement, le VLT a obtenu des images de *Phanès*.

Tomás avait parfaitement compris cette dernière partie du message. Jusqu'à présent, on n'avait capté que le message radio de l'engin spatial extra-terrestre avec Pi, mais on ne disposait encore d'aucune photo de *Phanès* – comme Billy l'avait expliqué le matin même. Le VLT venait apparemment de prendre la première.

Retenant leur souffle, les scientifiques purent enfin voir l'image envoyée du Chili par l'ESO.

— Oh !

XXXVII

Un point.

La photographie du VLT ne montrait qu'un point blanc au milieu de l'obscurité profonde du cosmos ; on aurait dit une simple étoile.

— Quoi… c'est ça ?

— Il semblerait bien que oui.

Ils examinèrent l'image, essayant de deviner les contours de l'engin spatial mais en vain ; la seule chose que l'on pouvait voir sur la photographie était une tache lumineuse dans l'espace. Ce n'était pas grand-chose et Seth s'efforça de cacher sa déception.

— Au moins on le voit, dit-il sur un ton résigné. Les prochaines images seront certainement meilleures et on verra plus de choses. Goddard a déjà les coordonnées du VLT pour pouvoir orienter *Hubble* ?

Il faisait référence au Goddard Space Flight Center, le plus grand laboratoire spatial de la NASA, situé près de Washington DC, qui contrôlait *Hubble*, le télescope placé dans l'espace pour observer le cosmos sans l'interférence de l'atmosphère terrestre.

— Ils travaillent dessus.

— À votre place, cher collègue, je ne fonderais pas trop d'espoirs ni sur *Hubble* ni sur aucun autre télescope, prévint Yao Jingming.

— Tiens donc. Et pourquoi ?

— Parce que *Phanès* vient de l'extérieur du système solaire et voyage dans notre direction avec le Soleil de face. Cela signifie que, quel que soit le télescope utilisé, nous ne capterons que le reflet du Soleil à la surface du vaisseau, rien d'autre.

— Vous pensez vraiment que nous n'obtiendrons pas une meilleure image que celle-ci ?

— Je le crains, hélas. Nous ne pourrons distinguer la forme de *Phanès* que lorsque nous serons près de lui. D'ici-là, notre visiteur ne sera qu'un reflet de lumière.

Seth tapa sur la table avec colère.

— *Fuck !*

Billy Gibbons ne partageait cependant pas cette déception.

— Écoutez, ces images sont excellentes, déclara le directeur de la mission. L'ESO nous en a envoyé d'autres, prises aujourd'hui au cours de la dernière demi-heure. Les gars, ici à Houston, travaillent déjà dessus.

— Vraiment ? demanda Seth, redevenant soudainement optimiste. Il y a d'autres clichés ?

— Beaucoup d'autres. Des milliers même. Pour te dire la vérité, ils continuent d'arriver de l'ESO.

— Et… et que voit-on ?

Le directeur fit un geste agacé en indiquant le cliché que les télescopes du VLT avaient pris.

— La même chose que ça. Un simple point lumineux au milieu de l'espace. Les photos sont toutes les mêmes.

L'astrophysicien laissa de nouveau retomber ses épaules.

— *Damn !*

— Ne fais pas cette tête d'enterrement, Seth. Ces images nous permettent de calculer avec précision l'itinéraire de *Phanès*. C'est génial. Je dois dire que ces nouvelles sont excellentes. Bien meilleures que ce à quoi nous pouvions nous attendre.

Seth sembla reprendre espoir.

— Tu as raison.

— Selon nos calculs, *Phanès* passera à 520 km de la Terre, à 1 km près, annonça Billy. Les photos qui seront prises dans les prochains jours devraient nous permettre de tracer un itinéraire avec une précision de quelques centimètres, mais nous en savons déjà assez pour pouvoir travailler.

Les scientifiques se regardèrent.

— Cinq cents kilomètres ? demanda Seth. Mais c'est une vraie tangente !

— Un itinéraire aussi rasant ne saurait être une coïncidence, observa Yao. C'est intentionnel.

— Bien évidemment, convint l'astrophysicien. Ils doivent nous observer depuis des millénaires et ils viennent droit sur nous pour vérifier s'il y a vraiment de la vie sur Terre. Aussi sûr que deux et deux font quatre.

Cette discussion ne semblait pas intéresser le directeur de la mission.

— L'important c'est qu'un passage à 520 km est à la portée de la navette spatiale, souligna-t-il, se concentrant sur ce qui lui semblait, dans l'immédiat, vraiment important. Est-ce que vous réalisez ce que ça veut dire ?

La conclusion revint au mathématicien chinois.

— Nous n'aurons pas besoin de l'ATV de l'ESA pour aller à la rencontre de *Phanès*, fit-il observer. Je dirais, chers collègues, que cela simplifie énormément la planification et l'exécution de la mission.

S'adossant à son siège et se détendant pour la première fois de la journée, Billy Gibbons sourit avec satisfaction, comme si tout ce qui importait était contenu dans cette conclusion.

— *Phanès* est à notre portée.

XXXVIII

L'établissement précis de l'itinéraire de *Phanès* par les ingénieurs de la NASA à partir des photos de l'ESO permit aux astronautes de passer toute la journée du lendemain dans le SMS fixe, situé dans le bâtiment 5 du Centre spatial Johnson, enfermés dans le simulateur de la navette spatiale pour y faire des exercices de navigation dans l'espace. Ce type de navigation ne comportant pas les turbulences typiques du décollage et de l'atterrissage, puisque l'espace est dépourvu d'atmosphère, le simulateur n'avait pas de pieds hydrauliques, contrairement au SMS mobile où avaient eu lieu les simulations de la veille.

C'est pourquoi les exercices dans le SMS fixe semblèrent très différents à Tomás. Les soubresauts et les secousses qui l'effrayaient tant lui furent épargnés, et il n'éprouva aucun désagrément physique. C'était la tranquillité absolue. « Si c'était ça voyager dans l'espace, se dit le Portugais, ce n'était pas si terrible. » La seule contrariété se limitait aux multiples problèmes et pannes que le Sim Sup et son équipe provoquèrent dans le simulateur pour tester au maximum la réactivité de l'équipage, y compris un très grave incendie près des réserves d'oxygène qui se termina, dans le cadre fictif de l'exercice, par l'explosion du vaisseau.

— *Goddamm it !* maugréa Billy dans l'intercom, comme chaque fois qu'un exercice finissait mal. On va répéter cette merde ! On ne sortira pas d'ici tant que vous ne saurez pas maîtriser un incendie à proximité de l'oxygène, c'est compris ? Même si on doit rester ici jusqu'à demain !

Tout comme le SMS mobile, le SMS fixe reconstituait avec une apparente fidélité l'environnement d'*Atlantis* en orbite. Les hublots étaient en fait des écrans avec des images générées par ordinateur, montrant ce qu'on voyait normalement à travers les hublots d'un vaisseau spatial en orbite, à savoir l'espace sidéral et les contours de la Terre, ainsi que les structures hydrauliques de la navette spatiale lors de déchargements ou de manœuvres sur le *Canadarm 2*, le bras robotisé qui permettait de déplacer des objets.

La partie la plus importante de la formation, cependant, était celle des répétitions de la rencontre avec *Phanès*, le moment R défini par la NASA. R de rendez-vous. À partir des modèles intégrant la vitesse et l'itinéraire établis grâce aux photos qui continuaient à arriver de l'ESO, l'Observatoire européen austral, ainsi que d'autres télescopes, y compris *Hubble*, il fut possible de simuler le passage du vaisseau extra-terrestre, représenté sur les écrans par une navette, à 521 km de la Terre. Avec ces données, des tests d'approche successifs purent être menés.

Comme on pouvait s'y attendre, les premières tentatives tournèrent mal. L'approche échouait à cause de la vitesse élevée du vaisseau extra-terrestre, mais les ordinateurs des simulateurs proposaient des solutions aussitôt appliquées, ce qui permettait d'améliorer les mouvements de la navette spatiale. Ainsi, au milieu de l'après-midi, la première approche simulée fut réussie.

Le problème suivant serait l'interception. Il ne suffisait pas d'aligner la navette spatiale sur *Phanès* ; il fallait établir un contact physique. C'était une manœuvre très délicate qui exigeait beaucoup d'exercices. Lanceraient-ils un crochet qui arrimerait les deux vaisseaux l'un à l'autre ? Mettraient-ils en place une structure qui permettrait à l'équipage d'*Atlantis* d'aller jusqu'à *Phanès* ? Ou bien procéderaient-ils différemment ?

Après moult discussions sur les différentes options, ce fut Seth qui prit la décision, tard dans la soirée, au cours d'une réunion dans la salle de conférence du sixième étage du bâtiment 4S.

— Nous devrons recourir à l'EVA.

Tomás tourna immédiatement les yeux vers Emese, assise à côté de lui.

— C'est qui celle-là ?

— *Extravehicular activity,* murmura-t-elle en expliquant les initiales. Activité extravéhiculaire.

— Hein ?

— Ce sont les opérations hors de la navette. Cela signifie que nous devrons sortir de la navette en scaphandre et nous déplacer dans le vide.

L'historien écarquilla les yeux et, alarmé, leva la main puis s'éclaircit la voix pour interpeler le responsable scientifique de la mission.

— Seth, désolé, mais est-ce que vous insinuez que je vais devoir marcher dans l'espace ?

— Affirmatif.

Cela parut étrange à Tomás, personne en effet ne lui en avait parlé.

— Mais… n'y a-t-il pas un autre moyen de procéder ?

Seth fit un geste d'impuissance.

— Je ne vois pas comment, répondit-il. Si votre mission est de communiquer avec l'équipage de *Phanès*, Tom, vous devrez nécessairement être présent lorsque le premier contact aura lieu. Or, la seule façon d'arriver à *Phanès* est de sortir d'*Atlantis* et de faire une EVA. Les autres options ne semblent purement et simplement pas viables. Par conséquent, vous devrez accompagner l'équipe qui sortira de la navette et ira à la rencontre des visiteurs. Il n'y a pas d'autre option.

— Écoutez, Seth, je ne suis absolument pas entraîné pour me promener dans l'espace.

L'astrophysicien se tourna vers Billy Gibbons, comme s'il le chargeait de répondre.

— Inutile de tergiverser, vous devrez vous entraîner, déclara le directeur de la mission. Vous et tous ceux qui feront partie de l'EVA, bien sûr.

— À savoir ?

Ce fut Seth Dyson qui répondit.

— Eh bien, ce sera moi, en tant que responsable scientifique de la mission, déclara-t-il. Emese, la spécialiste en astrobiologie. Et vous, Tom, qui avez été officiellement choisi par le secrétaire général de l'ONU et en votre qualité de cryptanalyste, à qui a été confiée la responsabilité de faciliter la communication avec l'équipage de *Phanès*. Nous formerons l'équipe qui établira le premier contact.

— Vous sortirez tous les trois de la navette pour aller à la rencontre de *Phanès*, expliqua Billy. Par conséquent, l'une des prochaines étapes consistera à répéter cette situation, en particulier l'EVA. Cela signifie que je vais devoir vous mettre dans le NBL.

— N… quoi ?

— NBL, Neutral Buoyancy Laboratory, dit-il. Le laboratoire de flottabilité neutre. Des gros mots que nous avons inventés pour dire piscine.

— On va aller à la piscine ?

— Exact, confirma Billy. Et vous devrez aussi aller au gymnase soulever des haltères, car l'EVA est une activité très éprouvante physiquement, qui exige de la force. Avant d'en arriver-là, cependant, il y a une manœuvre absolument fondamentale que vous devrez maîtriser à la perfection et qui est donc prioritaire. Sans cela, vous ne pourrez même pas mettre le pied dans la navette. Je dirais même que c'est l'opération la plus importante qu'un astronaute doit effectuer lorsqu'il est là-haut.

— Éteindre un incendie ?

Le directeur de la mission regarda le Portugais, l'air passablement amusé.

— Couler un bronze.

XXXIX

Après avoir baissé son pantalon et son caleçon, Tomás jeta un regard soupçonneux sur le trou au fond de la cuvette du simulateur de toilettes dans la navette spatiale. Le *toilet trainer*, comme on appelait à la NASA, le fameux simulateur pour les besoins physiologiques des astronautes, était situé dans une pièce à côté du SMS fixe, dans le bâtiment 5. C'était le thème préféré des blagues les plus douteuses qui avaient cours au Centre spatial Johnson.

Après un long moment à regarder le trou, le Portugais se sentit découragé. Peut-être valait-il mieux essayer d'abord l'urinoir. Ce serait reculer pour mieux sauter, mais cela lui donnerait le temps de se préparer à la tâche plus délicate. Le collecteur de rejets liquides se composait d'un tuyau d'aspiration et d'entonnoirs réglables pour les hommes et les femmes.

S'armant de courage et de résignation, Tomás s'assit sur le siège en plastique du W.-C. auquel il s'accrocha avec des agrafes fixées sur ses cuisses ; dans l'espace, les agrafes étaient nécessaires pour l'empêcher de flotter à un moment aussi délicat. Puis il prit le tuyau collecteur et y introduisit ce qu'il considérait comme la partie la plus précieuse et la plus enviable de toute son anatomie.

— Alors, Tom ? demanda Seth, qui attendait son tour de l'autre côté de la porte. Par quel exercice allez-vous commencer ? Solides ou liquides ?

— Liquides.

L'Américain réprima un éclat de rire.

— Faites attention au tuyau, hein ? lui dit-il en guise d'avertissement. Ce machin agit par succion.

— Vraiment ?

— La succion est si forte que des astronautes ont déjà demandé le tuyau en mariage !

— Très drôle…

L'aspiration devrait effectivement être intense, pensa le Portugais, car un panneau dans le simulateur conseillait aux astronautes de ne pas trop introduire leur membre viril. Après avoir lu l'avertissement, Tomás commença à redouter la force d'aspiration du tuyau, et il se demanda si un astronaute avait déjà été castré par l'urinoir. Il supposa que non. Si l'aspiration était forte, se dit-il mi-amusé, le pire qui pouvait lui arriver était de voir son organe s'allonger davantage. Cependant, un homme averti en valant deux et sa capacité de générer une descendance étant en jeu, il prit soin de n'insérer que la pointe de son appendice dans le tuyau collecteur ; c'était là, lui sembla-t-il, la procédure la plus prudente pour un premier exercice. Cela étant dit, il ne restait plus qu'à passer à l'acte et effectuer le test.

Il appuya sur le bouton et brancha le système. Un fort souffle aspirant rafraîchit immédiatement la partie de son corps qui lui avait donné le plus de plaisir dans la vie, mais l'aspiration ne lui sembla pas particulièrement agréable. Il fit pression sur sa vessie ; l'urine sortit et fut aspirée par le tuyau sans se répandre à l'extérieur.

— Et la dernière goutte ? demanda Seth provocateur. Comment allez-vous vous débarrasser de la dernière goutte ?

— Je vais me débrouiller.

En fait, la fameuse dernière goutte qui, comme tous les hommes le savent, est condamnée à tomber dans le slip, resta sur la pointe et se colla au bord du tuyau avant d'être, elle aussi, aspirée par le collecteur de déchets liquides. Problème résolu. L'Opération urine avait été amplement couronnée de succès, au point que Tomás en ressentit presque de la fierté. À la fin de la formation, leur donnerait-on des médailles ? Et où les pendraient-ils exactement ?

Il débrancha le tuyau de l'urinoir et, écartant les jambes, regarda une nouvelle fois l'orifice de la cuvette. Le moment était venu.

— Et maintenant ? demanda l'astrophysicien de l'autre côté de la porte, toujours en train de le taquiner. Le moment de vérité est arrivé ?

— Fichez-moi la paix, Seth !

Tomás savait que l'Américain le provoquait par jalousie vis-à-vis d'Emese, mais il n'y pensa plus et se prépara mentalement à utiliser le collecteur de déchets solides. Ça n'allait pas être facile. L'accès au collecteur se faisait par un trou au fond de la cuvette, puis les selles tombaient dans un sac. Pour des raisons techniques liées à la dynamique de l'aspiration, il était fondamental de bien viser, sous peine de voir ses selles flotter dans un environnement en apesanteur. D'où le caractère délicat de l'opération.

— Avez-vous allumé la télé ? voulu savoir Seth. La télé est très importante, Tom. C'est elle qui va guider la manœuvre avant que le bombardement ne débute.

— Taisez-vous !

Mais il avait raison. Le téléviseur était indispensable dans le simulateur de salle de bains. À contre cœur, Tomás brancha l'appareil installé en face de lui et, au moment où l'écran s'alluma, il remarqua qu'une lumière s'était aussi illuminée sous la cuvette des toilettes.

L'image transmise par l'écran n'était peut-être pas la plus glorieuse qu'il ait vue de lui-même, mais elle était certainement inoubliable. Même un contorsionniste de cirque ne pouvait pas voir cette partie de son corps sous cet angle. Pour aider les astronautes à bien viser, la NASA avait installé dans la cuvette une caméra équipée d'une petite lampe qui projetait un faisceau lumineux sur l'endroit voulu. « Combien de fois ce petit orifice avait-il été baigné de lumière ? » se demanda-t-il, tentant de trouver un peu d'humour dans cette situation déprimante.

Assis sur la cuvette d'où il contemplait l'image embarrassante qui remplissait l'écran du téléviseur, Tomás ne put s'empêcher de s'interroger sur les charmes de la vie d'astronaute. Était-ce pour le tester qu'on l'avait attiré là ? Vasco de Gama lui-même n'avait pas traversé une telle épreuve ! Il se sentit au bord de la révolte, mais se rappela aussitôt tous les astronautes américains qui étaient passés par ce simulateur de toilettes avant lui. Tous. Y compris le grand Neil Armstrong. L'idée que le premier homme à avoir posé le pied sur la Lune avait lui aussi déjà posé ses augustes fesses sur cette même cuvette, pour faire la même chose que lui, le réconfortait un peu.

D'ailleurs, il fallait relativiser. Certes, tout cela n'était pas très glamour, mais l'image constituait une aide fondamentale pour guider son « tir », et elle était même accompagnée d'un graphique désignant la « cible ». S'il n'était pas parfaitement aligné sur le centre de l'orifice de collecte des déchets solides, il courait le risque, dans un environnement d'apesanteur, de voir ses excréments heurter les parois de la cuvette, faire des ricochets, s'étaler sur ses fesses, voire flotter à l'intérieur de la navette spatiale. Ça ne pouvait pas arriver. Comment pourrait-il aller voir Yao et discuter avec lui de la manœuvre du bras robotisé de la navette avec de la merde collée aux fesses ?

— Souvenez-vous de votre position ! recommanda Seth. Ça vous aidera à viser quand vous serez dans l'espace.

La recommandation était sensée. Tomás ajusta son corps jusqu'à ce que les marques sur l'écran lui indiquent qu'il était parfaitement aligné. Il étudia ensuite la position du corps sur la cuvette et, se guidant avec les marques autour de la lunette, il la mémorisa. Puis il vérifia sur l'écran que la « cible » était bien dans la ligne de mire. C'était le cas.

Il ne manquait qu'une dernière chose. La preuve par neuf. Il appuya sur le bouton pour brancher le système et sentit aussitôt un courant d'air frais lui caresser les fesses ; le jet d'air aspirant avait été activé. Il ne lui restait plus qu'à tester sa propre visée.

Il exerça une pression sur son ventre et tira.

XL

On emmena les trois astronautes retenus pour l'EVA, la sortie hors du vaisseau dans l'espace, à la piscine du Neutral Buoyancy Laboratory. Ce n'était bien sûr pas une piscine ordinaire ; une énorme structure était plongée dans l'eau et une mini grue était installée au bord du bassin.

Tomás jeta un regard soupçonneux sur la grue, essayant d'en comprendre la fonction.

— Déshabillez-vous !

L'ordre avait été donné par Billy Gibbons, et peut-être par réflexe, le Portugais regarda vers Emese, comme pour lui demander de s'éloigner ou, du moins, de détourner le regard.

— Alors, Tom ? plaisanta Seth qui avait déjà commencé à se déshabiller. Vous n'avez pas peur que notre belle Emese soit déçue quand elle verra combien votre organe est petit ?

Tomás eut envie de répondre, mais il se retint ; il était gêné de se déshabiller devant une femme dont il ne partageait pas l'intimité. Mais il se rendit vite compte que les circonstances le libéraient d'une telle pudeur, non seulement parce qu'ils devaient fonctionner en équipe, mais aussi parce qu'Emese avait commencé à se déshabiller sans la moindre inhibition. Il décida donc d'imiter ses compagnons.

Tous trois étaient nus et Tomás, embarrassé, évita de regarder en direction de la Hongroise. Deux techniciens de la NASA s'approchèrent aussitôt dans un petit véhicule électrique avec une remorque transportant plusieurs scaphandres blancs d'astronautes ; visiblement, Ted et son équipe avaient terminé leur travail. Toujours avec des gestes impérieux et des ordres presque monosyllabiques, le directeur de la mission désigna les scaphandres.

— Habillez-vous !

Tomás, qui avait déjà appris les principes théoriques de l'art de s'habiller, savait qu'il y avait tout un rituel à respecter. La première tâche consistait à mettre l'UCD, une sorte de préservatif qui était relié à une sonde et servait de collecteur d'urine lorsque les astronautes utilisaient le scaphandre ; c'était comme des W.-C. d'appoint pendant une sortie dans le vide. La sensation qu'Emese avait pu poser son regard sur lui alors qu'il ajustait le préservatif de l'UCD le mit mal à l'aise, mais il se résigna.

— Vous vous êtes complètement planté, Seth, observa la Hongroise avec malice. Apparemment, notre ami Tomás n'a aucune raison d'avoir honte.

Pour sortir de cette situation embarrassante, l'historien s'enveloppa rapidement de latex, resserra l'algalie à la taille et, avec l'aide des techniciens de la NASA, enfila le LCVG, le sous-vêtement de régulation liquide de la température.

Les techniciens posèrent des biocapteurs, principalement destinés à mesurer les signes vitaux des astronautes lorsqu'ils quittent le vaisseau et sortent dans le vide. Enfin, ce fut le tour de l'équipement lourd. Les astronautes glissèrent dans le pantalon du scaphandre, puis s'accroupirent et enfilèrent les torses qui étaient retenus par des structures. Ils laissèrent ensuite les techniciens décrocher les torses et les relier au pantalon.

Sur la poitrine des scaphandres de Tomás et d'Emese, il y avait les emblèmes de l'ONU et de l'ESA sur le côté droit et, sur l'épaule, leurs drapeaux nationaux respectifs, le portugais et le hongrois, tandis que Seth arborait l'emblème de la NASA et le drapeau américain. Sous chaque emblème de l'agence spatiale était écrit le nom de l'astronaute.

— Mon nom n'est pas « Thomas » Norona, protesta-t-il. C'est Tomás Noronha. Vous pouvez corriger ça ?

— Désolé, Tom, déclara le directeur de la mission, en prenant des notes sur un bloc alors qu'il sortait du secteur de la piscine. Ce sera rectifié pour la prochaine session.

Après avoir revêtu la partie haute du scaphandre, Tomás essaya de lever les bras, mais l'effort qu'il dû faire le stupéfia.

— Bon sang ! Que c'est lourd.

Il eut le sentiment que le simple fait de lever un bras équivalait à soulever des haltères.

— Et ce n'est que le début, avertit Seth, alors qu'il enfilait lui aussi le haut de son scaphandre. Les exercices de l'EVA sont physiquement les plus exigeants de l'ensemble du programme de préparation.

— Mince ! souffla le Portugais. Je crois que je vais passer la journée à soulever des haltères juste pour me muscler et avoir assez de force pour bouger avec ça.

Un technicien lui enfila les gants tandis qu'un autre lui posa sur la tête une *Snoopy Cap*, un appareil avec un écouteur et un micro qui lui permettrait de communiquer et qui devait son nom à la fameuse bande dessinée. Puis ce fut le tour du casque. Enfin, les techniciens fixèrent les gants et le casque au torse, le scellant complètement. Tomás se retrouva enfermé à l'intérieur du scaphandre et totalement isolé du monde extérieur.

Il essaya de bouger, mais n'y parvint pas ; c'était comme s'il pesait une tonne.

— Tom, vous m'entendez ?

La voix qu'il entendit à travers l'intercom était celle de Billy Gibbons, qui venait d'arriver à la salle de contrôle du simulateur.

— Oui. Qu'est-ce que je fais maintenant ?

— N'essayez pas de bouger, tout ça pèse plus de 130 kg.

— Cent tr... ? Bon sang ! Comment diable voulez-vous que je me déplace dans l'espace avec un scaphandre plus lourd qu'un éléphant ?

— N'oubliez pas que dans l'espace vous ne sentirez pas la gravité, le poids n'a donc aucune importance. À présent, attendez un peu, les techniciens vont vous lever avec la grue et vous descendre dans l'eau.

Deux minutes plus tard, les techniciens de la NASA s'approchèrent du Portugais et pressurisèrent le scaphandre afin qu'il prenne la consistance de l'acier, comme cela se passerait dans l'espace. Les conséquences se firent rapidement sentir. Le simple fait d'ouvrir et de fermer la main lui faisait mal aux muscles. L'historien réalisa qu'il ne serait vraiment pas facile de bouger dans ces conditions.

Une fois installé dans la grue, les techniciens le hissèrent puis commencèrent à le descendre dans la piscine. Tomás eut une crise inattendue de claustrophobie, mais il finit par se contrôler.

Lorsqu'il atteignit le fond de la piscine, il aperçut une espèce de grande cabine qui reproduisait en détail le sas de la navette spatiale ainsi que la plateforme. Il sentit du mouvement autour de lui et vit des plongeurs approcher. Ceux-ci ajustèrent des bouées et le ballast de plomb, ce qui lui permit de flotter à une certaine profondeur. Il était dans les mêmes conditions qu'ils allaient rencontrer dans l'espace, lorsqu'ils quitteraient *Atlantis* pour se retrouver dans le vide et aller vers *Phanès* afin d'établir le contact avec les extra-terrestres.

La voix de Billy résonna à nouveau dans le *Snoopy Cap*.

— Tom, ça va, vous êtes à l'aise ?

— À l'aise ne me semble pas être le mot le plus approprié. Mais au moins ici, dans l'eau, je peux remuer, ce qui n'est pas si mal.

On entendit les voix d'Emese et de Seth dans l'intercom et, quelques minutes plus tard, les deux autres astronautes étaient aussi dans l'eau.

— Nous sommes les trois mousquetaires ! plaisanta Seth. Sethus, Emesus et Tomásis.

— Je pense que vous vous trompez, corrigea Emese. Avec ces scaphandres, nous avons plutôt l'air de l'homme au masque de fer.

— Et qui est d'Artagnan ?

Le directeur de mission mit fin aux plaisanteries.

— Équipage, attention. La première opération consistera à sortir du vaisseau pour aller dans le vide. Veuillez vous diriger vers le sas par l'intérieur pour réaliser la procédure.

Les trois astronautes s'avancèrent et commencèrent l'exercice. Tomás réalisa rapidement que Seth avait raison. Les entraînements sous-marins avec le scaphandre d'astronaute étaient bien plus difficiles physiquement que tout ce qu'il avait fait jusque-là. Comme si le sentiment de claustrophobie ne suffisait pas, il avait les muscles endoloris à cause de l'énorme effort qu'il devait fournir pour se déplacer avec un équipement aussi lourd. Et puis, certaines parties des exercices étaient faites la tête en bas, exactement comme cela se passerait dans l'espace ; cependant, bien qu'il se trouvât sous l'eau, les effets de la gravité terrestre se faisaient toujours sentir et la combinaison continuait de lui peser. Enfin, le sang lui était descendu dans la tête, et ça le dérangeait plus que tout le reste.

Il y avait un dernier effet étrange. Lorsqu'il exerçait une force dans un sens, une réaction opposée se produisait.

— C'est la troisième loi de Newton, expliqua Seth. Chaque force exercée entraîne une réaction égale en sens opposé.

— Mais ça a l'air différent de ce qui se passe normalement…

— Vous avez raison, mais dans l'eau l'effet est exactement le même que ce que nous allons ressentir quand nous nous déplacerons dans le vide. Nous devons nous y habituer. C'est pourquoi on répète l'EVA dans la piscine.

L'expérience le perturba pendant un certain temps, mais ils procédèrent à des exercices de réparation de composants de la plateforme et à des mouvements dans le vide.

Quand, au bout de trois heures, ils s'apprêtaient à manœuvrer le bras robotisé Canadarm 2, le Sim Sup intervint.

— Je crains, les gars, que la formation d'aujourd'hui ne soit terminée. Dirigez-vous vers la grue pour qu'on vous remonte.

— Déjà ? protesta Seth. On commençait à peine à s'amuser…

— Désolé, mais vous devez remonter.

Le responsable scientifique de la mission consulta la montre du scaphandre.

— Mais pourquoi, Billy ? D'après mes calculs, on a encore une bonne heure d'exercice et on doit se familiariser avec la manipulation du bras robotisé. Pourquoi diable ne restons-nous pas ici jusqu'à ce qu'on ait achevé le programme de la journée ?

— Ce n'est pas possible, Seth.

— Pourquoi ?

Il se fit un court silence dans l'intercom, comme si le directeur de la mission parlait à quelqu'un.

— On vient de recevoir une nouvelle information, et il faut que vous sortiez de là pour qu'on en discute.

Toujours sous l'eau, et voyant les plongeurs qui approchaient pour les emmener vers la grue de levage, les trois astronautes se regardèrent, intrigués.

— Quel est le problème, Billy ? demanda le responsable scientifique, inquiet. Qu'est-il arrivé ?

Nouvelle pause. Le directeur de la mission ne répondit qu'au bout de quelques secondes.

— Ce sont les Russes.

— Les Russes ? Qu'est-ce qu'ils ont fait ?

Une dernière pause dans l'intercom.

— Ils vont aussi lancer une mission vers *Phanès*.

XLI

Ôter le scaphandre se révéla presque aussi difficile que de le revêtir, mais les trois astronautes ne virent pas le temps passer, tant la tâche était absorbante. Ils étaient surtout préoccupés par la nouvelle qu'ils venaient d'apprendre.

Mais cette fois, Tomás prit soin de ne pas rater le moment où Emese, débarrassée du scaphandre, des biocapteurs, des vêtements thermiques et du latex, apparut brièvement nue. Vision sublime qui ne le laissa pas indifférent, mais ne dura hélas qu'un bref instant. L'astrobiologiste revêtit rapidement l'uniforme de l'Agence spatiale européenne qu'elle portait habituellement et s'éloigna de la piscine d'un pas altier.

— Comme cette femme pourrait me rendre heureux, soupira Seth avec une expression désolée. – Il se tourna vers Tomás. – Je ne vais pas avoir de problèmes avec vous, n'est-ce pas ?

— Des problèmes ?

— Écoutez, nous serons tous ensemble dans l'espace ; elle est la seule femme du groupe, elle a un corps de rêve et j'ai déjà remarqué qu'elle vous aime bien et… enfin, vous voyez ce que je veux dire, non ?

— Non, je ne vois pas.

Le physicien le fusilla du regard.

— Eh bien, vous allez vous marier bientôt. J'espère que vous serez sage.

Tomás ne répondit pas. Le moment était mal choisi pour que les deux hommes se livrent au duel habituel, alors il s'habilla et, sans perdre de temps, il suivit la Hongroise. Seth en fit autant.

Ils quittèrent le secteur de la piscine, empruntèrent un couloir, montèrent l'escalier et se rendirent dans la salle de contrôle des exercices du NBL, où tout le monde, y compris Billy Gibbons et les autres astronautes de la mission *Phanès*, était rassemblé autour d'un téléviseur.

Une chaîne d'information diffusait une édition spéciale. Un bandeau précisait « Les Russes se lancent dans la course », tandis qu'on voyait à l'écran des images d'archives de fusées décollant du cosmodrome de Baïkonour au milieu d'un immense jet de flammes et de fumée.

— … a annoncé que la mission sera dirigée par le colonel Vitaly Glebov et comprendra deux autres cosmonautes, disait le journaliste. Il s'agit du capitaine Evgeny Mitkin et du lieutenant Irina Andronikova. Le Kremlin a également révélé que l'équipage de la mission *Lyubov*, « Amour » en russe, emportera des bouquets de fleurs qu'il offrira aux extra-terrestres en signe de paix et de bonne volonté de la part de l'humanité. Le porte-parole du Kremlin, Igor…

— Mission Amour !?? s'exclama Seth, incrédule. Des fleurs !?? Mais à quoi ils jouent ?

Un chœur de « Chut ! » emplit la pièce. Personne ne voulait en perdre une miette.

— … interrogé sur les raisons pour lesquelles les Russes ne se joignaient pas à la mission *Phanès*, organisée par les agences spatiales des États-Unis, de l'Union européenne et de la Chine, avec le parrainage de l'Assemblée générale de l'ONU, poursuivit le journaliste, le ministre russe des affaires étrangères a qualifié cette mission conjointe internationale de « farce orchestrée par l'Occident ».

Des huées fusèrent dans la salle de contrôle, mais le silence revint aussitôt car le président russe apparut à l'écran. Assis derrière un bureau, il donnait une interview.

— La soi-disant mission *Phanès* n'est rien de plus qu'une farce orchestrée par les États-Unis et ses marionnettes européennes. En prétendant agir au nom de la communauté internationale, ils veulent en réalité s'emparer de la technologie de pointe dont disposent les extra-terrestres et ainsi perpétuer leur domination politique sur le reste de l'humanité, déclara le ministre. La Chine accepte de participer à cette farce, mais nous, nous ne le ferons pas. La Russie œuvre pour la paix sans arrière-pensées, et c'est pourquoi nous tenons à être les premiers à rencontrer les extra-terrestres pour leur tendre le rameau d'olivier qui scellera la paix et la concorde entre espèces intelligentes.

Les membres la mission *Phanès* étaient atterrés.

— Est-ce possible ? se demanda Seth, qui n'en croyait pas ses oreilles. Mais que veulent-ils à la fin ?

Billy fit un geste de frustration.

— Ce n'est pas évident ? Ils veulent transformer tout cela en une course à l'espace et, si possible, arriver les premiers, non seulement pour nous humilier, mais aussi pour établir des relations privilégiées avec les extra-terrestres et avoir accès à la technologie avancée de *Phanès*. C'est un coup de maître.

— Coup de maître ? s'écria le responsable scientifique, indigné. Mais c'est de la folie ! Ne voyez-vous pas ce qui va se passer ? Nous allons nous bagarrer pour être les premiers à intercepter *Phanès* et jurer aux extra-terrestres et à ceux qui les ont envoyés que nous ne voulons que la paix, l'amour et la concorde. C'est… c'est ridicule !

Tout le monde imagina la situation en hochant la tête. Quoi de plus absurde en effet que de transformer un événement aussi solennel en un conflit entre grandes puissances terrestres ? Ce qui devrait être une occasion historique, célébrée avec grandeur et dignité, allait devenir une misérable rixe, révélant ce que la nature humaine a de pire.

Emese regardait l'écran, ébahie.

— Que vont-ils penser de nous ? demanda-t-elle comme si elle réfléchissait à haute voix. Mon Dieu, imaginez ce que l'équipage de *Phanès* pensera de nous ! – Elle ferma les yeux. – Quelle honte, quelle honte !

— La Maison-Blanche doit intervenir, s'exclama Seth d'une voix grave et convaincue. Le président doit parler aux Russes pour essayer de mettre un peu de plomb dans leurs têtes !

Yao Jingming secoua la tête.

— Les Russes ne reculeront jamais après avoir fait une telle annonce officielle, cher collègue. Ils perdraient la face.

Tandis que la chaîne continuait à fournir des précisions sur l'annonce faite par les Russes, les astronautes ainsi que les ingénieurs et techniciens qui se trouvaient dans la salle de contrôle commentaient l'information. Les téléphones portables commencèrent à sonner. Tout le monde se consultait, donnait son avis, questionnait les uns et les autres sur la signification et les implications de l'annonce russe.

Au milieu de cette confusion, Tomás s'approcha du responsable scientifique de la mission.

— Seth, il y a quelque chose qui ne colle pas.

L'astrophysicien de la NASA, plongé dans ses pensées, tressaillit, comme s'il revenait d'un monde lointain.

— Humm ?

— Vous vous souvenez de ce que nous a dit le responsable de l'agence spatiale russe quand nous étions au Vatican ?

— Qui ? Vous faites allusion à l'appel du colonel Popov, de Roscosmos ?

— Vous vous souvenez qu'il nous a dit que *Phanès* représentait une grande menace pour l'humanité et je ne sais plus quoi encore ?

— Affirmatif. Et alors ?

Tomás indiqua la télévision.

— Si les Russes pensent que *Phanès* est une si grande menace, pour quelle raison vont-ils à présent organiser une mission baptisée « Amour » pour offrir des fleurs aux extra-terrestres ? Vous ne trouvez pas ce revirement soudain très étrange ?

Seth Dyson haussa les épaules.

— Je ne sais pas. Ils ont peut-être changé d'avis, ils ne savent pas trop ce qu'ils veulent, ou alors ils veulent tout et son contraire. Qui peut savoir ce qui se passe dans la tête de ces fous ?

— Les Russes ne sont pas fous, Seth, déclara le Portugais. Paranoïaques, sans aucun doute. Fous, certainement pas. Au début, ils trouvaient que *Phanès* était une grave menace, et maintenant ils sont animés par un sentiment de paix et d'amour, au point de vouloir leur offrir des fleurs, non, il y a quelque chose qui ne colle pas.

— Où voulez-vous en venir, Tom ?

— Je ne sais pas. J'attire juste l'attention sur ce qui me semble être un…

Le portable à la main, Billy s'approcha d'eux avec une tête d'enterrement et interrompit leur conversation sans préalables.

— Seth, je viens d'avoir un appel de Washington. Il y a du nouveau. Convoque immédiatement les astronautes pour une réunion d'urgence dans la salle de conférence du bâtiment 4S.

— Que se passe-t-il ?

— Top secret.

— C'est à cause de cette annonce russe ?

— Bien sûr.

— Il y aura juste nous ou quelqu'un d'autre ?

Le directeur de la mission hésita avant de répondre.

— Juste nous, ici à Houston. Mais il y aura un haut fonctionnaire en direct de Washington via une ligne cryptée hautement sécurisée

— Qui ?

Le directeur de la mission *Phanès* hésita encore. Il regarda autour de lui pour s'assurer que personne ne les écoutait hormis Tomás. Il se pencha vers Seth, plissa les paupières et, prenant un air de conspirateur, murmura d'une voix à peine audible.

— Le directeur de la CIA.

XLII

Le brouhaha nerveux qui animait la salle de conférence, où seuls les cinq astronautes et le directeur de la mission *Phanès* étaient rassemblés, s'arrêta au moment précis où l'écran fixé au mur s'alluma. La liaison avec Washington, ou plus exactement avec Langley, était sur le point d'être établie.

Une horloge numérique affichant un compte à rebours de soixante secondes apparut ensuite, avec le logo de la CIA. Quand le zéro fut atteint, l'image devint brièvement noire, avant qu'apparaisse le visage osseux d'un homme d'âge moyen, en costume cravate.

Billy Gibbons, dans la salle de conférence 4S du Centre spatial Johnson, fut le premier à prendre la parole.

— Monsieur le directeur Paley, nous vous voyons, annonça-t-il. Toute l'équipe d'astronautes de la mission *Phanès* est rassemblée ici, comme vous l'avez demandé. La liaison étant cryptée et personne d'autre n'étant présent de notre côté, je crois que les conditions de confidentialité requises sont réunies. Pouvez-vous préciser les raisons de cette réunion ?

Le directeur de la CIA, Robert A. Paley, avait la réputation d'être peu amène.

— Les raisons sont évidentes, professeur Gibbons, répondit Paley sur un ton sec. Je suppose que vous êtes au courant des nouvelles qui nous viennent de Moscou.

— Certainement, monsieur le directeur. C'est une énorme surprise, et plutôt désagréable je dois dire. Mais il faut s'attendre à tout de la part de nos amis russes.

— Ce fut peut-être surprenant pour vous, professeur Gibbons, mais ce ne le fut pas pour l'Agence, croyez-moi. Cela fait vingt-quatre heures que nous avons des indications sur ce qui se trame et nous avons procédé à des consultations avec la Maison-Blanche. Nous avons envisagé plusieurs scénarios possibles, notamment un qui vous concerne. L'annonce faite par le Kremlin a tout précipité et le président, après des contacts secrets avec nos alliés européens et avec la Chine, a approuvé les changements qui vont être apportés à votre mission. D'où notre conférence. Ce que je vais vous dire ne doit pas sortir d'ici, mais il est fondamental que vous soyez informés de ce qui se passe pour comprendre les décisions du président et de nos alliés.

— Nous sommes déjà au courant, monsieur le directeur. Les nouvelles ont été diffusées à la télévision.

— Ces nouvelles ne sont qu'un écran de fumée. Il y a des choses graves que le public ne sait pas. Vous devez les connaître pour bien vous préparer et pour qu'*Atlantis* soit convenablement équipée ; par ailleurs, le programme de formation doit être adapté à la nouvelle réalité et aux changements apportés à la mission.

Les astronautes échangèrent des regards inquiets, pressentant quelque chose de très grave mais sans tout comprendre.

— À quoi faites-vous référence exactement, monsieur le directeur ? demanda Seth. Que voulez-vous dire quand vous annoncez que le profil de la mission a été changé ? Changé en quoi exactement ?

— J'y viens.

— Et pourquoi dites-vous que ces nouvelles sont un écran de fumée ? Finalement, les Russes ne vont pas envoyer de mission dans l'espace ? C'est ça ?

— Bien sûr qu'ils vont le faire.

— Mais alors quel est le problème ?

En guise de réponse, le directeur de la CIA approcha un ordinateur portable et commença à taper des instructions sur le clavier. Quelques instants plus tard, l'image de Robert Paley assis dans son bureau fut remplacée par la photo d'un homme blond, les cheveux coupés en brosse, vêtu d'un uniforme militaire.

— Messieurs, je vous présente le colonel Vitaly Glebov, le commandant de la mission *Lyubov* que la Russie va envoyer à la rencontre de *Phanès* pour offrir des fleurs à E.T. Le problème, c'est que le colonel Glebov n'est pas vraiment fleuriste. C'est un homme qui a fait carrière en pilotant des MiG-25 dans l'armée de l'air russe, avant de devenir cosmonaute. Ne trouvez-vous pas cette information intéressante ?

Billy hésita.

— Eh bien… pour être honnête, je ne vois pas où vous voulez en venir. Il me semble normal qu'il y ait des astronautes avec une formation militaire dans l'aéronautique. Ça arrive aussi chez nous. Si je ne m'abuse, Neil Armstrong, John Glenn, Alan Shepard et beaucoup d'autres grands héros américains de la conquête de l'espace étaient des pilotes de chasse avant de devenir astronautes. Le commandant et le pilote de la mission *Phanès*, le colonel Daugherty et le capitaine Charbit, sont des aviateurs militaires. Compte tenu des exigences et des dangers inhérents à ces missions, il semble logique de faire appel à des pilotes des forces armées.

Sur l'écran, l'image en provenance de Langley fut remplacée par la photographie d'un homme mince, avec des cheveux bruns coupés en brosse.

— C'est vrai, déclara le directeur de la CIA, dont on entendait la voix off. Mais il est intéressant de noter que le pilote de la mission *Lyubov* est cet homme, le capitaine Evgeny Mitkin, officier des RVSN RF. Le capitaine Mitkin est surtout lié au RS-28

Sarmat, baptisé Satan 2 dans les milieux militaires. Vous savez ce que c'est ?

Seth sourit.

— Un culte satanique ?

Le directeur de la CIA n'apprécia guère l'humour et le ton décontracté du responsable scientifique de la mission.

— Cela n'a rien d'une plaisanterie, professeur Dyson, rétorqua Robert Paley sur un ton cassant. Il s'agit d'une question très grave et je vous saurais gré d'adapter votre attitude aux circonstances.

— Je suis désolé.

— Les RVSN RF, auxquelles appartient le capitaine Mitkin, sont les Forces des fusées stratégiques de la fédération de Russie, l'unité militaire des forces armées russes chargées du système de missiles nucléaires stratégiques du pays.

— Je vous demande pardon ?

La photographie du deuxième cosmonaute russe fut remplacée par l'image d'un missile en vol.

— Le RS-28 Sarmat, dont s'occupe habituellement le capitaine Mitkin, est un missile balistique intercontinental équipé d'ogives thermonucléaires, dix de forte puissance ou quinze plus légères, capables d'atteindre plusieurs cibles en même temps.

— *Holy shit !*

— Au sein de l'armée russe, il semblerait que le capitaine Mitkin soit l'un des principaux programmeurs de ces missiles, indiqua le directeur de la CIA sur un ton monocorde. La question est la suivante : pourquoi diable les Russes ont-ils besoin d'un programmeur de missiles RS-28 Sarmat, que l'OTAN appelle Satan 2, pour une mission spatiale baptisée « Amour », soi-disant destinée à offrir des fleurs aux extra-terrestres ?

À Houston, tous regardaient bouche bée les images de missiles russes en vol qui remplissaient l'écran de la salle de conférence.

— Mon Dieu ! murmura Bozóki Emese, choquée. Que peuvent bien concocter les Russes ?

Puis les vidéos de missiles furent remplacées par la photo d'une femme en uniforme militaire, les cheveux pris dans un chignon.

— Je vous présente maintenant le troisième élément de la mission *Lyubov*, indiqua Robert Paley. Le lieutenant Irina Andronikova. Elle a un joli sourire et le bruit court qu'elle taille des pipes d'enfer, mais je vous déconseille de mettre votre membre dans sa bouche, il paraît qu'elle a des dents d'acier. Le pire, c'est ce dont notre belle Irina est capable lorsqu'elle est chargée du guidage de missiles balistiques. Car elle appartient aux Forces des fusées stratégiques, sous les ordres du capitaine Mitkin, et sa spécialité est de guider les RS-28 Sarmat et de s'assurer qu'ils atteignent leurs cibles. En résumé, la tâche du capitaine Mitkin est de les programmer et celle du lieutenant Andronikova de les diriger. La question est donc la suivante : pourquoi les Russes ont-ils besoin d'une amazone de cette trempe pour une mission de paix et d'amour dans l'espace ? Je doute que ce soit pour faire profiter l'équipage du *Phanès* de son art de la fellation…

Tous les membres de la mission écoutaient, l'air de plus en plus sombre.

— Tout ça est très préoccupant, monsieur le directeur, reconnu Seth, qui avait perdu toute envie de plaisanter. Mais, aussi troublant que soit le profil des cosmonautes de la mission *Lyubov*, cela ne prouve rien.

Le visage grave du directeur de la CIA apparut de nouveau sur l'écran de la salle de conférence.

— C'est vrai, professeur Dyson. Cependant, j'ai d'autres révélations à vous faire. Je suppose que ça vous intéresse ?

— Certainement.

Le chef de l'agence de renseignements américaine tapota de nouveau sur le clavier de l'ordinateur et, à l'écran, son visage fut remplacé par la photo d'une forêt de conifères, prise de toute évidence par un satellite espion.

— Cette photo a été prise hier par l'un de nos satellites, dit Paley. Il s'agit du silo stratégique de Plessetsk, dans l'oblast d'Arkhangelsk, à 800 km au nord-ouest de Moscou. Le silo est réputé pour son arsenal de missiles SS-27 Topol-M, mais selon nos informations il dispose également d'un certain nombre de RS-28 Sarmat. Sur l'image, qui a été agrandie, on peut voir une colonne motorisée en déplacement sur une route qui traverse la forêt. On voit ici un camion sortant du silo, protégé par une imposante escorte militaire. Or nous savons que ces escortes ne sont constituées que lors du transport d'ogives nucléaires actives.

— Les Russes sont en train de déplacer des ogives ?

Sur la photo suivante on voyait ce qui ressemblait à des pistes d'aéroport.

— C'est ce que tout semble indiquer, confirma le directeur de la CIA. La colonne s'est dirigée vers le cosmodrome de Plessetsk, à Mirny. Sur l'image agrandie on voit la colonne devant un hangar. Le camion sous escorte est entré dans ce hangar et n'en est pas ressorti. Nous supposons que les missiles RS-28 Sarmat y ont été stockés.

— Pensez-vous qu'ils seront ensuite transférés au cosmodrome de Baïkonour ?

— Non.

— Non ?

L'image satellite du visage de Robert Paley réapparut sur l'écran de la salle de conférence à Houston.

— Baïkonour était le principal cosmodrome à l'époque communiste. Mais il se trouve au Kazakhstan, qui est devenu un territoire indépendant avec la fin de l'Union soviétique. Or le Kazakhstan fait payer des frais élevés pour l'utilisation de Baïkonour. De plus, et compte tenu du profil de la mission *Lyubov*, nous pensons que les Russes n'entendent pas utiliser un cosmodrome qui se trouve maintenant dans un pays étranger. Nous avons donc de bonnes raisons de croire que la fusée qui emportera le vaisseau *Soyouz* dans l'espace partira du cosmodrome de Plessetsk. Comme par hasard, c'est justement là que les Russes ont stocké, hier, les missiles RS-28 Sarmat, probablement sortis du silo stratégique de Plessetsk. – Il fit une pause. – Est-ce clair maintenant ?

Les astronautes de la mission *Phanès* méditaient sur les informations qu'ils venaient d'entendre.

— Pourriez-vous clarifier un point, monsieur le directeur, demanda Seth. Vous venez de dire qu'à la lumière de toutes ces nouvelles, le profil de notre mission avait été modifié. À quoi faites-vous référence ?

— C'est justement pour en parler que nous avons jugé cette conversation prioritaire, déclara le directeur de la CIA. Les gouvernements des États-Unis et de leurs alliés européens, ainsi que la Chine, ont décidé que votre mission devra s'adapter à la nouvelle réalité, car nous pensons que la probabilité d'une confrontation militaire dans l'espace avec les Russes est très élevée.

Un brouhaha s'installa dans la salle de conférence de Houston.

— Vous êtes sérieux ?

— Les Russes ont placé dans un hangar du cosmodrome de Plessetsk un nombre indéterminé de missiles stratégiques avec plusieurs ogives nucléaires. La mission *Lyubov* va décoller précisément de ce cosmodrome. Et sur les trois membres d'équipage, on compte un programmeur et un opérateur de haut niveau du missile balistique stratégique russe le plus moderne et sophistiqué qui soit. Avec tout ça, vous n'avez pas encore compris ? La mission *Phanès* se trouve face à une menace réelle et imminente !

— Mais, monsieur le directeur, que pouvons-nous faire pour remédier à cette situation ?

— Il n'y a qu'un seul moyen, déclara le chef de l'agence américaine de renseignements. *Atlantis* doit être équipée d'un système antimissile.

À ces mots, les astronautes échangèrent des regards alarmés.

— Quoi !??

— Non seulement la navette doit être équipée de ce système, mais le commandant et le pilote d'*Atlantis* devront apprendre à s'en servir et ils seront formés à cette fin par l'USAF.

— Il en est absolument hors de question ! rétorqua Seth avec fermeté. Cette mission est pacifique ! Il est insensé d'équiper *Atlantis* avec des armes.

Le directeur de la CIA durcit son visage.

— Il est impensable que les Russes se dirigent vers *Atlantis* avec un vaisseau spatial équipé de missiles nucléaires balistiques et que la navette spatiale se trouve face à eux sans avoir ne serait-ce qu'un lance pierre. – Il haussa les épaules. – À toutes fins utiles, votre opinion sur cette question est sans importance. Le sujet a déjà été discuté et décidé en haut lieu, à Washington, et en consultation avec nos alliés à Bruxelles et Ottawa ainsi qu'avec les autorités à Beijing. La mission *Phanès* devra être équipée d'un système antimissile afin de protéger *Atlantis* et *Phanès*.

— *Phanès* ?

Robert Paley plissa les yeux.

— Ne me dites pas, professeur Dyson, que vous n'avez pas encore compris quelles sont les véritables intentions des Russes…

— Ces types sont fous, monsieur le directeur. Ils veulent nous intimider et nous dissuader d'établir le contact avec *Phanès*. La pire erreur que nous puissions commettre est d'entrer dans leur jeu.

Le directeur de la CIA secoua la tête, le regard sévère, avec une expression de dépit, comme s'il méprisait ce que, manifestement, il considérait comme de la naïveté, ou peut-être de l'idéalisme aveugle, de la part de son interlocuteur.

— Les Russes vont détruire *Phanès*.

XLIII

Contrairement à l'habitude, ce soir-là, le dîner à la cantine du troisième étage, se déroula en silence et pour une fois personne ne fit la grimace lorsqu'on servit encore une portion de frites avec des hamburgers et du ketchup. L'atmosphère était devenue lourde et les astronautes, plongés dans leurs pensées, semblaient taciturnes.

Dès qu'elle eut fini son hamburger, et toujours en le mâchant, Emese fut la première à se lever.

— Si vous voulez bien m'excuser, je suis très fatiguée et je crois que je vais aller me coucher, annonça-t-elle, en regardant Tomás intensément. Bonsoir.

— Excellente idée, chère collègue, acquiesça Yao Jingming en se levant aussi. C'est ce qu'il y a de mieux à faire. À demain.

Le regard que la Hongroise lui avait lancé mit Tomás mal à l'aise. Était-ce une invitation ? Non, se reprit-il. Il s'imaginait sûrement des choses.

Quelques minutes plus tard, ce fut au tour de Duck et Frenchie de les suivre, laissant Seth et Tomás seuls. Le Portugais chassa Emese de ses pensées. Son corps lui faisait mal à cause des énormes efforts qu'il avait fournis au cours des exercices dans la piscine ; il n'avait jamais imaginé que le scaphandre fût si lourd et il ressentit un profond respect pour les astronautes qui étaient allés sur la Lune dans un tel appareil.

— L'entraînement d'aujourd'hui m'a crevé, lança-t-il, en une tentative maladroite de briser le silence pesant. Je pense que je vais dormir comme un bébé.

Le visage de Seth était triste.

— Moi, je crois que je ne pourrai pas fermer l'œil…

— Cette histoire avec les Russes est vraiment préoccupante, observa l'historien, abordant enfin la question qui les taraudait. Moi-même je commence à me demander si cela a du sens d'aller là-haut. J'ai été recruté pour une mission scientifique, pas pour une opération militaire.

— C'est vrai, concéda l'astrophysicien de la NASA. Mais il faut reconnaître que Washington a raison. *Phanès* doit être protégé. Si nous ne le faisons pas, qui le fera ?

— Je ne le conteste pas. Mais le fait est que cette mission n'a plus un caractère scientifique. C'est devenu une opération militaire. Par conséquent, ce sont les militaires qui devraient aller là-haut.

— Duck et Frenchie sont des militaires, Tom, rappela Seth. Ce sont eux qui vont gérer le système antimissile. Nous serons chargés exclusivement de la dimension scientifique de la mission, ne vous en faites pas pour ça.

Tomás semblait sceptique.

— Étant donné l'évolution des événements, vous pensez vraiment qu'une fois en orbite, avec les Russes qui lanceront des missiles balistiques contre *Phanès* et nous au milieu, on pourra vraiment séparer les deux ?

Dyson fit un geste vague dans l'air, comme s'il exprimait son impuissance.

— On ne peut rien faire.

— Bien sûr qu'on peut. Il suffit d'assumer le fait que cette mission revêt désormais un caractère militaire et d'envoyer des soldats là-haut.

Seth secoua la tête.

— Ce n'est pas possible, Tom.

— Tiens donc. Et pourquoi ?

— Pour commencer, à cause de la politique. Si nous annonçons publiquement que la mission est devenue partiellement militaire, tout le monde se retournera contre nous.

— Quelle absurdité ! Nous expliquerons que les Russes ont l'intention de détruire *Phanès* et les gens comprendront. Je ne vois pas en quoi c'est un problème.

— Personne ne va croire une telle chose, Tom. Personne. Les Russes sont passés maîtres dans l'art de la langue de bois. Vous voyez bien qu'ils ont appelé « Amour » la mission de *Soyouz* et annoncé qu'ils allaient offrir des fleurs aux extra-terrestres étrangers ? Cela nous lie les mains. Nous devons continuer à prétendre que cette mission est exclusivement scientifique.

Le Portugais grommela, frustré.

— C'est complètement fou !

— Je sais, mais nous devons faire attention à la façon dont nous présentons publiquement la mission *Phanès*. Le premier qui reconnaîtra que la mission est militaire aura perdu. Et il y a une seconde raison pour laquelle nous devons cacher notre jeu. En tout état de cause, les Russes semblent déterminés à détruire *Phanès*. Or, ils ne savent pas que nous avons des images des missiles qu'ils transportent au cosmodrome et que nous connaissons leurs véritables intentions. Ils ignorent aussi qu'*Atlantis* sera armée d'un système antimissile. Ils seront surpris quand ils verront que nous interceptons leurs missiles contre *Phanès*. Cependant, s'ils suspectent que nous emportons un tel système, ils se prépareront à y faire face et trouveront un moyen de le contourner. *Phanès* serait finalement détruit, ce qui serait une catastrophe.

Tomás considéra cet argument.

— Vous avez raison, reconnu-t-il. Le succès de l'opération repose sur le secret.

— C'est pourquoi nous devons prétendre que tout va bien

et que nous croyons aux bonnes intentions des Russes à l'égard de *Phanès*. Nous ne gagnerons que s'ils ne se doutent de rien.

Le Portugais se sentait coincé. La mission avait changé, au moins partiellement, et dans ces conditions il ne voulait pas y participer. Mais à présent, les enjeux étaient différents et il se devait d'en tenir compte. La protection de *Phanès* et le succès du contact avec les extra-terrestres étaient infiniment plus importants que ses états d'âme, voire que sa propre sécurité.

— Soit, s'inclina-t-il avec le fatalisme lusitanien caractéristique. Ce qui doit arriver arrivera.

Cependant, le responsable scientifique semblait profondément perturbé. Tomás eut envie de dire quelque chose pour le réconforter, mais il s'abstint.

— C'est incompréhensible, murmura Seth Dyson. Absolument incompréhensible.

— Qu'est-ce qui est incompréhensible ? L'intention des Russes de détruire *Phanès* ?

— Oui, confirma-t-il, les yeux baissés. Je ne comprends pas ce que ces gens ont dans la tête. Je ne comprends tout simplement pas. Sont-ils fous ?

— Je vous ai déjà dit que les Russes ne sont pas fous mais paranoïaques. Ils sont d'une nature méfiante, car ils ont été envahis maintes fois et l'histoire leur a appris à craindre l'inconnu. C'est ce qui justifie leur comportement.

Rien de ce que pouvait dire l'historien ne semblait rassurer Seth qui demeurait préoccupé, comme s'il ressassait sans cesse la même idée.

— Ne réalisent-ils pas que cette rencontre avec *Phanès* peut être la clé qui permettra de résoudre les plus grands mystères de la science ? Comment peuvent-ils ne pas voir ce qui saute aux yeux de tout le monde ?

— À quels mystères de la science pensez-vous ? À l'existence de la vie dans l'univers ?

— Plus que ça, Tom, beaucoup plus.

— Quel plus grand mystère que celui-là pourrait bien résoudre cette rencontre avec *Phanès* ?

— Je ne sais pas si ça permettra de le résoudre. Mais au moins j'en ai l'espoir.

— L'espoir de quoi exactement ?

L'astrophysicien le regarda et, pour la première fois au cours de la soirée, Tomás surprit dans ses yeux une expression très particulière, non plus de l'abattement ou de l'inquiétude, mais le scintillement caractéristique de celui qui nourrissait une idée et croyait, contre toute attente, que sa réalisation était miraculeusement à sa portée.

— Dieu serait-il mathématicien ?

C'était l'éclat d'un rêve.

XLIV

À plusieurs reprises au cours de sa vie professionnelle, Tomás avait été confronté aux liens étranges et inattendus entre science et transcendance, et la question posée par Seth lui était familière. Il savait que les scientifiques, alors même qu'ils exploraient constamment la nature profonde de la réalité, évitaient de s'aventurer sur le terrain de la métaphysique et esquivaient tout débat susceptible de les y conduire.

Cependant, le moment qu'ils vivaient était exceptionnel et semblait avoir ouvert une brèche.

— Je ne peux pas nier que ce qui se passe commence à affecter ma vision de l'univers et de la science, confessa Seth, exposant ce qu'il avait sur le cœur. Comme la plupart de mes collègues, je ne crois pas en la religion. L'homme a inventé Dieu pour expliquer le monde et, surtout, pour l'aider face à ses peurs. L'univers est immense et nous ne sommes qu'un grain de sable à la merci des circonstances. Nous sommes seuls et sans défense. Cette situation nous terrifie, c'est pourquoi nous avons conçu l'idée de Dieu. Nous avons imaginé un père qui nous protège et cette idée nous rassure, c'est une illusion qui a son utilité. En outre, cela donne un sens à notre existence. Nous vivons, mais pourquoi vivons-nous ? Pour regarder des matchs de foot à la télé ou manger des hamburgers ? Si notre existence est le fruit du hasard, la vie n'a pas de sens. Mais si Dieu existe, alors rien ne relève du hasard, il y a un plan dans lequel nous jouons un rôle, même si nous ne le connaîtrons jamais. Vous comprenez ce que j'essaie de dire ?

— Parfaitement, acquiesça Tomás. Ce que je ne comprends pas, c'est le lien que vous établissez entre ces questions philosophiques et la rencontre que nous espérons avoir avec *Phanès*.

— Ce qui m'a fait penser à ça, c'est votre observation à propos du cercle, déclara l'astrophysicien. Vous vous souvenez avoir dit que Pi, constante mathématique qui renvoie au cercle, a un rapport avec le divin ?

— Ah, oui. J'ai dit que le cercle est traditionnellement le symbole de Dieu dans un grand nombre de cultures. – Il réprima un sourire. – Si je me souviens bien, cette observation a déclenché un véritable tollé parmi vos collègues.

— Il est vrai que c'est une question sensible parmi les scientifiques. Cependant, le fait que *Phanès* ait utilisé Pi pour communiquer avec nous, et vu le lien qui existe entre le cercle, l'idée du divin et le concept d'infini, qui a lui aussi des ramifications théologiques, cela m'a fait réfléchir. En fin de compte, à y regarder de près, il y a quelque chose de profondément théologique dans la science elle-même.

— Théologique ?

D'un geste de la main, Seth indiqua la cafétéria dans laquelle ils étaient.

— Pensez à la réalité physique qui nous entoure, suggéra-t-il. Nous voyons la matière et l'énergie et nous pensons que c'est tout ce qui existe. Des atomes et des forces. Mais ce n'est pas vraiment le cas. La réalité physique n'existe pas en soi, elle dépend d'une réalité abstraite qui lui sert de structure. La réalité mathématique. Nous croyons que l'univers est fait d'énergie et de matière alors qu'en fait cette énergie et cette matière dépendent d'une architecture mathématique qui leur est antérieure. Les chiffres précèdent et organisent la réalité physique, comme s'il existait une harmonie invisible sous-jacente, une espèce de pré-réalité fantasmagorique faite de chiffres. L'abstraction mathématique structure la physique concrète, et la physique structure notre monde selon un ensemble précis de lois naturelles. C'est comme si la physique n'était rien de plus que la matérialisation d'une série de concepts mathématiques.

— D'accord, mais d'où viennent ces lois naturelles ? demanda Tomás. C'est la grande question, vous ne trouvez pas ? Car, quand on y songe, l'existence de lois naturelles ne semble pas du tout naturelle.

Une sensation d'abandon se dégageait du corps de l'astrophysicien.

— Vous avez raison, vous avez raison.

— D'où viennent les mathématiques ? Qui a établi la valeur de Pi ou de Phi ? Quelle est l'origine de tous ces chiffres qui conditionnent et organisent la réalité physique dans laquelle nous vivons ?

Seth sortit un stylo de sa veste.

— Je sais, dit-il. Depuis votre analyse du message de *Phanès*, Tom, je m'interroge sans cesse sur ce problème. À présent, considérez ce nombre.

Il gribouilla une suite de chiffres sur la nappe en papier.

939,5653 MeV

— Qu'est-ce que c'est ?

— C'est la masse d'un neutron en méga-électrons-volts, expliqua-t-il. Si le neutron pesait une fraction de moins, par exemple 939 MeV exactement, il se désintégrerait plus lentement, ce qui aurait détruit l'équilibre infinitésimal des particules au moment où l'univers a été créé, le Big Bang. Par voie de conséquence, les étoiles exploseraient très rapidement, ce qui ne laisserait pas assez de temps pour créer la vie. Si, au contraire, le neutron pesait une fraction de plus, par exemple 940 MeV exactement, il se désintégrerait trop vite et la matière, telle que nous la connaissons, n'existerait pas. Partant, il n'y aurait pas de vie non plus.

— Je vois que vous songez aux constantes de la nature et à l'incroyable harmonie qui existe entre elles, sans laquelle la vie ne serait pas possible.

— Vous ne trouvez pas ça étrange ? demanda Seth. Il y a d'innombrables constantes dans la nature. La loi en carré inverse en mécanique, la charge de l'électron, la constante de Planck, qui détermine la plus petite quantité d'énergie possible, l'incroyable et improbable précision de la résonance nucléaire permettant la réaction qui transforme l'hélium en carbone, l'excès apparemment fortuit de protons par rapport aux neutrons, grâce auquel l'hydrogène est abondant, la valeur de la constante de la structure fine qui caractérise la force d'interaction électromagnétique entre particules élémentaires… que sais-je encore ! Il y a tellement de constantes, toutes avec une valeur infiniment précise, que l'on s'y perd. Cela étant, ma préférée est la relation entre la densité de l'univers et la densité critique, relation que l'on appelle oméga. Connaissez-vous, par hasard, la valeur exacte d'oméga ?

La question donna envie de rire à l'historien.

— Je n'en ai aucune idée.

L'Américain gribouilla la valeur sur la nappe.

1,000000000000000000000000000000000000000000
00000000000000000001

Tous deux passèrent un long moment à regarder le nombre, étonnés par son incroyable symétrie.

— Combien de zéros y a-t-il ?

— Cinquante-neuf, répondit Seth. S'il y avait moins de zéros, l'expansion de l'univers serait trop rapide, la matière se répandrait si vite que les étoiles ne pourraient pas se constituer. Sans étoiles, pas de vie.

— Et s'il y avait quelques zéros de plus, je suppose que ce serait précisément le contraire…

— Affirmatif. L'univers ne pourrait pas grandir et il finirait par s'effondrer sur lui-même, sous l'effet de la gravité. Dans ce scénario, pas de vie non plus.

Tomás fixa son attention sur les cinquante-neuf zéros de la relation entre la densité de l'univers et la densité critique.

— J'ai découvert ce mystère quand j'ai eu entre les mains un manuscrit d'Einstein intitulé *La Formule de Dieu*, dit l'historien. Oméga devait avoir cette valeur précise, si proche de un mais sans être exactement un, pour que la vitesse d'expansion de l'univers ait pu être contrôlée au millimètre, permettant ainsi à la vie d'émerger.

Les yeux de l'Américain brillaient, comme ceux d'un enfant gourmand devant la vitrine d'un chocolatier.

— Incroyable, n'est-ce pas ? dit-il d'un ton émerveillé. D'où vient cette valeur ? Qui l'a déterminée ? Quand ? Rien de tout cela ne semble dû au hasard, vous ne pensez pas ? On dirait que quelqu'un a obligé oméga à avoir cette valeur précise, de la même manière qu'il a obligé la masse d'un neutron à être exactement celle-là et pas une autre, que les effets de la gravitation dépendent de la valeur en carré inverse… et ainsi de suite. Il aurait suffi que l'une de ces innombrables constantes, une seule, soit légèrement différente et l'univers n'aurait pas pu abriter la vie. Mais voilà, les constantes de la nature ont ces valeurs précises et il y a de la vie. – Il regarda son interlocuteur. – Est-il possible, Tom, que tout cela ait été accidentel, une simple coïncidence ?

Le Portugais rit.

— C'est à moi que vous posez la question ? demanda-t-il avec ironie. Le physicien c'est vous, Seth ! C'est à vous de répondre à cette question.

L'astrophysicien de la NASA avait l'air perdu.

— Mais quelle est votre opinion ?

— Mon opinion est que les scientifiques passent leur vie à essayer de découvrir les lois de la physique et leurs applications pratiques, mais ils s'interdisent de poser les questions qui s'imposent, y compris la plus importante de toutes. D'où viennent ces lois ? Qui a déterminé leurs valeurs ? Comment l'a-t-il fait ? Quand ? Et pourquoi ? Voilà les questions les plus troublantes. Or, aucun scientifique n'a assez de courage pour les formuler.

— C'est vrai, je dois l'admettre.

— Ce qui nous renvoie, non pas aux questions, mais à la réponse, déclara Tomás. Comme vous l'avez déjà noté, si une seule des multiples constantes de la nature était légèrement différente, la vie dans l'univers ne serait pas possible.

— Affirmatif.

— Ne voyez-vous pas que cela nous amène à la solution du plus grand mystère de la condition humaine ?

— Que voulez-vous dire par là ?

L'historien hésita avant de répondre. Il savait que ce qu'il allait dire dérangeait les scientifiques, mais lui-même avait un esprit peu conventionnel et il se sentait prêt à tout dire, même ce qui n'était pas politiquement correct, dès lors que ce fût vrai. La vérité, croyait-il, ne dépendait pas des modes, des humeurs ou des convenances. La vérité était la vérité et un esprit véritablement scientifique ne devait jamais avoir peur de l'énoncer.

— La précision de l'univers prouve que Dieu existe.

XLV

Bien évidemment la conclusion de Tomás mettait Seth mal à l'aise, et l'historien devait se justifier. Pour ce faire, il lui suffisait de prendre un exemple qui montrerait à quel point la précision des constantes de la nature et de leurs valeurs était incroyable.

— Imaginez que vous allez au casino, à Macao ou à Las Vegas, et que dès le premier jeu vous gagnez le jackpot, dit-il. Tout le monde dirait que vous avez eu beaucoup de chance. Imaginez qu'au jeu suivant, vous remportez une deuxième fois le jackpot. La chance deviendrait absolument incroyable. Maintenant, imaginez que vous gagnez le jackpot la troisième fois que vous jouez. Vous savez ce qui se passerait, n'est-ce pas ?

— Je serais expulsé du casino.

— Le propriétaire du casino se dirait que personne ne peut remporter le jackpot trois fois d'affilée par hasard. Personne n'a autant de chance. Ou alors, c'est parce que vous trichez. Ce n'est pas une question de chance, mais de tricherie. C'est-à-dire, d'intention. – Il fit une pause pour souligner ce dernier mot. – Intention.

— Je vois où vous voulez en venir, répondit Seth. La vie est le résultat d'une succession de jackpots cosmiques et cela ne peut pas être une coïncidence.

— De telles coïncidences n'existent pas. Et nous ne parlons pas de trois jackpots d'affilée seulement, ce qui dans un casino serait une preuve suffisante que ce n'était pas de la chance, mais de la triche. Dans le cas de la vie dans l'univers, ce qui est en cause ce sont des milliers et des milliers de jackpots successifs. Rien que dans le cas d'oméga, par exemple, la probabilité que l'expansion de l'univers ait cette précision infinitésimale qui rende possible la vie est égale à la probabilité qu'en tirant avec un laser dans le ciel, j'atteigne une cible de quelques centimètres dans la galaxie la plus proche.

— C'est-à-dire, une probabilité proche du zéro absolu.

— Et ça, dans le cas d'une seule constante de la nature. Maintenant, imaginez le même genre de probabilité avec les multiples constantes nécessaires pour que la vie existe dans l'univers. Nous comprenons que les constantes de la nature, et leurs valeurs respectives, devaient être celles-là, et uniquement celles-là, afin que la vie soit possible. C'est d'une conspiration cosmique qu'il s'agit ! L'existence de tant et tant de jackpots absolument improbables est la preuve que l'univers a été délibérément conçu pour générer la vie. C'est comme si c'était la mission même de l'univers.

L'astrophysicien semblait être sans mots.

— Oui… c'est-à-dire… je ne peux pas le nier. Les coïncidences sont… sont déconcertantes.

— Ce ne sont pas des coïncidences, Seth. C'est une intention. Et s'il y a une intention, il y a une intentionnalité.

Seth se raidit en entendant la référence indirecte au sujet tabou de la science.

— C'est précisément ce que nous ne pouvons pas accepter, dit-il. Qui dit intentionnalité, dit entité transcendante. C'est-à-dire, Dieu. Et ça, ce n'est pas possible.

— Alors, comment les constantes de la nature sont-elles apparues, Seth ? Comment leurs valeurs ont-elles été déterminées ? Pour quelle raison ces constantes, et leurs valeurs, ont-elles une précision aussi improbable, qui a permis la vie dans l'univers ?

Comme s'il était acculé par ces questions, Dyson faillit reculer.

— Je ne sais pas, je ne sais pas, je n'en sais rien.

— Vous ne savez pas parce que vous n'avez pas le courage d'affronter ce problème, Seth. Vous ne savez pas car, comme tous les autres scientifiques, vous cherchez à découvrir les lois de la nature, mais vous vous interdisez de vous interroger sur leur origine et leur précision propre à générer la vie.

— Pas tout à fait, Tom, contra l'Américain. Nous ne pouvons pas invoquer Dieu chaque fois que nous n'avons pas de réponse à un problème. On ne comble pas les lacunes de la science avec Dieu. Il faut en finir avec le Dieu des lacunes. L'histoire de la pensée scientifique est pleine de situations apparemment inexplicables que l'on a commencé à expliquer avec Dieu, avant que l'on ne prouve qu'elles avaient une origine naturelle.

— Donnez-moi un exemple.

— Prenez la sélection naturelle. On a pensé pendant très longtemps que la vie était si parfaite et si complexe qu'elle ne pouvait avoir été créée que par Dieu. Jusqu'à ce que Darwin apparaisse et… que toute cette fantaisie vole en éclats. Darwin a prouvé que la vie résultait de mécanismes évolutifs. Contrairement aux apparences, il n'y avait pas d'intervention divine. L'homme ne descend pas d'Adam et Ève, mais de micro-organismes.

— Personne de sensé ne conteste l'évolution ni que la vie en est le résultat, déclara Tomás. Mais la question est la suivante : d'où vient le mécanisme de l'évolution ?

— Excusez-moi ?

— Comment l'évolution est-elle apparue ? Qui l'a créée ? Dans quel but ? Telles sont les questions auxquelles il faut répondre. La science a déjà démontré que la vie résulte de mécanismes évolutifs. C'est absolument indéniable. Ce qu'il faut comprendre, c'est d'où viennent ces mécanismes. Quelle est l'intention derrière tout ça ? Dans le fond, c'est exactement la même question qui se pose lorsqu'on parle de l'origine des constantes de la nature et des lois de la physique. Elles existent, personne n'en doute. Le problème est de savoir d'où elles viennent. Qui les a créées ? Pourquoi elles ont été créées ? Et comment ?

— Mais… Tom, il n'y a pas de réponse à ces questions, protesta Seth. Elles sont au-delà de la physique.

— Tout comme les mathématiques ?

La réponse sous forme de question prit l'astrophysicien américain au dépourvu.

— Eh bien… oui, peut-être.

— En fait, il y a une question que j'aimerais vous poser, dit Tomás. Ce sont les physiciens eux-mêmes qui soulignent cette conjonction improbable entre une série de lois et de constantes de la nature, et leur très grande précision propre à générer la vie. C'est cette succession de jackpots cosmiques qui ne semble pas être une simple coïncidence. Ce que je voudrais savoir, c'est comment la science explique cette précision si minutieuse et tellement incroyable ?

Avant de répondre, Seth se redressa et prit une profonde inspiration, comme s'il voulait gagner du temps pour organiser ses pensées.

— Eh bien, la réponse est le multivers. Selon la théorie du multivers, il n'y a pas qu'un seul univers, il y en a des milliards et des milliards, chacun avec ses lois et ses constantes propres. Dans notre univers, l'oméga est un virgule cinquantaine-neuf zéros, dans un autre univers ce sera un virgule cinquante-huit zéros, et ainsi de suite. Chaque univers a ses lois et constantes propres, avec des valeurs variant d'un cas à l'autre. Si l'on considère qu'il existe des milliards et des milliards d'univers différents, il est statistiquement inévitable que certains aient trouvé la bonne formule pour créer la vie. Il n'y a donc pas de caractère inévitable ni d'intention. Il y a le hasard.

Tomás garda les yeux rivés sur son interlocuteur, comme s'il le disséquait.

— Je connais très bien l'hypothèse du multivers, dit-il. Mais je connais aussi très bien les règles de la science. J'ai donc une deuxième question à vous poser. Pensez-vous que l'hypothèse du multivers soit de la science ?

— Eh bien… elle est défendue par de nombreux scientifiques tout à fait respectables. Un grand nombre de physiciens croient que le multivers existe vraiment.

L'historien leva un sourcil.

— Tiens donc ! Depuis quand la science est-elle tributaire de l'opinion de la majorité ?

— Je ne fais que constater que de nombreux physiciens réputés considèrent que le multivers existe.

— Si la science dépend de l'opinion de la majorité, Seth, Copernic avait tort d'affirmer que la Terre tournait autour du Soleil. En effet, l'opinion scientifique respectable qui prévalait à l'époque était que la Terre était au centre de l'univers.

— Nous ne parlons pas de la même chose…

— Moi, il me semble que oui ! s'exclama Tomás avec conviction. La méthode scientifique n'est pas une démocratie. Ce n'est pas juste parce que la majorité des scientifiques a estimé, à un moment donné, que la Terre n'était pas le centre de l'univers qu'elle ne l'est pas. Ce qui compte, ce sont les arguments de la raison, pas ceux de la majorité.

— Bien sûr, bien sûr.

— Pour être considérée scientifique, une théorie doit comporter des prévisions vérifiables. Par exemple, quand Einstein a formulé la théorie de la relativité, il avait prévu que la lumière était affectée par la force de la gravité. Une éclipse solaire à Sao Tomé-et-Principe a permis de constater que la lumière des étoiles était effectivement déviée par la gravité du Soleil, confirmant ainsi cette prévision. D'autres prévisions de la théorie de la relativité ont également été confirmées, renforçant notre conviction que cette théorie décrit avec précision la réalité, ou au moins une partie de celle-ci. D'où ma question : quelles sont les prévisions vérifiables de la théorie du multivers ?

Seth était embarrassé.

— Euh… aucune.

— Si, pour être scientifique, une théorie doit permettre des prévisions vérifiables et si la théorie du multivers n'en propose aucune, sur quelle base pouvons-nous établir qu'il s'agit de science ?

La question était pertinente et embarrassante.

— Eh bien… nous ne le pouvons pas.

— Alors ce n'est pas de la science ?

— Non.

— Si tel est le cas, comment tant de physiciens peuvent-ils affirmer avec autant de conviction que le multivers existe ?

Une autre bonne question.

— Je ne sais pas.

— Bien sûr que vous le savez. Allons, n'esquivez pas la question. Répondez directement et dites la vérité, je vous en prie, déclara le Portugais sur un ton brusque. S'ils ne se fondent pas sur la science, sur quoi se fondent ces physiciens pour soutenir que le multivers existe ?

— C'est une supposition.

— Fondée sur quoi ?

— Eh bien… sur la croyance qu'il ne peut y avoir d'intention dans l'univers.

— Sur la croyance !?? C'est une question de foi, maintenant ?

L'astrophysicien était presque recroquevillé sur sa chaise.

— Écoutez, il est vrai que toutes les preuves scientifiques, notamment les constantes de la nature et leur incroyable précision, tendent à montrer que l'existence de conditions de vie dans l'univers résulterait de quelque chose qui serait probablement intentionnel, essaya-t-il d'expliquer. Comme vous l'avez dit, Tom, une intention suppose une intentionnalité. C'est-à-dire, Dieu. Or, nous autres physiciens nous ne sommes pas préparés à travailler avec cette hypothèse. Elle va à l'encontre de notre nature, de nos croyances, de notre foi selon laquelle il n'existe pas d'entité transcendante, qu'on l'appelle Dieu ou quoi que ce soit d'autre. Jusqu'à présent, nous avons été en mesure d'expliquer de manière satisfaisante tous les phénomènes sans recourir à Dieu, et nous ne voyons pas de raison de changer une méthode qui a si bien marché. De plus, l'hypothèse divine soulève des questions très dérangeantes avec lesquelles nous ne voulons pas nous colleter, car si nous admettons que Dieu existe, nous devrons déterminer qui il est, comment il est apparu, où il trouve... bref, affronter un tas de questions sans réponse. C'est pour ça que nous cherchons désespérément une explication à cette précision de l'univers, une explication ne faisant pas entrer Dieu dans l'équation. La seule que nous avons trouvée a été le multivers. Cet univers est programmé pour la vie, non pas à cause d'une intention, mais simplement parce que c'est inévitable sur le plan statistique. S'il y a des milliards et des milliards d'univers avec des constantes et des valeurs différentes, il est inévitable que certains d'entre eux soient à même d'accueillir la vie.

— Autrement dit, la théorie du multivers n'a pas été conçue parce qu'on a des signes de l'existence de milliards d'univers, ce dont nous n'avons en fait aucun indice, mais seulement comme un « truc » pour éviter d'accepter que l'incroyable précision de notre univers propre à la vie constitue une preuve d'intention cosmique.

Seth hocha la tête.

— Exactement.

L'historien se passa la main dans les cheveux.

— Il est étrange de voir à quel point les esprits scientifiques peuvent devenir antiscientifiques, observa-t-il. Cela me rappelle cette fameuse conversation entre Albert Einstein et Niels Bohr sur les liens entre monde quantique et probabilités. Einstein, qui avait une objection philosophique à cet égard, car il pensait que tout dans l'univers était déterminé, a déclaré que Dieu ne jouait après aux dés. Bohr lui a répondu d'arrêter de dire à Dieu ce qu'il devait faire. La réalité est comme elle est, pas comme nous l'imaginons ou voulons qu'elle soit. Einstein soutenait avec force que les probabilités ne jouent aucun rôle dans la nature du réel. Cependant, comme Bohr l'a constaté, elles en jouent un. Qu'il le veuille ou non, Einstein devait l'accepter.

— Où voulez-vous en venir avec cette histoire ?

— À quelque chose qui me semble très simple, conclut Tomás. Il n'appartient pas au scientifique de déterminer comment la réalité doit ou ne doit pas être. La réalité est comme elle est. Quand il y a une contradiction entre nos croyances et la réalité, la réalité l'emporte toujours. La mission du scientifique est uniquement de la déterminer, indépendamment de ses propres croyances. S'il ressort des expériences quantiques que les probabilités jouent un rôle dans la nature la plus profonde de la réalité, nous devons l'accepter – même si cela va à l'encontre de nos convictions les plus intimes. Tel est l'argument de Bohr, vous comprenez ? De la même manière, si l'observation de la réalité, et en particulier de ses lois et constantes, nous montre que l'univers est précisément prévu pour la vie et qu'il est très improbable que cette précision soit due au hasard, nous devons aussi l'accepter, même si cela va à l'encontre de nos convictions les plus profondes. Car dans ce cas, elles cessent d'être des convictions et deviennent des préjugés qui nous aveuglent. La science n'est pas une question de foi et nous ne pouvons pas imposer nos préjugés dans le travail scientifique. Chaque scientifique peut penser ce qu'il veut de l'existence ou de l'inexistence de Dieu, étant entendu cependant que cette opinion n'est rien d'autre qu'une opinion, une croyance, et qu'elle ne doit pas altérer son raisonnement. La théorie du multivers n'est pas une théorie scientifique, c'est une simple croyance, et elle ne peut en aucun cas rivaliser ou être mise sur un pied d'égalité avec des découvertes objectives sur l'étonnante précision de l'univers, propre à créer la vie.

L'astrophysicien leva les mains en signe de reddition.

— Vous avez gagné, Tom !

— Les scientifiques ont passé leur vie à vilipender les religions parce qu'elles recourent à des hypothèses métaphysiques pour expliquer le monde et ce sont eux qui utilisent à présent des hypothèses métaphysiques ? Postuler l'existence d'univers parallèles sans fournir ne serait-ce qu'un indice de leur existence, ni aucun moyen de tester cette hypothèse est une pratique inacceptable pour des hommes de science. Ils invoquent la métaphysique pour échapper aux preuves scientifiques !

— Arrêtez le massacre, implora Seth. Je suis convaincu. Mais ne vous attendez pas à ce que j'aille à l'église pour réciter la Bible, demander à Dieu de pardonner mes péchés et dire que je crois que Jésus est ressuscité des morts et toutes ces balivernes, d'accord ?

— Comme vous l'avez dit tout à l'heure, Seth, le Dieu des religions est une création humaine. En science, il n'y a pas de place pour la superstition ni le surnaturel, ne serait-ce d'ailleurs que parce que le surnaturel n'est rien de plus que le naturel que nous ne comprenons pas. Quand on parle d'une entité douée d'intentionnalité révélée par la précision de l'univers, on ne parle pas du Dieu du judaïsme, du christianisme, de l'islam ou de toute autre religion. On parle d'une entité entièrement naturelle.

— Et où dans l'univers pensez-vous la trouver ? Au paradis ? Au Ciel ?

Tomás plissa les paupières et, posant ses coudes sur la table, il se pencha vers son interlocuteur qu'il dévisagea intensément, comme s'il voulait l'affronter.

— Peut-être à l'endroit même où se trouvent les mathématiques.

XLVI

Seth Dyson avait l'expression d'un homme torturé. Il était évident qu'il vivait un intense conflit intérieur. Il y avait d'une part la conviction qui avait guidé toute sa vie ; à savoir qu'il n'existait pas d'entité transcendante, que l'idée divine n'était rien d'autre qu'une agréable illusion créée par l'homme lui-même pour se réconforter face à la solitude et à la cruauté de l'existence. Ce raisonnement était parfaitement logique et guidait sa façon d'être et de penser en tant que scientifique. D'autre part, cependant, il y avait les découvertes de la science elle-même qui suggéraient que l'univers avait été conçu spécifiquement pour générer la vie. L'univers était intentionnel et cette idée, qu'il le veuille ou non, le renvoyait à une intentionnalité transcendante.

Cette conclusion contrariait ses croyances, mais il ne pouvait pas la rejeter en raison d'une croyance ultime, sans doute la plus importante de toutes, celle qui animait son esprit de scientifique. La croyance dans les faits. Or, les faits lui disaient que le nombre de jackpots nécessaires pour que l'univers abrite la vie était à tel point colossal que ce ne pouvait en aucun cas être dû à un pur hasard. Et comme l'hypothèse du multivers, la seule qui permettait d'éliminer l'intentionnalité de l'équation cosmique, n'était pas, en toute rigueur, une théorie scientifique mais une simple hypothèse métaphysique hautement spéculative qui reposait sur un préjugé philosophique, il devait se rendre à l'évidence.

Et puis il y avait aussi, bien sûr, le vieux problème des mathématiques et de leur statut ontologique.

— Il est vrai qu'il semble y avoir un principe mathématique organisateur derrière tout ce qui existe dans le cosmos, observa Seth, systématisant ses idées sur ce sujet. Il est vrai également que ce principe organisateur est entré en action dès le temps de Planck, au tout premier instant de la naissance de l'univers. Lorsque le Big Bang s'est produit, et contrairement à ce qu'on pourrait penser, il n'y eut aucun chaos car les lois de la physique et les constantes de la nature, avec leurs valeurs très précises, ont régi et contrôlé au millimètre près l'expansion de l'univers. Cela justifie le soupçon que ces lois et ces constantes existaient déjà d'une certaine manière, qu'elles étaient en quelque sorte contenues dans le code qui a déclenché le Big Bang. Mais comment pouvaient-elles exister avant le Big Bang si le temps n'est apparu qu'avec le Big Bang ? Il n'y a qu'une réponse possible : les lois et les constantes existaient, et existent encore, dans une espèce de réalité transcendante. Une métaréalité.

L'historien considéra l'idée.

— Une métaréalité ? demanda-t-il. Humm… j'aime ce concept. Il me fait penser à une sorte de Platon sophistiqué. – Il se gratta le menton, pensif. – Cette métaréalité serait l'endroit où se trouvent les mathématiques qui structurent l'univers ?

— Si la physique est la matérialisation des mathématiques, oui, acquiesça Seth. Je ne vois pas d'autre hypothèse, car la matière et l'énergie semblent obéir absolument à un formalisme mathématique qui leur est antérieur.

— Rappelez-vous que la physique a aussi un pied dans la métaréalité, observa l'historien. Si une partie de la physique est dans le monde réel, une autre ne l'est pas.

— À quoi faites-vous allusion ?

— À la physique quantique, bien sûr. J'ai dû, à un certain moment, étudier la célèbre expérience de la double fente et j'ai constaté qu'elle prouve que toute particule se trouve simultanément en plusieurs points, dans une métaréalité potentielle qu'Einstein a appelée le champ fantôme, et ne passe dans le monde réel que lorsqu'elle est observée. En d'autres termes, cette expérience montre que la matière n'a pas son origine dans des objets réels.

— Ah, oui ! s'exclama l'astrophysicien. Vous parlez de la fonction d'onde. En effet, la physique quantique démontre qu'un objet est dans la métaréalité avant de se transférer dans notre réalité. Dans le fond, l'onde de probabilités quantique qui crée la matière est une onde mathématique qui se trouve dans la métaréalité. Pythagore a d'ailleurs observé que les nombres régissent l'univers, Galilée a conclu que le grand livre de la nature est écrit en langage mathématique, et ainsi de suite. Ce qu'ils ont dit est une évidence. Il existe en effet un lien étrange entre les mathématiques et la réalité physique, entre les nombres et la matière et l'énergie. Les uns génèrent les autres. La réalité physique classique est notre monde, mais il existe une réalité des mathématiques et de la physique quantique par-delà notre réalité, par-delà l'univers, par-delà l'espace et le temps, une réalité parallèle qui organise tout, une harmonie préalable qui exerce une influence sur le monde de la matière et de l'énergie où nous vivons, où rien n'existe par hasard.

— La fameuse métaréalité.

Seth désigna la cafétéria.

— Il suffit de regarder ce qui nous entoure pour réaliser que tout dans la nature est structuré, calculé, pensé. – Il fit une pause, comme s'il méditait. – Pensé. – Il laissa le mot s'installer. Pensé, oui, mais… pensé par qui ? Par qui ? Le fait que les mathématiques constituent un principe organisateur de l'univers et que l'univers soit programmé pour la vie d'une manière qui semble intentionnelle nous renvoie inévitablement à l'idée exprimée par plusieurs mathématiciens au fil du temps et que j'ai moi-même énoncée tout à l'heure.

— L'idée que Dieu est un mathématicien ?

L'astrophysicien plongea les doigts dans le verre contenant sa boisson gazeuse et en retira un glaçon.

— Je ne vois pas comment poser la question autrement, rétorqua-t-il. Dieu est un mathématicien et il se sert des mathématiques pour organiser l'univers. – Il frotta le glaçon dans sa main. – Regardez ça. Avez-vous déjà examiné des cristaux de neige au microscope ?

— Non, mais j'ai vu des photos. C'est magnifique, on dirait des kaléidoscopes cristallins.

L'Américain leva le glaçon à la hauteur des yeux afin que la lumière des lampes de la cafétéria puisse passer par les molécules d'eau gelée.

— Les cristaux d'eau forment une sorte d'étoile à six branches, d'une symétrie et d'une beauté stupéfiantes. Mais le plus étrange c'est qu'on n'en a jamais rencontré deux identiques. Jamais. Bien que tous les cristaux soient des étoiles à six branches, chacun possède une forme unique, comme les empreintes digitales. Ils sont tous différents les uns des autres, une forme ne se répète jamais. C'est d'autant plus incroyable que, depuis que la vie est apparue sur Terre, on estime qu'il est tombé un million de millions de millions de millions de millions de millions de cristaux sur notre planète. Eh bien, nous savons aujourd'hui que pas un, pas un seul, de tous les cristaux qui se sont formés n'était semblable à un autre. De plus, on pense que sur toute la neige qui existe dans toutes les planètes et toutes les galaxies de l'univers, il n'y a pas deux cristaux de glace identiques. Chaque forme est unique, absolument unique. Qui a conçu cela ? Comment l'a-t-il fait ? Et pourquoi ?

Tomás siffla, impressionné.

— Je vois que Dieu est non seulement un mathématicien, mais aussi un grand artiste…

— Nous pourrions être tentés de penser que les mathématiques sont les seules choses transcendantes qui existent, mais en fait d'autres signes attestent qu'il n'en est rien. Nous le savons car pendant longtemps on a pensé qu'il n'y avait que l'univers et ses lois, et qu'il était dès lors possible qu'un système mathématique prouve toutes ses assertions, y compris la cohérence de ses axiomes. Il restait à démontrer cette idée. Si un système parvenait à prouver toutes ses assertions, on démontrerait que les mathématiques sont cohérentes et complètes et qu'il n'existe rien au-delà de notre univers. La science, fondée sur les mathématiques et la raison, serait capable de tout démontrer dans l'univers. Tout. Il serait inutile d'invoquer quoi que ce soit en dehors de l'univers. Le problème était de découvrir comment prouver cette complétude. Or un mathématicien autrichien, Kurt Gödel, a démontré en 1931, grâce à deux théorèmes révolutionnaires, qu'en fin de compte rien de tout cela n'était possible. L'univers ne s'explique pas par lui-même ; il faut toujours recourir à des choses qui lui sont extérieures. La découverte de Gödel indique que, de la même manière que la physique exprime les mathématiques qui lui sont sous-jacentes, les mathématiques elles aussi expriment quelque chose qui leur est sous-jacent. Les théorèmes d'incomplétude sont considérés comme l'une des plus grandes prouesses intellectuelles du XXe siècle, car ils démontrent qu'il y a des vérités en mathématiques que nous ne pourrons jamais prouver. Autrement dit, les mathématiques elles-mêmes ne sont pas complètes. Elles nous renvoient à quelque chose qui leur est antérieur, quelque chose qui est au-delà d'elles.

— Dieu ?

L'invocation du divin, même si ce n'était pas celui des religions humaines, mettait toujours l'astrophysicien mal à l'aise.

— Appelez-le Dieu, appelez-le ce que vous voulez, rétorqua-t-il avec une grimace de lassitude. Je dois dire, cependant, que je préfère les expressions que vous avez utilisées tout à l'heure.

Un agent transcendant. Ce qui se cache derrière les mathématiques c'est la fameuse intentionnalité, quoi ou qui qu'elle puisse être, qui a créé les lois de la physique et les constantes de la nature avec une précision propre à générer la vie dans l'univers. Car, lorsqu'on parle de lois de la physique et de constantes de la nature, Tom, on est toujours obligés de se demander qui les a créées. Qui ? Et plus encore, comment est-il possible que ces lois et ces constantes soient d'une telle précision infinie, propre à générer la vie ? Comment se fait-il que l'univers soit si ingénieux ? Peut-il s'agir d'une coïncidence ? Si nous écartons l'hypothèse du multivers, qui, comme vous l'avez dit ne peut être qualifiée de théorie scientifique et n'est donc qu'une hypothèse métaphysique spéculative, nous n'avons d'autre choix que de reconnaître que l'univers est vraiment intentionnel. L'intentionnalité existe, c'est l'agent transcendant qui est derrière les mathématiques qui organisent notre réalité. Elle est faite de chiffres et rien n'est arbitraire ou laissé au hasard. À l'instant du Big Bang, et en partant de la métaréalité, la fameuse réalité transcendante et immatérielle au-delà de la nôtre et où se situent les mathématiques et la fonction d'onde de la physique quantique, l'intentionnalité a établi les lois, les constantes et les valeurs correspondantes, y compris Pi et Phi et tout le reste qui, à partir de ce moment primordial, sont inscrites dans le plan, de sorte que des énoncés simples, tels que les lois de la physique et les constantes de la nature, génèrent successivement des choses de plus en plus complexes jusqu'à ce que l'univers crée la vie et la conscience.

— Alors l'univers ce serait quoi ? demanda Tomás. Le laboratoire de l'intentionnalité ? Son parc d'attractions ? Ou autre chose ? Et si oui, quelle serait cette chose ?

Seth haussa les épaules.

— Qui sait ? dit-il. – Il désigna le téléviseur à écran plasma qui était accroché au mur de la cafétéria. – Dites-moi, Tom, vous aimez regarder des films à la télé ?

— Oui, bien sûr. Pourquoi ?

— Vous les regardez sur des DVD ?

— Non. Les DVD sont démodés.

— Mais imaginez que vous prenez un vieux DVD et que vous vous mettez à regarder un film. *Titanic*, par exemple. Quand on regarde un film, on est face à deux types de réalité. L'une, c'est celle qu'on voit sur l'écran, Leonardo DiCaprio embrassant Kate Winslet. L'autre, c'est la réalité matérielle du DVD, la séquence binaire de zéros et de uns gravée sur le disque. Maintenant, je vous demande : laquelle de ces deux réalités est la plus profonde, l'histoire qui défile sur l'écran ou l'information encodée sur le disque ?

— Eh bien… ce sont des choses différentes.

— Mais l'une génère l'autre. Quelle est la réalité la plus profonde ? L'histoire sur l'écran ou les informations gravées sur le disque ?

Tomás réfléchit à la question.

— Attendez, laissez-moi réfléchir… il hésita. Vous voulez dire qu'il est possible d'avoir l'information sur le disque sans qu'elle apparaisse sur l'écran, mais qu'il est impossible d'avoir les informations sur l'écran sans qu'elles soient sur le disque, n'est-ce pas ? Par conséquent, il me semble que la réalité la plus profonde est l'information qui est sur le disque.

Seth fit un geste de triomphe.

— L'univers est l'histoire à l'écran, la métaréalité mathématique est l'information gravée sur le disque. Nous croyons que nous vivons dans la réalité parce que nous sommes dans l'univers physique, mais en fin de compte notre vie se déroule sur un écran. L'univers est un écran, nous sommes un simulacre. La vraie réalité est celle qui est sur le disque, c'est la métaréalité d'où les mathématiques dictent toutes les lois.

Tous deux fermèrent les yeux pendant un instant, digérant ce qu'ils venaient de dire. Le Portugais, cependant, n'avait pas perdu de vue ce qui les avait conduits à cette conversation.

— Tout ça à cause de notre rencontre imminente avec les extra-terrestres, rappela-t-il. Pensez-vous, Seth, que la civilisation de *Phanès*, probablement plus avancée que la nôtre, pourrait nous aider à trouver toutes les réponses à ce mystère ?

L'astrophysicien hocha la tête.

— C'est donc pure folie que les Russes veuillent attaquer nos visiteurs, dit-il. Qu'est-ce qui a bien pu leur traverser l'esprit pour qu'ils puissent ne serait-ce qu'envisager une telle possibilité ? Ne réalisent-ils pas que c'est une immense opportunité pour l'humanité ?

Le projet des Russes assombrissait leur regard. Comment pouvait-on projeter de lancer des missiles nucléaires contre le vaisseau qui approchait ? L'idée leur semblait défier les règles les plus élémentaires du bon sens.

— Cette histoire est mal engagée, observa Tomás. Si nous n'avons pas…

La sonnerie d'un téléphone portable suspendit la conversation. Seth mit la main dans sa poche et en sortit son appareil.

— Ici Seth, répondit-il. Ah, Billy. Encore debout ? – Il fit une pause pour entendre ce que le directeur de la mission lui disait. – Maintenant ? Mais… mais n'est-ce pas un peu tard pour ça ? Ne vaudrait-il pas mieux attendre demain ? – Nouvelle pause. – Bon, bon, d'accord, marmonna-t-il. J'arrive. À tout de suite.

Il raccrocha et se leva.

— Vous devez partir ?

— C'est Billy, s'excusa-t-il. On dispose de nouvelles données et il veut que je les voie. Apparemment, Washington veut s'adresser à nous une fois de plus, d'ici peu. Bref, une longue nuit m'attend.

Le responsable scientifique sortit précipitamment, laissant Tomás seul dans la cafétéria. Un coup d'œil à l'horloge le ramena à la réalité ; il était déjà très tard et il devait se lever tôt pour une nouvelle session d'entraînement. Il se leva et quitta la cafétéria.

Alors qu'il se dirigeait vers sa chambre, il passa en revue les événements de la journée, en particulier ce que le directeur de la CIA leur avait révélé sur la mission russe. Il avait encore du mal à y croire. Puis, il se remémora la conversation qu'il avait eue avec Seth et le coup de fil que celui-ci venait de recevoir. Pauvre Seth ! Il allait encore devoir passer une partie de la nuit à régler des problèmes sans fin.

Il avait d'ailleurs indiqué qu'il y avait de nouveaux éléments et que Washington voulait leur parler à nouveau. Quels pouvaient bien être ces éléments et sur quoi pouvait bien porter cette nouvelle conversation à une heure si tardive ? Quoi qu'il en soit, il ne pouvait rien faire.

En passant devant la chambre d'Emese, il se souvint du regard qu'elle lui avait lancé lorsqu'elle avait quitté la table. S'agissait-il vraiment d'une invitation ? Il s'arrêta et fixa la porte de la chambre. Pourquoi ne pas frapper et voir où la conversation les mènerait. Il eut le sentiment qu'elle le laisserait aller où il voulait. Il hésita un instant. Un très court instant. Il secoua la tête, déterminé à être fidèle à lui-même, et poursuivit son chemin.

Maria Flor lui manquait.

XLVII

Le petit-déjeuner de Tomás fut vite avalé ; il s'était réveillé avec un quart d'heure de retard et n'eut pas beaucoup de temps pour manger. Le groupe n'était pas très bavard ce matin-là, ressassant sans doute encore les graves nouvelles de la veille. Le Portugais remarqua que Seth, assis seul à une table près de la fenêtre, était particulièrement silencieux et qu'il avait de profonds cernes sous les yeux. La conversation avec Washington avait dû se prolonger. Ce n'était pas bon signe.

Lorsque Billy entra dans la cafétéria pour les emmener poursuivre le programme de formation, Tomás avala son bol de lait, saisit un bagel et rejoignit ses compagnons et le directeur de la mission afin d'assister à la séance d'information de la journée. Comme il le faisait tous les matins, Billy attendit que tous les astronautes soient présents pour commencer à présenter le programme.

— Nous allons à Ellington Field aujourd'hui.

En entendant ce nom, les astronautes manifestèrent un sentiment d'agacement.

— Oh non !

— Merde !

— Quelle plaie !

Le directeur de la mission ne sembla guère ému par leurs protestations.

— Désolé, les gars, mais vous savez bien que vous ne couperez pas à Ellington Field.

Tomás se pencha vers Emese.

— Quel est le problème ?

— On va nous emmener sur une base aérienne et nous mettre dans un avion pour simuler l'apesanteur. Ça signifie que pendant une trentaine de secondes, on ne ressentira aucune gravité. Nous allons flotter dans l'appareil, exactement comme si on était dans l'espace.

— Ah, oui. J'ai déjà vu des documentaires là-dessus, dit-il. Si je me souviens bien, les astronautes se marraient quand ils étaient ballotés d'un côté à l'autre.

— Se marraient ?

— Oui, je m'en rappelle très bien. – Il eut une expression de curiosité. – Pourquoi tout le monde a l'air si ennuyé ? L'exercice semble amusant...

— Vous trouvez ?

— Flotter dans l'espace en apesanteur ? Mais... ça doit être super !

Un sourire malicieux se dessina sur le visage de la Hongroise.

— Eh bien, vous verrez.

La réaction de ses collègues ne manqua pas d'intriguer l'historien qui voulut continuer à interroger l'astrobiologiste, ne voyant pas où était le problème, mais la voix de Billy retentit.

— Cependant, avant de partir pour Ellington Field, je veux vous faire part de nouvelles informations, annonça-t-il en se retournant pour quitter la cafétéria. Suivez-moi, s'il vous plaît.

Le directeur de la mission conduisit les astronautes vers la salle de conférence, située à proximité de la cafétéria. Tomás échangea un regard interrogateur avec ses compagnons, tentant de percevoir s'ils savaient de quoi il retournait, mais il se rendit compte qu'ils n'en avaient pas la moindre idée. Il devait s'agir des fameux nouveaux éléments que Billy avait évoqués lorsqu'il avait appelé Seth la veille au soir. Il remarqua du reste que celui-ci était le seul qui ne semblait pas intrigué, il était certainement au courant de tout.

Une fois dans la salle de conférence, les cinq astronautes de la mission *Phanès* s'installèrent dans les sièges de devant tandis que Billy montait sur l'estrade. Le projecteur était branché ; on voyait sur l'écran le logo bleu de la NASA et, en dessous, le mot « Spitzer » et une date. Celle de la veille.

Le responsable du programme d'entraînement s'approcha de l'ordinateur qui était connecté au projecteur et commença à tapoter sur le clavier afin de modifier l'image qui était projetée sur l'écran.

— Comme vous le savez, tous les télescopes du monde sont actuellement braqués sur *Phanès* pour l'étudier en détail, dit-il. Je pense que des millions de photos ont déjà été prises, mais jusqu'à présent, nous n'avons capté qu'un point lumineux, rien de plus qu'un point lumineux en mouvement. Ce n'est pas surprenant car, comme vous le savez, *Phanès* se dirige vers nous tourné vers le soleil dont il reflète la lumière qui vient de face. Il est donc naturel que nous ne captions que ce reflet. En tout cas, après avoir déterminé sa trajectoire, nous avons obtenu une nouvelle donnée. Nous avons réussi à mesurer le vaisseau spatial et nous avons calculé qu'il avait la taille d'un bâtiment de trois étages.

C'était la première information utile concernant la taille de *Phanès* et, comme on pouvait s'y attendre, cela déclencha des murmures parmi les astronautes. Un bâtiment de trois étages était plus grand qu'une navette spatiale. *Phanès* était donc plus grand qu'*Atlantis*. Cela n'avait rien de surprenant, mais c'était bon à savoir.

Duck leva la main pour poser une question.

— Avez-vous pu déterminer de quel métal était fait le vaisseau ?

— Non. Comme je vous l'ai dit, la seule chose que nous avons établie jusqu'à présent est la taille et la trajectoire du véhicule. Le reflet du soleil nous empêche d'obtenir davantage d'informations et nous sommes convaincus que ce n'est que lorsque *Phanès* sera déjà très proche de la Terre et que le Soleil l'éclairera sur le côté que nous pourrons voir plus de choses.

Yao Jingming leva la main.

— Excusez-moi, cher collègue, mais j'ai remarqué que le mot « Spitzer » est projeté sur l'écran, dit-il. Dois-je en conclure que le télescope spatial de la NASA a capté quelque chose d'intéressant ?

Billy sourit.

— Exact, Yao, confirma-t-il. Comme vous le savez, *Spitzer* est un télescope que la NASA a placé en orbite dans l'espace, exactement comme *Hubble*, mais *Spitzer* est moins connu. Ce télescope spatial a néanmoins acquis une certaine renommée en 2017, quand il a détecté autour de l'étoile Trappist-1, à quarante années-lumière de distance, sept exoplanètes de la taille de la Terre, dont trois en zone habitable, la température rendant possible la présence d'eau liquide à la surface. La différence avec *Hubble*, c'est que *Spitzer* est un télescope infrarouge. En outre, il ne suit pas une orbite géocentrique mais héliocentrique.

Tous les astronautes, hormis Tomás, sachant déjà tout sur le télescope infrarouge, Duck alla droit à l'essentiel.

— La NASA a-t-elle pointé le *Spitzer* sur *Phanès* ?

— Bien sûr.

— Et... ?

Le directeur de mission appuya sur une touche de l'ordinateur et une photographie de l'espace apparut sur l'écran. Sur le cliché, on voyait le noir profond et, au centre, le même point lumineux que celui qui apparaissait sur toutes les autres images de *Phanès*.

— Nous voyons une image composite de l'engin spatial qui

se dirige vers nous, une image formée à partir des éléments recueillis par l'IRAC, l'IRS et le MIPS qui, comme vous le savez, sont la caméra, le spectromètre et le photomètre multi-bande infrarouges de *Spitzer*. – Il se tourna vers l'écran et contempla l'image, les mains sur la taille. – Regardez attentivement. Vous ne remarquez rien d'anormal ?

Les yeux des astronautes se fixèrent sur le point lumineux au centre de l'image composite. Si Billy disait qu'il y avait un détail particulièrement important, c'est qu'il y en avait un.

Restait à savoir lequel.

XLVIII

Après avoir longuement examiné le point lumineux au centre de l'image sans remarquer quoi que ce soit de particulier, les astronautes se concentrèrent sur l'espace noir environnant. En vain. Ce cliché était en tous points identique à beaucoup d'autres de *Phanès* qu'ils avaient vus ces derniers jours.

— Pour être franc, cher collègue, je ne remarque rien, déclara Yao Jingming. Que devons-nous regarder exactement ?

— *Phanès.*

L'attention de tous les participants se tourna de nouveau vers le point lumineux qui occupait le centre de l'image. Assis derrière le groupe, et sentant que personne n'y arriverait, Seth rompit le silence.

— Cette photographie est une composition d'images prises par l'IRAC, l'IRS et le MIPS de *Spitzer*, rappela le responsable scientifique, comme s'il leur donnait un indice. N'oubliez pas que nous parlons de caméras, de spectromètres et de photomètres infrarouges. – Il fit une pause et répéta le mot très lentement pour le souligner. – Infrarouge.

Ce fut Frenchie qui réagit le premier.

— La chaleur ! s'exclama le pilote canadien, sautant presque de sa chaise. Mon Dieu ! Le vaisseau ne dégage pas de chaleur !

— De chaleur ?

— Oui, de chaleur ! Tous les véhicules, des voitures aux avions, génèrent de la chaleur. Cette chaleur est captée par les caméras infrarouges. Cela vaut également pour les vaisseaux spatiaux, bien sûr. – Il fit un geste en direction de l'image sur l'écran. – Or *Phanès* ne dégage aucune chaleur.

Les astronautes ouvrirent la bouche, comprenant enfin. Ce que l'image révélait vraiment, ce n'était pas ce qui s'y trouvait, mais ce qui ne s'y trouvait pas et aurait dû s'y trouver.

— *Fuck* ! jura Duck. Il a raison !

— Quel est ce véhicule spatial qui n'émet pas de chaleur ? demanda Frenchie. Ça alors ! Est-ce possible ?

Debout sur l'estrade, Billy réagit avec un hochement de tête.

— Félicitations, Frenchie, en plein dans le mille ! En effet, hormis le reflet du Soleil, les infrarouges de *Spitzer* n'ont détecté aucun signe de chaleur émis par *Phanès*, et cela ne nous semble pas du tout normal. Nous ne voyons que deux explications à ce phénomène. Soit l'équipage est en hibernation et le vaisseau spatial utilise l'inertie dans le vide et l'effet gravitationnel des grands corps planétaires à proximité desquels il passe pour se projeter à grande vitesse, comme s'il était lancé par une fronde, ce qui nous semble une stratégie possible et intelligente pour voyager efficacement sur le plan énergique, soit il dispose d'une source d'énergie ou d'un système de propulsion absolument révolutionnaires.

— Pourrait-il s'agir de fusion froide ?

Le directeur de la mission fit un geste d'ignorance.

— Qui sait ? Quoi qu'il en soit, il m'a semblé important de vous informer de cette découverte, car elle semble confirmer que, là-haut, vous allez rencontrer des représentants d'une civilisation dont la technologie est de loin supérieure à la nôtre. Bien sûr, c'est ce que nous soupçonnions, mais les images infrarouges de *Spitzer* constituent un nouvel élément très pertinent.

Seth, assis derrière le groupe, intervint de nouveau.

— Le plus important dans tout ça, ce sont les implications de cette découverte sur la confrontation qui se prépare dans l'espace, souligna-t-il. Je fais référence aux Russes, bien sûr.

Duck se retourna et le dévisagea.

— Quelles implications ? demanda-t-il. Cette découverte ne signifie-t-elle pas que nous ne devons pas nous inquiéter de l'attaque des Russes contre *Phanès* ? Si *Phanès* dispose de ce genre de technologie, il devrait sans aucun doute être en mesure de contrer facilement les missiles que les Russes lanceront, y compris les RS-28 Sarmat.

La question sembla agacer le responsable scientifique, qui laissa transparaître l'énorme inquiétude que lui inspirait l'intervention russe.

— C'est vrai, admit-il. Mais au lieu de nous détendre, ça nous inquiète encore plus. – Il plissa les paupières. – Réfléchissez. Lorsqu'il verra deux vaisseaux terrestres se diriger vers lui et l'un d'eux l'attaquer avec des missiles nucléaires balistiques, que va penser l'équipage de *Phanès ?* Ou, s'il est en hibernation, comment son système de défense automatique va-t-il réagir ? Il est clair qu'il va penser que les deux vaisseaux terrestres agissent de concert et qu'ils l'attaquent. Dans ce cas de figure, si *Phanès* se voit contraint de détruire l'agresseur russe, il me semble inévitable qu'il décidera aussi de détruire *Atlantis*. Je doute que les extra-terrestres ou le système de navigation automatique de *Phanès* soient à même de comprendre que les intentions des deux vaisseaux à leur égard sont très différentes. Est-ce que vous réalisez les véritables conséquences du problème ?

Tous ceux qui se trouvaient dans la salle de conférence comprirent parfaitement la situation. La mission, difficile depuis le début, semblait devenir impossible. Aucun des astronautes n'ignorait ce que tout cela impliquait.

Ce fut Duck qui finit par exprimer l'idée que plusieurs d'entre eux avaient eue.

— Dans ces conditions, je crois qu'il ne nous reste qu'une seule possibilité.

— Laquelle ?

Le commandant de la mission *Phanès* fit un geste définitif et péremptoire avec la main.

— Annuler la mission.

La suggestion suscita un profond silence dans la salle de conférence.

Le premier à réagir fut Seth qui bondit de son siège et se dirigea vers l'estrade.

— Négatif ! s'exclama le responsable scientifique en s'installant à côté de Billy. La mission *Phanès* ne peut pas être annulée et elle ne le sera pas.

— Mais Seth, tout cela va mal finir, argumenta Duck. Si les Russes attaquent *Phanès*, les extra-terrestres vont répondre, bien sûr, et il y a de fortes chances qu'ils détruisent le vaisseau russe et *Atlantis*, avec nous à l'intérieur. Ce n'est pas une hypothèse d'école. C'est le scénario le plus probable.

L'astrophysicien de la NASA semblait déterminé.

— Tout cela est vrai, reconnut-il. Mais nous ne pouvons pas abandonner. Cette rencontre avec une civilisation extra-terrestre est trop importante pour que l'on renonce. Il s'agit d'un événement historique sans précédent, un événement équivalent à l'arrivée de Christophe Colomb en Amérique. Quoi qu'il arrive, nous n'avons pas le droit d'abandonner.

— Nous ne pouvons pas continuer dans ces conditions !

— Nous n'avons pas le choix, insista Seth. Imaginez le tableau. Si *Phanès* est attaqué par *Soyouz*, que va-t-il penser ? Que *Soyouz* a agi de sa propre initiative ? Bien sûr que non, les extra-terrestres ou le système défensif automatique de *Phanès* vont bien évidemment penser qu'ils sont attaqués par l'humanité et ils riposteront. Avec le type de technologie dont ils disposent, ils pourront attaquer la planète et nous exterminer. Le danger est trop grand pour être écarté. Que nous le voulions ou non, la mission *Phanès* est maintenue.

— Et que ferons-nous quand les Russes lanceront leurs missiles nucléaires balistiques ? insista Duck, son esprit militaire préoccupé par ce problème. Nous sommes censés activer notre système antimissile pour intercepter les RS-28 Sarmat, mais comment réagiront les occupants de *Phanès* quand ils verront que les Russes tirent des missiles et nous des missiles antimissiles ? Ils agiront aussitôt, bien sûr. S'ils disposent d'une source d'énergie ou d'un système de propulsion qui n'émet pas de chaleur, comme nous venons de le constater, ils ont sûrement des armes incroyablement sophistiquées. Si *Phanès* se sent en danger, il nous abattra !

— Je sais, je sais, acquiesça Seth. C'est pourquoi nous avons commencé à élaborer une nouvelle stratégie avec Washington pour parer à cette éventualité. Nous devons convaincre *Phanès* que nous ne sommes pas une menace. C'est absolument essentiel.

— Et comment diable allons-nous faire, au milieu d'une bataille à coups de missiles nucléaires et de Dieu sait quoi encore ? En agitant des drapeaux blancs ?

— Nous envisageons de faire quelque chose d'un peu risqué, dit l'astrophysicien. De très risqué, en fait. – Il se tut pour souligner l'idée. – Vraiment très risqué.

Après tout ce qu'ils venaient d'entendre, les membres d'équipage étaient perplexes. De quoi pouvait-il bien s'agir ?

Le seul qui osa exprimer avec des mots ce que tous se demandaient fut Tomás.

— Vous envisagez… quoi ?

Avant de répondre, Seth échangea un regard lourd de sens avec Billy, comme pour lui dire qu'ils devaient abattre toutes leurs cartes. Le directeur de la mission hocha silencieusement la tête et le responsable scientifique dévisagea l'équipage d'*Atlantis.*

— D'abattre le vaisseau russe.

XLIX

La déclaration de Seth Dyson était si scandaleuse que les astronautes écarquillèrent les yeux, incrédules, pensant qu'ils avaient mal entendu.

— Pardon ?

— Nous allons abattre le vaisseau russe, répéta le responsable scientifique. C'est aussi simple, et aussi fou, que ça.

— Mais… mais…

Seth agita la main, leur demandant de se taire.

— Tout d'abord, ce sujet est top secret, annonça-t-il avec solennité. Ça signifie qu'il est juridiquement couvert par l'engagement de confidentialité que vous avez signé le premier jour, lorsque vous êtes arrivés ici, et qu'il ne doit absolument pas sortir de ces quatre murs. Est-ce clair ?

Encore sous le choc, les astronautes firent un signe d'assentiment presque automatique.

L'astrophysicien grommela, satisfait de l'engagement, mais inquiet car la mission avançait en terrain miné.

— Cette question est actuellement débattue par Washington, Beijing et certains alliés de l'OTAN, précisa-t-il. On examine les conséquences géopolitiques d'une telle action, mais il est de plus en plus clair que nous ne disposons que de deux options. Soit nous abandonnons la mission, soit nous agissons de manière décisive avec les moyens dont nous disposons. Une demi-mesure n'est plus possible.

— Je suis tout à fait d'accord, acquiesça Duck. Nous ferions mieux d'abandonner.

— Cette possibilité a été envisagée hier soir, lorsqu'on a découvert que les extra-terrestres sont parfaitement capables de faire face aux missiles russes. Comme je l'ai déjà expliqué, le problème est de savoir comment l'équipage de *Phanès* interprétera une attaque de *Soyouz*. Nous doutons fort qu'ils se diront que c'est une action isolée, qui n'est pas représentative de l'ensemble de l'humanité. Selon toute vraisemblance, *Phanès* interprétera une attaque russe comme une attaque de la Terre, ce qui mettra toute la planète en danger. Raison pour laquelle nous ne pouvons pas abandonner.

— J'ai compris que vous avez pris la décision d'agir, conclut le commandant d'*Atlantis* avec une expression contrariée. Votre idée est donc de détruire le *Soyouz*. Comment prévoyez-vous d'atteindre cet objectif ?

— Deux pistes sont envisagées, déclara le responsable scientifique. La première est de bombarder le vaisseau russe lorsqu'il sera sur le point de décoller du cosmodrome de Plessetsk.

Duck eut l'air perplexe.

— Comment diable allez-vous faire ça ?

— Un escadron de F-35 Lightning est actuellement en route vers la base aérienne d'Ämari, au nord de l'Estonie, pour mener à bien cette mission. Comme vous le savez, les F-35 sont des avions de chasse indétectables par les radars, conçus pour l'attaque au sol. Le moment venu, ils pénétreront dans l'espace aérien russe sans se faire remarquer et, une fois à Plessetsk, ils détruiront le *Soyouz*. Et c'en sera fini de la mission « Amour ». Ça règle le problème, mais ça en crée bien évidemment un autre, géostratégique, entre la Russie et l'Occident. Nous pensons cependant que ce sera un moindre mal.

— Et quelle est la deuxième option ?

— C'est d'utiliser la navette spatiale elle-même. Au lieu du système de missiles antimissiles déjà évoqué, l'idée serait d'équiper *Atlantis* d'une batterie AIM-120 AMRAAM.

— *Fuck !*

— Zut alors !

Devant l'expression horrifiée du commandant et du pilote, les astronautes civils s'inquiétèrent.

— Qu'est-ce que c'est que ça ? voulut aussitôt savoir Emese, alarmée. De quoi parlez-vous ?

— Ce sont des missiles Fox 3 dans la dénomination OTAN, répondit Duck d'une voix tendue. Des missiles air-air, dotés de systèmes de navigation guidés par radar.

— Ce sont les missiles antimissiles dont nous avons parlé hier ?

— Non. Ceux-ci sont des missiles d'attaque.

— Oh mon Dieu !

Le commandant de la navette fit de nouveau face au responsable scientifique de la mission.

— Vous voulez vraiment qu'*Atlantis* utilise des missiles AMRAAM contre les Russes ?

— C'est une hypothèse.

— Mais vous savez que les moteurs de ces missiles n'ont ni la puissance ni l'autonomie suffisante pour un combat dans l'espace…

— L'USAF va les équiper de moteurs beaucoup plus puissants.

Le commandant et le pilote échangèrent un regard inquiet ; étant tous deux militaires, ils étaient pleinement conscients des conséquences d'une telle décision.

— Savez-vous, par hasard, quelle option est privilégiée par Washington ?

— Les deux en même temps, déclara Seth. Notez que la décision finale n'a pas encore été prise. Le processus de consultation entre les différentes capitales se poursuit au plus haut niveau, mais, pour une question de sécurité, les responsables militaires sont favorables à ce que les deux procédures soient adoptées en même temps. Il est probable que les différents gouvernements approuveront. Le plan consistera alors à utiliser d'abord les F-35 pour neutraliser le vaisseau russe avant qu'il ne quitte le cosmodrome. Si le raid réussit, le problème est résolu. S'il échoue… eh bien, *Atlantis* sera le dernier recours. Dans ce cas, les missiles AMRAAM devront être tirés de la navette spatiale contre le vaisseau russe. – Il leva le doigt pour insister sur ce point. – Il est essentiel de préciser que, le cas échéant, *Atlantis* devra attaquer les Russes de préférence avant que le contact ne soit établi avec *Phanès*. Et ce, bien évidemment, pour que les extra-terrestres ne s'aperçoivent de rien et éviter ainsi tout malentendu entre nous et *Phanès*.

Le commandant d'*Atlantis* ferma les yeux et se massa les tempes.

— *Damn !* Ça va être très compliqué…

Seth prit une profonde inspiration et baissa la tête, montrant ainsi combien il était désolé.

— Nous n'avons pas le choix, j'en ai peur.

Sentant la révolte grandir en elle, Emese leva le doigt.

— Excusez-moi, mais il me semble que tout ça devient totalement hors de contrôle, protesta-t-elle. J'ai été recrutée pour une mission scientifique, à caractère pacifique. Hier, on nous a annoncé qu'en fin de compte, il faudra qu'on soit armés d'un système défensif de missiles antimissile ou je ne sais quoi. Et maintenant, vous venez nous dire qu'il faut qu'on aille dans l'espace avec un arsenal de missiles offensifs et qu'on devra abattre un vaisseau russe. On se croirait dans Star Wars. Vous ne pensez pas que c'est un peu trop ?

— Vous avez raison, Emese, reconnut l'astrophysicien de la NASA. La situation a évolué de manière tout à fait inattendue et regrettable, mais les circonstances sont ce qu'elles sont et nous devons faire avec. Si vous pensez qu'il y a une meilleure solution, dites-le moi je vous en prie.

— C'est simple, nous devons confier la mission à des militaires. Si elle est devenue une opération de guerre, ne serait-il pas préférable que nous, les astronautes civils, nous abandonnions la partie et que nous soyons remplacés par des militaires ?

Seth prit une profonde inspiration, comme s'il se sentait accablé par les problèmes successifs.

— Écoutez, si vous voulez abandonner, vous êtes libre de le faire, admit-il. Personne ne peut vous obliger à vous embarquer dans… dans cette folie. Cependant, nous ne pouvons modifier la composition de l'équipage qu'avec l'accord du Conseil de sécurité de l'ONU. Les Russes opposeront leur veto. Même si nous décidions de court-circuiter l'ONU, le problème c'est que les Russes nous observent avec beaucoup d'attention. S'ils découvrent que les astronautes civils abandonnent la mission *Phanès* et sont remplacés par des militaires, il est évident qu'ils comprendront nos intentions. Cela les conduira à adopter des contre-mesures. Ils seront alors vraiment capables d'attaquer *Phanès* et ensuite… Dieu seul sait ce qui arrivera. C'est ça que vous voulez ?

Les astronautes se regardèrent, sans savoir quoi dire ou faire. De toute évidence, personne n'avait la moindre envie de continuer la mission. Ce n'était pas pour ça qu'ils avaient accepté d'aller dans l'espace, mais, face à ce scénario, ils ne voyaient pas de solution. Ils se sentaient coincés.

Ce fut Billy Gibbons, le seul qui ne partirait pas avec la mission *Phanès*, qui prit parole.

— Eh bien, les gars. Je sais que le moment est mal choisi et que vous essayez de digérer tout ça, mais si nous envisageons vraiment de suivre ce scénario, il y a des questions techniques que nous devons examiner. Comme vous devez l'imaginer, les changements successifs dans le profil de la mission nous obligent à apporter des modifications au plan de vol d'*Atlantis* et à toute la logistique qui va avec. Premièrement, il faut prendre en compte le problème de la batterie de missiles AMRAAM. Comment l'emmener là-haut ?

Le commandant de la navette spatiale gigota sur son siège, préoccupé.

— Ne me dites pas que vous voulez l'embarquer sur *Atlantis*...

— Pas du tout, déclara le directeur de la mission. Et pour plusieurs bonnes raisons. Pour des questions de sécurité, il est déconseillé de faire décoller la navette avec des missiles. Ensuite, il y a le problème de la confidentialité. Cette mission étant scrutée de près, il sera difficile de charger des missiles sans que personne ne s'en aperçoive. De plus, *Atlantis* emporte déjà un véhicule lourd, le MMU, qui emmènera le trio de l'EVA jusqu'à *Phanès*, nous ne voulons donc pas surcharger le vaisseau.

— Alors, comment allons-nous emporter les missiles là-haut ?

— Nous prévoyons d'envoyer les armes dans l'espace avec une fusée *Delta*, à partir de la base de l'USAF à Vandenberg, en Californie. C'est plus discret. Une fois en orbite, vous devrez aller à la rencontre de *Delta*, transférer la cargaison sur *Atlantis* et l'assembler.

— Et qui le fera ?

— Ceux qui prendront part aux opérations de l'EVA, bien sûr, indiqua-t-il. C'est-à-dire, Seth, Emese et Tom.

Le Portugais et la Hongroise écarquillèrent les yeux, horrifiés.

— Pardon ? dit Tomás en sursautant. Vous voulez qu'Emese et moi nous sortions dans l'espace et... et...

Billy Gibbons les regarda tous deux et, conscient qu'il leur confiait l'une des parties les plus épineuses de la mission qu'ils n'allaient certainement pas apprécier, il acquiesça avec un hochement de tête.

— C'est vous qui armerez les missiles.

L

Tomás et Emese étaient encore sous le choc. Tous deux regardèrent successivement Billy, Seth et les autres membres de l'équipe, comme s'ils espéraient que l'un d'eux leur dise que c'était une blague, qu'en fait la tâche qu'on leur assignait n'existait pas ou serait confiée à d'autres, mais face aux visages fermés de leurs compagnons, ils comprirent que c'était très sérieux.

— Je ne suis pas sûr d'avoir bien compris, déclara le Portugais, en essayant de mettre de l'ordre dans ses pensées. Vous voulez que, lorsque nous arriverons là-haut et que nous serons en orbite avec *Delta*, Emese, Seth et moi nous sortions dans l'espace, nous transférions les missiles de *Delta* vers *Atlantis* et qu'en plus nous procédions à leur armement dans la navette ?

— Correct.

— Mais… mais… est-ce que vous êtes devenu fou ?

— Malheureusement, Tom, c'est la réalité, déclara Billy. J'aimerais qu'il y ait d'autres solutions, mais hélas, il n'y en a pas. C'est vous qui devrez mener à bien cette tâche, dans le cadre de l'EVA.

Tomás désigna le commandant et le pilote.

— Avec tout le respect qui leur est dû, les militaires ce sont eux, fit-il remarquer. Par conséquent, ce sont eux qui devraient gérer ce problème d'ordre militaire, pas des civils.

— C'est strictement interdit par le protocole de sécurité de la mission, précisa le directeur de la mission. Duck et Frenchie, en tant que commandant et pilote, ne peuvent pas quitter le cockpit et sortir de la navette spatiale.

— Tiens donc ! Et pourquoi cela ?

— Parce qu'elle implique une sortie dans l'espace, l'EVA est la partie la plus dangereuse de toute la mission. S'il arrivait quelque chose au commandant ou au pilote, plus personne ne pourrait piloter *Atlantis* pour la rencontre avec *Phanès* et le retour sur Terre. La navette dériverait et tout le monde mourrait. C'est pourquoi il est absolument hors de question que Duck et Frenchie sortent de la navette. Partant, ce sont les astronautes désignés pour l'EVA qui devront effectuer cette tâche. Il n'y a pas d'autre solution.

L'historien ne savait pas comment s'y prendre pour démontrer qu'une telle chose n'était pas possible.

— Désolé, mais c'est impossible. Pour commencer, nous ne savons même pas comment armer des missiles.

— C'est ma responsabilité de vous former, précisa Billy. D'ailleurs, nous travaillons déjà avec l'USAF pour concevoir des exercices spécifiques. Je pense que demain ou après-demain vous pourrez commencer à vous entraîner dans la piscine à transférer le chargement, à l'installer dans la navette, et à armer les systèmes de missiles AMRAAM.

Rien de tout cela, cependant, ne satisfaisait les deux civils européens.

— À vrai dire, ce n'est pas seulement une question de compétence, insista l'historien. C'est aussi une question de volonté. Or, je ne veux pas avoir affaire à des missiles, vous comprenez ? Ce n'est pas mon travail. Je suis un universitaire, pas un militaire. Je ne touche pas aux armes, c'est une question de principes.

— Les circonstances ont changé, Tom. Dans ce nouveau scénario, chacun de nous devra accomplir la tâche nécessaire au succès de la mission, quelle qu'elle soit. Vous avez été affecté à l'EVA, ce qui signifie que vous serez l'une des trois personnes qualifiées pour sortir de la navette. C'est vous trois qui devrez mener à bien cette opération. Il n'y a personne d'autre.

— S'il n'y a personne d'autre, engagez plus d'astronautes militaires.

— Ce n'est pas possible. Je vous rappelle que la constitution de cette équipe a été approuvée par le Conseil de sécurité de l'ONU, avec un vote favorable de la Russie qui, à ce moment-là, n'avait pas encore soulevé d'obstacles s'agissant de la rencontre avec *Phanès*. L'ajout de nouveaux membres exigerait le feu vert du Conseil de sécurité. Comme, entre-temps, les Russes ont changé d'avis, il est clair qu'ils opposeraient leur veto. De plus, je vous rappelle que l'ajout de militaires à la mission mettra la puce à l'oreille des Russes. C'est pourquoi nous n'avons pas d'autre solution. Les astronautes affectés à l'EVA devront effectuer cette opération.

— Mais je ne veux pas toucher à des missiles, je vous l'ai dit !

— Moi non plus, annonça Emese, se joignant au Portugais. N'y pensez même pas !

Il se fit un silence pesant dans la salle de conférence. La discussion allait tourner au bras de fer, ou à la révolte, et tous savaient que ce n'était pas productif. Billy regarda Seth, comme s'il lui demandait d'intervenir. L'astrophysicien de la NASA fit un geste d'impuissance.

— S'il le faut, je ferai tout tout seul, soupira-t-il. Si vous ne voulez pas vous salir les mains avec des missiles, personne ne peut vous y obliger. Je le ferai moi-même, que voulez-vous !

— Il ne s'agit pas de se salir les mains, Seth…

Les nerfs à vif après une nuit blanche et la pression générale, le chef scientifique perdit patience.

— Bien sûr que si, et vous le savez, parfaitement Tom ! cria-t-il sur un ton accusateur. Nous avons une crise terrible sur les bras, les Russes se préparent à attaquer *Phanès*, nous sommes le dernier rempart susceptible d'épargner à l'humanité une catastrophe inouïe, et vous… vous venez me dire que toucher à des missiles, ça vous donne des boutons ou je ne sais quoi ! Vous n'avez pas encore réalisé que nous sommes au bord du gouffre ? Face à une telle situation, on ne peut pas jouer les prima donna, Tom ! L'heure n'est pas aux beaux discours, qui sont du plus bel effet devant le comité Nobel ou devant le pape mais ne résolvent pas les problèmes ! L'heure est à l'action. Il y a des moments où il faut se retrousser les manches et se salir les mains au nom de quelque chose de beaucoup plus grand que soi ! Nous vivons l'un de ces moments, Tom ! – Il désigna chacun des trois, en commençant par lui-même. – Moi, vous et Emese, nous devons prendre une décision. Soit nous tenons à rester purs comme des vierges, et toute cette histoire finira mal, vraiment très mal, soit nous mettons les mains dans le cambouis et alors peut-être, je dis bien peut-être, l'humanité s'en sortira. – L'homme de la NASA regarda tour à tour le Portugais et la Hongroise, leur signifiant que la balle était dans leur camp. – Maintenant, à vous de choisir !

Emese et Tom se regardèrent encore une fois, perplexes. Seth les avait mis dos au mur. Tout ce qu'il avait dit était vrai. Les dernières vingt-quatre heures avaient horriblement précipité les événements. Il était de plus en plus évident que le plan russe de détruire *Phanès* pouvait déclencher une réponse violente des extra-terrestres et plonger l'humanité dans une crise sans précédent. La solution envisagée n'avait rien d'agréable, mais Tomás savait pertinemment qu'il n'y a pas toujours de bons choix, l'alternative est entre une mauvaise solution ou une autre, pire encore. À son corps défendant, il devait choisir entre Charybde et Scylla.

Il baissa la tête et prit une profonde inspiration, résigné.

— Très bien, concéda-t-il presque à voix basse. Je ferai ce qui est nécessaire.

Face à la capitulation du Portugais, et bien que contrariée, l'astrobiologiste de l'Agence spatiale européenne donna également son assentiment, à contrecœur. La concession de Tomás et Emese fut accueillie avec soulagement par le groupe, mais personne ne fit le moindre commentaire. Tous savaient combien leur décision avait été difficile.

Ce problème étant réglé, Billy reprit sa présentation des changements opérationnels apportés à la mission et de leurs conséquences sur le programme de formation.

— Les missiles ne seront pas la seule cargaison que la fusée *Delta* emportera dans l'espace, révéla-t-il. Le profil complexe de cette mission soulève aussi de nouvelles questions liées aux manœuvres qui devront être effectuées en orbite. Comme vous le savez, la capacité qu'a la navette spatiale de changer d'altitude ou d'inclinaison est fortement tributaire du carburant dont elle dispose et de l'aspect physique du vol spatial.

— C'est justement l'une de mes interrogations, déclara Frenchie, préoccupé par les questions de pilotage. Manœuvrer *Atlantis* pour attaquer les Russes et ensuite accoster *Phanès* exigera de nombreuses manœuvres et beaucoup d'énergie. Comment ferons-nous quand nous serons en MECO avec notre système OMS aussi limité ?

Emese traduisit l'expression à l'oreille de Tomás.

— MECO est la désignation technique du mouvement du vaisseau en orbite et OMS est le système de navigation qui nous permet de modifier l'orbite.

Le directeur de la mission pressa une touche du clavier et un schéma du trajet de la navette autour de la Terre apparut sur l'écran.

— Comme vous le savez, l'orbite est généralement fixée en MECO et nous n'avons pas beaucoup de marge de manœuvre. Les moteurs du vaisseau sont coupés et c'est son erre qui le maintient en orbite. Il est vrai que le système OMS dispose de deux moteurs qui permettent de changer d'orbite à grande vitesse, accroissant de 500 km/h la vitesse de croisière qui est de 30 000 km/h environ. Le problème c'est qu'une fois le carburant du grand réservoir externe épuisé au décollage, ce réservoir est éjecté et les réserves de la navette ne permettent pas de faire des folies. Cependant, cette mission exige qu'*Atlantis* puisse manœuvrer avec une certaine liberté. Comment le faire sans carburant ? La solution consiste à utiliser aussi *Delta* pour en envoyer dans l'espace.

— Ça me paraît une bonne idée, acquiesça Duck. Si j'ai bien compris, le plan serait de mettre en orbite les missiles et du carburant. Une fois là-haut, nous devrons accoster *Delta* et transférer les missiles et le carburant sur *Atlantis*. Nous aurons ainsi assez d'énergie pour alimenter le système OMS et modifier l'orbite en fonction des besoins de la mission.

— Correct.

— Dans ce cas, Frenchie et moi devrons répéter les manœuvres pour attaquer les Russes et accoster *Phanès* dans le SMS fixe, dit le commandant de la navette. Qui se charge du bras robotique ?

— Ce sera Yao. On l'entraîne pour ça et il recevra une formation complémentaire pour aider au transfert des missiles sur *Atlantis*.

— Très bien. Seth, Tom et Emese, qui feront l'EVA, s'entraîneront à accoster *Phanès* et devront aussi être formés dans la piscine NBL aux opérations de transfert des missiles et du carburant de *Delta* dans la navette et de fixation des missiles.

— Correct, confirma de nouveau Billy. Mais les trois équipiers de l'EVA auront une responsabilité supplémentaire.

Tomás et Emese le regardèrent, incrédules, craignant déjà ce qui allait venir.

— Quoi, encore ?

— Vous n'allez pas nous demander de manipuler des armes nucléaires, n'est-ce pas ? demanda l'astrobiologiste. Parce que je pense avoir atteint ma limite.

— Des armes nucléaires ? Non, non, rien de tel.

— Ah, bon !

Le directeur de la mission croisa les bras et les dévisagea, l'air mystérieux.

— C'est une arme pire encore.

LI

Aux derniers mots de Billy Gibbons, les deux universitaires pâlirent. Tomás et Emese sentaient qu'ils avaient déjà franchi toutes leurs lignes rouges et, comme si ça ne suffisait pas, ils allaient en découvrir une de plus.

— Une arme pire que les armes nucléaires ? demanda le Portugais. De quelle arme peut-il s'agir ?

Après avoir affiché un air grave pendant quelques instants, le directeur de la mission se fendit d'un sourire.

— La télévision.

— Excusez-moi ?

— Cet événement est d'une importance capitale, équivalant à l'arrivée de l'homme sur la Lune. Peut-être parce que vous êtes enfermés ici, vous ne vous êtes pas rendu compte que le monde entier a les yeux fixés sur nous. Des extra-terrestres arrivent et nous allons les rencontrer. Cette information fait la une des journaux et l'ouverture du J.T. tous les jours. Ça suscite un immense intérêt. À l'ère de l'information, il serait anormal et inacceptable que des êtres humains s'apprêtent à rencontrer des extra-terrestres et que personne ne voie rien. Il est donc absolument crucial d'assurer la couverture médiatique de l'événement.

— Oh, non ! dit Tomás en roulant des yeux lorsqu'il comprit ce qu'on attendait de lui. Ne me dites pas que nous allons non seulement trimbaler des missiles et du carburant, mais que nous devrons aussi jouer les cameramen…

Le directeur de la mission appuya sur une touche du clavier et un schéma de la navette spatiale emplit l'écran.

— Pas exactement, dit-il en désignant plusieurs points sur la navette. Cinq caméras miniatures contrôlées à distance sont fixées à l'intérieur de la navette, dont deux dans le cockpit, et nous allons en ajouter deux autres sur la carlingue d'*Atlantis* pour enregistrer ce qui se passe dehors. Ne vous en faites pas pour ces caméras. Le problème, ce sera quand le trio de l'EVA devra quitter *Atlantis* pour entrer dans *Phanès* et rencontrer les extra-terrestres. Ce sera la rencontre historique, le moment le plus dramatique de tous, et il ne pourra pas être capté par les caméras installées sur la navette. C'est pourquoi une caméra miniature sera installée sur le casque de chaque astronaute participant à l'EVA. Cela assurera la transmission en direct de tout ce qui se passera à ce moment-là.

— Tout ? s'inquiéta Duck. Même le transfert des missiles sur *Atlantis* et l'attaque contre les Russes ?

— Quand je dis tout, je fais exclusivement allusion au contact avec *Phanès*, souligna Billy. Le reste ne sera pas diffusé, cela va de soi ; nous verrons ces images ici à Houston et elles seront retransmises sur une chaîne cryptée à Washington, en particulier à la Maison-Blanche, à Langley et au Pentagone, afin que les autorités puissent suivre les événements.

— Le président et la CIA veulent assister en direct et en privé à la guerre dans l'espace ? Ils applaudiront si nous parvenons à tuer les Russes ? Ou bien pleureront-ils si nous sommes abattus ?

Tomás avait posé ces questions avec sarcasme, ce qui ne manqua pas d'embarrasser le directeur de la mission.

— J'espère que vous comprenez que le président, les services de renseignement et l'état-major militaire doivent suivre les événements en temps réel, se justifia-t-il. Plus vite nous saurons ce qui se passe, plus grande sera notre capacité d'anticiper. – Il força un sourire, essayant de détendre l'atmosphère. – De toute façon, les gars, nous n'aurons sans doute pas à en arriver là. Les F-35 règleront le problème en temps voulu. Tout ce que nous devons faire, c'est nous concentrer sur notre mission. – Il débrancha l'ordinateur. – Sur ce, du vent ! On vous attend à Ellington Field.

Le briefing de la matinée semblait achevé. Cependant, avant que le directeur de la mission n'envoie tout le monde vers l'autobus qui devait les conduire à la base aérienne, Seth ajouta quelques mots.

— Le profil de la mission est très clair, déclara-t-il. Comme nous l'avons vu, la situation a nettement empiré ces dernières vingt-quatre heures. Je ne veux pas et je ne dois pas vous cacher les difficultés qui nous attendent. La mission est devenue beaucoup plus risquée que nous ne le pensions, et la possibilité que nous ne revenions pas entiers, je vous le dis sans détour ni fioritures, est supérieure à cinquante pour cent. En d'autres termes, nous avons plus de « chances » de mourir dans cette mission que de survivre. J'espère que vous en êtes conscients.

Il fit une pause pour laisser l'idée s'installer.

— Qu'est-ce que vous insinuez, Seth ? demanda Emese. Allons-nous participer à une mission suicide ?

— Non, pas du tout. Mais le risque sera très élevé. Je ne vous cache pas non plus que tout changement dans la constitution de l'équipe d'astronautes alertera les Russes et entraînera très certainement l'échec de la mission, avec les conséquences que cela peut avoir pour l'humanité. Compte tenu de tous ces éléments, je me dois de vous donner la possibilité d'abandonner. – Il inspira profondément, comme s'il se préparait à retenir son souffle. – Si quelqu'un veut renoncer, qu'il le fasse maintenant.

Un lourd silence s'installa dans la salle de conférence.

Comme personne ne disait rien, Billy prit l'initiative d'interroger un par un les membres d'équipage. Il commença par le commandant et termina par Yao. Tous confirmèrent leur participation. Comme s'il se sentait libéré d'un poids énorme, le directeur de la mission prit une profonde respiration, mais peut-être pas aussi profonde qu'il l'aurait souhaité car, en réalité, le pire était à venir. Malgré cela, il regarda avec admiration le groupe devant lui. La mission qui les attendait était extrêmement périlleuse et la probabilité qu'ils reviennent en vie était inférieure à ce qu'il leur avait dit. Mais c'étaient des gens très intelligents, ils avaient probablement tous analysé correctement la situation et savaient qu'ils pouvaient avoir rendez-vous avec la mort.

Pourtant personne n'abandonnerait.

LII

Bien qu'elle fût exploitée par la 147e escadre de reconnaissance de l'armée de l'air des États-Unis, la base aérienne d'Ellington Field, située à proximité du Centre spatial Johnson, était également utilisée par la NASA pour entreposer ses avions et réaliser la partie aérienne de ses programmes de formation des missions spatiales. C'est là que tous les équipages du projet *Apollo* et ceux des projets suivants avaient procédé aux exercices d'acclimatation à l'apesanteur.

C'est pourquoi, lorsque l'autobus avec l'équipage de la mission *Phanès* franchit les portes de la base, l'événement sembla presque banal aux militaires qui se trouvaient à Ellington Field. Banal, mais pas insignifiant, car ces astronautes allaient participer à une mission qui faisait les gros titres des J.T. de toutes les télévisions du monde, des quotidiens et d'Internet. Le caractère exceptionnel de l'événement avait inévitablement attiré l'attention du personnel de la base.

Un bâtiment à deux étages de la NASA était relié à des hangars abritant des avions de l'agence spatiale américaine, y compris des WB-57, des avions de recherche à haute altitude, et une flotte de T-38. Cependant, la première chose qui attira l'attention de Tomás dès qu'il posa le pied sur le tarmac, fut l'avion près duquel l'autocar s'était arrêté. C'était une version adaptée du Boeing 707. L'appareil était blanc, avec une bande bleue qui courait tout le long du fuselage et le logo de la NASA imprimé sur la queue.

Il entendit un soupir découragé derrière lui.

— Aïe ! gémit Emese. Le supplice va commencer !

Voler n'étant décidément pas sa tasse de thé, le Portugais partageait presque entièrement ce sentiment. Mais la réaction de l'astrobiologiste de l'ESA lui sembla exagérée, de la part de quelqu'un qui avait déjà l'expérience des missions spatiales.

— Allons, calmez-vous, dit-il, plus pour lui-même que pour la convaincre. Tout va bien se passer.

— Je n'ai pas le choix !

— Et puis flotter en apesanteur ça doit être fantastique.

— Oui, oui…

Le ton qu'elle employait l'inquiéta ; c'était la deuxième fois qu'Emese renâclait devant cet entraînement. Compte tenu de son expérience, elle devait certainement avoir de bonnes raisons pour ça. Tomás songea à l'interroger, mais il changea rapidement d'avis. S'il devait passer un sale moment et qu'il n'y avait aucun moyen de l'éviter, pensa-t-il, le mieux était d'y aller sans rien savoir. À vrai dire, qu'y avait-il de désagréable à flotter dans un avion ?

L'intérieur de l'appareil était très différent des avions normaux. Au lieu des rangées de sièges habituelles, Tomás découvrit un espace vide, hormis quelques fauteuils dans le fond, avec les parois intérieures rembourrées et blanches. Il les toucha avec sa main et constata qu'elles avaient la douce texture d'oreillers qu'on aurait installés là pour amortir les chocs. Ça n'était pas bon signe. À quels chocs fallait-il s'attendre pendant le vol ?

Le pire, c'était la mauvaise odeur qui planait et donnait la nausée au Portugais.

— Quelle est cette puanteur ?

Emese avait elle aussi l'air écœuré.

— C'est de l'acide.

— Il y a de l'acide ici ?

— Il y en a eu.

Tomás ne comprenait pas très bien, mais comme elle n'était pas très loquace, il décida de ne pas insister. Conformément aux instructions de Seth, il s'installa dans l'un des sièges, boucla sa ceinture, écouta le message de bienvenue du pilote qui leur souhaita un bon vol et, quelques minutes plus tard, le Boeing 707 roulait sur la piste d'Ellington Field.

L'avion décolla et en quelques secondes il s'éleva au-dessus de l'immensité bleue du golfe du Mexique. Mais contrairement à ce qui se passait d'habitude, l'appareil ne revint pas à l'horizontale. Au lieu de cela, il continua à s'élever, comme s'il voulait atteindre la stratosphère. Au bout d'une demi-heure, la voix du commandant retentit dans les haut-parleurs.

— Vous pouvez détacher vos ceintures, dit-il. La fête va commencer.

On entendit les clics successifs des ceintures qui se détachaient.

Soudain, l'avion piqua du nez et s'enfonça dans l'air, comme en chute libre. Avec un frisson, le Portugais sentit tout son poids disparaître, au point de s'élever littéralement dans l'air et flotter, l'estomac serré contre les poumons ; il manqua d'air momentanément et les battements de son cœur s'accélérèrent.

— Hey ! s'écria-t-il effrayé. Nous tombons !

Il regarda autour de lui et, déconcerté, vit ses collègues qui flottaient aussi, comme si la gravité avait disparu par magie, mais il constata avec soulagement qu'ils s'esclaffaient quand ils étaient projetés d'un côté à l'autre du Boeing 707. Ils avaient l'air de s'amuser follement.

— Yeah, pouffa Duck. Je vais faire une pirouette !

— Je suis collé au plafond ! cria Seth, rivé à la partie supérieure de l'avion, la tête baissée comme un lézard. Regardez-moi ça !

Chacun y allait de son numéro dans cet environnement en apesanteur et même Emese, qui n'avait pas l'air très réjoui quand elle est entrée dans l'avion, se projetait d'un côté à l'autre en faisant des cabrioles ; le plus curieux c'était ses cheveux noirs dressés sur sa tête comme une méduse.

Les premiers instants d'étonnement passés à observer les effets de la pesanteur sur lui-même et ses compagnons, Tomás décida de commencer à explorer cet environnement complètement nouveau, qu'il n'avait vu que dans des documentaires. Il s'adossa à une paroi et, s'en servant comme d'un tremplin, à l'instar de ce qu'il avait souvent fait dans des piscines, il poussa sur les jambes et se projeta en avant.

La voix du commandant résonna dans les haut-parleurs.

— La fête est finie, les amis.

À ce moment-là, l'avion se redressa soudainement et Tomás, qui était au milieu de son « vol », sentit tout à coup qu'il devenait lourd et tomba comme une pierre, se cognant le visage sur la surface rembourrée qui garnissait l'intérieur de l'appareil. Il entendit les moteurs rugir pour redresser l'appareil ; il eut l'impression que son corps avait retrouvé son poids, voire avait doublé et le pressait au sol. Il regarda autour de lui et constata que tous ses compagnons, bien qu'également cloués au sol, avaient l'air serein.

— Ce sont deux G, lui dit Yao qui était tombé à côté de lui. En quelques instants, nous sommes passés d'une gravité zéro à deux fois la gravité normale.

La plongée de l'avion fut brève, environ trente secondes, mais il était évident que l'ascension prendrait beaucoup plus de temps. Bien que son corps pesât le double de son poids, Tomás fit un effort et rampa jusqu'à Emese qui était adossée à la paroi.

— C'est spectaculaire cette façon d'annuler la gravité, observa l'historien en s'installant à côté d'elle. J'avais déjà vu ça dans des documentaires, mais l'expérience est extraordinaire.

— La gravité n'est pas annulée.

— Ah non ? Alors, comment expliquez-vous ce qui s'est passé ? Vous n'avez pas vu que nous avons flotté ?

— La gravité existe partout, même si elle est ressentie avec plus ou moins de force en fonction de la masse des objets autour. Mais elle s'exerce dans tout l'univers, y compris dans l'espace profond. Ce qui s'est passé ici dans l'avion n'est donc rien de plus qu'une illusion.

— Le fait est que nous ne pesions plus rien.

— Une illusion, répéta-t-elle. Imaginez que vous êtes dans un ascenseur qui tombe du haut d'un très grand bâtiment. Vous êtes à l'intérieur, que vous arrive-t-il ?

— Je tombe aussi.

— Correct. Mais quel est votre comportement dans l'ascenseur ? Êtes-vous toujours cloué au sol ?

Tomás imagina la scène.

— Eh bien… non. Bien que je sois en chute libre à l'intérieur du bâtiment, par rapport à l'ascenseur je commence à flotter.

L'astrobiologiste fit un geste pour indiquer l'intérieur de l'avion où ils se trouvaient.

— C'est exactement ce qui se passe ici, expliqua-t-elle. L'avion tombe et, à l'intérieur, nous tombons aussi. Mais nous tombons par rapport à la Terre. Alors que, par rapport à l'avion, nous flottons. La gravité existe toujours, bien sûr, de sorte que nous tombons en direction de la Terre. En fait, par rapport à l'avion, on a l'illusion que la gravité a disparu. Mais c'est juste une illusion.

— Et là-haut, dans l'espace ?

— C'est la même chose. La navette spatiale atteint sa vitesse de croisière et on coupe les moteurs. Elle commence à tomber, mais comme sa vitesse est très élevée, sa chute, et la nôtre qui sommes à l'intérieur, suit la courbure de la Terre, et donc en fin de compte elle finit par ne jamais s'écraser sur la planète. Nous tombons toujours sans vraiment tomber, pour ainsi dire.

La voix du commandant se fit de nouveau entendre.

— On y va pour le deuxième tour, les gars.

L'avion s'éleva à ce moment-là jusqu'à trente-trois mille pieds, puis il piqua vers le bas et, à nouveau en chute libre, entama une autre parabole. Tomás sentit son estomac se soulever et il eut la sensation encore une fois que son poids se dissipait, puis il commença à flotter à l'intérieur de l'appareil, comme s'il était en suspension dans l'eau. Il tombait, mais il avait la sensation de s'élever dans l'air.

Cette fois-ci, cependant, il profita pleinement de l'expérience.

— Youpi ! s'écria-t-il en faisant un salto avant, puis en se collant au plafond comme une mouche. C'est génial !

Les astronautes continuèrent leurs acrobaties pendant trente secondes environ, allant d'un côté à l'autre, jusqu'à ce que la parabole s'achève et que l'avion recommence à monter selon un plan incliné, projetant tout le monde au sol avec la force de 2G. L'expérience se révélait extraordinaire.

— Là, on monte, déclara Emese. Et bientôt une nouvelle parabole.

— Excellent ! s'exclama le Portugais. Combien de fois allons-nous faire ça ?

— Une cinquantaine.

Tomás pensait avoir mal entendu.

— Combien ?

— On va faire cinquante paraboles, Tomás, dit-elle sans grand enthousiasme. On va y passer des heures et des heures.

En fait, Tomás fut ravi d'entendre cette nouvelle. Il allait flotter pendant des heures, même si ce n'était qu'une demi-minute à chaque fois. Y avait-il activité plus amusante ?

À la huitième parabole, cependant, il sentit que les fluides de l'estomac, remontant par l'œsophage du fait de l'absence de poids, commençaient à lui irriter la gorge. Il se trouva alors face à sa collègue qui était à genoux dans un coin et le visage enfoncé dans un sac en plastique.

— Emese, vous vous sentez bien ?

Le corps de la Hongroise fut saisi d'une convulsion et elle vomit.

— Ahhh…

L'odeur acide l'atteignit comme une gifle et, provoquant une réaction en chaîne, lui retourna l'estomac. Tomás tomba à genoux, sentant les fluides monter le long de son corps. Il saisit un sac fixé au mur et, plongeant son visage dedans, il vomit à son tour. Quand il regarda autour de lui, il remarqua que Seth vomissait au fond de la cabine. Ainsi s'expliquait la puanteur acide qu'il avait sentie quand il était monté dans l'avion ; c'étaient les relents des milliers de vomissements qui, au fil des années, avaient fini par imprégner les parois rembourrées de l'appareil, et même la structure en aluminium.

— Vous comprenez à présent pourquoi ceux qui aiment cet exercice sont rares ? demanda Emese, pâle comme un linge. Ce n'est pas par hasard que ce Boeing est appelé Comète des vomissements.

Tomás se sentait si mal qu'il dut faire un gros effort pour esquisser l'ombre d'un sourire. Alors qu'il allait se tourner pour regarder à travers le hublot et tenter d'oublier la situation, il remarqua une tache rouge à l'intérieur du sac souillé de vomissures de la scientifique de l'Agence spatiale européenne.

— Qu'est-ce que c'est que ça ?

La Hongroise éloigna rapidement le sac, qu'elle cacha derrière son dos.

— Ce n'est rien.

Tomás n'insista pas. Si Emese ne voulait pas qu'il voie ou qu'il pose de question, il ne verrait pas ni ne poserait de question. Mais regardant par le hublot la surface bleue du Golfe du Mexique, et alors qu'il essayait de recouvrer ses sens, il continua de songer à la tache rouge qu'il avait aperçue dans le sac. Était-ce du sang ?

— Prenez ça.

Il regarda sur le côté et vit Seth lui tendre un verre avec quelque chose qui ressemblait à du sirop.

— Qu'est-ce que c'est ?

— Buvez.

Il supposa que c'était un liquide quelconque pour l'aider à remettre son estomac d'aplomb et il l'avala d'un seul coup ; ça avait le goût sucré du sirop. Il rendit le verre au responsable scientifique et se tourna de nouveau vers la fenêtre, déterminé à retrouver sa bonne humeur.

Au bout de quelques minutes, il entendit des bruits dans son intestin et son estomac commença à se révolter. Il jeta un regard interrogateur en direction de Seth.

— Qu'est-ce que vous m'avez donné ?

— Un laxatif.

— Quoi ?!!

L'astrophysicien désigna la queue de l'avion, où il y avait un rideau.

— Derrière le rideau il y a des toilettes absolument identiques à celles du SMS fixe de la navette. Allez-y et entraînez-vous à bien viser en situation d'apesanteur pendant la prochaine parabole, dit-il.

La dernière chose que Tomás avait envie de faire était de s'asseoir dans des toilettes et, avec cette fichue caméra, viser le trou d'aspiration des déchets solides. Cependant, il commençait à sentir son estomac. Il n'avait d'autre possibilité que de se traîner jusqu'aux toilettes, baisser son pantalon, s'attacher à la cuvette et attendre la prochaine fenêtre de trente secondes en chute libre pour s'entraîner.

LIII

Le réveil sur la table de nuit n'indiquait pas l'heure de manière habituelle. Au lieu de montrer les heures, les minutes et les secondes, le décompte se faisait à rebours. Allongé sur le lit, la tête sur le coussin, Tomás se retourna et regarda combien de temps il restait.

T – 12 24 16

Douze heures.

T-12 signifiait qu'il restait douze heures avant le décollage de la navette spatiale. Selon la terminologie de la NASA, les jours précédant le décollage étaient signalés en « L moins », mais les dernières vingt-quatre heures étaient décomptées en « T moins ». Son cœur battait avec force et il avait un sentiment d'irréalité. Douze heures et vingt-quatre minutes avant le grand moment. Dans dix heures environ, il entrerait dans la navette *Atlantis* et, deux heures et demie plus tard, il serait lancé dans l'espace.

Douze heures.

Il ferma les yeux et essaya de se calmer.

Lui et ses compagnons avaient passé les deux semaines précédentes au Centre spatial Johnson à suivre un programme de formation accéléré. Les exercices étaient intensifs et le temps avait passé rapidement. Le moment venu, les astronautes embarquèrent dans des avions T-38 de la NASA et furent envoyés au centre spatial Kennedy, en Floride, où on les installa dans l'Astronaut Crew Quarters, le quartier réservé aux astronautes dans le bâtiment Neil Armstrong.

La plupart des astronautes étaient allés au bungalow de la plage, un vieux cabanon en bois sur la plage de Cap Kennedy, près du Pad 39A où *Atlantis* était déjà en position, pour un dernier repas avec leurs familles. Tomás avait refusé d'y participer. Sa famille proche se limitait à sa mère, qui souffrait de la maladie d'Alzheimer et le reconnaissait rarement. Maria Flor avait voulu venir, mais par peur de ne pas maîtriser ses émotions, il lui avait dit qu'il était superstitieux et que les adieux portaient malheur.

La vérité est qu'il n'avait pas grand espoir de survivre à cette mission. En situation normale, un voyage dans l'espace était déjà une aventure risquée, mais que dire de celui qu'il allait faire dans ces circonstances ? L'équipe s'était préparée pour une mission de guerre et la certitude d'une confrontation nucléaire dans l'espace avec le *Soyouz* russe, ajoutée aux conséquences que cela aurait sur la façon dont l'équipage de *Phanès* percevrait les véritables intentions d'*Atlantis*, suffisaient amplement à démontrer que les risques étaient démesurés. Dans le fond, il n'avait qu'une envie, dire qu'il ne voulait rien de tout cela et s'enfuir, que ce n'était pas pour une telle folie qu'il avait accepté la mission. Mais le sens des responsabilités avait prévalu, pour lui et ses compagnons. Compte tenu de ce qui était en jeu, il n'avait pas le droit de reculer. Qu'il le veuille ou non, il devait monter dans *Atlantis* et accepter d'être lancé dans l'espace.

Il se sentait comme un condamné à mort attendant l'heure de l'exécution. Même s'il restait toujours l'espoir que les choses se passent bien. Les Russes abandonneraient peut-être l'idée d'attaquer *Phanès*. Les F-35 réussiraient peut-être à détruire le *Soyouz* avant qu'il ne quitte la plateforme du cosmodrome de Plessetsk. *Atlantis* pourrait peut-être détruire *Soyouz* sans que l'équipage de *Phanès* s'en rende compte. Il y avait tant de « peut-être »...

En fin de compte, il se pouvait que le directeur de la mission ait raison. Qu'avait dit Billy lorsqu'ils se sont séparés à Houston ? « Préparons-nous au pire, mais espérons le meilleur. » Une façon sympathique de dire les choses. Pour sa part, Tomás s'était préparé au pire, et il s'attendait vraiment au pire. Sans doute à cause du fatalisme typique des Portugais, il n'avait pas d'illusions. Il allait mourir et il était inutile d'avoir de l'espoir. Cette façon de penser présentait l'avantage de ne jamais le décevoir. Si les choses tournaient mal, comme ce serait vraisemblablement le cas, ce ne serait pas une déconvenue. En revanche, si elles se passaient bien – mais ça ne risquait certainement pas d'arriver – il aurait une très agréable surprise.

Il entendit quelqu'un tousser dans la pièce voisine et réalisa que c'était Emese. Que pouvait bien faire la Hongroise à cette heure, dans sa chambre du Astronaut Crew Quarters ? Il savait que sa famille était venue exprès de Budapest pour le déjeuner et les adieux au bungalow sur la plage, où l'astrobiologiste de l'ESA aurait dû encore se trouver. Pourquoi était-elle dans sa chambre ? Se sentait-elle bien ?

Il se leva, sortit dans le couloir et frappa à la porte.

— Emese ? Vous êtes là ?

La réponse tarda et, alors qu'il était sur le point de frapper une seconde fois, il entendit des pas et la porte s'ouvrit.

— Qu'est-ce qu'il y a ?

Elle avait l'air fatigué et était décoiffée, mais il remarqua surtout une tache de sang sur son menton.

— Est-ce que tout va bien ?

— Oui, répondit-elle, peu loquace. J'ai eu envie de revenir dans ma chambre pour me reposer un peu.

— C'est quoi ce sang ?

D'un geste rapide, la Hongroise passa la main sur son menton et effaça la tache.

— Quel sang ?

— Allons, ne faites pas semblant. J'ai vu que vous aviez du sang sur le menton.

— Moi ?

N'ayant plus vraiment de patience, l'historien poussa la jeune femme et entra de force dans sa chambre.

— Laissez-moi passer.

— Attendez !

La chambre n'était pas rangée et il y avait une odeur acide désagréable. Comprenant que l'astrobiologiste avait vomi, Tomás se dirigea vers la salle de bains où il trouva une serviette maculée de sang sur le sol. Il la ramassa et revint vers elle.

— Qu'est-ce qui se passe ?

Emese le regarda un instant ; il était évident qu'elle cherchait une réponse mais ne trouvait rien. Au bout de quelques instants, elle se mit à pleurer. Le Portugais la prit dans ses bras et l'emmena vers le lit.

Après l'avoir allongée, il la recouvrit avec le drap et passa la main dans ses cheveux noirs, en lui soufflant des mots de réconfort. Emese finit par se calmer.

— Je suis désolée, balbutia-t-elle. Je me sens déjà mieux.

Tomás resta assis sur le lit.

— Que se passe-t-il ?

— Rien.

— Comment ça, rien. Vous avez vomi du sang dans la Comète des vomissures et maintenant ça recommence. Qu'est-ce qui se passe ?

— Rien, je vous l'ai dit.

Il l'examina avec attention. Les cernes autour de ses yeux bleus et sa pâleur d'ivoire, associés aux vomissements et au sang, étaient de très mauvais signes.

— Écoutez, si vous ne me dites pas ce qu'il se passe, je vais devoir appeler Billy pour que…

— Non, non ! cria-t-elle en se relevant, paniquée. Ne dites rien à personne, s'il vous plaît !

— Pourquoi ? Vous n'allez pas bien, de toute évidence et…

La Hongroise lui saisit les mains comme si elle l'implorait, et le regarda, alarmée.

— Ne le dites à personne, je vous en prie ! Pour l'amour de Dieu, ne dites rien à personne !

— Mais pourquoi ?

Une larme coula au coin de son œil gauche et commença à glisser sur son visage.

— Parce que… parce que… parce que non.

— Ce n'est pas un argument.

— Je vous en supplie !

Emese lui serrait les mains très fort. Tomás sentait qu'il se passait quelque chose d'anormal et qu'elle avait besoin d'aide. Il fallait appeler un médecin, mais la résistance de la jeune femme le faisait hésiter. Pourquoi refusait-elle de recevoir l'aide dont elle avait si clairement besoin ?

— Vous devez m'expliquer ce qui se passe.

L'astrobiologiste baissa les yeux.

— Je ne peux pas.

— Alors je serai obligé de prévenir Billy. Il est le directeur de la mission et il doit savoir que…

— Non ! Ne dites rien !

— Alors dites-moi ce qui se passe.

Se voyant acculée, elle hésita.

— Si… si je vous le raconte, vous n'en parlerez à personne ?

— Ça dépend.

— Ça dépend de quoi ?

— De ce que vous me direz.

La réponse n'était pas entièrement du goût de la scientifique, mais il était clair qu'elle ne pouvait pas forcer la main au Portugais. Elle devait le convaincre.

— Convenons de quelque chose, dit-elle. Je vais vous dire ce qui se passe et pourquoi vous ne pouvez en parler à personne. Vous allez m'écouter avec bienveillance et ce n'est qu'à la fin, et en conscience, que vous déciderez de dire ou non à Billy ce que je vais vous révéler. Je souhaiterais que vous ne disiez rien à personne, mais c'est vous qui déciderez. Je vous demande seulement de m'écouter d'abord et de prendre votre décision à la fin. C'est possible ?

— Oui, je crois.

Après l'avoir dévisagé attentivement pendant quelques secondes, comme si elle le jaugeait pour déterminer si elle pouvait ou non lui faire confiance, Emese s'adossa à l'oreiller de son lit et respira profondément.

— Je suis en train de mourir, Tomás.

LIV

Tomás cligna des yeux, comme s'il avait reçu une gifle, mais il ne doutait pas de ce qu'Emese lui avait révélé. Les vomissements, le sang et la mélancolie qu'il avait ressentis chez elle depuis qu'il l'avait rencontrée au Vatican, ne lui laissaient aucun doute sur le fait qu'elle avait un très grave problème.

— Qu'est-ce que vous avez ?

Emese haussa les épaules.

— Est-ce important ? demanda-t-elle. Je souffre de… enfin… d'un problème au pancréas. Pour l'instant, je ne sens rien et toutes mes capacités physiques sont intactes. Ce n'est que vers la fin que les symptômes se manifesteront. On dit que c'est très douloureux et qu'on meurt dans de grandes souffrances, en hurlant de douleur.

Le Portugais, plein de compassion et ne sachant que dire, lui saisit tendrement la main.

— Je… je suis vraiment désolé.

Le scientifique de l'ESA se força à sourire.

— Pas autant que moi, vous pouvez en être sûr.

— Quels traitements suivez-vous ?

— Aucun.

— Comment aucun ?

— Cette maladie au pancréas est pernicieuse. Les symptômes se manifestent très tardivement, il est donc rare que l'on soit diagnostiqué à temps. C'est ce qui m'est arrivé. Diagnostic tardif. Le traitement existant serait pénible et il ne prolongerait ma vie que de quelques mois. Ça ne vaut pas le coup.

Il lui serra la main avec plus de force, essayant de lui donner du courage.

— Écoutez, la recherche progresse constamment, on découvre toujours de nouvelles choses. Vous allez voir, on va trouver un traitement innovant et ça va s'améliorer.

— Oui, oui…

La réponse d'Emese laissait clairement entendre qu'elle n'avait aucun espoir.

— Vous devez y croire, insista-t-il. La croyance joue un rôle très important dans la guérison. Il y a des études qui montrent que…

— Épargnez-moi ça, Tomás, coupa-t-elle impatiente. Je ne veux plus en parler. Je me sens bien et je préfère vivre dans l'illusion que je vais bien. Moins j'y pense, mieux c'est.

— Mais…

— Je ne veux pas en parler !

La position de la jeune femme était ferme et Tomás comprit qu'il devait respecter son désir.

— Dites-moi seulement si vous l'avez déjà dit à quelqu'un.

— À ma famille.

— Je veux dire à l'ESA et à la NASA.

— Je n'ai rien dit à personne en dehors de mon cercle familial. Cette mission a été organisée à la hâte et les examens médicaux qu'on nous a faits lorsque nous sommes arrivés à Houston, n'ont pas été aussi approfondis et systématiques qu'à l'accoutumée. L'affection dont je suis atteinte étant très rare, personne n'a pris la peine de faire les tests nécessaires pour la dépister et… et j'ai réussi à tromper tout le monde. – Elle fit une pause. – Sauf vous, visiblement.

L'historien réfléchit.

— Écoutez, vous m'avez demandé de prendre une décision en conscience, rappela-t-il. Or, en conscience, et bien qu'il m'en coûte, je dois vous dire qu'une personne malade représente un risque pour la mission.

— Vous n'avez pas compris ce que je vous ai dit ? Le mal dont je souffre ne se manifestera que très près de la fin. Cela signifie que j'ai des mois, probablement plus d'un an, sans aucun symptôme. Je suis tout à fait normale et je vais le rester encore quelque temps. La mission ne dure que quelques jours, il n'y a donc aucun risque.

— J'entends bien, mais même dans ces conditions, le directeur de la mission doit être informé, insista le Portugais. Cette décision ne m'appartient pas, pas plus qu'à vous. C'est au directeur de la mission de trancher.

Emese n'aima pas la réponse.

— Vous aviez promis de ne prendre une décision qu'après m'avoir entendue...

— Et je vous ai entendue.

— Vous n'avez rien entendu du tout, rétorqua-t-elle en se raidissant, le doigt pointé vers lui. Vous n'avez entendu qu'une très petite partie. Il manque le reste.

— Il y a autre chose ?

— La raison pour laquelle je considère qu'il est absolument nécessaire que je participe à cette mission. Vous ne voulez pas la connaître ?

— Bien... bien sûr, acquiesça Tomás. Dites-moi. Pour quelle raison, selon vous, devez-vous impérativement venir dans l'espace avec nous ?

L'astrobiologiste de l'Agence spatiale européenne s'adossa de nouveau au coussin et regarda le pot de fleurs qui était posé sur le rebord de la fenêtre.

— Tomás, vous êtes-vous déjà demandé ce que nous allons vraiment rencontrer lorsque nous aurons établi le contact avec *Phanès* et que nous entrerons dans leur vaisseau ?

— Des extra-terrestres, je suppose.

— Oui, mais comment seront-ils ?

Le Portugais retroussa ses lèvres avec une expression d'ignorance. Considérant ce qu'elle lui avait dit sur son état de santé et sa volonté d'éviter la question, il valait mieux alléger la conversation.

— Je ne sais pas. Si ça se trouve, ils seront verts et auront des yeux au bout du zizi et des dents sur la queue. Comment savoir ?

Elle rit doucement.

— Il n'y a que vous pour me faire rire, observa-t-elle, visiblement désireuse de se changer les idées. Ce n'était pas vraiment le sens de ma question. – Elle regarda dans le vide en réfléchissant. – La vie que nous connaissons est celle qui existe sur Terre. Mais comment pouvons-nous savoir que la vie extra-terrestre est la même que la nôtre ? Ou plutôt, comment savons-nous qu'elle obéit aux mêmes principes ?

— Nous ne le savons pas.

— Serons-nous en mesure de reconnaître la vie extra-terrestre quand nous la verrons ? Ou bien penserons-nous que c'est autre chose et nous ne saurons pas reconnaître que c'est de la vie ?

La conversation devenait sérieuse. À vrai dire, Tomás n'avait nulle envie de parler de sujets aussi complexes dans un moment comme celui-là, quelques heures avant d'embarquer pour l'espace et alors qu'il venait d'apprendre que sa collègue était en train de mourir, mais, compte tenu des circonstances, si Emese avait besoin de parler, il parlerait.

— Cela dépend de ce qu'est la vie, je suppose.

— Et qu'est-ce que c'est ?

— La vie ?

— Oui. Nous en parlons tous, nous pensons tous que nous la connaissons, mais… qu'est-ce que c'est exactement la vie ?

— Eh bien, je connais la définition de la NASA, rétorqua-t-il, essayant de se souvenir de ce qu'il avait lu dans l'un des manuels que l'agence spatiale américaine avait distribués aux membres de la mission *Phanès*. « La vie est un système chimique autosuffisant capable d'évolution darwinienne. »

— C'est effectivement la définition de la NASA, telle qu'établie par le programme d'exobiologie en 1992 et généralement acceptée par les biologistes. Donc, selon cette définition les mules ne sont pas des êtres vivants.

— Les mules ? Bien sûr qu'elles le sont.

— Elles le sont ? C'est que, voyez-vous, les mules sont stériles, elles ne peuvent pas se reproduire. Cela signifie qu'elles ne peuvent pas évoluer selon les principes établis par Darwin ; partant, la définition de la NASA les exclut.

L'observation embarrassa l'historien.

— Et puis il y a aussi le cas des virus, ajouta-t-elle. Les virus ne se reproduisent pas par eux-mêmes et n'ont aucun métabolisme. Ils parasitent le métabolisme des systèmes biologiques qu'ils occupent. Ils ne sont donc pas un système chimique autonome, et ne peuvent pas être considérés comme des êtres vivants selon la définition de la NASA.

— Comme vous le savez, certains biologistes soutiennent que c'est justement pour ça que les virus ne sont pas vivants.

— C'est vrai. Mais, Tomás, quel est l'être vivant qui est véritablement autosuffisant ? Ne dépendons-nous pas tous des aliments et de l'oxygène, qui nous sont extérieures ? Ne sommes-nous pas tous des parasites pour l'écosystème qui nous entoure ? Et pour nous reproduire, n'avons-nous pas besoin d'un partenaire sexuel ? Si on considère qu'un virus n'est pas vivant parce qu'il n'est pas autosuffisant et ne se reproduit pas tout seul, qu'il a besoin pour ce faire d'un écosystème ou d'un être vivant extérieur à lui, alors aucun d'entre nous ne peut être considéré comme vivant parce que nul n'est autosuffisant ni ne se reproduit tout seul.

— Eh bien… je comprends ce que vous voulez dire.

— Le fait est qu'il existe d'autres définitions de la vie en dehors de celle de la NASA, dit-elle. Freeman Dyson a défini la vie comme un système matériel pouvant acquérir, stocker, traiter et utiliser l'information pour organiser ses activités. Selon cette définition, les virus et les mules sont des êtres vivants.

— Et les ordinateurs aussi…

Emese sourit à nouveau.

— C'est extraordinaire ce que vous avez l'esprit rapide, constata-t-elle. C'est en effet l'un des inconvénients de cette définition. Mais il y en a d'autres tout aussi intéressantes. Remy Hennet a défini la vie comme un état particulier d'instabilité organisée, et Victor Kunin comme un système d'acide nucléique et de protéines polymérases avec un apport constant de monomères, d'énergie et de protection, tandis que Gustaf Arrhenius l'a décrite comme un système capable de…

Le Portugais leva la main pour l'arrêter.

— Assez ! Assez ! supplia-t-il. J'ai compris : il y a des définitions pour tous les goûts et chacun a la sienne.

— Ce qui est intéressant, c'est qu'en les passant toutes en revue, on a l'impression qu'elles se réfèrent à des choses totalement différentes. Et le pire c'est qu'elles sont toutes incomplètes ou trompeuses. D'après certaines définitions que j'ai lues, même une voiture pourrait être considérée comme un être vivant.

Il avait l'air pensif.

— Je me demande si ce n'est pas exact. Cela expliquerait pour quelle raison la mienne est parfois si têtue quand j'essaie de démarrer…

— Je suppose que le problème ne tient pas à la voiture mais au conducteur, rétorqua la Hongroise, se laissant entraîner dans la bonne humeur qu'il essayait de maintenir. En fin de compte, nous sommes confrontés à un problème inattendu. Nous ne parvenons pas à définir la vie avec précision. Nous ne savons pas ce que c'est, purement et simplement.

— Peut-être que c'est comme la pornographie. Personne ne peut la définir, mais nous la reconnaissons tous quand nous la voyons.

— Ça devait arriver, il fallait bien que la conversation porte sur le sexe à un moment ou un autre, sourit Emese. Mais peut-être que vous avez raison, il y a des choses que nous reconnaissons intuitivement sans pouvoir les définir. La vie est peut-être l'une d'elles. Le fait est que pendant longtemps on a pensé qu'il existait une substance incorporelle, un esprit, qui animait la vie. Les scientifiques l'ont appelé « l'élan vital ». Nous savons aujourd'hui que cette essence n'existe pas. Les atomes qui composent mon corps sont exactement les mêmes que ceux d'une pierre ou d'une étoile, et qu'ils obéissent aux mêmes lois de la physique qui régissent l'ensemble de la matière et des forces existant dans l'univers. L'une d'elles est la deuxième loi de la thermodynamique, qui établit l'universalité de l'entropie, c'est-à-dire l'augmentation du désordre dans tous les systèmes. Vous comprenez ce concept ?

Tomás indiqua le désordre qui régnait dans la chambre de la Hongroise.

— Je suis historien et je m'intéresse à l'histoire des sciences, je suis donc familiarisé avec la deuxième loi de la thermodynamique, confirma-t-il. L'entropie est très facile à comprendre. Lorsqu'hier vous êtes entrée dans cette chambre, tout était parfaitement rangé. Et il a suffi de quelques heures et, désordonnée comme vous l'êtes, vous avez mis la chambre dans cet état. Son nom devrait être la deuxième loi de la thermodynamique d'Emese.

Elle éclata de rire encore une fois ; il était clair que parler avec Tomás lui faisait du bien.

— Que vous êtes méchant…

— Je suis sérieux. Ce désordre complet est le résultat de la deuxième loi de la thermodynamique. Les choses avancent naturellement de l'ordre vers le désordre, c'est-à-dire vers l'entropie.

— Bien sûr, un être vivant, comme la femme de ménage, va venir et nettoyer la chambre, ce qui apparemment contrarie la deuxième loi de la thermodynamique et inverse l'entropie.

Du désordre on passe à l'ordre. C'est ce qui arrive dans la vie, n'est-ce pas ? La vie semble contredire l'une des lois fondamentales qui régissent le comportement de la matière, la deuxième loi de la thermodynamique. C'est là un grand mystère. Comment la matière inerte peut-elle soudainement acquérir de la vie et contredire la seconde loi de la thermodynamique ?

— Je pense que ce mystère est si complexe qu'il faudra beaucoup de temps avant de le résoudre.

Avec une étincelle dans les yeux, l'astrobiologiste de l'Agence spatiale européenne secoua la tête pour le contredire.

— Ce mystère a déjà été résolu.

LV

Selon Emese, la réponse au mystère de la vie aurait déjà été trouvée. L'affirmation était ambitieuse et la jeune femme était parfaitement consciente que le sujet était si complexe qu'il ne serait pas facile de l'expliquer à un profane, même s'il avait des connaissances scientifiques.

La Hongroise se concentra pendant un bref instant, cherchant un moyen de vulgariser les concepts qu'elle avait en tête.

— Savez-vous qui était Puskás ?

La question était si inattendue que Tomás réagit avec curiosité.

— Vous voulez parler du footballeur ?

— Puskás Ferenc a été le plus grand footballeur de Hongrie et l'un des meilleurs du monde, déclara-t-elle. Mon grand-père l'adorait. Dans la salle à manger, il avait une photo de lui avec le maillot d'Aranycsapat, le Onze d'or hongrois qui a participé à la finale de la Coupe du monde en 1954.

— Pour moi, les meilleurs footballeurs de l'histoire sont Eusébio et Cristiano Ronaldo.

— Ronaldo, j'aime le voir uniquement quand il est torse nu, répondit la Hongroise avec un air moqueur. Mais revenons à nos moutons et à Puskás. Imaginez que pendant un entraînement, le grand Puskás aille au sommet du Kékes, la plus haute montagne de Hongrie, et shoote en direction de la colline voisine, où se trouve une autre de nos grandes stars, Sándor Kocsis. Le ballon remonte la colline, mais le shoot n'ayant pas été assez fort, il perd de sa vitesse et redescend jusqu'à ce qu'il heurte un caillou et s'immobilise au point le plus bas de la vallée. Vous me suivez ?

— Oui.

— La question est la suivante : pourquoi, au lieu de s'arrêter, le ballon ne recommence-t-il pas à gravir la colline ?

— Vous l'avez dit, parce qu'il a perdu de sa vitesse.

— Oui, mais… qu'est-ce qui empêche le ballon, après s'être immobilisé, de recommencer à gravir la colline ?

— Les lois de la physique, bien sûr.

— Très bien. Maintenant, imaginez que Puskás, ayant décidé d'aller voir Kocsis, trébuche et dévale le mont Kékes pour s'arrêter à côté du ballon. Partant de l'hypothèse qu'il ne s'est pas fait mal, que fait-il une fois arrêté ? Il se relève, recommence à marcher et gravit la colline pour rejoindre son coéquipier, d'accord ?

— Oui. Et alors ?

— Mais, Tomás, Puskás n'est-il pas soumis aux mêmes lois de la physique qui empêchent le ballon d'escalader la montagne ?

— Si, il l'est.

— Alors pourquoi le ballon ne fait pas comme Puskás et ne recommence pas, de manière autonome, à gravir la colline ?

— C'est différent. Puskás est un être vivant, le ballon ne l'est pas.

Elle pointa son doigt vers lui.

— Exactement ! s'exclama-t-elle. Puskás est un être vivant, alors que le ballon est de la matière inerte. Ils sont également faits d'atomes, mais tout en eux est différent. L'un a un but, l'autre pas. L'un obéit aux lois de la biologie, l'autre aux lois de la physique. Mais comment se fait-il que des lois différentes régissent la matière ? Où est la séparation entre les deux ? Où est la ligne qui sépare la matière inerte de la matière vivante ?

— Certainement pas dans l'élan vital. Je dirais que la différence se trouve dans le degré d'organisation et de complexité qui sépare la vie de la matière inerte.

— Ah, vous êtes vraiment futé ! – Elle désigna le bleu cristallin de son œil droit. – Regardez comme l'œil est intelligemment conçu, avec le diaphragme de l'iris, les lentilles dotées d'une capacité de focalisation variable, la manière dont la rétine capte l'information et la transmet par le nerf optique. L'appareil visuel, qui n'est en fin de compte qu'une infime partie du corps, est infiniment plus complexe que le ballon de Puskás. Ou bien, songez aux ribosomes des cellules de Puskás. Les ribosomes fonctionnent comme une usine miniature qui aligne dans un ordre précis plus d'une centaine de molécules d'acides aminés pour fabriquer, en quelques secondes, des protéines. Cette usine extrêmement efficace est contenue dans une structure chimique incroyablement complexe d'à peine trente nanomètres de diamètre, donc invisible à l'œil humain. Et cela se retrouve chez tous les êtres vivants, car la complexité est inhérente à la vie. Les animaux sont ce qu'il y a de plus complexe dans l'univers, plus complexes encore que les étoiles ou les galaxies.

— Mais, Emese, la matière inerte a aussi sa complexité...

— Je ne le nie pas. La structure de la pierre sur laquelle le ballon a cogné, par exemple, est complexe. La différence est que cette complexité est arbitraire et ne détermine pas la nature de la pierre, vous comprenez ? Celle-ci peut avoir une autre forme et une autre structure et elle demeure une pierre. Dans le cas des êtres vivants, la complexité n'est pas arbitraire. Le moindre changement dans la structure d'un être vivant a des effets dramatiques. La séquence de l'ADN de Puskás, par exemple, a trois milliards d'unités. Il suffit que l'une de ces unités change de place, une seule, pour que Puskás souffre d'une panoplie de maladies génétiques, du syndrome de Down à la maladie de Gaucher. De très petits changements dans la structure génétique peuvent même empêcher sa survie. En d'autres termes, la complexité que l'on rencontre chez les êtres vivants n'est ni arbitraire ni accidentelle. Elle a un but.

C'était la deuxième fois qu'elle prononçait ce dernier mot, remarqua Tomás.

— Un but ? Humm… pour moi ça évoque la téléologie, l'idée que tout a une fin, ce qui nous renvoie à la théologie.

— Ni la téléologie ni la théologie, rétorqua Emese. La téléonomie. L'idée que tous les êtres vivants agissent avec un but. De nombreux scientifiques n'aiment pas ce concept, étant donné ses rapports avec la téléologie et, partant, la théologie, mais il est trop évident pour que nous prétendions qu'il n'existe pas. Une fois immobilisé, le ballon ne bouge plus. Cependant, Puskás, dans la mesure où il agit avec un but, se lève et commence à gravir la colline. Ce trait est commun à tous les êtres vivants. Tous ont un but. Ils partent à la recherche de nourriture, construisent des nids, se défendent des prédateurs, occupent un territoire, se tournent vers le Soleil, se reproduisent…

— Boivent de la bière, devisent avec de belles Hongroises…

— Tout ce qu'ils font, même leurs adorables petites blagues pour remonter le moral d'une femme déprimée, a un but, rétorqua-t-elle en esquissant un sourire. Ce comportement est patent dans la matière vivante ; y compris aux niveaux les plus élémentaires, celui des cellules. Si nous mettons une bactérie dans une solution de glucose avec des concentrations variables, nous constatons qu'elle se dirige immédiatement vers la zone où la concentration de glucose est la plus forte. Elle y va parce que c'est là que se trouve son repas, bien sûr. Mais dans une solution contenant des toxines, on constate aussitôt que les bactéries s'éloignent. Les bactéries n'ont ni cerveau ni activité neurale, mais elles ont leur propre projet, se déplacent avec un but, mangent ou fuient un danger. Même les tournesols, bien que ce ne soient que des fleurs qui n'ont pas de cerveau, bougent avec un but précis, se tourner toujours vers le Soleil. Bon nombre de mes collègues biologistes s'opposent à cette notion, l'évitent comme la peste, mais les faits sont les faits. L'existence de la téléonomie, qu'on le veuille ou non, est absolument indéniable.

— Vous savez, cette résistance des scientifiques face à la téléonomie est parfaitement compréhensible, observa Tomás, replaçant les propos de l'astrobiologiste dans leur contexte. N'oubliez pas que la révolution scientifique en Europe a mis fin à deux millénaires de domination de la pensée téléologique dans la philosophie occidentale. Après tant de difficultés et tant de sacrifices pour surmonter des idées religieuses obscurantistes, il est normal que les scientifiques soient méfiants quand on vient leur dire qu'en fin de compte, les êtres vivants ont une finalité. Ils craignent le retour de l'obscurantisme. Cependant, la biologie soulève la question dans un cadre strictement scientifique. Dire que la vie se déploie avec un but suscite inévitablement des interrogations. Comment se fait-il que de la matière avec un but émerge de la matière inerte ?

— C'est la grande question. Comme je l'ai dit tout à l'heure, la matière inerte fonctionne exclusivement selon les lois de la physique. Le ballon n'a aucun but et sa volonté ne joue aucun rôle dans le choix de l'endroit où il va tomber et s'immobiliser. Pour calculer cet emplacement avec précision, il suffit de connaître les lois de Newton. Mais, comme la vie comporte un but autonome, la connaissance des lois de Newton ne suffit pas pour prédire ce que fera Puskás quand il se relèvera. Va-t-il aller tout droit ? Va-t-il tourner à droite, ou bien s'allonger par terre et piquer un roupillon ? Nous n'en savons rien, tout dépend de sa volonté, de son but. Par conséquent, nous avons deux ensembles de règles qui régissent le monde. Les lois de la physique et de la chimie gouvernent la matière inerte, quant au monde biologique, il obéit au principe de la téléonomie.

— Et cela n'est pas contradictoire ?

— Bien sûr que si, reconnut l'astrobiologiste. Mais il y a davantage de contradictions entre la vie et les lois de la physique. Prenez la seconde loi de la thermodynamique, dont nous parlions tout à l'heure. Si cette loi fondamentale de la physique prévoit que tout dans l'univers évolue vers le désordre, comment est-il possible que les êtres vivants soient d'une complexité aussi organisée ? Dans le cas de la vie, comment l'ordre peut-il émerger du chaos alors que, selon la seconde loi de la thermodynamique, cet ordre doit dégénérer en chaos ? Si la nature préfère le chaos, comment la vie peut-elle transformer le chaos en ordre, contredisant ainsi cette seconde loi ? Comment peut-elle le faire ? Comment expliquer que la cellule conserve sa complexité organisée alors qu'une loi fondamentale de la physique conspire en permanence à nuire à cette organisation ?

— C'est d'autant plus étrange que la matière inerte est constamment transformée en matière vivante, et la matière vivante est constamment transformée en matière inerte. Chaque fois qu'elle passe d'un état à l'autre, la matière semble se soumettre, automatiquement, à des lois différentes et contradictoires.

L'astrobiologiste leva la main.

— En apparence…

— Oui… en effet, admit Tomás. La nature ne peut être régie par des lois différentes, bien évidemment. Toute contradiction n'est qu'apparente. Mais comment expliquer que la vie viole la seconde loi de la thermodynamique, ne serait-ce qu'en apparence ?

— Cette loi prévoit que l'ordre dégénère en chaos, mais elle admet que le chaos puisse être temporairement contré et que l'ordre en surgisse… à condition que la facture énergétique soit acquittée. Et c'est ce qui se passe avec la vie. Puskás gravit la colline de manière autonome, ce qui crée un déséquilibre thermodynamique et le met dans un état instable parce que c'est contraire à la gravité et aux lois du mouvement de Newton. Cependant, pour ce faire, il doit dépenser de l'énergie. Il est plus fatigant de gravir la colline que de la descendre, n'est-ce pas ? S'il décide d'arrêter de dépenser l'énergie qui lui permet de gravir la colline, les lois de Newton s'appliquent et Puskás va dégringoler jusqu'en bas de la vallée, là où le ballon est resté.

— C'est ce que fait la vie ? Elle utilise de l'énergie pour contrer la seconde loi de la thermodynamique ?

En guise de réponse, Emese désigna la pièce où ils se trouvaient.

— Regardez ma chambre et ce désordre qui vous dérange tant. Est-il possible de la ranger ? Bien sûr. Mais pour cela, je dois dépenser de l'énergie, et franchement je n'en ai aucune envie. Toutes les choses se dégradent constamment. Les murs deviennent humides, le fer rouille, la machine à laver s'use, l'ampoule finit par griller… la seconde loi de la thermodynamique est toujours en action. Comment peut-on contrer l'entropie, cette dégradation permanente des choses, ce désordre qui se propage ? Par le travail. Il faut constamment ranger sa chambre, nettoyer les murs, ôter la rouille, réparer la machine à laver, changer les ampoules. Le travail c'est de l'énergie. Seule la dépense continue d'énergie permet de contrer la seconde loi de la thermodynamique. Ce qui est valable pour l'organisation de la maison, l'est bien sûr aussi pour l'organisation chimique que nous appelons la vie.

— En somme, la vie ne peut conserver son organisation qu'en dépensant constamment de l'énergie.

— Exactement. Il en est ainsi à tous les niveaux de la vie, à commencer par les cellules. Une cellule est une unité incroyablement petite, complexe et organisée en état de dégradation permanente. Pour combattre l'entropie, la cellule se régénère constamment, elle se recompose, elle s'efforce de maintenir son intégrité structurelle. Nous ne nous en apercevons pas, mais après quelques heures, une partie importante des protéines cellulaires de notre corps se dégrade et doit être reconstituée. C'est pour cela que des milliards de cellules sanguines sont remplacés quotidiennement, et il en va de même pour des milliards de cellules de la peau et d'autres organes, des ongles, des cheveux. – Elle passa la main dans ses cheveux noirs. – Vous vous souvenez de m'avoir rencontrée il y a deux semaines au Vatican ?

Tomás hésita, ne comprenant pas bien le sens de la question.

— Eh bien… oui, bien sûr. Qu'est-ce que cela a à voir avec notre conversation ?

— L'Emese que vous avez connue il y a deux semaines est différente de celle qui est devant vous aujourd'hui, tout comme le Tomás que j'ai connu il y a deux semaines est différent de celui qui est ici avec moi. Une grande partie des molécules de nos corps a disparu au cours de ces deux semaines et a été remplacée par d'autres. La structure est la même, les molécules ont changé. Bien que je sois structurellement la même qu'il y a deux semaines, et que je ne remarque aucun changement en moi, en réalité, je ne suis plus la même personne. Cela signifie que la vie n'est pas un produit fini, vous comprenez ? C'est un processus. Un processus. Et ces changements constants, effectués par la vie pour combattre l'entropie imposée par la seconde loi de la thermodynamique, ne sont possibles qu'au détriment d'une dépense d'énergie. Beaucoup d'énergie.

— D'où tous les hamburgers que nous avons dû manger dans cette satanée cafétéria à Houston.

Elle rit.

— Beurk ! s'exclama-t-elle, en grimaçant. Ne m'en parlez même pas. Comme le goulash de ma mère me manque…

— Moi, ce qui me manque, c'est un bon riz au poisson et aux fruits de mer avec une sauce à la tomate, arrosé d'un vin vert bien frais.

— Ne disons pas trop de mal des hamburgers américains, après tout ce sont eux qui nous ont donné l'énergie qui a permis à nos corps de combattre l'entropie ces deux dernières semaines. L'énergie utilisée par les cellules est stockée dans une molécule appelé ATP. Vous savez combien de molécules d'ATP chaque cellule consomme en une seconde ?

— Aucune idée. Dix, vingt ?

— Des millions.

— Par seconde ?

— Chaque cellule consomme des millions de molécules d'ATP par seconde. C'est l'énergie dont chaque cellule a besoin pour combattre l'entropie. L'énergie vient du Soleil et elle est captée, via la photosynthèse, par les plantes, qui absorbent les photons de la lumière du Soleil et capturent ainsi ses électrons. Quand nous mangeons une plante ou un animal qui a mangé une plante, nous allons chercher ces électrons, que nous transférons ensuite aux cellules grâce à une réaction chimique qui résulte du surplus d'électrons par rapport aux protons. Le transfert d'électrons libère de la chaleur à l'extérieur et cette chaleur augmente l'entropie de l'univers, ce qui signifie que, en dernière instance, la seconde loi de la thermodynamique continue à fonctionner.

— C'est pour ça que nous sommes chauds alors.

— Nous libérons la chaleur qui vient du Soleil lui-même.

Tomás s'agita, stimulé par une idée.

— Il y a, cependant, un mystère plus profond derrière tout ça. Nous savons qu'il existe dans l'univers une superstructure conceptuelle mathématique, ce que Platon a appelé « le monde des Idées » et que nous pouvons désigner comme la métaréalité mathématique. Cette superstructure conceptuelle mathématique se matérialise dans le monde réel sous forme d'énergie et de matière, toutes deux régies par les lois de la physique selon des principes mathématiques, et dont la complexification conduit à la chimie. En somme, les mathématiques se matérialisent dans la physique laquelle, en se complexifiant, se transforme en chimie. Et la biologie, qu'est-ce que c'est ?

— C'est de la chimie complexifiée.

— C'est la conclusion logique. Mais encore faut-il le démontrer, vous ne pensez pas ? De plus, si la vie c'est de la chimie, comment un processus chimique peut-il contrarier les lois qui régissent la chimie ? Si la vie n'est rien d'autre qu'un processus chimique, et si les processus chimiques obéissent à la seconde loi de la thermodynamique, comment est-il possible que soient apparus des processus chimiques violant apparemment cette loi ? La chimie aurait-elle suspendu ses propres lois pour permettre l'existence de la vie ? Ce qui nous amène aux questions philosophiques les plus importantes, surtout si nous partons du principe que la vie n'est rien de plus qu'un processus chimique. Comment un processus chimique peut-il avoir un but ? Et comment l'univers, qui soi-disant n'a pas de but, peut-il générer des processus chimiques ayant un but ?

La Hongroise soupira.

— Vastes questions, Tom, dit-elle. Et les réponses nous renvoient directement au plus fondamental de tous les problèmes : la genèse de la vie. Comment est-elle apparue ?

— Que dit Darwin à ce propos ?

— Rien. Darwin explique comment la vie a évolué, mais sa théorie ne permet pas de comprendre comment elle est apparue. L'auteur de la théorie de la sélection naturelle parle seulement d'un petit lagon chaud primordial, un lieu où les ingrédients nécessaires étaient réunis par hasard et où, presque par alchimie, ils ont fini par s'associer pour créer la vie. Dire ça ou ne rien dire, c'est la même chose. La vérité est que Darwin n'avait pas la moindre idée de la manière dont la vie a commencé. Aujourd'hui encore, les biologistes sont divisés. Certains disent que la vie sur Terre est le résultat d'un hasard incroyable et rarissime, voire unique dans tout l'univers, d'autres soutiennent que la vie est un impératif cosmique, qui a tendance à apparaître n'importe où dès lors que les conditions minimales sont réunies. D'où l'énorme importance de la découverte de la vie en dehors de la Terre, vous comprenez ? Cette découverte nous permettra de comprendre s'il s'agit d'un accident ou s'il y a un but. La découverte de la vie extra-terrestre révélera beaucoup de choses sur la signification de la vie, de notre existence et sur l'existence de l'univers. Sommes-nous spéciaux ou ordinaires ? Sommes-nous un accident dans un univers fortuit ou un dessein dans un univers intentionnel ?

— Ce que vous voulez dire, c'est que nous n'avons aucun moyen de savoir quel est le mécanisme qui a transformé la chimie en biologie et, à partir de la matière inerte, a créé la vie. Autrement dit, nous ne savons pas si la vie est un accident ou si c'est le résultat d'une intention.

L'astrobiologiste de l'Agence spatiale européenne se tut, comme si elle voulait laisser les choses en suspens, et elle regarda Tomás avec une expression déterminée, pleinement consciente que ce qu'elle allait lui révéler avait une profonde signification philosophique.

— Peut-être le savons-nous déjà.

LVI

La décoration des chambres des astronautes dans le bâtiment Neil Armstrong du centre spatial Kennedy était très limitée, comme c'était la coutume à la NASA. Les seuls éléments non-utilitaires qu'on y trouvait étaient les images liées à l'espace. Dans la chambre de Bozóki Emese on pouvait voir, accrochées au mur, la photo d'un astronaute sur la Lune, une autre d'une capsule Gemini en orbite et un dessin représentant le Soleil et les planètes du système solaire.

La Hongroise leva la main et désigna la cinquième planète sur la carte qui était aussi la plus grande.

— Vous voyez Jupiter ? demanda-t-elle. Dans les années 1950, on croyait que lorsque la vie est apparue sur Terre, l'atmosphère de notre planète était la même que celle de Jupiter, avec de l'hydrogène, du méthane, de l'ammoniac et de la vapeur d'eau. Partant de cette hypothèse, et de l'idée de Darwin du petit lagon chaud primordial, un étudiant nommé Stanley Miller a eu l'idée, en 1953, de mettre ces quatre gaz dans des ballons et de les soumettre à des décharges électriques. À peine une semaine plus tard, Miller découvrit qu'il avait ainsi produit divers matériaux organiques, y compris des acides aminés, qui sont les éléments constitutifs des protéines. Il venait de découvrir la façon de transformer la chimie en biologie.

— Attendez un peu, l'arrêta Tomás. Pour autant que je sache, au début, la Terre n'avait pas d'atmosphère constituée d'hydrogène, de méthane, d'ammoniac ni de vapeur d'eau…

— Vous avez raison. L'expérience de Miller était basée sur une hypothèse erronée, celle que l'atmosphère primordiale de la Terre avait cette composition. Nous savons aujourd'hui que ce n'était pas le cas. En outre, et contrairement à ce qu'on croyait à l'époque, l'expérience de Miller n'a pas créé la vie. Les acides aminés sont une composante de la vie, mais ils ne sont pas la vie. Cependant, l'expérience a eu le mérite de montrer à quel point il était facile de fabriquer des acides aminés et de confirmer ce que l'on supposait, à savoir que la biologie n'était rien de plus que de la chimie complexifiée.

— Le problème n'est pas de produire des acides aminés, Emese. À ma connaissance, la difficulté réside dans la création d'une structure aussi compliquée qu'une cellule et d'une séquence aussi précise et complexe que l'ADN. Comment cela peut-il se faire à partir de quelques gaz ?

— Grâce à une propriété particulière de la physique, répondit-elle. L'organisation spontanée.

L'historien semblait sceptique.

— L'ADN et les cellules se sont organisés spontanément ?

— J'y viens, dit-elle en souriant. Vous savez ce que sont les lipides ?

— Ce sont des graisses que nous avons dans le corps, c'est ça ?

Elle ne répondit pas tout de suite.

— L'une des caractéristiques de la matière inerte est sa capacité à la compartimentation, c'est-à-dire que, dans certaines circonstances, la matière s'organise spontanément pour créer des membranes et se différencier. Lorsqu'on mélange de l'eau et de l'huile, par exemple, que se passe-t-il ?

— Elles se séparent.

— C'est ça, une organisation spontanée. Lorsqu'on les met ensemble, l'eau et l'huile se séparent, c'est-à-dire qu'elles se différencient et se compartimentent. De l'eau d'un côté, de l'huile de l'autre. Cela montre comment la matière inerte a la capacité de s'auto-organiser.

— Oui, vous avez raison.

— Ce qui est vrai pour l'eau et l'huile l'est aussi, comme vous pouvez l'imaginer, pour nombre d'autres matières inertes. Comme les lipides, par exemple. Les lipides sont à la fois hydrophiles et hydrophobes, c'est-à-dire attirés et repoussés par l'eau. Quand l'eau apparaît, le côté hydrophobe d'un lipide s'associe spontanément au côté hydrophobe d'autres lipides, formant ainsi une barrière qui les protège tous de l'eau. Savez-vous ce qu'est cette barrière ?

Tomás fit un effort d'imagination pour visualiser la barrière formée par les lipides.

— Une… membrane ?

L'astrobiologiste applaudit.

— Vingt sur vingt, élève Tomás ! s'exclama-t-elle. C'est exactement ça ! En présence de l'eau, les lipides s'organisent spontanément de manière à se regrouper, la partie hydrophile tournée vers l'eau et la partie hydrophobe lui tournant le dos. C'est ainsi que se forment les membranes cellulaires, vous me suivez ? Au détriment de l'auto-organisation spontanée de la matière inerte.

— Humm… je vois. Et qu'en est-il du contenu des cellules ?

— La membrane est la partie simple, quoiqu'essentielle, souligna-t-elle. Non seulement elle compartimente la cellule, mais elle expulse aussi les électrons et conserve les protons. C'est la répulsion mutuelle des protons qui crée la force stockée dans les ATP.

— Oui, mais… et le reste de la cellule ? Comment apparaît, l'ADN, par exemple ?

— Ah, ça c'est beaucoup plus compliqué, reconnut-elle. Les biologistes sont divisés sur la façon dont la vie est apparue. Certains pensent qu'elle a surgi au moment où les systèmes chimiques ont acquis un métabolisme. C'est comme si le ballon de Puskás s'était accouplé à un moteur. Équipé du moteur, il peut commencer à gravir la colline et ainsi contrecarrer les effets de la loi du mouvement de Newton.

— Mais un moteur ne donne pas de but au ballon. Qu'est-ce qui l'incite à escalader la colline ?

— C'est précisément l'argument des biologistes qui considèrent que le moment crucial dans la création de la vie n'est pas l'acquisition d'un métabolisme, mais quelque chose de beaucoup plus difficile : la capacité de réplication. En d'autres termes, l'ADN.

— Ah !

— Ce groupe de biologistes est majoritaire et le point de départ de leur thèse de la réplication, qui a été consolidée par de nouvelles découvertes, est une observation de Schrödinger.

— Celui de la physique quantique ?

— Celui-là même. Erwin Schrödinger a écrit un livre intitulé *Qu'est-ce que la vie ?* dans lequel il fait observer que le secret de la vie réside dans une chose qui porte l'information permettant la réplication. Selon Schrödinger, cette chose peut être des cristaux apériodiques. Nous savons que certains atomes s'auto-organisent spontanément selon des modèles réguliers : les cristaux. Lorsqu'on leur ajoute de nouveaux atomes, les cristaux ont la capacité de se reproduire fidèlement et de se diviser en deux. Le produit de la division hérite de la structure du cristal d'origine.

— En d'autres termes, il se réplique.

— Précisément. Schrödinger a suggéré que dans les cellules, il pouvait exister des cristaux apériodiques, c'est-à-dire des structures atomiques qui s'organisent de manière à se reproduire. Deux scientifiques, Francis Crick et James Watson, sont partis de cette idée pour découvrir la structure de la molécule d'ADN, la fameuse double hélice qui contient et reproduit la structure de la vie. Cela s'est passé en 1953, l'année où Stanley Miller a produit des acides aminés en laboratoire.

— Je sais déjà tout ça, déclara Tomás. Cependant, ce n'est pas ce que je vous ai demandé. Ce que je veux savoir, c'est comment est apparu l'ADN. S'est-il formé spontanément ?

Emese regarda vers la fenêtre.

— Spontanément ? sourit-elle. Imaginez qu'une tempête éclate, une de ces tempêtes typiques de la Floride. La probabilité pour que l'ADN se forme spontanément est égale à celle que cette tempête, grâce à la seule force du vent, puisse placer les milliers de pièces qui composent la navette spatiale exactement où elles doivent l'être, et ainsi assembler « spontanément » *Atlantis.* – Elle secoua vigoureusement la tête. – Ce n'est pas possible.

— Mais alors, comment est apparu l'ADN ?

— Comme vous pouvez le deviner, il n'y a pas de certitudes, admit-elle. La copie de l'ADN est réalisée principalement par des protéines, mais les protéines sont produites par l'ADN. On se trouve ainsi face au paradoxe de l'œuf et de la poule. Qui est né en premier, l'œuf ou la poule, l'ADN ou les protéines ? Pour que l'un existe, l'autre doit exister, c'est un problème insoluble.

— L'œuf est né en premier, je crois. Il est venu d'un autre oiseau, mais une mutation s'est produite à l'intérieur de l'œuf et c'est ainsi que la première poule en est sortie.

— Tout comme il y a une solution au paradoxe de l'œuf et de la poule, l'ADN et les protéines doivent également en avoir une. Le suspect est l'ARN, une séquence nucléotidique dont la structure est similaire à celle de l'ADN, et qui produit aussi des protéines et catalyse des réactions chimiques mais n'apparaît que dans une chaîne unique. L'ADN est très bon pour stocker des informations et les protéines sont très douées pour accomplir des fonctions biochimiques. L'ARN parvient à faire les deux choses en même temps, sans être toutefois aussi efficace dans aucune des deux. Nous supposons que l'ARN est apparu avant l'ADN ou les protéines et qu'il a servi de base à des formes de vie plus primitives.

— Alors, comment est apparu l'ADN ? insista Tomás. C'est une évolution de l'ARN ?

La Hongroise secoua la tête.

— Très certainement, admit-elle. Deux scientifiques ont fait une expérience très révélatrice en 1993. Ils ont rassemblé, au hasard, des billions de molécules d'ARN et ont regardé comment elles catalysaient. Puis, ils ont pris celles qui semblaient catalyser le mieux et en ont fait des copies. Ils ont répété le processus plusieurs fois. Savez-vous ce qui est arrivé ? À chaque nouvelle copie, des mutations aléatoires ont commencé à apparaître, qui ont parfois produit une copie d'ARN meilleure que l'original. Au bout de dix mutations seulement, l'ARN était déjà trois millions de fois plus efficace pour catalyser que le groupe initial.

— Bon sang !

— Et il y a mieux. Deux autres biologistes ont créé, en 2009, un système dans lequel deux molécules d'ARN ont travaillé ensemble pour réaliser une réplication auto-entretenue. Ils ont découvert qu'en moins d'une heure ces molécules parvenaient à se dupliquer complètement. En outre, elles produisaient occasionnellement des mutations au cours desquelles les structures les plus efficaces du processus de réplication survivaient et les moins efficaces disparaissaient.

L'historien cligna des yeux.

— Mais c'est… c'est…

Elle écarta les bras, comme pour exprimer la révélation à laquelle son raisonnement aboutissait.

— L'évolution !

LVII

On devinait l'intérêt de Tomás à la façon dont il se frottait la mâchoire tout en réfléchissant à ce qu'il venait d'entendre. Il était passionné par la science et aimait réfléchir aux conséquences philosophiques des découvertes scientifiques, mais il s'était toujours concentré sur la physique sans jamais s'intéresser particulièrement à la biologie. Il se rendit compte qu'il avait eu tort.

— Est-il possible que le mécanisme de l'évolution provienne de la chimie ?

— Bien sûr, confirma Emese. On en a de multiples indices. Par exemple, dans le monde biologique, on sait que deux espèces différentes qui occupent la même niche écologique, c'est-à-dire qui se disputent les mêmes ressources, ne peuvent pas coexister. Celle qui s'adapte le mieux à cette niche survivra, tandis que l'autre s'éteindra inévitablement.

— Qui sait si ce n'est pas ainsi que l'homme moderne a éliminé Néandertal.

— Peut-être, admit-elle. Il se trouve qu'on a découvert que le même principe fonctionne en chimie. Un ARN qui se reproduit plus rapidement sur un substrat donné conduit l'autre ARN à l'extinction. Cependant, lorsque les deux molécules d'ARN se reproduisent et évoluent, non pas en présence d'un substrat mais de cinq substrats différents, les deux parviennent à coexister. De plus, elles imitent le comportement des pinsons de Darwin.

— Intéressant, concéda Tomás. Cela montre que le modèle de l'évolution biologique suit d'une certaine manière un modèle d'évolution chimique.

— C'est exactement le même mécanisme. Quand en chimie un ARN commence à se répliquer, des erreurs occasionnelles se produisent, qui entraînent l'apparition de brins d'ARN mutants. Certaines de ces formes mutantes sont plus efficaces et finissent par prévaloir, tandis que les autres disparaissent. Notez qu'il s'agit d'un processus chimique. L'existence d'un processus biologique exactement similaire montre qu'il y a un continuum entre les deux. En somme, la biologie n'est que de la chimie réplicative complexe.

— C'est incroyable.

— Un biologiste a réussi à faire en sorte qu'une molécule d'ARN se réplique sans l'aide d'enzymes. Certes, la séquence originale d'ARN a mis dix-sept heures à se dupliquer, mais que sont dix-sept heures face aux plus de quatre milliards d'années de la Terre ? Le problème c'est que le processus a fini par s'arrêter. Cependant, quand il a introduit une deuxième molécule d'ARN, la reproduction est repartie et cette fois elle s'est poursuivie indéfiniment. Chacune des deux molécules a cessé de faire des copies d'elle-même et a commencé à copier l'autre, ce qui a rendu le processus beaucoup plus efficace. Mais, l'ARN a alors cessé de se reproduire individuellement pour le faire en tant que système, exactement comme dans une cellule. En d'autres termes, les deux molécules d'ARN ont cessé de se faire concurrence et commencé à coopérer comme si elles n'en faisaient plus qu'une.

— Deux molécules d'ARN ont coopéré pour se répliquer ?

— Exactement.

— Humm... mais ça ressemble beaucoup aux deux molécules d'ADN associées en double hélice.

Elle sourit.

— Contente que vous l'ayez remarqué.

La réponse de l'astrobiologiste de l'ESA était instructive.

— D'accord. J'ai bien compris que l'ADN est probablement le résultat de l'évolution de l'ARN, conclut Tomás. Cela étant, le mystère de la genèse n'a pas disparu pour autant, n'est-ce pas ? Il s'est simplement déplacé de l'ADN à l'ARN.

— C'est vrai.

— Mais alors comment est né l'ARN ? Est-il possible qu'une molécule autoreproductrice ait émergé spontanément de la matière inerte ?

— Vous savez qu'on a déjà créé des molécules qui se reproduisent, en laboratoire ? demanda Emese de manière rhétorique. Si on peut le faire en laboratoire, Tomás, vous pouvez être sûr qu'on peut aussi le faire dans la nature. L'idée de l'apparition spontanée de l'ARN n'est pas absurde, dans la mesure où l'évolution n'est pas un mécanisme uniquement biologique. On le retrouve en chimie. De plus, l'évolution semble être un algorithme qui, dans certaines circonstances, régit le comportement de la matière inerte, car il est inscrit dans l'ordre mathématique de l'univers.

— Vous plaisantez...

— Non, je suis sérieuse, insista la Hongroise. Des programmeurs informatiques ont recouru à un processus analogue à l'évolution pour développer ce qu'ils ont appelé « un algorithme génétique ». Ils commencent avec quelques algorithmes choisis au hasard, qui vont s'attaquer à un problème. Ensuite, ils sélectionnent ceux qui ont le mieux réussi et les mélangent. Puis, ils les remettent à la résolution du problème. Pendant ce temps, les programmeurs humains traitent le même problème sur un ordinateur. Vous savez ce qui s'est passé ? Au bout de deux cent cinquante générations, les algorithmes informatisés ont été aussi efficaces que les programmeurs humains et après mille générations ils l'ont emporté presque toujours sur les êtres humains. De nombreux programmes utilisés de nos jours sur les ordinateurs utilisent des algorithmes génétiques que les programmeurs humains eux-mêmes ne comprennent pas. Cela suggère que l'évolution peut, d'une certaine manière, être régulée par un algorithme mathématique.

— C'est extraordinaire, déclara l'historien. Derrière tout ça se cache la métaréalité mathématique. Même derrière la biologie…

— Il est ainsi possible de reconstituer la façon dont la vie est apparue. Il y a quelques milliards d'années, un système chimique de réplicateurs, comme par exemple les cristaux apériodiques de Schrödinger, a commencé à se reproduire selon un algorithme évolutif privilégiant la vitesse de réplication, récompensant les réplicateurs les plus rapides et éliminant les plus lents. De la chimie pure. Dans leur recherche spontanée d'efficacité réplicative, les réplicateurs sont devenus de plus en plus complexes et à un moment donné ils ont acquis un métabolisme, ce qui leur a donné l'énergie pour contrecarrer les effets de la seconde loi de la thermodynamique et de la loi du mouvement de Newton. C'est à ce moment-là qu'un simple processus chimique est devenu un processus biologique. La vie. Le métabolisme a libéré les systèmes chimiques réplicatifs, la vie, des contraintes imposées par la loi de la gravité et par la seconde loi de la thermodynamique. C'est comme si le ballon de Puskás avait acquis la capacité de se reproduire et qu'un moteur lui permettant de gravir la montagne et de garder sa structure intérieure intacte lui avait été accouplé, vous comprenez ? La vie implique une capacité de reproduction – ce qui lui donne la possibilité d'évoluer et de se pérenniser – et de métabolisation – ce qui lui donne de l'énergie pour combattre l'entropie et acquérir l'autonomie de mouvement.

— Mais, la vie n'est-elle pas soumise aux lois du mouvement de Newton et à la seconde loi de la thermodynamique ?

— Bien sûr que si. Cependant, ces lois ne sont pas le principe qui la guide, voyez-vous. Les lois du mouvement de Newton déterminent le comportement de la matière inerte. Si le ballon de Puskás dégringole le mont Kékes et s'immobilise au point le plus bas de la vallée, c'est parce qu'il est guidé par la loi de la gravité. En revanche, la seconde loi de la thermodynamique détermine le comportement des systèmes chimiques. Si au bout de quelques semaines en plein air le ballon se dégrade et finit par s'abîmer c'est parce qu'il est soumis à l'entropie. Les êtres vivants doivent prendre en compte ces deux lois de la physique. Puskás doit savoir que la gravité peut le faire tomber et que l'entropie peut abîmer le ballon avec lequel il joue. Cependant, et bien qu'elles conditionnent les êtres vivants, aucune de ces lois de la physique ne guide leur comportement. Un principe différent s'applique à la vie.

— Lequel ?

— La recherche d'une réplication stable efficace, affirma-t-elle. La vie est de la chimie réplicative, c'est là son principe directeur. Alors que la chimie en général est guidée par la seconde loi de la thermodynamique, la chimie réplicative est guidée par la recherche d'une réplication stable efficace. « Le rêve de toute cellule est de devenir deux cellules », a dit un célèbre biologiste français. Tous les êtres vivants cherchent la réplication stable efficace et l'évolution avance toujours vers la réplication stable la plus efficace. C'est pourquoi, dès que les systèmes chimiques réplicatifs sont entrés en action et se sont complexifiés pour devenir plus stables, ils ont immédiatement développé des métabolismes qui leur ont donné l'énergie nécessaire pour se libérer des contraintes imposées par la loi du mouvement de Newton et du désordre provoqué par la seconde loi de la thermodynamique.

L'historien ne savait pas s'il devait adhérer à cette perspective ou la rejeter. Compte tenu de ce qu'elle venait de dire, l'idée paraissait séduisante.

— Qui l'aurait cru ?!! s'exclama-t-il, avec un air faussement méditatif. Le but de la vie c'est le sexe à tout bout de champ, et le métabolisme existe pour qu'on ait la pêche au lit !

— Je ne sais pas si c'est le but de la vie, mais c'est certainement le rêve de tout homme, observa la Hongroise, avec l'air de savoir de quoi elle parlait. Il y a néanmoins un aspect crucial pour comprendre ce qu'est la vie et le concept de stabilité dans la réplication. L'évolution est un processus qui implique des populations, pas des individus. Est-ce que vous comprenez ça ?

— Euh... pas très bien. Vous dites que les individus ne sont pas soumis à l'évolution ?

Emese fit un effort d'imagination pour lui expliquer cette idée.

— Imaginez le Danube, proposa-t-elle finalement. Le Danube étant un fleuve, il a de l'eau. Cependant, l'eau qui coule dans le Danube n'est pas toujours la même, d'accord ? Elle change tout le temps. De façon superficielle, le Danube aujourd'hui n'est pas le même qu'hier car l'eau qui y coule aujourd'hui n'est pas la même qu'hier, mais plus fondamentalement c'est toujours le même fleuve. Nous parlons ici de deux types de stabilité, la statique et la dynamique. La stabilité de l'eau est statique, c'est deux atomes d'hydrogène et un atome d'oxygène qui forment des molécules qui s'associent les unes aux autres. Le fleuve, en revanche, a une stabilité dynamique, il est toujours changeant mais c'est toujours le même.

— C'est ce que vous avez dit tout à l'heure, rappela-t-il. L'Emese que j'ai rencontrée il y a deux semaines au Vatican n'est pas la même que celle qui est ici avec moi, car entre-temps un grand nombre de vos molécules ont changé ; cependant, dans un sens plus fondamental, vous êtes toujours la même car l'information qui fait de vous Emese reste la même. Les atomes de vos yeux peuvent avoir changé, mais vos yeux, à l'instar du Danube, restent bleus.

— C'est ça la vie, confirma la Hongroise. La stabilité dynamique. Et c'est avec ce type de stabilité que l'évolution fonctionne. Quand on dit qu'un système reproductif est stable, on ne parle pas d'individus mais de populations. Les individus sont en permanence remplacés, comme l'eau, mais les populations restent stables, comme les fleuves. Cette idée est très importante car les biologistes ont découvert qu'il se passe la même chose, à un niveau plus élémentaire, avec les molécules d'ARN notamment. Les mutations chimiques efficaces ne sont pas celles qui impliquent une molécule unique, mais un ensemble de molécules. Il en est de même en biologie. L'évolution se produit au niveau des espèces, pas de chaque individu d'une espèce. L'évolution est un phénomène de populations.

Tomás médita sur cette idée.

— Nous pensons que nous sommes de l'eau, mais en réalité nous sommes un fleuve.

— Nous sommes le Danube, acquiesça-t-elle. Les individus sont des populations. Vous voyez bien que les molécules des cellules sont constamment remplacées, tout comme les cellules des organismes et les organismes des populations le sont aussi. Tel un fleuve, dans la vie tout change pour que tout reste stable. En un sens, une cellule est un individu, dans un autre sens c'est une population.

Le Portugais pressa le bout de son pouce contre sa poitrine.

— Et moi ? demanda-t-il. Suis-je un individu ou une population ?

— Vous êtes un individu.

— Ah.

— Et vous êtes une population.

— Parce que je suis fait de cellules ?

— Oui, mais pas seulement. N'oubliez jamais que la vie n'est pas une chose, c'est un processus. Comme le Danube, vous et moi sommes des processus. Nous nous percevons comme des entités achevées, comme des personnes, comme des êtres avec leur individualité propre et unique, moi d'un côté, le monde de l'autre, mais dans le fond, ce n'est qu'une illusion.

— Vous voulez dire qu'il n'y a pas de formes de vie individuelles ?

L'astrobiologiste désigna le vase sur le rebord de la fenêtre.

— En regardant autour de nous, on pourrait croire qu'il y en a, dit-elle. Regardez la plante dans le vase. N'est-elle pas individuelle ? Regardez l'oiseau là-bas. N'est-il pas individuel ? Vous et moi, ne sommes-nous pas des individus ? Cependant, notre individualité est plus apparente que réelle. Nous sommes bien plus des éléments d'un réseau que des individus isolés. Tous les deux, nous appartenons en ce moment au réseau plus restreint de la NASA et de l'ESA, où nous travaillons en équipe pour atteindre un objectif commun, mais nous appartenons aussi au réseau plus vaste de la société humaine, avec laquelle nous partageons des objectifs. Nous vivons ensemble et nous avons des objectifs. Je suis un organisme constitué de cellules, l'humanité est un organisme composé de cellules. Chacun de nous est un organisme complet, mais il est aussi l'une des nombreuses cellules d'un organisme plus vaste, l'humanité, qui est elle-même un individu et une population. Nous dépendons les uns des autres pour survivre et nous nous constituons en réseau. Tous les êtres vivants font de même. Les bactéries sont un réseau, les fourmis en sont un autre, une meute encore un autre. La planète elle-même dans son ensemble, en tant qu'écosystème, peut être considérée comme un être vivant total, mais en réalité c'est un réseau.

— Je suis un réseau de cellules.

— Vous êtes plus que ça, Tomás. Saviez-vous que nos corps ont dix fois plus de cellules bactériennes que de cellules humaines ?

— Vraiment ?!!

— C'est vrai. Dans le corps de chacun d'entre nous vivent des milliards de bactéries. Il y en a dans le nez, les yeux, les oreilles, la bouche, la peau, les ongles, les intestins… elles sont partout. Nous ne sommes pas des personnes, nous sommes une population entière, un réseau géant, un superorganisme. En fait, chacun de nous est un écosystème. Vous voyez ce que je veux dire ? Nous avons l'illusion que nous sommes des individus alors que nous sommes un écosystème global. C'est ça, la vie. Des processus, des réseaux, des écosystèmes intégrés.

— Waouh ! Je vais devenir écolo !

Emese sourit encore.

— Vous trouvez toujours de l'humour dans tout, hein ? Eh bien, je vais vous donner un prétexte de plus pour faire des blagues.

— J'attends.

Se penchant en avant, comme si elle ne voulait pas rater sa réaction quand il entendrait ce qu'elle allait lui dire, l'astrobiologiste de l'Agence spatiale européenne posa sa question.

— Avez-vous déjà pensé au sexe ?

LVIII

Tomás eut un scintillement dans les yeux ; ce n'était pas tous les jours qu'une femme, aussi belle et attirante que celle qui était devant lui, lui posait une telle question. Et Emese avait raison. La question et la manière dont elle l'avait présentée constituaient une source inépuisable de plaisanteries.

— Si j'ai déjà pensé au sexe ? demanda le Portugais l'air songeur. Oui, je crois que ça m'est arrivé une fois ou deux…

— Je savais que vous ne pouviez pas résister à la tentation de plaisanter avec ça, observa-t-elle en souriant. Les hommes sont si prévisibles ! Cependant, ma question est très sérieuse. L'obsession des hommes à l'égard du sexe montre que l'instinct de réplication n'est qu'une extension du système réplicatif, que nous avons évoqué au sujet des cristaux apériodiques de Schrödinger, dont le caractère réplicatif est peut-être à l'origine de l'ARN, puis de l'ADN et, partant, de la vie.

— Je trouve que c'est drôle de dire que les hommes ne pensent qu'au sexe, comme si les femmes n'y trouvaient aucun intérêt…

— Les femmes ? Bien sûr que si.

— Content de l'apprendre.

— Mais les stratégies réplicatives des hommes et des femmes sont différentes. L'obsession des hommes à l'égard du sexe reflète le fait qu'ils ont la capacité de féconder chaque jour une femme différente.

— Juste une ?

Elle leva un sourcil.

— Je soupçonne chaque homme de rêver d'avoir un harem…

— Pas moi.

— Bien sûr, vous, vous êtes un saint…

— Oh ! Vous êtes injuste.

— Je n'ai aucune illusion sur les hommes, car vous êtes toujours fidèles à votre nature. Notez que la capacité de féconder plusieurs femmes n'est rien de plus qu'une stratégie réplicative, qui explique pour quelle raison les hommes sont obsédés par le sexe. Ne pouvant être fécondées qu'une fois tous les neuf mois et devant ensuite prendre soin du bébé et assurer sa survie, les femmes ont une stratégie réplicative différente. Pour elles, le plus important n'est pas la quantité, mais la qualité réplicative. C'est-à-dire, la stabilité. Voilà pourquoi elles recherchent des hommes qui garantissent la stabilité et soient à même de protéger leurs répliques, c'est-à-dire leur progéniture. C'est pourquoi nous exigeons des hommes qu'ils ne pensent pas qu'au sexe et que vous êtes contraints de cacher votre vraie nature d'incorrigibles reproducteurs. Aucune femme n'accepte un homme fidèle à sa nature d'homme. Nous exigeons que vous correspondiez à un fantasme, à notre fantasme, à l'homme que nous aimerions avoir et non à l'homme qui existe réellement. Il en est ainsi parce que la stratégie des femmes n'est pas de produire de nombreuses répliques, mais d'assurer la survie de celles qu'elles sont capables d'engendrer. Pour cela, nous avons besoin d'hommes dévoués, afin qu'ils ne partagent pas leurs ressources limitées avec la progéniture d'autres femmes.

— Ça a du sens.

— D'un autre côté, le sexe, c'est-à-dire l'activité réplicative qui exige l'existence d'un autre pour que nous puissions nous reproduire…

— Et folâtrer…

— … montre que nous sommes structurellement incomplets. Notre individualité n'existe pas, c'est une illusion. Ce qui est démontré par le malaise que nous ressentons lorsque nous sommes seuls, vous l'avez déjà remarqué ? Le terrible sentiment de solitude montre que nous avons été conçus pour fonctionner en réseau. Quand cela n'arrive pas, nous nous sentons frustrés, déprimés, inachevés, vides. Surtout incomplets. Pour quelle raison recherchons-nous notre chère moitié ? Ce n'est pas seulement à cause du sexe, bien que ce soit la raison biologique de fond. Mais d'un point de vue émotionnel, nous nous sentons incomplets lorsque nous sommes seuls. Incomplets. Nous avons besoin d'une moitié qui nous complète et de vivre intégrés dans une société pour nous épanouir. Ce n'est qu'ainsi que nous nous sentons bien dans notre peau. Cette recherche incessante de l'autre qui nous complète révèle l'incomplétude qui est en nous. Nous pensons que nous sommes des individus, mais nous ne sommes en fin de compte que des composants d'un réseau, des pièces d'un puzzle qui ne peuvent constituer une image qui ait du sens qu'en étant reliées à d'autres pièces.

Tomás s'agita un peu.

— Si je vous ai bien comprise, la vie est une espèce de succession de matriochkas. Les cellules sont des entités vivantes qui s'organisent en réseau pour former un organisme, les organismes sont des entités vivantes qui s'organisent en réseau pour former une espèce, les espèces sont des entités vivantes qui s'organisent en réseau pour former l'écosystème de la Terre.

— C'est tout à fait ça.

— Est-ce que ça s'arrête là ? demanda-t-il. Ou bien, le jeu des matriochkas continue ?

Une lueur d'étonnement brilla dans les yeux bleus de Bozóki Emese.

— Je ne me lasse pas d'admirer votre perspicacité, observa-t-elle. Vous venez d'aborder un point central dont les ramifications philosophiques sont extrêmement importantes. Où s'achève le jeu des matriochkas de la vie ? La réponse à cette question dépend de la réponse à une autre question que j'ai déjà posée au cours de cette conversation. Dans quelle mesure la vie est-elle « banale » ? Est-ce un accident, un hasard, quelque chose d'absolument exceptionnel et de très rare dans l'univers ? Ou bien la vie est-t-elle un phénomène ordinaire, répandu dans tout l'univers, un impératif cosmique ? Une rose est-elle le résultat d'un accident chimique ou d'un déterminisme chimique ? Si nous avons une réponse à cette seconde question, nous pourrons répondre à la première.

— Y en a-t-il une ?

L'astrobiologiste pencha la tête de côté, à sa manière habituelle.

— Qu'en pensez-vous ?

— Tout à l'heure vous avez suggéré que oui.

— En effet, et avec de bonnes raisons. Le premier indice nous est donné par l'histoire même de la vie sur Terre. Notre planète s'est formée il y a 4,5 milliards d'années et pendant les cent premiers millions, sa surface était un enfer absolu. Il y avait du magma en fusion et un bombardement permanent de météorites, astéroides et comètes, le système solaire étant alors un océan de roches. Une planète est même entrée en collision avec la Terre, un cataclysme dévastateur d'où est issue la Lune.

— La vie n'était pas possible dans ces conditions.

— Bien sûr que non. Mais les choses se sont améliorées. D'abord, la planète a refroidi, ce qui a permis la condensation de l'eau et l'apparition des océans au bout de 100 millions d'années. Puis le bombardement s'est calmé. Cela s'est produit au bout de 700 millions d'années, c'est-à-dire il y a 3 milliards 800 millions d'années. On a découvert dans la région de Pilbara, en Australie, des fossiles de vie datés de 3,5 milliards d'années.

Ce sont les signes de vie attestée les plus anciens qui existent. On a aussi découvert, au Groenland, des fossiles âgés d'environ 3 milliards 800 millions d'années, ce qui correspond à la fin du grand bombardement, et d'autres au Canada ayant entre cet âge et 4 milliards 400 millions d'années, c'est-à-dire lorsque les océans sont apparus, mais il n'y a pas de consensus sur le fait que ces fossiles sont des produits d'une activité biologique ou géologique, c'est pourquoi nous devons les écarter. Quoi qu'il en soit, nous savons que la vie sur Terre a entre 3,5 milliards et 4 milliards 400 millions d'années. Quand s'est achevé le grand bombardement ? Il y a 3 milliards 800 millions d'années. Et quand les océans sont-ils apparus ? Il y a 4 milliards 400 millions d'années.

— Autrement dit, lorsque les conditions l'ont permis, c'est-à-dire dès que les océans ont été formés et que le bombardement a cessé, la vie est apparue.

— Cela ne peut pas être une coïncidence, déclara Emese. Impossible. À cette première observation s'en ajoute une deuxième, que nous avons déjà évoquée. La découverte que la vie est de la chimie réplicative, qui a naturellement découlé de la chimie ordinaire, très probablement sous l'action d'un algorithme qui, dans des conditions très spécifiques, conduit à l'évolution et à la complexification, en une quête incessante de réplication stable efficace. Bref, la vie est apparue sur Terre dès qu'elle a pu et du fait de l'activité chimique normale. Les lois de la physique et de la chimie étant les mêmes dans tout l'univers, la conclusion s'impose.

— La vie est un impératif cosmique, déclara sentencieusement Tomás. Si elle est apparue ici aussi vite, comme résultat nécessaire des lois de la chimie, et considérant que les lois de la chimie sont les mêmes partout, elle est forcément apparue aussi ailleurs dans l'univers. La vie est un phénomène courant.

— Exactement, Tomás. Cette conclusion est renforcée par la probable découverte de la vie sur Mars avec la troisième expérience des sondes *Viking* en 1976, ainsi que par la découverte en Antarctique, en 1984, des microfossiles dans la météorite martienne ALH 84001 puis, plus tard, dans d'autres météorites, et la découverte sur Mars, en 2016, de structures de silice similaires aux structures d'origine biologique trouvées au Chili. De nombreux astrobiologistes commencent à être convaincus que la vie a existé, et existe encore, sur Mars.

L'historien considéra cet argument.

— Eh bien… la découverte de la vie sur Mars ne prouve pas nécessairement que la vie est courante dans l'univers, fit-il observer. Il faut savoir si cette vie correspond à une seconde genèse, auquel cas la vie est effectivement courante, ou si elle résulte d'une même genèse : ce sont des météorites martiennes qui ont apporté la vie sur la Terre ou des météorites terrestres qui ont amené la vie sur Mars, et dans ce cas la vie est peut-être rare.

— Les faits doivent être considérés ensemble et non isolément, protesta Emese. La constatation que la vie est apparue sur Terre dès que cela a été possible et qu'elle est un processus chimique réplicatif qui résulte de processus chimiques normaux, ajoutée à la découverte probable de la vie sur Mars, suggère que la vie est courante. De même, la façon dont les micro-organismes ont colonisé la Terre, s'infiltrant partout, même dans les endroits les plus inhospitaliers, et jusqu'au fond des océans et au sous-sol où la lumière du Soleil n'arrive pas, montre que les paramètres qui encadrent la vie sont plus larges qu'on ne le croyait auparavant, y compris sur des planètes dont on pensait qu'elles ne pouvaient pas abriter la vie. C'est très pertinent votre question au sujet des matriochkas. La Terre n'est pas le seul écosystème qui existe dans le système solaire et encore moins, a fortiori, dans l'univers. Dans le seul système solaire, il existe apparemment deux écosystèmes, la Terre et Mars, et on pense que la vie pourrait aussi exister sur plusieurs satellites de Jupiter, tels que Ganymède, Europe et Callisto, et de Saturne, comme Encelade et Titan. Cela signifie que les écosystèmes planétaires sont des entités vivantes qui peuvent également s'organiser en réseau pour former… enfin, pour former nous ne savons pas bien quoi.

— Il s'agirait donc d'un plan.

— Oui, mais un plan conçu par qui ? demanda la Hongroise. Avec quels objectifs ?

— Un plan inscrit dans les lois de la nature pour répandre la vie dans l'univers, bien sûr. Si la vie est un impératif cosmique, son existence était déjà prévue dans les lois de la physique qui ont régi le Big Bang et la création de l'univers. Nous savons que la vie est fragile, mais nous avons maintenant découvert, par l'exemple des extrêmophiles, qu'en même temps elle peut être incroyablement tenace. Nous commençons à penser que, malgré sa fragilité et les épisodes occasionnels d'extinction massive survenus au fil du temps sur la Terre, une fois créée, la vie ne disparaît pas. Elle se multiplie, elle croît, elle se propage, elle s'enracine. Elle prospère. Elle évolue. Elle évolue. Elle évolue.

Emese prit une profonde inspiration.

— Attendez, calmez-vous, demanda-t-elle, prudente. Vous allez bientôt affirmer que l'univers a un but…

— Bien sûr qu'il a un but. N'est-ce pas vous qui m'avez dit tout à l'heure que la vie se caractérise par la téléonomie ?

— J'ai dit téléonomie, pas téléologie, et encore moins théologie.

— Vous jouez sur les mots pour éviter la patate chaude, répliqua Tomás. Nous devons perdre la mauvaise habitude de dire à la nature comment elle doit être. La nature n'est pas comme nous voulons qu'elle soit ou pensons qu'elle devrait être. La nature est comme elle est. Si nous réalisons qu'elle a un but, nous devons l'accepter avec humilité. L'idée que l'univers n'a pas de but est fort respectable, mais elle se heurte à la constatation que l'univers a généré de la matière qui évolue avec un but. La vie. De plus, nous découvrons que la vie peut résulter d'un algorithme mathématique qui régit la matière. D'où vient cet algorithme ? Qui l'a conçu ? Le mécanisme même de l'évolution est trop ingénieux pour qu'il soit apparu par hasard. – Il secoua la tête. – Non, la vie n'est pas un accident. Elle ne peut pas l'être. C'est un impératif cosmique. Je dois vous dire qu'il s'agit là pour moi d'une découverte extrêmement profonde. Notez que depuis le Big Bang, la création de la vie est inscrite dans les lois de l'univers. Si la vie fait partie de l'univers et qu'elle avance avec un but, alors le but fait partie de l'univers. Et si l'univers s'attache à générer de la matière qui avance avec un but, par le biais des lois de la physique et de la chimie qui émanent de la métaréalité mathématique, cela signifie que l'univers lui-même avance avec but. L'univers est intentionnel.

— Et quelle intention y a-t-il à répandre la vie ?

— Quelle qu'elle soit, il me semble que le fait de générer l'intelligence et la conscience joue un rôle. Il suffit de voir comment, ici sur Terre, l'intelligence est devenue dominante pour comprendre son importance.

— Cette idée est intéressante, sans aucun doute. Cependant, elle se heurte à un sérieux obstacle qui est la principale conséquence du darwinisme.

— Lequel ?

Croisant les bras dans une posture de défi, Emese regarda Tomás avec l'air de celle qui aimerait savoir quelle réponse il pourrait donner au problème qu'elle allait lui soumettre.

— Et si je vous disais que la vie intelligente est un accident ?

LIX

La question d'Emese suscita l'étonnement de Tomás. Il ne voulait pas à tout prix défendre l'idée que la vie intelligente était courante dans l'univers, mais ce qui l'intéressait était de dépasser les préjugés théologiques ou antithéologiques et de comprendre comment était réellement l'univers. Ce qui le dérangeait vraiment, c'est que ces propos contredisaient tout ce qu'il savait et surtout tout ce qu'il avait appris pendant les deux semaines de formation pour la mission.

— Pardonnez-moi, mais vous vous contredisez, observa-t-il. Vous avez reconnu, il y a deux minutes, que la vie était un phénomène courant, qu'elle est apparue sur Terre dès que les conditions l'ont permis, qu'elle est un processus chimique réplicatif qui découle des lois de la chimie ordinaire et qu'elle a très probablement déjà été découverte sur Mars, comment pouvez-vous à présent dire exactement le contraire ?

— Je n'ai pas dit le contraire. La vie est un phénomène courant dans l'univers, les biologistes commencent à trouver cela évident, et il ne me viendrait pas à l'idée de contester une telle conclusion. La vie sur Terre est le résultat nécessaire et obligatoire de la simple application des lois de la chimie. Ces lois étant les mêmes dans tout l'univers, il est évident que la vie existe dans le cosmos. Un point c'est tout.

L'historien hésita, embarrassé.

— Mais alors...

— Ce qui est probablement accidentel, c'est la vie *intelligente*, ajouta la Hongroise. Vous avez compris ? La vie *intelligente*.

— Ah, je comprends. Mais pourquoi pensez-vous cela ?

— Il suffit de considérer l'histoire de la vie sur Terre. Elle est apparue sur notre planète dès que les conditions ont été créées. Cela montre clairement que lorsque les conditions minimales existent et que les ingrédients nécessaires sont rassemblés, en particulier les cristaux apériodiques naturellement réplicatifs, l'algorithme mathématique de l'évolution entre spontanément en action et la chimie réplicative, c'est-à-dire la vie, apparaît aussitôt. La vie est le résultat nécessaire de l'application des lois de la physique et de la chimie dans des circonstances déterminées. Mais, nous parlons là de micro-organismes, car c'est nécessairement sous cette forme qu'apparaît d'abord la vie. Les bactéries n'ont pas de cerveau, vous comprenez ? Elles n'ont pas de vie intelligente, du moins telle que nous la concevons.

— Donc... la vie intelligente serait apparue plus tard, comme un produit des mécanismes de l'évolution.

— C'est indéniable. La question est de savoir si l'intelligence est un résultat accidentel ou nécessaire. Si c'est accidentel, la vie intelligente est très rare. En revanche, si c'est nécessaire, alors la vie intelligente est courante. Or, certains signes tendraient à montrer qu'elle est accidentelle. Donc, l'intelligence serait rare.

— De quels signes parlez-vous ?

— Il existe deux types de signes, tous deux liés à la manière dont la vie animale complexe est apparue sur Terre, dit-elle. Le premier concerne le temps que ce type de vie a mis à se manifester. Lorsqu'elle est apparue, et pendant au moins 1,5 milliard voire 2 milliards d'années, la vie sur Terre s'est limitée aux micro-organismes. La plupart de ces organismes ne disposaient que d'une cellule unique, sans noyau, et ils ont très peu évolué pendant plus de 3,5 milliards d'années. Leur ADN était intégré dans un filament unique, qui n'était protégé que par la membrane externe de la cellule. Ce qui est étrange c'est que pendant la moitié du temps durant lequel la vie a existé sur la planète, et probablement plus de la moitié, il n'y avait que des micro-organismes sur notre planète. Aucune vie complexe.

Tomás acquiesça.

— Oui, vous avez raison. La vie animale est apparue très tard. C'est un fait.

— Anormalement tard, souligna Emese. Si l'histoire de la Terre n'avait que vingt-quatre heures, on pourrait dire que la vie est apparue à 3 h du matin, mais la vie complexe n'a émergé qu'à 16 h. Pourquoi cela a-t-il pris aussi longtemps ?

— La vie n'attendait-elle pas l'oxygène ? Après tout, dans l'atmosphère primordiale de la Terre, il n'y avait pas d'oxygène libre. Il a fallu que des bactéries capables de procéder à la photosynthèse apparaissent pour que l'oxygène soit libéré dans l'atmosphère. L'oxygène facilite l'accès à l'énergie. Or, la vie multicellulaire plus élaborée exigeant beaucoup d'énergie, beaucoup plus que la vie microscopique, ce n'est qu'à ce moment-là qu'elle a pu émerger. Et elle a émergé, avec l'apparition des plantes et des animaux.

— C'est vrai. Il n'en demeure pas moins, cependant, que la vie complexe a mis beaucoup de temps à surgir. Trop de temps. La première cellule dotée d'un noyau, qui est la base de la vie complexe, est apparue il y a deux milliards d'années seulement, c'est-à-dire à 13 h, et la première forme de vie multicellulaire complexe il y a environ 1 milliard 600 millions d'années, à 16 h donc comme on le disait tout à l'heure, sous la forme de plancton et d'algues. Ce retard n'est pas anodin.

— Je suppose que c'est le temps qu'il a fallu à l'évolution pour générer la vie complexe.

— C'est trop long, Tomás, insista l'astrobiologiste de l'ESA.

À cela s'ajoute le fait que la vie intelligente est apparue tardivement. Certes pendant les quatre cinquièmes de son existence, la Terre a connu la vie, mais l'intelligence n'est apparue qu'au cours des toutes dernières secondes de ce temps, soit à 23 h 59 min 56 s. Ce qui veut dire que l'intelligence a eu beaucoup de difficulté à apparaître, et cela devrait nous faire réfléchir.

L'historien hésita.

— Je ne suis pas sûr de partager votre avis, dit-il. L'homme n'est pas le seul animal intelligent, comme nous l'avons vu. Les dauphins, les pieuvres, les…

— Je fais référence à l'intelligence technologique.

— On a déjà vu des chimpanzés, des bonobos et des corbeaux utiliser des instruments. Ce n'étaient certes pas des instruments très avancés, mais le principe technologique est là.

Il avait raison, et Emese le savait.

— Eh bien, un second signe peut nous faire penser que la vie complexe résulte d'un accident, insista-t-elle. C'est la façon dont la vie multicellulaire complexe est apparue. On pense qu'elle est le résultat d'un phénomène appelé endosymbiose. Les micro-organismes qui existaient jusque-là étaient des familles de bactéries et d'archées. Or, les trois quarts des gènes de la vie complexe, appelée eucaryote, c'est-à-dire avec un noyau, semblent provenir des bactéries et un quart des archées. Cela suggère que la vie complexe résulte de la fusion des bactéries et des archées. On pense qu'une cellule d'archée est devenue accidentellement l'hôte d'une bactérie et que l'endosymbiose des deux a créé la cellule dotée d'un noyau qui a généré la vie complexe.

— Ça s'appelle l'évolution, Emese. Qu'est-ce que cela a de si extraordinaire ?

— C'est extraordinaire car cela ne s'est produit qu'une seule fois.

— Et… ?

Elle le dévisagea comme un professeur regarde un élève doué mais paresseux, qui n'a pas appris sa leçon, et elle leva le doigt, pour indiquer le chiffre un.

— Vous trouvez normal qu'en près de quatre milliards d'années de vie sur Terre, une cellule avec un noyau, la base de la vie complexe, ne soit apparue qu'une fois, une seule ? Si l'apparition de la vie complexe est le résultat nécessaire de l'évolution, cet événement n'aurait-il pas dû se produire plusieurs fois ? Comment expliquer qu'il ne se soit produit qu'une seule fois ?

— Vous êtes certaine que cela n'est arrivé qu'une seule fois ?

— C'est ce qui ressort des études génétiques, déclara la Hongroise. Toute la vie eucaryote, c'est-à-dire l'ensemble des plantes et des animaux qui existent sur notre planète, partage le même ancêtre, la première cellule à noyau. Toute la vie. Cela signifie que ce type de vie n'est apparu qu'une seule fois sur la planète, même si d'aucuns pensent que les plantes résultent d'une seconde endosymbiose. Et bien que la cellule à noyau soit apparue il y a deux milliards d'années, les grands animaux n'ont surgi en abondance qu'il y a 500 millions d'années environ, avec l'explosion cambrienne.

Tomás était perplexe.

— Eh bien, tout ça est… troublant.

— Il se trouve que, du moins sur Terre, la vie intelligente n'est apparue que parmi les eucaryotes. Les micro-organismes n'ont pas développé de vie intelligente car, comme vous le savez, les bactéries et les archées n'ont pas de cerveau. Or, si l'émergence de la vie intelligente dépend de l'apparition de la vie multicellulaire complexe, comme les animaux, nous sommes confrontés à un problème majeur. La vie est un phénomène courant dans l'univers, le résultat nécessaire de l'application simple des lois de la chimie, mais, pour ce qui est de la vie complexe, c'est une autre histoire. Non seulement elle est rare, mais elle met longtemps à apparaître. Très longtemps. Et sans vie complexe, pas de vie intelligente.

— Peut-être que sur d'autres planètes l'évolution ayant abouti à l'intelligence a été plus rapide.

— Ou bien cela ne s'est peut-être jamais produit, rétorqua Emese. Des scientifiques estiment que la Terre est exceptionnelle et que les conditions favorisant le développement de la vie complexe sont en fait extrêmement rares dans l'univers.

— Mais en quoi ces conditions sont-elles si spéciales ? N'est-il pas évident que dès lors qu'il y a la vie, le reste découle de l'évolution ?

— Bien sûr, mais les conditions pour que l'évolution mène spécifiquement à la vie multicellulaire complexe semblent rarement réunies. Pour commencer, il faut qu'une planète dispose d'eau liquide. Cela implique qu'elle se situe dans la zone dite habitable, c'est-à-dire une zone autour d'une étoile où la température lui permet de contenir de l'eau à l'état liquide pendant de longues périodes. Or, une telle planète ne se rencontre pas facilement.

— C'est peut-être plus facile que vous ne le dites, rétorqua Tomás. Ainsi, pendant des milliards d'années, Mars s'est trouvée dans une zone où les températures permettait l'existence d'eau liquide. Si aujourd'hui elle est inhospitalière pour la vie complexe, c'est davantage en raison de sa très petite taille que de sa distance par rapport au Soleil. Autrement dit, Mars est dans la zone habitable. Or, si dans le seul système solaire on compte deux planètes dans cette zone, c'est sans doute que les planètes de ce type peuvent être courantes.

Le raisonnement était inattaquable.

— Oui, peut-être, mais il faut aussi tenir compte du type d'étoile qui rend la vie possible, s'empressa d'ajouter Emese. Par exemple, les étoiles plus grandes que le Soleil s'épuisent beaucoup trop rapidement, sans donner le temps à la vie de s'épanouir sur les planètes orbitant autour d'elles. Alors que le Soleil sera stable pendant dix milliards d'années, une étoile une fois et demie plus massive ne le sera que durant deux milliards d'années. C'est très peu.

— Mais, Emese, pour autant que je sache, la plupart des étoiles ne sont pas plus grosses que le Soleil…

— C'est vrai. En fait, quatre-vingt-quinze pour cent des étoiles sont moins grosses que le Soleil. Mais ça pose un autre problème, car les planètes orbitant autour de ces étoiles sont trop proches pour se situer dans la zone habitable. Lorsque les planètes sont très proches des étoiles, du fait des effets gravitationnels elles sont en rotation synchrone, c'est-à-dire que la même face est toujours tournée vers l'étoile, comme la Lune avec la Terre et Mercure par rapport au Soleil. Par voie de conséquence, la face qui est toujours tournée vers l'étoile est torride, tandis que celle qui est en permanence dans les ténèbres devient un désert glaciaire. Dans ces conditions, la vie est impossible.

— La plupart des étoiles sont si petites que ça ?

— Les étoiles les plus courantes dans l'univers sont les étoiles de type M, qui ont 10 % à peine de la masse du Soleil, expliqua l'astrobiologiste de l'ESA. Leur zone habitable oblige à des orbites synchrones, totalement défavorables à la vie complexe.

— Il faut donc que ce soit des étoiles de la taille du Soleil, réalisa Tomás. Quel est le pourcentage de ce type d'étoiles ?

— Il est très faible.

— Combien ?

— Environ cinq pour cent.

— Ce qui fait une étoile comme le Soleil sur vingt. Et combien d'étoiles y a-t-il dans notre galaxie ?

— Près de 500 milliards.

L'historien fit un rapide calcul mental.

— Cinq pour cent de 500 ça fait… ça fait… 25. Cela signifie qu'il y a, dans la Voie Lactée, 25 milliards d'étoiles qui peuvent abriter la vie complexe. Ce n'est pas un chiffre négligeable.

La Hongroise parut momentanément déconcertée par la manière dont il avait de nouveau démonté son argument.

— Certes, concéda-t-elle. Cela étant, ce n'est pas le seul facteur de l'équation. Nous devons également considérer la position des étoiles dans la galaxie. Le Soleil se trouve à vingt-cinq mille années-lumière du centre de la Voie Lactée, mais la plupart des étoiles sont au centre de la galaxie ou en sont très proches. Le problème du centre c'est qu'il y a beaucoup de supernovas, des étoiles très massives qui explosent brutalement, ainsi que des étoiles à neutrons, qui émettent des rayons gamma et d'autres types de rayonnements ionisants qui détruisent toute vie autour d'elles.

— Donc, il vaut mieux être éloigné du centre de la galaxie.

— Mais pas trop, expliqua-t-elle. Le taux de formation d'étoiles à la périphérie de la Voie lactée est moindre, ce qui signifie qu'elles sont moins concentrées en éléments lourds, notamment en oxygène et en carbone. Sans ces éléments, il n'y a pas de vie animale. Le Soleil est situé au bon endroit, ni trop près du centre ni trop loin ; autrement dit la Terre a de la chance car dans cette zone, les éléments lourds sont abondants, et les événements catastrophiques menaçant la vie sont rares. La plupart des planètes de notre galaxie n'ont pas cette chance. Nous savons même que des galaxies entières sont dépourvues d'éléments lourds, ce qui signifie qu'elles sont probablement stériles. Elles n'ont aucune vie animale.

— Des galaxies entières ?

— Oui.

— Bon sang !

— Sur Terre, nous avons de la chance à bien d'autres égards, ajouta Emese. Nous savons que la chute des météorites et des comètes provoque de grandes extinctions. C'est un tel événement qui, il y a soixante millions d'années, a exterminé les dinosaures. Si les météorites et les comètes tombaient constamment sur notre planète, la vie animale ne serait pas possible. Il se trouve que la Terre est protégée par Jupiter, une planète très massive qui exerce une importante force d'attraction et donc attire les météorites et les éloigne de nous. C'est une grande chance, et les planètes avec des frères géants aussi protecteurs ne doivent pas courir les rues.

— Rien de tout cela n'empêcherait l'apparition de la vie…

— En effet. Les micro-organismes continueraient à exister, bien sûr, ne serait-ce que dans le sous-sol. Mais de telles situations, comme les supernovas, les étoiles à neutrons, les bombardements de météorites et de comètes ou la faible teneur en éléments lourds, entraveraient la vie complexe. Or, à en juger par ce qui se passe sur Terre, sans vie complexe, il ne peut y avoir de vie intelligente.

Tomás soupira.

— Je vois.

— Par ailleurs, l'inclinaison stable de l'axe de la Terre permet l'alternance des saisons. La plupart des planètes ne jouissent pas de cette situation. Nous avons aussi la chance d'avoir un…

Le Portugais lui toucha la main.

— Ça va, ça suffit, dit-il. J'ai saisi le message. L'apparition de vie multicellulaire complexe peut être un événement rare.

— La liste des conditions nécessaires à l'apparition et à l'évolution de la vie complexe est trop longue pour être ignorée. Cela indique que la vie microbienne est courante dans l'univers, mais pas la vie intelligente.

Après une pause pour réfléchir à ces données, Tomás se pencha en avant et dévisagea la jeune femme.

— S'il en est ainsi, Emese, dites-moi juste une chose. Comment expliquez-vous le signal « *Wow!* » ? Et comment expliquez-vous *Phanès* ?

L'astrobiologiste se tut un moment.

— C'est justement ce qui rend extraordinaire le fait que nous ayons été contactés par une civilisation extra-terrestre, finit-elle par reconnaître. Voilà pourquoi cette rencontre que nous allons avoir dans l'espace avec *Phanès* est si importante. Ce qui est en jeu est fondamental. Si les faits contredisent la thèse dominante selon laquelle l'intelligence est rare dans l'univers, si les faits finissent par montrer qu'elle est en fait plus courante qu'on ne le pensait, cela signifiera que vous avez raison et que l'univers a un but, même si nous ne le connaîtrons jamais. Cela signifie aussi que l'intelligence joue un rôle dans ce but, comme si elle était une nouvelle matriochka dans l'étonnant réseau qui entoure la vie. La théorie darwinienne elle-même pourrait être remise en question.

— Darwin ? s'étonna l'historien. Remis en question ? Pourquoi ?

Emese le dévisagea avec une expression singulière ; on avait l'impression qu'elle entrevoyait le grand mystère de la nature et sentait que sa résolution était proche.

— À cause de l'impératif cosmique.

LX

Il était devenu évident pour Tomás qu'Emese ne se sentait pas très à l'aise sur ce terrain. Elle venait d'évoquer la possibilité que la théorie darwinienne puisse être remise en question, ce qui, pour un biologiste, était presque un sacrilège. Devant la mine perplexe de son interlocuteur, cependant, l'astrobiologiste scientifique hongroise se décida à argumenter ses propos. Mais ils parlaient depuis quelques heures et ils décidèrent de faire une pause pour aller chercher quelque chose à manger à la cafétéria, puis ils retournèrent dans la chambre pour continuer la conversation.

— Après avoir fusionné avec la génétique, la théorie darwinienne a été appelée « néodarwinisme », dit Emese en mangeant. Elle repose sur l'idée que l'évolution n'a ni but ni direction, mais résulte simplement de phénomènes aléatoires liés à la sélection naturelle. En d'autres termes, l'évolution est un pur produit du hasard qui, face aux conditions physiques à un moment donné – concept appelé sélection naturelle – a bien fonctionné. Imaginez qu'on retourne au Cambrien, et qu'un après-midi se produise une forte averse qui ne s'est pas produite au moment où les espèces sont apparues, l'évolution serait totalement différente et la vie complexe existant sur la planète aussi. Un minuscule changement des conditions initiales modifierait profondément le résultat final.

— Comme la théorie mathématique du chaos, selon laquelle le simple battement d'ailes d'un papillon à Lisbonne peut provoquer une tempête à Vienne ?

— Exactement. Tout est hasard allié à la sélection naturelle. Mais d'autres scientifiques pensent que, bien que correcte, la théorie néodarwinienne est incomplète car elle ne prend pas en compte certains mécanismes de l'évolution. Pire, ces mécanismes sont niés par les néodarwinistes.

— Donnez-moi un exemple.

— Eh bien, la découverte que l'évolution n'est pas nécessairement aléatoire.

— Vous voulez dire que l'évolution est dirigée ?

— Je dis qu'on a constaté qu'il existe des « tendances » dans l'évolution. Les évolutionnistes post-darwiniens attirent l'attention sur l'apparition, dans différentes espèces, d'adaptations très semblables qui n'ont pas la même origine. Par exemple, les yeux et les jambes se sont développés séparément chez de nombreux animaux. C'est une tendance évolutive. S'il n'y avait que le pur hasard, les yeux et les jambes seraient rares. Or, ils sont communs et ont des genèses multiples, ce qui révèle une « tendance ».

— Il me semble normal que les cellules sensibles à la lumière se soient progressivement transformées en yeux.

— Ce serait le cas si les yeux étaient très différents les uns des autres. Les néodarwinistes soutiennent que l'évolution n'a pas de direction et que les possibilités évolutives sont quasi infinies, mais le problème c'est que, par exemple, des yeux très similaires sont apparus chez des espèces totalement différentes dont les ancêtres communs n'avaient pas d'yeux. Les yeux que ces espèces ont développés sont trop semblables pour être le simple résultat du hasard. Les êtres humains et les vertébrés en général ont ce qu'on appelle des yeux-caméra, avec une structure très spécifique qui comprend le cristallin, l'iris et la rétine. Si les possibilités étaient vraiment quasi infinies, chaque branche de la vie développerait son propre type d'œil. Or, on a découvert des mollusques avec des yeux-caméra peu ou prou identiques aux nôtres, ainsi que des escargots, des méduses et des araignées. En fait ce type d'œil est apparu au moins six fois de manière indépendante. Ça ne peut pas être une coïncidence ! Ça signifie qu'il y a une convergence évolutive. C'est comme si la nature avait un algorithme qui permettait le développement d'un nombre restreint de types d'yeux.

— N'y a-t-il pas une explication néodarwinienne de ces tendances ?

— Oui, il y en a. Les néodarwinistes prétendent que tout cela est dû à de simples hasards alliés à la sélection naturelle. Ce principe a été érigé en dogme et, bien que la théorie néodarwinienne soit dominante chez les biologistes, des scientifiques – parmi lesquels des prix Nobel – mettent en avant des phénomènes évolutifs. Phénomènes pour lesquels le hasard allié à la sélection naturelle ne semble pas être une explication convaincante. Il existe des phénomènes, interdits par le néodarwinisme, qui semblent bel et bien se produire.

— Comme le problème de la tendance évolutive ?

— Les néodarwinistes acceptent l'idée de la tendance évolutive, mais toujours dans le cadre de la sélection naturelle. Cependant, certaines situations semblent échapper à ce cadre. Par exemple, si on procède à l'ablation du cristallin de l'œil d'un triton, on constate qu'il s'en forme un nouveau à partir de la peau à la pointe de l'iris. Autrement dit, la manière dont se forme le second cristallin est différente de la première.

— Quelle explication avancent les néodarwinistes ?

— Ils disent que le processus de reconstitution du cristallin à partir de la peau s'est formé au cours des millions d'années d'existence des tritons.

— Ça a du sens.

Elle secoua résolument la tête.

— Cela n'a aucun sens, Tomás, affirma-t-elle. Cette formation du second cristallin, j'insiste, ne se produit que lorsqu'on procède à l'ablation du premier. Or, vous imaginez bien que pendant des millions d'années, personne n'a jamais effectué l'ablation du cristallin d'un triton, ce mécanisme n'a donc pas pu se développer par des mutations accidentelles opportunes. Ainsi, l'explication néodarwinienne du hasard lié à la sélection naturelle est un échec total. L'apparition du second cristallin des tritons suggère plutôt l'existence d'un mécanisme de convergence évolutive en dehors du cadre de la sélection naturelle, ce que nient les néodarwinistes sans donner pour autant une explication convaincante du phénomène.

— C'est vraiment étrange…

— Mais il y a mieux. L'un des noms maudits de l'évolutionnisme est Lamarck, qui a postulé que l'évolution est motivée par la nécessité. Par exemple, les girafes ont un grand cou parce qu'elles l'ont développé en s'efforçant de manger les plus hautes feuilles des arbres. Cet effort aurait été transmis aux gènes et les bébés girafes seraient nés avec des cous de plus en plus allongés.

— À ma connaissance, cette thèse est discréditée.

— En effet, car les néodarwinistes insistent sur le fait que l'évolution est exclusivement un hasard allié à la sélection naturelle. L'ADN transmet l'information à l'ARN, qui la transmet aux protéines, et jamais l'inverse. C'est effectivement ainsi dans nombre de cas, mais pas dans tous. Le phacochère africain, par exemple, pose les genoux par terre pour manger. À force de s'agenouiller, des callosités ont fini par se former sur ses genoux. La question est la suivante : les callosités peuvent-elles devenir génétiques ?

— Bien sûr que non. Si quelqu'un marche pieds nus dans la rue et développe des cals, ses enfants vont quand même naître sans cals aux pieds.

— Correct. Le problème c'est qu'on a analysé les fœtus des phacochères et on a découvert que les callosités aux genoux existent avant même la naissance de l'animal.

— Avant ?

— Oui, avant sa naissance. Les cals sont devenus héréditaires.

— Quelle explication en donnent les néodarwinistes ?

— Oh, l'explication habituelle. « Hasard allié à la sélection naturelle ». Les callosités génétiques sont apparues par hasard, et tout aussi par hasard précisément aux genoux. Y voyant des avantages évolutifs, les autres phacochères se sont croisés avec celui qui avait des cals aux genoux.

Tomás fit une moue sceptique.

— Les laies ont choisi de se croiser avec un phacochère qui est né avec des cals aux genoux ?

— C'est ce que disent les néodarwinistes.

— Mais si, à force de s'agenouiller, tous les phacochères ont des callosités aux genoux, comment les laies ont-elles pu distinguer les phacochères qui sont nés avec des cals de ceux qui ont développé des cals en s'agenouillant ?

— C'est ridicule, n'est-ce pas ? C'est comme si les laies disaient : « Regardez, comme ce phacochère est mignon ! Ses cals aux genoux sont les mêmes que ceux des autres, mais il est né avec alors je vais faire des petits avec lui ! » – Elle secoua de nouveau la tête. – Cela n'a aucun sens. On recourt à des circonlocutions très élaborées pour éviter de reconnaître qu'il existe des mécanismes lamarckiens évidents qui ouvrent des brèches dans l'évolution.

L'historien se passa la main dans les cheveux.

— Ce que vous me dites me rappelle cette histoire classique en astronomie. Depuis Ptolémée, on pensait que tout l'univers tournait autour de la Terre. En effet, on avait constaté que la Lune tournait autour de la Terre et le Soleil aussi. Le problème c'est qu'en observant l'orbite des planètes, on a commencé à voir qu'elles tournaient bien souvent en sens inverse, faisaient d'étranges détours avant d'adopter une orbite qui soit en accord avec la théorie. Pour résoudre le problème, on a inventé l'idée que les planètes faisaient une espèce de mouvement rétrograde qu'on a appelé un « épicycle ». À chaque observation, on découvrait de nouveaux épicycles, au point que la théorie de Ptolémée est devenue extrêmement confuse. Comme régnait le dogme que la Terre était le centre de l'univers, personne ne voulait tirer la conclusion évidente que cette théorie était erronée et qu'un simple changement de paradigme, du géocentrisme à l'héliocentrisme, aurait permis de résoudre l'énigme. Ce que vous venez de me raconter m'a fait penser à cette théorie des épicycles.

— Pour sauver leur paradigme, les néodarwinistes préfèrent les explications les plus bizarres aux plus évidentes, dit-elle. D'ailleurs, la découverte des rétrovirus tels que celui du SIDA démontre qu'il est possible que l'information passe de l'ARN à l'ADN, et certaines situations, comme celle des cals des phacochères, suggèrent que les protéines elles-mêmes peuvent transmettre des informations dans l'autre sens. Visiblement, l'évolution est un processus plus dynamique, subtile et complexe que ce que le paradigme néodarwinien ne laisse à penser. Il y a beaucoup d'autres exemples qui le prouvent. Prenez le cas des bactéries résistant aux antibiotiques. Les néodarwinistes ont toujours su que ces bactéries finiraient par apparaître du fait des mutations. Ils se sont alors mis à faire des calculs en se fondant sur les mécanismes aléatoires néodarwiniens. Ainsi, à la fin des années 1960, ils ont commencé à administrer quatre antibiotiques pour lutter contre la tuberculose. Les calculs ont montré qu'il faudrait un milliard de tonnes de bacilles de la tuberculose pour produire suffisamment de mutations « au hasard » pour que des bacilles résistant aux quatre antibiotiques se développent.

— Un milliard de tonnes de bacilles ? dit Tomás, étonné. Ça en fait un paquet !

— Il n'y a pas tant de bacilles de la tuberculose sur Terre. Selon les calculs fondés sur les mécanismes néodarwiniens, on serait à l'abri pendant des milliers et des milliers d'années. Le problème c'est qu'en à peine deux décennies, de tels bacilles résistants aux antibiotiques sont apparus, alors qu'ils n'étaient censés surgir que dans des milliers d'années. En somme, tout indique que l'évolution des bactéries n'est pas le fruit du hasard, mais répond à un principe lamarckien. Les bactéries ont eu un besoin vital d'affronter les quatre antibiotiques et, visiblement, elles ont évolué de manière à créer une mutation qui leur survivrait.

— Le besoin d'évoluer dans une direction force l'évolution dans ce sens ?

— Il semblerait que oui, même si, dans une certaine mesure, cela contredit le néodarwinisme. Bien qu'ils soient minoritaires, de nombreux scientifiques considèrent que la vie contient un programme d'évolution qui ne dépend pas uniquement du hasard ou de la sélection naturelle. C'est un programme inscrit dans les lois de la physique et de la chimie elles-mêmes.

— On en a des preuves ?

Elle prit une profonde inspiration.

— Comme je vous l'ai dit, le néodarwinisme est basé sur l'idée que l'évolution n'a pas de direction, pas d'objectif. La vie peut évoluer dans tel ou tel sens, tout est aléatoire et le fruit des circonstances. Par exemple, un invertébré se transforme en poisson, un poisson en batracien, un batracien en reptile et un reptile en oiseau ou en mammifère. Tout se passe sans raison, tout est le fruit du hasard et de l'opportunité.

— Oui.

— Mais, Tomás, a-t-on jamais vu un oiseau ou un mammifère se transformer en reptile, un reptile en batracien ou un batracien en poisson ?

L'historien se gratta la tête.

— Eh bien… c'est-à-dire…

— Jamais ! s'exclama l'astrobiologiste. La paléontologie ne montre rien de tel. Cependant, s'il n'y avait vraiment pas de directions dans l'évolution et si tout était le résultat du hasard allié à la sélection naturelle, une telle chose serait déjà forcément arrivée. Au départ, la probabilité qu'un reptile se transforme en mammifère ou un mammifère en reptile est exactement la même. Mais, le fait que l'évolution soit allée dans telle direction plutôt que dans telle autre montre qu'elle n'est pas uniquement aléatoire. C'est comme s'il y avait un programme évolutif inscrit dans les lois des mathématiques, de la physique et de la chimie, vous voyez ?

— Je vois, je vois.

Emese plissa les yeux.

— Dites-moi une chose, Tomás, chez quels êtres vivants y a-t-il le plus de mutations ? Les insectes ou les mammifères ?

— Je ne sais pas...

— Les insectes. Et de loin, précisa-t-elle. Les cafards, par exemple, n'ont cessé de muter. Cependant, les recherches paléontologiques ont montré que les cafards d'il y a cent millions d'années étaient pratiquement les mêmes que ceux qui existent aujourd'hui. Vous comprenez ? Ils ont subi des milliards de mutations et, du moins dans leur apparence, ils sont restés les mêmes !

— C'est bizarre. Quelle est l'explication ?

La Hongroise sourit.

— Les néodarwinistes disent que c'est le hasard. Par le plus grand des hasards, en cent millions d'années, il ne s'est jamais produit une mutation, pas une seule, qui ait été favorable à l'évolution de l'apparence des cafards. – Elle fit un geste dans l'air. – Sornettes ! Les cafards seraient passés par des milliards de mutations en cent millions d'années marquées par de profonds changements climatiques, et aucune mutation n'aurait été favorable au changement de leur apparence ? Y a-t-il quelqu'un pour croire ça ? Le blocage de l'évolution de l'apparence des cafards, tout comme celle d'autres insectes, n'est-il pas plutôt un indice de plus pour nous dire que l'évolution est programmée dans les lois de la nature ? On a l'impression que les cafards sont arrivés au bout de quelque chose et qu'ils ne peuvent plus évoluer. C'est comme si leur programme évolutif était parvenu à une conclusion. C'est la seule explication raisonnable de ce phénomène.

— Oui, effectivement. C'est étrange qu'en un million d'années, les hominidés aient tellement évolué et qu'en cent millions d'années, l'apparence des cafards n'ait pas évolué alors qu'ils ont subi beaucoup plus de mutations.

— Il y a aussi des phénomènes de synchronisme évolutif que le néodarwinisme ne peut pas expliquer de manière convaincante, ajouta Emese, visiblement passionnée par la question. L'analyse du bassin des hominidés, par exemple, a montré qu'ils ont toujours évolué dans un seul sens, ils se sont arrondis afin de permettre la marche en position verticale. Jamais un hominidé n'a évolué en sens inverse, ce qui aurait été naturel si le hasard était dominant. Mais le plus intéressant c'est que, pour marcher en position verticale, et exactement au moment où son bassin s'arrondissait, l'homme moderne a subi une mutation de l'oreille interne nécessaire pour garder l'équilibre. Autrement dit, il a fallu deux mutations synchronisées. Ceci est un autre indice de l'existence d'un programme évolutif, car les possibilités que le hasard ait généré ces mutations simultanément sont infimes.

— Des mutations synchronisées, dites-vous ?

Elle fit un geste las.

— Écoutez, je pourrais vous donner encore plus d'exemples, il y en a des milliers, je pourrais en parler pendant des heures, mais je pense que ceux-ci suffisent à montrer quelques anomalies que le paradigme scientifique actuel ne peut pas expliquer de façon satisfaisante. Nous ne savons pas encore pourquoi elles se produisent, mais nous savons qu'elles semblent être en contradiction avec le néodarwinisme.

Tomás regarda par la fenêtre méditatif.

— Vous pensez que la théorie néodarwinienne est erronée ?

— Non, pas du tout. Les mécanismes néodarwiniens existent vraiment ; de même, il est indéniable que l'évolution découle aussi du hasard allié à la sélection naturelle et que le néodarwinisme constitue et constituera toujours un puissant outil pour comprendre la vie. Le problème c'est que, visiblement, d'autres mécanismes sont en jeu, en particulier ceux de l'évolution orientée. En d'autres termes, le néodarwinisme est incomplet.

Cette observation donna une idée à l'historien.

— Peut-on mettre en parallèle Darwin et Newton ?

— Que voulez-vous dire ?

— Vous savez, le problème que vous décrivez s'est déjà posé en physique. Newton a élaboré une théorie qui expliquait tout ce qui se passait dans l'univers. Tout. À tel point que Lord Kelvin a annoncé, en 1900, que la physique était pratiquement achevée, à l'exception de deux petites ombres, détails insignifiants qui, une fois résolus, concluraient la description de la nature. Ces problèmes concernaient l'expérience de Michelson et le rayonnement des corps noirs, deux phénomènes marginaux qui contredisaient la théorie newtonienne. Or, il se trouve que ces deux minuscules ombres, si dérisoires qu'elles semblaient presque hors de propos, ont fini par déboucher sur deux prodigieuses révolutions en physique : la théorie de la relativité et la théorie quantique. On a ainsi découvert que la physique de Newton, bien qu'exacte, était incomplète, et que la physique allait bien au-delà de celle de Newton.

— Il en est peut-être de même avec Darwin, admit Emese. Les multiples petites découvertes qui contredisent les mécanismes néodarwiniens sont, effectivement, des ombres embarrassantes qui planent sur toute la théorie. Certains scientifiques s'opposent à la majorité néodarwiniste et considèrent que si on retournait au Cambrien et qu'on introduisait de petits changements dans les conditions initiales, l'évolution serait sensiblement la même. Autrement dit, l'évolution va dans certaines directions. Cela voudrait dire que ce n'est pas seulement la vie qui résulte d'un impératif cosmique. L'intelligence aussi. La conscience elle-même serait un impératif cosmique.

Tomás se gratta le menton.

— Ce qui concorde avec ce que nous savons de la physique quantique, ajouta-t-il. L'expérience de la double fente qui, pour autant que je sache, est la plus importante de la physique quantique, montre que la conscience est nécessaire pour rendre la matière réelle. Sans conscience il n'y a pas d'univers. Il me semble donc parfaitement logique que l'apparition de la conscience résulte d'un impératif cosmique qui implique aussi les processus biologiques, la biologie étant de la chimie complexifiée et la chimie de la physique complexifiée.

— Mais, Tomás, on a déjà découvert des mécanismes quantiques en biologie…

— Vous êtes sérieuse ?

— Absolument. Des phénomènes quantiques tels que la superposition, l'effet tunnel et l'intrication ont déjà été détectés dans de nombreux phénomènes biologiques, de la photosynthèse à la manière dont les cellules produisent des biomolécules ou la façon dont certains oiseaux utilisent le champ magnétique de la Terre pour s'orienter.

— Mais cela prouve que le néodarwinisme est incomplet !

— D'où l'importance de la rencontre avec *Phanès*, voyez-vous ? insista-t-elle. Cette rencontre peut nous donner la clé pour comprendre si l'évolution est vraiment due au hasard ou si elle obéit à une direction et un programme. J'ai besoin de voir les extra-terrestres pour savoir si la convergence évolutive universelle existe ou non, s'il y a ou non un algorithme mathématique inhérent aux lois de la nature qui transforme l'intelligence et la conscience en impératifs cosmiques. Car si la vie évolue selon une direction, c'est peut-être le signe qu'il existe un plan dans l'univers, une sorte de dessein, un projet universel qui…

On entendit un clic et une voix résonna dans l'intercom de la chambre.

— Équipage d'*Atlantis*, attention. Nous sommes à T moins 4 h. Veuillez vous présenter dans dix minutes au gymnase pour le check-up final.

Les cœurs de Tomás et d'Emese bondirent. T moins 4 h. Leur conversation leur avait fait perdre la notion du temps, mais il restait exactement quatre heures avant le décollage.

Quatre heures.

Le Portugais se leva brusquement, mais l'astrobiologiste le saisit par le bras et le retint.

— Attendez ! demanda-t-elle, l'air tourmenté. Allez-vous… allez-vous signaler mon… mon problème à Billy ?

Tomás hésita. Emese lui avait demandé d'ignorer sa maladie et lui, par respect pour elle, l'avait fait tout au long de leur conversation. Il croyait même qu'il avait été capable de la distraire et, à certains moments, de la lui faire oublier. Mais c'était elle qui soulevait de nouveau le problème.

— Qu'en pensez-vous ?

— Je pense que vous ne devez pas le faire, dit-elle avec conviction. Vous ne pouvez pas. Vous n'avez pas le droit de le faire.

— Mais vous avez songé à ce qui peut arriver à un astronaute, là-haut, avec une maladie aussi grave que la vôtre, Emese ? C'est trop dangereux pour la mission. Il y a des choses très importantes qui sont en jeu pour que…

— Nous sommes à quatre heures du décollage, Tomás ! Vous pensez qu'on va me trouver un remplaçant comme ça ?

— Eh bien, la NASA a le…

— Je vous ai déjà expliqué que les effets de la maladie ne se feront sentir qu'en phase terminale. Pour le moment je ne sens rien et je continuerai à ne rien sentir pendant encore un an. Je suis totalement apte.

— Mais même comme ça, c'est risqué.

— Risqué ? Mais c'est la mission qui est risquée ! À cause de cette histoire de Russes et de missiles, ça pourrait même devenir une mission suicide. Compte tenu de mon état, quel est le risque ? Que je meure ? En fin de compte, mon destin est déjà tracé. Ne vaut-il pas mieux que ce soit moi qui risque ma vie plutôt qu'un autre astrobiologiste ?

C'était un bon argument, pensa Tomás.

— Effectivement…

— Cette mission est l'accomplissement d'un rêve. Je suis astrobiologiste et toute ma vie j'ai recherché la vie extra-terrestre. Nous sommes sur le point de découvrir non seulement la vie, mais une vie intelligente et consciente. Autrement dit, la solution du plus grand mystère de l'univers est à notre portée. L'univers n'est-il qu'un hasard dénué de sens ou existe-t-il vraiment un plan ? Une possibilité unique m'est offerte. Unique. Et… et vous allez me la voler ?

— Ce n'est pas une question de…

Emese joignit les mains, comme pour une prière.

— S'il vous plaît, ne m'enlevez pas ça. Laissez-moi recevoir ce cadeau avant de mourir. Ne dites rien à Seth ni à Billy. Même s'ils réalisent que ma maladie ne constitue aucune menace pour la mission, comme c'est effectivement le cas, ce sera pour Seth, avec sa jalousie, le prétexte idéal pour m'expulser. Ne jouez pas son jeu. Laissez-moi aller là-haut, laissez-moi rencontrer l'équipage de *Phanès*, laissez-moi voir les extra-terrestres. J'aimerais tant comprendre si l'intelligence et la conscience sont un hasard ou une nécessité. Laissez-moi réaliser mon rêve. Ne me le volez pas. Je vous en prie, ne me le volez pas.

Le Portugais hésita. Son premier devoir était vis-à-vis de la mission et, en fin de compte vis-à-vis de l'humanité. Quoi qu'il en coûte, il avait la responsabilité de faire tout son possible pour assurer le succès de la mission. La présence d'une personne malade dans l'équipe, qui plus est en phase terminale, représentait un risque. Son devoir était d'en informer immédiatement Billy et Seth. C'était à eux de décider de la remplacer ou non. Le choix incombait au directeur de la mission et au responsable scientifique, pas à lui.

Cependant…

Comment pouvait-il ignorer ses arguments ? Cette mission était le rêve de toute une vie et, bien qu'elle fût malade, Emese n'aurait pas de symptômes pendant la durée de la mission. Si ses capacités physiques n'étaient pas affectées, quel danger pouvait-il y avoir ? Et puis, si elle était condamnée, elle dominerait sa peur plus facilement lorsqu'il faudrait faire face aux Russes. Cela la rendrait plus efficace. Compte tenu de tous ces éléments, pouvait-il vraiment lui voler son rêve ? Aurait-il le courage de le faire ?

Il posa la main sur son épaule et ébaucha un sourire timide, le cœur avait vaincu la raison.

— Je ne dirai rien.

En entendant ces mots, Emese l'embrassa.

— Merci, Tomás, dit-elle avec ferveur, la tête posée sur son cou. Je n'oublierai jamais.

— Vous le méritez.

La Hongroise recula et le dévisagea, avec ardeur. Le contact du corps d'Emese plongea Tomás dans une espèce d'ébriété. Rassemblant ce qui lui restait de volonté, il se détacha d'elle, se retourna et quitta la chambre, presque paniqué par la possibilité de céder à la tentation.

LXI

Dès qu'il eut quitté la chambre d'Emese, Tomás se rendit au gymnase pour faire le check-up final, conformément aux instructions qui venaient d'être transmises. Deux médecins s'occupaient des astronautes ; l'un d'eux prit son pouls et sa tension artérielle, puis vérifia sa gorge et ses oreilles et pour finir ausculta ses poumons pendant que l'autre faisait la même chose à Frenchie. L'examen fut sommaire, d'ailleurs ce n'était pas vraiment le moment pour effectuer des tests médicaux approfondis.

— Tout va bien, conclut le médecin. Suivant.

Le suivant était Seth. Tomás alla s'habiller et s'installa sur une chaise du hall en attendant la fin des examens de ses compagnons. La dernière à arriver dans la salle de gym fut Emese, qui, en passant près de lui, le regarda d'un air entendu.

Les membres de la mission *Phanès* se rassemblèrent dans le hall à l'issue de l'examen médical. En attendant que la Hongroise termine son check-up, Duck s'approcha de la fenêtre et regarda une jeep qui traversait la piste en direction de la rampe de lancement.

— L'équipe de l'inspection finale est déjà en route, constata le commandant. Espérons qu'ils confirment qu'*Atlantis* est en état de décoller.

Le Portugais se leva de sa chaise et alla à la fenêtre.

— Et si elle ne l'est pas ?

— Dans des conditions normales, le lancement serait suspendu.

— Pensez-vous que cela puisse arriver ?

Après une hésitation, Duck secoua la tête.

— Non, reconnut-il. *Phanès* ne nous attendra pas. Ni les Russes. Le lancement ne peut être suspendu en aucune circonstance.

— Vous êtes en train de dire que même si la sécurité d'*Atlantis* n'est pas garantie, nous décollerons de toute façon ?

— J'en ai bien peur, Tom. Je sais que c'est dangereux, mais nous ne pouvons pas nous permettre de manquer la rencontre. Nous devons le faire en dépit des risques.

Cette perspective ne réjouissait personne et un silence sépulcral s'abattit sur la pièce où se trouvaient les astronautes. Il était normal que les décollages des navettes spatiales soient parfois reportés en raison de problèmes techniques de dernière minute. La décision préalable d'ignorer toute alerte et de procéder au lancement à tout prix n'augurait rien de bon. Les risques associés à la mission, tout le monde le savait, allaient au-delà du raisonnable. Mais ils ne pouvaient rien faire. Les dés étaient jetés.

Dix minutes plus tard, Emese sortit du gymnase. Lorsqu'il la vit, Duck regarda sa montre.

— T moins 3 h 30 min, observa-t-il en tournant les talons et en se dirigeant vers la porte. Allons-y. Nous devons procéder au briefing final.

Les astronautes se dirigèrent vers la salle de conférence du bâtiment Neil Armstrong et s'installèrent sur les chaises. Certains aspects de la mission étant confidentiels, notamment la dimension militaire, la liste des participants était donc particulièrement restreinte ; elle se réduisait au directeur du lancement, qui procéderait au décompte final, et au directeur des services météorologiques. Contrairement à l'habitude, personne d'autre n'avait été autorisé à assister à la réunion.

Ce fut le météorologue qui dirigea la première partie du briefing.

— Les conditions sur Cap Kennedy sont presque parfaites, dit-il en commentant les dernières images satellites projetées sur l'écran de la salle de conférence. Cependant, les prévisions météo sont mauvaises à Dakar, ce qui pourrait compliquer un atterrissage d'urgence. Je conseillerais une piste de substitution comme première option.

Le directeur du lancement regarda la photo sur laquelle on voyait les nuages qui s'accumulaient sur la capitale du Sénégal.

— Houston le sait déjà ?

— On les tient informés.

Duck leva la main pour parler.

— Quelle est la meilleure option ?

Le météorologue changea l'image sur l'écran pour afficher la photo satellite d'une base aérienne en Espagne.

— À Morón, la météo est bonne. Il y a des nuages au nord, mais la pression atmosphérique reste élevée, je ne pense pas qu'ils descendront. Je dirais que c'est une bonne solution.

Le directeur du lancement prenait des notes sur son bloc.

— Je vais donc suggérer à Houston que Morón soit le premier choix dans l'éventualité où il faudrait interrompre la mission.

Les images satellites indiquaient clairement que la météo ne ferait pas courir de risques à la mission *Phanès*. Après la présentation météorologique, les deux directeurs de la NASA quittèrent la pièce.

Duck s'assit alors devant l'ordinateur et conduisit la réunion. Il établit la liaison satellite avec Houston, via une ligne cryptée, et en deux minutes, le visage de Billy Gibbons emplit l'écran. Après avoir donné quelques informations techniques et opérationnelles, le directeur de la mission aborda les questions plus sensibles.

— Lorsque vous arriverez là-haut, votre priorité est la rencontre avec *Delta*, rappela-t-il. Le lancement a eu lieu hier, en toute discrétion. Heureusement, personne ne s'est aperçu de quoi que ce soit. *Delta* est déjà en orbite et c'est le premier objectif de la mission.

— Qu'en est-il de l'Opération bleue ? voulut savoir Duck, toujours préoccupé par les aspects militaires. Ce sujet est absolument prioritaire, comme vous devez le comprendre.

La référence à l'Opération bleue, le nom de code de l'opération des F-35 Lightning contre le *Soyouz* russe, parut troubler Billy. Pour des raisons évidentes, le raid sur le cosmodrome de Plessetsk était une question extrêmement confidentielle, qui ne pouvait pas être abordée ouvertement, même sur une ligne cryptée haute sécurité comme celle qu'ils utilisaient à ce moment-là.

— Je ne peux pas vous donner de détails, rétorqua le directeur de la mission. Mais, pour des raisons de sécurité, elle ne sera déclenchée que lorsque vous serez en orbite.

Les Russes avaient annoncé publiquement que leur vaisseau serait envoyé dans l'espace le lendemain matin, la veille du passage de *Phanès* à proximité de la Terre, ce qui signifiait que le raid devrait être effectué au cours des douze prochaines heures.

— Quand aurons-nous des nouvelles ?

— Dès que possible. Elles vous seront communiquées dans un bulletin météo relatif au temps qu'il fait à Cap Kennedy. Ciel bleu en cas de succès, tempête en cas d'échec.

La réponse évasive ne satisfaisait pas Duck.

— Écoutez, Billy, nous sommes à R moins deux de la rencontre avec *Phanès*, rappela-t-il, en référence aux deux jours restants avant le rendez-vous avec le vaisseau extra-terrestre. Plus vite nous saurons ce qui nous attend, mieux ce sera.

— Je sais, les gars, mais pour le moment je ne peux pas vous en dire plus, dit Billy en guise de conclusion. Espérons le meilleur, mais préparons-nous au pire.

Il n'y avait plus rien à dire sur ce sujet. Après quelques mots pour souligner l'importance historique de la mission, Billy leur souhaita bonne chance et la liaison s'acheva. L'image du directeur de mission disparut de l'écran et le silence revint dans la salle de conférence. Le briefing final était terminé.

Les astronautes se levèrent de leurs sièges, conscients que le temps pressait et qu'il y avait encore des choses à faire. Ils allaient devoir revêtir leur combinaison d'astronaute, ce qui n'était pas une mince affaire, puis il serait temps de se diriger vers le pas de tir. Ce seraient leurs derniers instants sur Terre.

Duck vérifia à nouveau sa montre.

— T moins 3 h 10 min.

Le temps s'accélérait.

LXII

La nuit était déjà tombée sur la Floride, et la seule chose qu'on voyait à l'horizon, se détachant au loin sur le fond noir de la mer et du ciel comme une cathédrale richement illuminée, c'était l'énorme silhouette blanche d'*Atlantis*. Tomás quitta la fenêtre devant laquelle il s'était arrêté quelques instants pour regarder le vaisseau qui l'emmènerait dans l'espace et rejoignit son groupe. Ils se dirigèrent tous vers la sortie du bâtiment où logeaient les astronautes.

Une immense ovation les accueillit lorsqu'ils apparurent ; un groupe important de l'équipe de la NASA, de l'ESA et de la CNSA s'était rassemblé sur la piste pour leur dire au revoir. Et ce n'était qu'un échantillon. Ils avaient vu au JT que plus de 200 000 personnes convergeaient vers la Côte de l'Espace, comme on appelait en Amérique cette portion du littoral de la Floride où se trouvait Cap Kennedy, pour observer le lancement. Plus de 10 000 journalistes du monde entier étaient également présents.

Lorsqu'ils posèrent le pied sur la piste, de nombreuses personnes applaudirent, tandis que d'autres criaient des encouragements ; toutes souriaient.

— Bonne chance !

— Courage !

Les astronautes les saluèrent à leur tour, affichant un sourire forcé et un air confiant et déterminé et ils sacrifièrent au même rituel face aux caméras de télévision. En les voyant, on pouvait penser qu'ils allaient juste faire un tour de l'autre côté de la rue. C'était une mise en scène. En réalité, Tomás était effrayé. Très effrayé. Il tremblait de peur et avait les jambes flageolantes.

Il regarda le ciel, tentant d'entrevoir les étoiles, mais les lumières des projecteurs qui éclairaient la piste pour que les télévisions puissent diffuser dans le monde entier le décollage en direct étaient trop brillantes et atténuaient les petits points lumineux dans le ciel nocturne. Le bruit des pales d'hélicoptères au-dessus de Cap Kennedy faisait vibrer l'air, et le Portugais eut alors l'impression de vivre un film, comme si toute cette grandeur constituait le scénario d'une épopée dans laquelle il n'était qu'un acteur involontaire. Rien de tout cela ne paraissait réel.

— Par ici, dit l'un des employés de la NASA. Veuillez entrer dans l'astrovan.

Les astronautes se dirigèrent vers le minibus qui emmenait traditionnellement les équipages sur la base de lancement. Il faisait froid à l'intérieur à cause de la climatisation ; en Floride, tout comme au Texas, on avait visiblement la mauvaise habitude de mettre la climatisation à fond. Ces gens n'avaient donc jamais froid ?

Dès que l'équipe de la mission *Phanès* fut installée, le véhicule démarra. Nerveux, Tomás regarda par la fenêtre cherchant *Atlantis* presque instinctivement, comme s'il voulait s'assurer que la navette était vraiment prête et ne les laisserait pas tomber. Il découvrit le vaisseau sur le côté droit, planté sur le Pad 39A, la plateforme d'où, en 1969, *Apollo 11* avait décollé pour emmener Neil Armstrong sur la Lune. C'était son tour de participer à une mission historique, pensa Tomás, ressentant un frisson d'émotion mêlé à des sueurs froides. À mesure que l'astrovan progressait, franchissant des contrôles de sécurité successifs où les gardes leur lançaient des signes d'encouragement en levant les pouces en l'air, la navette spatiale devenait de plus en plus grande. Le vaisseau était pris en sandwich entre les deux boosters blancs, les puissants SRB, et au milieu, tel un ventre géant, se trouvait l'énorme réservoir extérieur, orange, rempli d'oxygène et d'hydrogène liquides.

L'astrovan croisa des camions de pompiers, des ambulances et des véhicules avec des équipages revêtus de costumes argentés, placés près de la rampe de lancement. Tomás savait qu'au moment du décollage, ces équipes se retireraient dans un bunker à proximité, d'où elles accourraient en cas d'urgence. On ne pouvait pas dire que cette vision était faite pour le rassurer. La présence des équipes de secours ne faisait que souligner l'énorme danger que représentait le décollage d'un vaisseau spatial, une réalité dont les astronautes se seraient bien passés dans un moment pareil.

L'astrovan s'immobilisa à proximité de la base de la navette spatiale et la porte s'ouvrit avec un bourdonnement électrique. Sans prononcer un mot, les astronautes descendirent. Le dernier à sortir fut Tomás. Il marcha sur le tarmac et, comme ses compagnons, leva des yeux effrayés vers *Atlantis*, illuminée comme un monument par les projecteurs fixés au sol ; on aurait dit un monstre endormi.

— *Jeez !* murmura Seth, abasourdi. Regardez-moi ça…

Yao Jingming secoua la tête, tout aussi impressionné.

— Waouh !

De la navette, avec les boosters et le réservoir, sortaient, tels des ronronnements menaçants, des sons étranges et inquiétants ; c'étaient des sifflements de gaz et des grincements de métal, probablement dus à la température du carburant. Seules de très basses températures, inférieures à 200 °C en dessous de zéro, permettaient de maintenir l'hydrogène et l'oxygène à l'état liquide. Quelques techniciens allaient et venaient, procédant en silence aux derniers ajustements.

Le Portugais était médusé, écrasé par cette vision impressionnante. Le monstre se réveillerait bientôt. Ensuite, un véritable enfer se déchaînerait et, en quelques minutes, brèves mais violentes, le vaisseau, avec Tomás et ses compagnons à l'intérieur, serait projeté en orbite. Il prit conscience de la véritable dimension de l'entreprise avec une sensation oppressante, l'estomac noué par l'angoisse. Comment avait-il pu se lancer là-dedans ? Était-il fou ? Bientôt, on le mettrait dans cet engin, on l'attacherait à un siège et, le vaisseau accroché à de véritables bombes, on allait l'envoyer dans l'espace en une succession d'explosions contrôlées. Jamais de sa vie il ne s'était senti aussi effrayé. La peur qui l'avait saisi était si grande qu'il eut envie de vomir. Il se domina.

Il songea un instant à se précipiter dans l'astrovan et à fuir pendant qu'il le pouvait, mais le véhicule était déjà parti. Il considéra la possibilité de détaler en courant sur la piste. Une fois de plus, la honte le retint. La honte et le fatalisme. Ce qui devait arriver arriverait. Il ne devait pas montrer sa peur, pour une question de fierté mais aussi de principe. On pourrait le traiter d'idiot, mais jamais de poule mouillée. Si ses ancêtres avaient navigué sur trois immenses océans, découvert le Brésil et la route maritime vers les Indes, atteint la Chine, le Japon et l'Australie et accompli le premier tour de la Terre, il se devait d'être à la hauteur.

La voix de Duck l'arracha à sa léthargie.

— T moins 2 h 40 min, annonça le commandant. Nous devons monter.

Les jambes tremblantes, se sentant comme un agneau qui se laisserait docilement conduire à l'abattoir, Tomás suivit le groupe et entra dans l'ascenseur de la tour de lancement, la Mobile Launch Platform, ou MLP dans le jargon de la NASA. L'ascenseur était grand, mais il ressemblait à une cage métallique. Ils montèrent les soixante mètres en silence. La nervosité était devenue palpable au sein du groupe et chaque astronaute était plongé dans ses pensées, évitant d'échanger des regards avec les autres.

Lorsque la porte s'ouvrit, ils se trouvèrent face à plusieurs techniciens de l'agence spatiale américaine qui les attendaient, tous vêtus de salopettes blanches arborant le logo de la NASA.

— Dernier arrêt toilettes sur Terre, annonça l'un d'entre eux. Qui veut en profiter ?

Comme des condamnés à qui on accordait la possibilité de satisfaire un dernier désir, aucun d'entre eux ne s'en priva. Bien qu'ils fussent à T moins 2 h 35 min, ils savaient que le compte à rebours pouvait être suspendu pour une raison quelconque. Dans ce cas, ils resteraient plusieurs heures à bord de la navette spatiale en attendant le grand moment sans pouvoir aller aux toilettes, et ils dépendraient du préservatif relié à de l'algalie. La perspective n'était pas très réjouissante ; Tomás n'était même pas sûr d'avoir bien fixé ce fichu truc. De plus, le détour offrait la possibilité de décompresser et de retarder l'entrée dans *Atlantis* de quelques instants.

Les minuscules toilettes au sommet de la plateforme étaient devenues un cloaque infect où se mêlaient l'urine, les excréments et le papier hygiénique usagé. L'arrivée d'eau avait été coupée quelques heures auparavant en raison du protocole de décollage, et les techniciens qui y travaillaient n'avaient d'autre choix que d'utiliser ces installations sans pouvoir tirer la chasse d'eau.

Après avoir soulagé sa vessie une dernière fois, Tomás ressortit et prit sa place dans la file d'attente. Les techniciens emmenaient les astronautes un par un à l'intérieur du vaisseau spatial en empruntant la plateforme installée entre la tour de lancement et *Atlantis*.

Quand arriva le tour de Tomás, deux hommes s'approchèrent de lui.

— Prêt ?

— Oui.

Ils le prirent par les bras et le conduisirent à une antichambre blanche, et de là jusqu'au sas. Tomás ferma les yeux et respira profondément, se remplissant une dernière fois les poumons d'oxygène terrestre. Puis il s'accroupit et entra à quatre pattes dans la navette en passant par le pont intermédiaire.

Il faisait froid à l'intérieur. *Atlantis* étant positionnée à la verticale, le nez vers le haut et la queue vers le bas, les parois avec les instruments étaient le sol. Comme on ne pouvait pas marcher sur les instruments, des plateformes amovibles avaient été installées sur les parois. Guidé par des techniciens du MLP, Tomás les emprunta.

En entendant les voix venant d'en haut, il comprit que Duck, Frenchie et Seth étaient déjà installés dans le poste de pilotage, mais l'historien, en tant que spécialiste de charge, fut dirigé vers l'une des places du pont intermédiaire. Les sièges, formés de deux morceaux d'acier plat revêtus d'un mince coussin, étaient durs et inconfortables. Il jeta un œil autour de lui et constata qu'il n'y avait pas de hublot sur le pont intermédiaire. Impossible de voir le décollage. Dommage. Ou peut-être était-ce mieux ainsi.

L'un des techniciens lui serra les ceintures, brancha les fils de l'intercom et fixa son casque à la combinaison d'astronaute. Puis il lui donna une tape sur l'épaule et sourit.

— *All set*, dit-il. Tout est prêt.

Les techniciens s'éloignèrent et Tomás vérifia les niveaux d'oxygène de tous les dispositifs de sa combinaison. Tout semblait en ordre. Il regarda à nouveau autour de lui et se sentit familiarisé avec ce qu'il voyait ; tout était identique à ce qu'il avait vu lors des simulations des SMS à Houston, à la différence près qu'ici tout était propre ; l'intérieur du vaisseau brillait et tout semblait neuf.

Les hommes revinrent quelques minutes plus tard avec Emese, puis avec Yao, qu'ils installèrent à côté du Portugais. Chaque fois, ils répétèrent les mêmes procédures, lentement et avec précision. L'astronaute chinois étant le dernier, son installation mit fin au long processus. Les techniciens inspectèrent une dernière fois les dispositifs des spécialistes de la mission et du spécialiste de charge, vérifiant que tout allait bien, et quand ils furent satisfaits, ils se redressèrent.

— *Good luck, fellas!* dit l'un d'eux. Bonne chance, les gars !

— Tout se passera bien, entendu ? ajouta l'autre. Quand vous reviendrez ici, à Cap Kennedy, vous nous raconterez tout, n'oubliez pas.

Les astronautes les remercièrent et promirent de revenir, essayant de dissimuler la peur qui leur nouait l'estomac et transformait leurs jambes en coton, puis les hommes de la NASA se retournèrent et s'éloignèrent. Ils leur firent un dernier signe lorsqu'ils atteignirent le sas, avant de se glisser à l'extérieur, laissant l'équipage de la mission *Phanès* seul et avec l'impression d'être enfermé dans un sarcophage géant. Le dernier bruit que les astronautes entendirent fut celui du sas que l'on refermait.

Ils sentirent un claquement dans les oreilles, signe que l'on pressurisait la cabine, puis ce fut le silence. Tomás étira son cou et réalisa qu'il pouvait voir le ciel noir à travers un bout de hublot situé au-dessus de lui, dans le poste de pilotage.

Emese regarda sa montre.

— T moins 1 h 30 min.

L'attente commençait.

LXIII

La voix monocorde du directeur du Centre de contrôle des lancements de Cap Kennedy emplit les intercoms avec une fraîcheur réconfortante, comme si un automate dirigeait les opérations, offrant l'assurance que tout fonctionnerait avec la précision d'un mécanisme d'horlogerie.

— T moins 6 min, annonça-t-il. *Atlantis*, nous allons commencer l'APU.

— Reçu, Kennedy, confirma Duck dans le poste de pilotage d'*Atlantis*. Pompes armées.

Le commandant devait avoir appuyé sur les boutons des trois pompes hydrauliques car la navette se mit à vibrer légèrement. C'était le premier signe de vie du vaisseau spatial, et cet éveil soudain fit bondir le cœur de Tomás, qui commença à battre avec force.

Le Portugais avait passé la dernière heure et demie à lutter contre la pression sur sa vessie, car la position verticale d'*Atlantis* sur le Pad 39A forçait les astronautes à avoir les jambes en l'air, ce qui poussait les fluides vers la vessie. Bien sûr, Tomás aurait pu utiliser la sonde, mais il ne se sentait toujours pas à l'aise avec le dispositif et fit un effort pour se retenir.

— *Atlantis*, test du système de contrôle de vol.

— Reçu, Kennedy.

La navette spatiale vibra. Le test comportait un essai en force, mais sans les boosters. Les indicateurs sur les cadrans réagirent, s'élevant à des niveaux moyens avant de retomber.

— *Atlantis*, test réussi.

Devant l'imminence du compte à rebours, Tomás se demanda s'il n'avait pas eu tort de se retenir pendant si longtemps et si la peur du décollage ne le ferait pas uriner de toute façon. Certes, ce ne serait pas confortable, mais il survivrait. Considérant qu'il était assis sur deux puissantes bombes et un réservoir d'oxygène et d'hydrogène liquide, ça n'était pas grand chose.

— T moins 90 s, dit la voix de Cap Kennedy. Tous les systèmes sont opérationnels.

Les astronautes baissèrent la visière de leur casque, pendant que par l'intercom, le directeur du lancement interrogeait l'un après l'autre les responsables des multiples systèmes, qui répondaient tous successivement « go », donnant ainsi le feu vert au décollage.

— T moins 60 s. Préparez-vous pour le début de la séquence automatique.

Sentant le grand moment approcher, Tomás se concentra. Il savait que même en cas de problème, le départ ne serait pas reporté. Il se dit qu'à ce moment-là on devait entendre les battements de son cœur dans tout le pont intermédiaire, comme un tam-tam africain ou le batteur d'un groupe de rock faisant un solo. Il réalisa qu'Emese gigotait à côté de lui et il vit sa main se poser sur la sienne ; il pensa que la Hongroise avait effectivement entendu battre son cœur, mais il constata rapidement que tous ses membres étaient pris de tremblements et qu'elle cherchait du réconfort.

— Bonne chance ! murmura-t-elle d'une voix faible par l'intercom. C'est le moment de vérité !

— Tout va bien se passer, chers collègues ! lâcha Yao de l'autre côté, visiblement moins confiant qu'il ne voulait le laisser paraître. On se voit là-haut !

— T moins 31 s, dit le directeur du lancement. Activer la séquence automatique.

L'ordre signifiait que le contrôle de l'opération était transféré aux calculateurs de bord d'*Atlantis*. L'équipage ne sentit rien de particulier et Tomás continua d'attendre, attentif au moindre bruit. La navette, cependant, enregistra une légère vibration, produite par l'action des trois pompes hydrauliques.

— T moins 20 s. 19… 18… 17…

Terrifié, Tomás perdit le contrôle de sa vessie et sentit que l'urine s'écoulait.

— … 16… 15… 14…

Le préservatif avait-il fonctionné ? Les fluides se dirigeaient-ils vers la sonde ? Ou se répandaient-ils déjà à l'intérieur de la combinaison spatiale ?

— … 13… 12… 11…

Il le saurait bientôt, mais, compte tenu de ce qui se passait, cela ne présentait aucun intérêt.

— T moins 10 s. Allumage du moteur principal.

Atlantis eut une première secousse. Les valves venaient de s'ouvrir et les turbopompes entrèrent en action, injectant des milliers de litres de carburant par seconde dans les trois chambres de combustion.

— 9…

Le cœur battant la chamade, le Portugais savait que ce n'était qu'un avant-goût et que, dans quelques instants, précisément à T moins 6 s, le processus deviendrait très violent.

— … 8…

Sur les cadrans en face de Tomás, les indicateurs s'agitaient, révélant une augmentation soudaine de la pression.

— … 7…

Le carburant était acheminé à pleine vitesse vers les moteurs, jusqu'au moment fatidique. Et ce moment arriva.

— … 6. Activer la séquence d'allumage.

La navette spatiale fut secouée avec une immense brutalité. Un rugissement assourdissant envahit le cockpit, signe que les moteurs du vaisseau spatial avaient été allumés. Sans les fixations qui la maintenaient à la plateforme de lancement, la navette aurait décollé.

— 5…

Bien que ses oreilles fussent protégées par le casque, Tomás avait l'impression d'assister à un concert de heavy metal, près d'une enceinte géante avec le volume à fond. Il pensa à Maria Flor et à sa mère.

— … 4…

Les vibrations étaient extrêmement violentes ; elles lui donnaient l'impression qu'ils étaient dans une voiture qui roulait à 100 km/h sur les traverses d'une voie ferrée. Pourquoi diable s'était-il embarqué dans cette folie, alors qu'il avait tellement peur de l'avion ?

— … 3…

Il échangea un regard paniqué avec Emese, comme s'il lui demandait si ces secousses violentes étaient normales et si le vaisseau n'allait pas se désintégrer, voire exploser.

— … 2…

Si le simple allumage des moteurs du vaisseau provoquait un tel effet, que se passerait-il deux secondes plus tard, lors de la mise à feu des boosters SRB, beaucoup plus puissants que ceux de la navette ?

— … 1…

Ça y est, c'est maintenant, maintenant, maintenant.

C'était comme si le temps s'était accéléré jusqu'à ce que, soudainement, il s'arrête.

Il s'arrête.

— Mise à feu et décollage.

LXIV

Un violent coup de fouet plaqua Tomás contre le siège, comme si une main immense le comprimait vers l'arrière et que le poids de son corps avait doublé en un instant. Les fixations qui retenaient *Atlantis* éclatèrent avec la mise à feu et, tel un fauve en furie soudainement libéré, la navette spatiale rugit et s'éleva dans les airs avec toute la force de ses moteurs et des boosters SRB, beaucoup plus puissants, qui venaient d'être allumés.

— Houston, appela Duck. *Atlantis* en mouvement.

Le Centre de contrôle des lancements de Cap Kennedy, qui avait assuré le compte à rebours des trois derniers jours, avait transféré la responsabilité de l'opération au Centre de contrôle de la mission à Houston au moment du décollage. Le contrôle de la navette était à présent assuré par le Centre spatial Johnson jusqu'au retour de la navette, et ce fut Billy Gibbons, en sa qualité de directeur de la mission, qui répondit à l'appel du commandant du vaisseau spatial.

— Reçu, en mouvement, *Atlantis*.

Le Portugais n'avait jamais imaginé que le décollage fût si violent. Lorsqu'on le voyait à la télévision, le départ d'une navette semblait lent au début, presque comme si la fusée s'élevait avec paresse et cherchait encore son équilibre avant de percer le ciel et de gagner progressivement de la vitesse, mais à bord du vaisseau la sensation était tout autre. La vitesse était étonnamment élevée dès le premier instant et elle augmentait à chaque seconde qui passait ; en seulement quatre secondes, ils avaient atteint les 150 km/h. Avec la montée, le vacarme et la trépidation s'amplifiaient, même celle-ci n'était pas si violente qu'elle l'empêchât de voir les cadrans devant lui, ni celui-là si élevé qu'il ne lui permît d'entendre les communications entre le commandant et le Contrôle de la mission.

Dix secondes de vol.

— Houston, appela Duck à nouveau. *Atlantis* dans le programme.

— Reçu, *Atlantis*. Dans le programme.

Le commandant venait d'annoncer que le vaisseau spatial suivait le bon azimut de lancement, ce que le Contrôle de la mission savait déjà puisqu'il recevait les données fournies instantanément par les ordinateurs. Tomás n'ignorait pas qu'en réalité, la communication servait plus à tester la liaison entre la navette et Houston plutôt qu'à transmettre des informations utiles.

La vibration s'intensifia à mesure que la vitesse augmentait, jusqu'à ce que le vaisseau franchisse le mur du son. Les ondes de choc se répercutèrent dans toute la structure, la secouant comme un shaker, et Tomás, les joues comprimées, sentit son propre siège en acier gémir. Il lui semblait surprenant qu'avec des secousses aussi brutales, la navette ne se soit pas encore disloquée. Sa flexibilité était incroyable.

Quarante secondes de vol.

— *Atlantis*, moteurs réduits.

Les vibrations étaient devenues trop fortes en raison de la vitesse croissante dans une zone où l'atmosphère était encore dense et les effets aérodynamiques menaçaient l'intégrité structurelle de l'appareil, raison pour laquelle le Contrôle de la mission avait signalé que le pilote automatique du vaisseau avait momentanément réduit la puissance des moteurs. L'accélération ralentit et les secousses, tout en restant fortes, ne s'accentuèrent pas ; en fait, elles semblaient même avoir légèrement diminué.

Une minute et dix secondes de vol.

— *Atlantis*, moteurs à pleine puissance.

Par cette annonce, Houston signifiait qu'ils venaient d'entrer dans les couches moins denses de l'atmosphère et que les moteurs d'*Atlantis* étaient à nouveau à pleine puissance. D'ailleurs, les astronautes le ressentirent immédiatement, le passage à la puissance maximale produisant une nouvelle accélération qui les plaqua une fois de plus contre les sièges en acier. Tomás essaya de lever le bras, mais c'était comme s'il soulevait des haltères. Il avait l'impression que quelqu'un pesait de tout son poids sur sa poitrine et sa respiration était devenue difficile. Même les mouvements de la tête pour consulter les cadrans en face de lui demandaient un effort énorme.

Cependant, le Portugais était surtout préoccupé par les deux redoutables boosters SRB, qui consommaient cinq tonnes de carburant par seconde. Si quelque chose tournait mal, il était impossible de les éteindre ; une fois la mise à feu enclenchée, le carburant devait être consommé jusqu'au bout. Cela signifiait qu'ils étaient projetés dans l'espace par une série d'explosions contrôlées mais, dans une certaine mesure, incontrôlables.

— Houston, P-C à moins de cinquante.

L'appel de Duck inquiéta Tomás, qui constata que les cadrans devant lui indiquaient que la pression de la chambre à l'intérieur du SRB était tombée à moins de cinquante livres par pouce carré. Ce que venait de confirmer oralement le commandant. Il regarda Emese, essayant de deviner à travers la visière si elle était inquiète, et jeta un coup d'œil par le hublot du poste de pilotage pour voir s'il apercevait une quelconque anomalie. À ce moment précis, une détonation sourde secoua *Atlantis* et une flamme rouge vint lécher le hublot au-dessus d'eux.

— Qu'est-ce que c'est ?

Le vaisseau spatial perdait de la vitesse. L'accélération diminua brusquement de 2,5 G à 0,9 G, et le silence s'abattit soudainement sur *Atlantis.* Les battements de cœur du Portugais devinrent incontrôlables. Que se passait-il ? Les moteurs s'étaient-ils arrêtés ? La navette spatiale avait perdu de sa puissance et, conclut-il avec horreur, elle interromprait bientôt son ascension et tomberait.

— Ce sont les boosters ! dit la Hongroise dans l'intercom. Nous avons perdu les boosters !

— Quoi ?!!

— Les boosters se sont séparés.

— Les SRB ?

— Oui, ils ont fait leur travail et ont été éjectés. Maintenant, nous n'utilisons que le moteur d'*Atlantis.*

Tomás ne comprenait toujours pas très bien ce qui se passait.

— Qu'est-ce que ça signifie ? Nous allons tomber ?

— Non. Tout se passe comme prévu.

— Mais alors, et l'explosion ? – Il désigna le hublot du poste de pilotage. – Et les flammes dehors ?

— L'éjection est produite avec des explosifs, expliqua-t-elle. Tout se déroule normalement, soyez rassuré.

— C'est sûr ?... Vous en êtes sûre ?

— Oui. Regardez ici.

Emese indiqua les cadrans qui enregistraient le comportement des moteurs et aucun voyant rouge n'était allumé. Tout était normal, en effet. Les communications avec Houston étaient normales aussi, ce qui confirmait qu'il n'y avait pas de problème ; s'il y en avait eu un, les liaisons radio auraient été frénétiques. Enfin, et c'était peut-être le plus important, les vibrations avaient presque disparu.

Tomás souffla, soulagé.

— Ah bon !

La radio crépita de nouveau.

— *Atlantis*, performance *nominale.*

— Reçu, Houston. Performance *nominale.*

Le Centre de contrôle de la mission venait d'indiquer qu'après l'éjection des boosters, le rendement des moteurs de la navette était dans des paramètres normaux. Bonne nouvelle. Ils n'auraient pas à adopter des procédures d'urgence pour augmenter la puissance des moteurs et corriger tout écart de trajectoire.

Lorsque les effets de la gravité terrestre s'atténuèrent et qu'*Atlantis* s'allégea en raison de la consommation rapide de carburant, la vitesse augmenta progressivement, tout comme la pression sur le corps des astronautes. À ce moment-là, l'accélération devait engendrer à nouveau une force supérieure à 2 G, que tous ceux qui étaient à bord ressentaient. Ils avaient l'impression que le poids de chaque molécule de leur corps avait plus que doublé, comme s'ils s'étaient transformés en plomb, et qu'on les avait cloués à leur siège. Cependant, l'atmosphère extérieure étant déjà beaucoup moins dense, les vibrations avaient diminué et le bruit avait presque disparu. En un instant, la navette était devenue étonnamment calme, comme si elle s'était transformée en vaisseau électrique.

Deux minutes et quinze secondes de vol.

— *Atlantis*, deux moteurs Morón.

— Reçu, Houston. Morón accessible.

Houston venait d'annoncer que la fenêtre transatlantique pour interrompre la mission venait de s'ouvrir. Autrement dit, la navette spatiale avait déjà acquis une vitesse et une altitude suffisantes pour pouvoir, en cas de besoin, traverser l'Atlantique avec deux moteurs seulement et, en trente-cinq minutes, effectuer un atterrissage d'urgence sur une piste TAL, initiales de Transatlantic Landing, en l'occurrence sur la base aérienne de Morón en Espagne, ou sur d'autres pistes TAL en Europe et en Afrique. Du personnel avait également été affecté à l'aéroport de Dakar pour aider les contrôleurs aériens locaux à gérer un éventuel atterrissage d'*Atlantis*. Les équipes envoyées dans la capitale du Sénégal disposaient même des passeports des astronautes, afin que ceux-ci puissent entrer dans le pays en cas d'atterrissage d'urgence, ce qui, en principe, ne devrait pas arriver vu les prévisions météorologiques négatives fournies lors du briefing final avant le départ. Morón était devenu la solution de repli en cas de besoin.

— *Atlantis*, retour négatif.

— Reçu, Houston. Fenêtre RTLS fermée. Option TAL.

La fenêtre RTLS pour interrompre la mission, ouverte au moment du lancement, venait de se refermer. En d'autres termes, *Atlantis* était tellement éloignée de la Floride qu'un retour à Cap Kennedy était devenu impossible si quelque chose tournait mal. Désormais, les pistes d'urgence étaient uniquement les TAL.

Cinq minutes et trente secondes de vol.

— *Atlantis*, ouverture pour ATO.

— Reçu, Houston. Options TAL et ATO.

Ce jargon signifiait que la navette avait déjà atteint une vitesse et une altitude telles que, dans l'hypothèse où la mission aurait dû être interrompue en raison d'une panne de moteur, la fenêtre pour qu'elle puisse entrer en orbite ATO, une orbite plus basse que celle prévue, s'était ouverte, et qu'elle pouvait ensuite utiliser d'autres moteurs auxiliaires pour atteindre l'orbite requise.

Après cet échange, Tomás sentit Emese lui toucher le bras et, faisant un effort pour tourner la tête malgré les plus de 2 G qui le clouaient à son siège, il la vit croiser les doigts.

— Nous y sommes presque ! dit-elle, heureuse d'avoir survécu à la partie la plus risquée du décollage. Presque, presque…

La voix monocorde du directeur du lancement retentit dans les intercoms.

— *Atlantis*, un moteur Morón.

— Reçu, Houston. Morón accessible à un moteur.

Cette fois, c'était facile à comprendre. La navette était désormais capable d'atteindre la base aérienne de Morón avec un seul moteur ; il faudrait beaucoup de malchance pour que tous les moteurs tombent en panne, ce qui signifiait en pratique qu'ils étaient relativement en sécurité. En outre, l'option ATO était de loin la plus intéressante. À ce moment-là en effet, l'option TAL devenait théorique.

Tout l'équipage commença à respirer plus sereinement. Le pire était passé.

— *Atlantis*, allez à MECO.

S'il n'avait pas été si nerveux, Tomás aurait souri. Non, la NASA ne les envoyait pas à Meco, la célèbre plage nudiste au sud de Lisbonne où, dans sa jeunesse, il allait reluquer les seins des touristes. MECO signifiait Main Engine Cut Off, et l'annonce de Houston indiquait que la vitesse et l'altitude de la navette étaient telles que, en cas de panne des moteurs, ils n'auraient pas à atterrir d'urgence ; ils entreraient en orbite et pourraient ainsi résoudre le problème calmement.

Sur les cadrans du pont intermédiaire, la vitesse d'*Atlantis* était indiquée en miles. Vingt mille miles par heure, vingt et un mille, vingt-deux mille. Toutes les quinze secondes, la vitesse augmentait de mille miles par heure. Or, comme l'accélération provoquait déjà une pression de 3 G, on procéda à un ralentissement des moteurs afin que la vitesse devienne constante. On entendit des rires nerveux dans le poste de pilotage et l'ambiance sur le pont intermédiaire s'était également détendue ; tout le monde était souriant.

Huit minutes et trente-deux secondes de vol.

— Houston, MECO.

La voix de Duck mit fin à la phase de lancement. Les moteurs avaient été coupés et *Atlantis* était entrée en orbite. À ce moment-là, la navette enregistra une forte secousse en même temps qu'un grondement brutal.

Une explosion.

LXV

En fait, il y eut deux détonations.

Le bruit assourdissant des explosions fit trembler à nouveau *Atlantis*, et Tomás, qui se sentait plus calme après les montagnes russes du décollage, fit un bond sur son siège.

— Qu'est-ce que c'est ?!!

Ce fut encore Emese qui le rassura.

— Le réservoir de carburant. Il vient d'être éjecté.

— Mais, ça n'est pas déjà arrivé tout à l'heure ?

— Non, c'était juste les deux boosters. On a conservé le réservoir jusqu'à ce qu'on soit en orbite et on vient de s'en débarrasser. Il sera détruit quand il pénètrera dans l'atmosphère, et ne constituera donc aucun danger pour personne en bas.

Tomás regarda autour de lui et tout lui sembla tranquille. Très tranquille. Après que Duck eut annoncé MECO, et hormis les détonations qui avaient éjecté le réservoir de carburant, une sérénité surprenante s'était installée dans la navette. Le Portugais sentit subitement s'évanouir l'énorme poids qui l'oppressait depuis le décollage, signe que l'accélération avait cessé. D'après les indicateurs sur les cadrans face au siège, *Atlantis* volait à près de 30 000 km/h, mais c'était comme si la navette spatiale était immobile ; ils étaient passés d'une accélération de 3 G à 0 G en un clin d'œil, comme par magie. Les secousses avaient cessé et le silence s'était installé ; on n'entendait ni le bruit dû au frottement avec l'atmosphère, ni le bruit du moteur. Rien. On distinguait à peine le doux bourdonnement des ventilateurs qui refroidissaient les équipements électroniques à l'intérieur du vaisseau.

La voix de Duck résonna dans l'intercom.

— Houston, nous passons en OMS.

Une légère secousse se fit sentir au moment où les moteurs de l'Orbital Maneuvering System furent activés, provoquant une infime accélération, afin de guider le vaisseau spatial pendant deux minutes vers son orbite finale. Une fois le positionnement en orbite achevé, les moteurs furent coupés et *Atlantis* entama sa chute permanente selon une inclinaison qui suivait la courbure de la planète ; elle tombait, mais sans tomber.

Ils étaient de nouveau à zéro G.

Ce fut alors que le Portugais vit le stylo. Il apparut sans qu'il sache bien comment ni d'où, flottant dans l'air, à une cinquantaine de centimètres à droite de sa tête. Puis il remarqua deux boulons suspendus au-dessus et deux autres morceaux de métal ainsi qu'un chiffon sale. Avec l'apesanteur, de petits débris qui, sur Terre, avaient échappé au personnel de nettoyage, étaient sortis des recoins de la navette.

Le cliquetis des ceintures d'Emese et de Yao résonnèrent presque simultanément, et Tomás vit ses compagnons enlever leurs casques et être soulevés de leurs sièges, flottant comme s'ils étaient dans l'eau, à l'instar de ce qui s'était passé dans la Comète des vomissures ; Yao avait une agilité d'acrobate, et Emese avait l'air d'une méduse avec ses cheveux noirs dressés sur la tête, comme si un ventilateur soufflait sur son visage.

— Nous avons beaucoup à faire, déclara l'astronaute chinois après s'être étiré. D'abord, nous allons démonter les sièges, puis nous vérifierons les checklists.

Imitant ses deux partenaires, l'historien enleva son casque, détacha sa ceinture et se dégagea, ressentant pour la première fois les effets vrais de l'apesanteur. Il se leva de son siège, comme il l'avait toujours fait sur Terre, mais cette fois, il fut éjecté vers le plafond et il dut se recroqueviller et se protéger la tête avec les bras pour ne pas se cogner.

— Hé ! dit-il avec étonnement. Bon sang, je suis un boulet de canon !

Il allait devoir contrôler ses mouvements, s'il ne voulait pas être comme un éléphant dans un magasin de porcelaine. En réalité, et malgré les exercices dans la Comète des vomissures et la piscine à Houston, ce qu'il expérimenta dans l'espace était un peu différent. Les exercices au Centre spatial Johnson donnaient un avant-goût, mais ils n'étaient pas entièrement conformes à la réalité des mouvements en orbite. La meilleure façon de se mouvoir dans l'espace, se dit-il, était de faire des mouvements avec douceur, en s'élançant si possible avec les doigts seulement ; ainsi il ne risquerait pas de déclencher une catastrophe.

Après avoir acquis une certaine confiance, et incapable de résister à la tentation, Tomás osa une acrobatie. Il tourbillonna dans l'air, mais interrompit rapidement l'expérience ; il avait l'impression qu'il était arrêté et que c'était le vaisseau, et pas lui, qui tournoyait. C'était étrange. Il avait besoin de temps pour s'habituer à cette sensation.

Une fois en orbite, la première tâche consista à démonter les sièges du pont intermédiaire ; ils n'étaient plus d'aucune utilité et il fallait libérer l'espace dans la principale zone de vie du vaisseau, d'à peine 30 m^2. Le démontage se révéla aisé, et quelques minutes plus tard, les astronautes emportaient les sièges pour les stocker à l'étage inférieur. Ils étaient en acier et pesaient presque 50 kg chacun, mais dans cet environnement d'apesanteur, ils semblaient aussi légers que des plumes. Ensuite, chacun des astronautes vérifia la checklist des procédures qui lui incombaient et s'attela à sa tâche.

Lorsqu'il eut terminé sa partie, Tomás prit une profonde inspiration et regarda fixement Emese pour la première fois. Il remarqua immédiatement que quelque chose d'étrange se passait.

— Vous vous sentez bien ?

— Oui, pourquoi ?

— Votre… votre visage, fit-il remarquer. Vous êtes bizarre.

— Bizarre ?

— Oui… Je ne sais pas, vous êtes joufflue. Je ne sais pas comment expliquer mais vous semblez différente. Vous êtes sûre que vous vous sentez bien ?

Elle éclata de rire.

— Vous vous êtes regardé dans un miroir, Tomás ?

— Moi ?

— Allez vous regarder dans le miroir. Allez-y.

Le Portugais se laissa flotter jusqu'à la salle de bain, où il y avait un petit miroir et regarda l'image qui s'y réfléchissait. Comme Emese, son visage était boursouflé et rouge.

— Quelle horreur ! s'exclama-t-il. Qu'est-ce que c'est que ça ?

L'astrobiologiste rit à nouveau.

— Bienvenu en apesanteur ! dit-elle. Sur Terre, la gravité maintient les fluides corporels dans la partie inférieure, en particulier dans les jambes. Mais dans l'espace, c'est différent. Les fluides se propagent dans tout le corps, y compris la tête.

Tomás secoua la tête, comme s'il se testait.

— Bon sang, vous avez raison ! Je sens mon visage bouffi comme si j'étais suspendu par les pieds. C'est désagréable, on dirait que tout le sang est monté à la tête.

— N'oubliez pas que par rapport à la Terre, nous sommes en chute libre. Nous et le vaisseau, c'est pourquoi nous flottons d'un côté à l'autre, comme on le faisait dans la Comète des vomissures. Le sang monte à la tête comme il le ferait si on se jetait d'un avion et qu'on mettait longtemps à tomber. D'ailleurs, ce n'est pas seulement la tête. Voyez le reste.

Dans le miroir, Tomás observa son propre corps et constata que ses jambes étaient devenues anormalement minces tandis que son tronc ressemblait à celui d'un haltérophile.

— Je ressemble à Tarzan !

— Et moi ? Vous trouvez que j'ai l'air de Jane ?

Tomás regarda le corps de la Hongroise, en particulier sa poitrine, qui était également gonflée. Si lui était un haltérophile, elle, elle ressemblait à une pin-up.

— Jane, je ne sais pas. Mais je suis sûr que Playboy paierait une fortune pour une photo de vous.

Elle plissa les paupières avec malice.

— Je me déshabille uniquement pour qui je veux…

Emese ne ratait jamais une occasion et il feignit de ne pas comprendre.

L'adaptation à l'apesanteur était plus difficile qu'on aurait pu le penser. Tomás passa la première heure à lutter pour garder les pieds dirigés vers le sol et la tête vers le haut. Au bout d'un certain temps, son esprit finit par accepter que dans l'espace il n'y avait ni haut ni bas et qu'il était aussi normal d'avoir les pieds tournés vers le sol que vers le plafond ou un mur – comme ceux d'une mouche.

La position des corps était devenue étrange et l'historien s'aperçut qu'il conversait avec Yao dans la posture la plus bizarre que l'on pouvait imaginer ; il avait les pieds dirigés vers le sol, tandis que ceux de l'astronaute chinois faisaient face au plafond. Leurs têtes étaient au même niveau, mais leurs corps s'étendaient en sens opposé, l'un d'un côté, l'autre de l'autre, et Tomás avait l'impression que Yao avait les yeux en bas et la bouche en haut.

— Et maintenant ? demanda le Portugais, faisant un effort pour se dire que cette posture était normale. Que faisons-nous ?

— Notre orbite va nous conduire à *Delta*, mon cher ami. Nous allons procéder comme prévu.

— Ne vaudrait-il pas mieux attendre le résultat du raid sur le cosmodrome de Plessetsk ? demanda Tomás. Si le *Soyouz* est détruit par les F-35, nous n'aurons pas besoin des missiles, n'est-ce pas ?

— *Delta* ne transporte pas que les missiles, rappela Yao. N'oubliez pas que nous aurons aussi besoin du carburant supplémentaire apporté par *Delta*. Ce carburant est essentiel car il permettra à la navette d'accroître sa capacité de manœuvre pour sa rencontre avec *Phanès*.

— C'est vrai, vous avez raison.

La grande inconnue était le timing de l'Opération bleue, le raid sur Plessetsk. Le *Soyouz* devant être lancé dans une douzaine d'heures, l'opération des F-35 Lightning devrait avoir lieu avant. Tous ceux qui étaient à bord espéraient ardemment que le raid réussisse, mais ils n'avaient aucune prise sur ces événements. Ils allaient devoir attendre le résultat de l'Opération bleue, quel qu'il soit.

— D'après le plan, notre rencontre avec *Delta* aura lieu dans quatre heures, ajouta le Chinois en vérifiant sa montre. J'espère... que...

Yao fut interrompu par un hoquet.

— Eh bien ? dit Tomás avec crainte. Vous vous sentez bien ?

— Je...

Se projetant soudainement au plafond avec ses pieds, l'astronaute chinois s'élança vers une trousse de premiers secours, l'ouvrit hâtivement et en retira un sachet en plastique, dans lequel il plongea la bouche. Il laissa échapper un son guttural et un liquide jaunâtre emplit tout à coup le sac.

Il avait vomi.

Le Portugais avait été mis en garde par les médecins et les collègues contre les nausées soudaines. Seuls quelques astronautes en avaient, du moins à en croire les statistiques, mais elles étaient toujours inattendues, c'est pourquoi il y avait des sacs à vomi un peu partout dans le vaisseau.

— Ça va mieux ? demanda Tomás en s'approchant de son compagnon. Puis-je faire quelque chose ?

Soulagé, le Chinois secoua la tête.

— C'est déjà... déjà fini.

L'historien se retourna pour chercher un autre sac à vomi, juste au cas où il en aurait besoin, et sentit quelque chose de chaud lui toucher le visage. Il regarda dans le miroir et poussa un cri de dégoût quand il remarqua qu'une sphère jaune visqueuse s'était collée à sa joue. Il prit une éponge et enleva le morceau de vomi qui apparemment s'était échappé du sac. Il réalisa alors que d'autres sphères flottaient dans la cabine, comme des billes dorées, et une intense odeur acide remplit les 30 m^2 du pont intermédiaire.

— Récupérez les boules qui se sont échappées ! ordonna Emese. Sinon, on va tous se mettre à vomir.

L'effet contagieux pouvait être dangereux, comme Tomás s'en était aperçu à ses dépens pendant les exercices dans la Comète des vomissures, de sorte que tous trois passèrent les dix minutes suivantes, armés de sacs en plastique, à attraper les boules liquides de vomi comme s'ils avaient été des chasseurs de papillons. Cet épisode n'était pas très glorieux, et on ne le verrait jamais dans un épisode de *Star Trek* ou de *Star Wars*. Personne n'imaginait Luke Skywalker ou le capitaine Kirk chassant des boules de vomi ; cela n'était peut-être pas très épique, mais c'était une réalité de la vie quotidienne dans l'espace.

La collecte de vomi étant enfin couronnée de succès, le Portugais consacra l'heure suivante aux tâches prévues dans sa checklist. L'essentiel du travail consistait à préparer la plateforme de chargement de la navette, afin que tout soit en place pour le transfert du carburant et, si nécessaire, des missiles *Delta*. Yao et Tomás allèrent dans le cockpit attendre que Frenchie ouvre les portes de la plateforme pour tester le Canadarm 2, le bras robotique qui serait utilisé pour l'opération, tandis qu'Emese plaçait un instrument dans le sas, une opération de sécurité destinée à empêcher qu'il ne soit ouvert par inadvertance de l'intérieur, ce qui projetterait tout l'équipage dans le vide spatial et le tuerait instantanément.

Le pilote canadien ouvrit la plateforme et vérifia tout de suite par le hublot arrière que les refroidisseurs fonctionnaient. Soudain, il écarquilla les yeux.

— Mince ! s'exclama-t-il. Regardez ça !

Ses camarades, qui se préparaient déjà à manœuvrer le Canadarm 2, le rejoignirent.

— Que se passe-t-il ? demanda Tomás. Il est arrivé quelque chose ?

— Là-bas ! À l'arrière ! Vous ne voyez pas ces taches noires sur la queue de la navette ?

Le Portugais et le Chinois regardèrent dans la direction indiquée.

— Oui, je vois. Et alors ?

— Ça devrait être tout blanc ! Il y a quelque chose qui n'est pas normal. – Il se retourna. – Duck, viens voir ça.

Le commandant s'approcha du hublot qui donnait sur l'arrière et pâlit aussitôt.

— *Gee !*

— Qu'en penses-tu ?

Sans répondre, Duck saisit une paire de jumelles et examina les taches noires plus attentivement. Puis il prit l'intercom.

— Houston, *Atlantis.*

— *Atlantis,* ici Houston, répondit Billy immédiatement. J'écoute.

— Nous avons un problème avec la protection thermique.

— Quel genre de problème ?

— Il manque des tuiles à l'arrière, cinq à bâbord, et trois à tribord.

Tomás s'aperçut que Frenchie eut un air préoccupé en entendant les mots du commandant.

— Reçu, *Atlantis.* Huit tuiles de protection thermique manquantes. Stand-by.

— Qu'est-ce qui se passe ? chuchota le Portugais en direction du pilote. C'est grave ?

— Euh... oui.

— Pourquoi ?

— Ce sont les tuiles qui protègent la navette de la chaleur brutale que provoque le frottement avec l'air lors de la rentrée dans l'atmosphère. S'il en manque, *Atlantis* n'est pas protégée et elle sera détruite quand nous retournerons sur Terre.

— *Porra !* jura Tomás en portugais. Et que va-t-on faire ?

— Je n'en ai aucune idée.

— Ça signifie que... que nous ne pourrons pas rentrer ?

— Du calme, n'oubliez pas la vieille maxime de la NASA. Aussi grave que soit la situation, il est toujours possible de l'aggraver. Bref, inutile de paniquer. Et puis, il y a encore le RTV, la couche d'adhésif qui recouvre la carlingue d'aluminium et assure une protection jusqu'à des températures de...

— *Atlantis*, ici Houston, lança Billy du Centre de contrôle de la mission, interrompant la conversation. Vous me recevez ?

— Affirmatif, Houston.

— La préparation d'*Atlantis* pour cette mission a dû être accélérée et, apparemment, la protection thermique n'a pas été correctement testée. Quoi qu'il en soit, depuis qu'un problème similaire s'est produit lors du vol inaugural de *Columbia*, nous plaçons dans le magasin de toutes les navettes une douzaine de tuiles de rechange et de la colle. Je suggère que lors de la première EVA, la situation soit évaluée in situ, et que vous procédiez aux réparations lors de la deuxième EVA.

— Reçu, Houston. C'est tout.

Duck garda l'intercom, mais les trois autres astronautes qui se trouvaient dans le cockpit le regardaient, impatients.

— Alors ?

— Alors rien, répondit le commandant. Vous avez entendu Houston, n'est-ce pas ? L'équipe de l'EVA évaluera la situation à sa première sortie, et ensuite on avisera. Maintenant débarrassez le plancher ! Allez faire ce que vous avez à faire.

Il avaient des tuiles de rechange, il n'y avait donc pas de raison de s'alarmer. Soulagé, Tomás reprit les tâches prévues dans sa checklist, et lorsqu'il eut fini, il s'aperçut qu'il avait déjà faim.

Il se dirigea vers l'armoire où était stockée la nourriture et prit un sachet gris de l'armée américaine contenant un repas. Il examina les indications mentionnées sur chaque sachet et choisit un plat de spaghettis aux boulettes de viande. Il déchira le sac et réchauffa la nourriture au micro-ondes. Malgré l'aspect de l'emballage, la nourriture était étonnamment bonne, même si, dans l'espace, les aliments n'avaient pas le même goût que ceux qu'il avait mangés pendant les exercices à Houston.

— Attention ! avertit Yao. Missile en vol !

Tournant la tête, Tomás réalisa qu'une boulette s'était échappée de l'assiette et flottait sur sa gauche. Il baissa la tête et la goba. Il avait le sentiment d'être un artiste de cirque. Il n'aurait jamais été capable d'un tel exploit sur Terre.

Son repas terminé, il ouvrit un sachet de cookies, et quand il commença à manger, il remarqua que Seth venait de quitter le cockpit et se dirigeait en flottant vers le pont intermédiaire. C'était l'occasion. Se projetant avec les pieds, il monta au cockpit, où le commandant et le pilote étudiaient les coordonnées de la mission.

— Quelqu'un veut un cookie ?

— Non merci, répondit Duck, sans quitter des yeux l'ordinateur sur lequel il vérifiait des données et traçait l'itinéraire. Nous planifions la manœuvre d'approche de *Delta*.

— Quand aurons-nous des infos à propos de l'Opération bleue ?

— D'un moment à l'autre.

— Vraiment ?

Le Portugais eut l'impression que le commandant en savait plus que ce qu'il disait. C'était un militaire et, selon toute vraisemblance, il avait déjà été informé du résultat du raid des F-35 sur la Russie, mais il était tenu au secret.

— Attention, on dispose de l'itinéraire pour la rencontre avec *Delta*, dit Duck. D'ici peu vous devrez commencer à vous préparer pour l'EVA.

— Déjà ?

— Oui, dans un moment.

Comprenant qu'il avait encore un peu de temps libre, le Portugais s'installa dans l'un des sièges du cockpit, et, détendu, il leva enfin les yeux vers les hublots qui l'entouraient.

Ce qu'il vit l'émerveilla.

LXVI

La vue depuis les hublots de la navette spatiale était simplement époustouflante. La Voie lactée s'étendait dans le ciel noir comme un long nuage de fumée incandescent, formé par une infinité de points lumineux si intenses qu'ils projetaient des ombres dans le cockpit. Contrairement à ce qui se passait sur Terre, les étoiles ne scintillaient pas ; c'étaient des lueurs fixes. Et leurs couleurs étaient surprenantes ; les unes blanches, d'autres bleues, rouges, jaunes.

Frenchie réalisa que c'était la première fois que le Portugais découvrait l'univers sans le filtre brumeux de l'atmosphère.

— Fabuleux, hein ?

— Oui… c'est extraordinaire.

Le pilote canadien indiqua une lumière sur la gauche.

— Regardez celle-là là-bas, dans la constellation du Taureau, dit-il. C'est Aldébaran. Superbe, n'est-ce pas ?

C'était un point orange qui se détachait des autres étoiles par sa luminosité et sa couleur. En examinant le ciel, Tomás s'aperçut tout à coup qu'une vaste tache opaque flottait au-dessus d'eux, et les empêchait de voir les autres étoiles.

— Et ça, qu'est-ce que c'est ?

— La Terre.

La nuit recouvrait cette partie de la Terre qui ressemblait à une boule noire géante dissimulant une partie du ciel. On voyait des flashs successifs, trois ici, deux là, cinq là-bas ; c'étaient les éclairs des tempêtes qui éclataient entre les nuages, déclenchant des explosions blanches incessantes, comme un échange de signes ; on aurait dit une espèce de code secret de la nature.

Une douce luminescence estompait la courbe de l'horizon ; c'était évidemment la lumière du soleil qui transparaissait de l'autre côté et se répandait à travers l'atmosphère, illuminant l'air en couches successives aux nuances grisées. La silhouette de la Terre se détachait ténébreuse, silencieuse, gigantesque.

— C'est drôle, remarqua l'historien. J'ai toujours pensé que d'ici, d'en haut, on voyait les lumières des villes.

— Et on les voit, confirma Frenchie. Le problème c'est que nous sommes au-dessus du Pacifique et qu'il n'y a pratiquement que la mer au-dessous de nous. Les gens ne s'en rendent pas compte, mais la majeure partie de la planète est constituée des océans, c'est évident vu d'ici.

Le cockpit était de loin le meilleur endroit de la navette spatiale pour observer l'extérieur. Il avait six fenêtres à l'avant, deux sur le dessus et deux à l'arrière, ce qui offrait une perspective presque panoramique. Les deux de derrière donnaient sur la soute d'*Atlantis*, dont les trappes demeuraient ouvertes, exposant les entrailles du vaisseau, prêt à recevoir le chargement qui allait arriver. Le bras robotique que Yao allait manipuler était prêt. Le MMU, ou Manned Maneuvering Unit, la petite sonde conçue spécialement pour cette mission, était rangé dans un coin ; c'était le véhicule qui emmènerait les astronautes d'*Atlantis* jusqu'à *Phanès*.

En réalité, les trappes de la soute étaient ouvertes, non seulement en raison des préparatifs pour recevoir le chargement de *Delta*, mais aussi pour réguler la température dans la navette. L'équipement du vaisseau générait constamment de la chaleur et les trappes étaient équipées de refroidisseurs qui expulsaient la chaleur dans l'espace. Sans eux, ils cuiraient tous à l'intérieur.

Tomás sentit que le cockpit était froid. La température d'*Atlantis* était régulée pour ne pas être affectée par les variations thermiques brutales de l'espace sidéral, mais il était néanmoins impossible d'isoler totalement le vaisseau. Comme ils traversaient la face nocturne de la Terre, un froid glacial régnait à l'extérieur, et les températures extrêmement basses, inférieures à 200 °C en dessous de zéro, affectaient légèrement l'intérieur de la navette.

Tentant de se réchauffer, l'historien se frotta les bras.

— Brrr… quel froid !

— Ça va bientôt se réchauffer, rétorqua Frenchie, indiquant un point de l'horizon. Vous voyez les couleurs qui pointent là-bas ? C'est le Soleil. C'est un spectacle inoubliable.

Le Portugais se tourna vers un arc de lumière violette qui apparut à l'est ; la lumière était en train de changer du côté de la grande tache noire que formait la Terre. *Atlantis* volait si vite qu'ils assistaient à un lever et à un coucher de soleil toutes les quarante-cinq minutes. Au violet se mêla bientôt un bleu indigo, qui se divisa ensuite en plusieurs nuances bleutées de plus en plus douces, suivi par l'orange puis le rouge, qui à son tour constitua aussitôt une palette de dégradés ; on aurait dit une orgie chromatique en constante transformation. Un arc-en-ciel planétaire semblait se former dans la courbure de la Terre, devenant chaque fois plus lumineux jusqu'à ce qu'il s'éteigne soudainement et que, comme par enchantement, la planète apparaisse illuminée, dans un mélange de bleu et blanc incroyablement rayonnant.

— Bon sang !

La planète était devenue bleue.

Le plus incroyable, cependant, c'était le Soleil. Le grand astre pointa à la limite de l'horizon et commença à s'élever ; il était d'un blanc opalin magnifique. Rien à voir avec la légère teinte jaunâtre diffuse qu'on voyait de la Terre, on aurait dit une étoile différente. Ce qui déconcerta le plus Tomás ce fut un contraste auquel il ne s'attendait pas. Le Soleil brillait intensément, mais le ciel demeurait noir ; on avait l'impression qu'il faisait nuit et jour en même temps. Il est vrai que la luminosité de l'étoile éclipsait la Voie lactée et atténuait fortement la luminosité de la grande majorité des étoiles, mais même ainsi quelques rares points lumineux demeuraient visibles.

— Sirius, déclara le pilote canadien, en montrant l'un d'eux. C'est l'étoile que l'on voit le mieux pendant la journée. – Il indiqua un autre point dans l'espace noir, celui-ci rougeâtre. – Là, c'est Mars. Elle est également visible à la lumière du jour.

La radio crépitait constamment, Houston envoyant sans interruption des informations techniques dans un langage incompréhensible, le *nasanais*, le jargon hermétique de la NASA. Tandis que Tomás et Frenchie admiraient le paysage, Duck était en contact permanent avec le Centre de contrôle de la mission. On devinait que le commandant était tendu. Quelque chose se passait. Mais l'homme était un militaire et son visage demeurait indéchiffrable ; il ferait un bon joueur de poker.

À un moment donné, la radio se réveilla.

— *Atlantis*, ici Houston, appela la voix lointaine de Billy. T moins 90 min pour l'EVA.

— Reçu, Houston. T moins 90 min.

— Stand-by pour les coordonnées exactes. Nous recommandons que vous débutiez les préparatifs.

— Reçu, Houston. Préparation pour l'EVA.

Le commandant se tourna vers Tomás, lui demandant du regard s'il avait compris le message, mais ce fut Frenchie qui le formula avec des mots.

— Voilà. Nous approchons de *Delta*. Je pense que le moment est venu de commencer à vous habiller pour votre petit tour dans l'espace.

Duck alluma l'intercom et demanda à Emese et à Seth, qui devaient également participer à l'EVA, de se préparer. Le Portugais sentit alors que son cœur commençait à battre à toute vitesse ; le deuxième grand moment de tension en moins de trois heures approchait.

— Il faut vraiment le faire, n'est-ce pas ?

— Allons, ne faites pas cette tête ! le réprimanda le pilote. Je donnerais cher pour être à votre place ! Avez-vous vu ce que vous allez faire ? Sortir du vaisseau et vous promener dehors. C'est une chance unique !

Tomás se leva et se prépara à passer au pont intermédiaire ; pour une raison quelconque, et bien qu'il sût qu'il allait vivre une expérience exceptionnelle, les mots de Frenchie ne le rassuraient pas.

— Bon, d'accord. Je verrai si…

La radio résonna à nouveau.

— *Atlantis*, ici Houston, appela Billy. La mise à jour météo sur Cap Kennedy est sur le point d'arriver, au cas où un atterrissage d'urgence serait requis.

Tous demeurèrent silencieux dans le cockpit, paralysés par l'annonce du directeur de la mission. Il avait été convenu avant le départ que l'information sur le succès du raid contre *Soyouz* serait codée et communiquée dans un bulletin météo concernant le centre de la Floride. Le moment était arrivé.

Duck appuya sur le bouton pour donner la réponse.

— Reçu, Houston. Nous vous écoutons.

— *Atlantis*, stand-by.

À bord du vaisseau, la tension devenait palpable, chacun retenait sa respiration.

— Zut ! s'impatienta Frenchie, qui se rongeait les ongles. Allez, dites-le, vite ! Putain ! Pourquoi tout ce retard ?

Le résultat de l'Opération bleue était trop important pour être pris à la légère. Ce qui était en jeu c'était ni plus ni moins que le succès de la mission *Phanès*, un éventuel combat dans l'espace avec des armes nucléaires, voire une possible guerre sur Terre. À quoi il fallait ajouter la survie éventuelle de l'équipage d'*Atlantis*, ce qui ne laissait personne indifférent à bord. Si les F-35 Lightning avaient mené à bien l'attaque contre le cosmodrome russe, cela allait certainement déclencher une grave crise entre l'Occident et la Russie, mais au moins l'équipage d'*Atlantis* n'aurait qu'à se soucier de la rencontre avec *Phanès*. Cela ne rendait pas la tâche plus aisée, mais ce serait infiniment préférable à l'autre situation. Si le raid avait échoué, un combat dans l'espace avec des missiles balistiques nucléaires deviendrait inévitable et les chances de succès de la mission diminueraient considérablement. Et un échec de la mission, nul ne l'ignorait, entraînerait très vraisemblablement la mort de tous ceux qui étaient à bord.

La mise était beaucoup trop élevée. Bien qu'il ne fût pas croyant, Tomás en vint presque à prier. Duck avait fermé les yeux, probablement en une prière silencieuse, et des gouttes de sueur perlaient sur le visage tendu de Frenchie. Beaucoup de choses étaient en jeu et personne n'osait faire le moindre bruit, qui risquerait de couvrir la communication cruciale que le Centre spatial Johnson se préparait à faire.

La radio vint briser de nouveau le silence.

— *Atlantis*, ici Houston, appela Billy. Nous avons la mise à jour météo.

— Reçu, Houston. Nous vous écoutons.

L'appareil grésilla encore.

— Tempête sur Cap Kennedy, annonça le directeur de la mission. Je répète, tempête sur Cap Kennedy.

Le raid avait échoué.

LXVII

La nouvelle laissa les astronautes sans voix, la main devant la bouche, les yeux hagards. Les conséquences de cette annonce étaient gravissimes. Tous pensaient qu'ils étaient prêts à entendre la mauvaise nouvelle, mais en réalité, dans leur for intérieur, ils avaient toujours été intimement convaincus que tout irait bien, que le *Soyouz* serait neutralisé avant de décoller et que la mission pourrait se concentrer sur l'essentiel, à savoir la rencontre avec *Phanès*.

Le destin en avait décidé autrement. L'Opération bleue avait échoué, le *Soyouz* serait lancé dans quelques heures, la confrontation nucléaire dans l'espace était devenue inévitable. Bref, le cauchemar. L'équipage allait devoir assumer les conséquences et prendre les mesures que personne ne voulait. Les missiles seraient retirés du *Delta* et armés sur *Atlantis*. Oui, vraiment, le cauchemar. Tout le monde à bord avait besoin de temps pour digérer cette information.

— *Shit !* murmura Duck après quelques secondes. *Shit ! Shit ! Shit !*

— Merde !

Le commandant et le pilote, tous deux militaires, savaient mieux que quiconque à quoi il fallait s'attendre. Tout dépendait d'eux à présent et de leur capacité de surprendre les Russes. Il n'y avait plus qu'à espérer que *Soyouz* ignorât qu'*Atlantis* était armée lorsqu'ils se croiseraient dans l'espace, car c'était la seule possibilité réaliste de neutraliser le vaisseau russe. Si Moscou venait à connaître, ou même à suspecter, les préparatifs militaires secrets de la mission, tout serait perdu. L'effet de surprise était crucial.

— Qu'est-ce qui a bien pu se passer ? demanda Tomás, encore sous le choc. Les Russes ont abattu nos avions ?

Duck avait le visage fermé, s'efforçant de dissimuler sa consternation.

— C'est probable.

— Que dit Houston ?

— Vous n'avez pas entendu ? dit le commandant avec une pointe d'irritation. Tempête sur Cap Kennedy. C'est tout ce qu'ils ont dit.

— Vous pensez qu'ils vont nous donner des informations supplémentaires ?

— Négatif. Houston veut non seulement que nous soyons concentrés sur notre mission, mais surtout qu'on évite de donner aux Russes le moindre indice susceptible de les laisser supposer que nous savons ce qui se passe et que nous serons prêts à recevoir le *Soyouz* comme il se doit. Nous devons tous feindre que tout est normal jusqu'au dernier moment, sinon nous risquons d'être anéantis par les missiles russes avant que nous ne puissions les contrer.

— Mais si le raid a échoué et que nos avions ont été abattus, cela a peut-être déclenché une guerre entre l'Occident et la Russie, déclara le Portugais. C'est très grave. Nous ne pouvons pas rester ici à faire comme s'il ne s'était rien passé.

Duck répondit en faisant un geste péremptoire de la main indiquant le passage vers le pont intermédiaire.

— Allez vous préparer pour l'EVA, ordonna-t-il. Il reste peu de temps avant la rencontre avec *Delta*.

Il était clair que le commandant ne voulait pas poursuivre la discussion. La prochaine étape de la mission était très délicate et indépendamment de la gravité des nouvelles, l'heure était à l'action et non au bavardage.

Tomás s'élança dans l'air et flotta jusqu'au pont intermédiaire. Seth s'habillait dans un coin du plafond et Emese se démenait avec le scaphandre, les pieds sur un mur, tandis que Yao testait de nouveau le bras robotique de la plateforme. Tous étaient silencieux et concentrés, secoués par la nouvelle qu'ils venaient d'apprendre. Malgré l'espace exigu, chacun se sentait isolé. Les 30 m^2 du compartiment intermédiaire seraient sans aucun doute très réduits sur Terre. Dans un environnement d'apesanteur, cependant, ils étaient devenus étonnamment spacieux dans la mesure où les occupants n'utilisaient pas seulement 30 m^2 au sol, mais tout le volume disponible.

L'historien plongea vers le placard d'où il retira son équipement. Il se déshabilla et commença par revêtir les sous-vêtements, une combinaison en polypropylène conçue pour absorber la transpiration. Puis il enfila le LCVG, l'équipement de refroidissement liquide qui fait circuler l'eau par des tubes assemblés dans le tissu afin de maintenir la température constante, et plaça les capteurs biomédicaux qui permettraient à ses compagnons d'*Atlantis* de suivre son état physique. Il prépara le sachet avec l'eau potable et, pour s'assurer qu'il ne contenait pas de bulles d'air, il le retourna jusqu'à ce que les bulles soient du côté de l'ouverture, puis le serra pour les expulser. Ensuite, il mit une paille dans le sachet et le plaça sous le cou, où il était facilement accessible, et rangea à côté la barre énergétique qu'il pourrait manger s'il avait un petit creux ; il lui suffirait ainsi d'étirer le cou pour aspirer l'eau avec la paille ou mordre dans la barre.

— Tomás, vous pouvez m'aider à mettre mon scaphandre ? demanda la Hongroise, qui était montée au plafond et avait laissé son casque flotter à ses pieds. Je n'y arrive pas toute seule.

En fait, personne n'y arrivait. Tomás et Seth l'aidèrent à enfiler le pantalon, puis le torse et les gants. Une telle combinaison pesait plus de 100 kg sur Terre, mais dans l'espace, le poids n'était pas un problème, la difficulté résidait dans le contrôle des mouvements. L'opération fut achevée lorsqu'ils lui mirent sur la tête le Snoopy Cap pour communiquer et vissèrent son casque. Ensuite, ce fut au tour du Portugais et de Yao d'aider Seth, puis il fallut appeler Frenchie pour aider l'astronaute chinois à habiller Tomás.

Lorsque le pilote s'apprêtait à lui mettre son casque, l'historien leva la main et l'arrêta.

— Attendez.

— Alors ? Qu'est-ce qu'il y a ?

Sachant que dans les prochaines heures, il ne pourrait pas utiliser ses doigts en cas de démangeaison, Tomás se gratta le bout du nez et le menton.

— C'est bon, allez-y.

Frenchie lui enfila son casque qu'il relia à la combinaison, et le scella. C'était incroyable, mais la préparation des trois astronautes de l'EVA avait duré presque une heure.

Seth fit un signe de tête aux deux compagnons de l'EVA, mais sa voix n'était audible que par l'intercom.

— On y va.

Laissant Yao flotter derrière eux, tous trois se dirigèrent vers le sas de l'EVA. Ils entrèrent et prirent place dans cet espace aussi exigu qu'un placard ; c'était un cylindre d'un mètre cinquante de diamètre sur deux de long. Ils étaient serrés comme des sardines, l'engin ayant été conçu pour deux astronautes seulement, pas pour trois.

L'astronaute chinois tapota amicalement sur leur casque et, à l'entrée du sas, il leva le pouce.

— Bonne chance ! Et faites attention dehors.

Les membres de l'EVA lui firent un signe et Seth saisit le levier de la porte qu'il tira pour fermer le sas. Il poussa le levier vers le bas, opération qui produisit une succession de bruits métalliques qui faisaient penser à la fermeture d'une cellule de prison, et verrouilla le sas, l'isolant du reste du vaisseau.

Ils étaient seuls.

LXVIII

Les trois astronautes branchèrent les batteries des scaphandres, ce qui les rendit autonomes, et le responsable scientifique de la mission activa le mécanisme de dépressurisation. Il y eut un sifflement rauque, correspondant à l'extraction de l'air du sas, puis le bruit cessa complètement ; ils étaient déjà dans le vide.

Tomás tapa sur la paroi, mais il n'entendit rien. S'il l'avait fait quelques instants plus tôt, il aurait entendu un bruit sourd. Mais là, rien. C'était comme dans un film muet. Il n'y avait pas d'air pour diffuser et transporter le son. Tout pouvait arriver, même une explosion, on n'entendrait rien. Les seuls bruits qui ne disparaissaient pas étaient ceux du ventilateur à l'intérieur du scaphandre, et celui de sa propre respiration. Et la voix de ses compagnons ou de Houston à travers l'intercom.

— Maintenant, nous devons attendre quarante minutes, déclara Seth. Quelqu'un veut raconter une blague ?

Personne n'était d'humeur à ça. L'attente serait longue et pénible, l'espace dans le sas était exigu et il n'y avait rien à faire. Les astronautes de l'EVA devaient passer ce temps à respirer de l'oxygène pur pour se débarrasser de l'azote qui circulait dans leur sang, puis ils continueraient avec de l'oxygène uniquement pendant toute leur promenade dans le vide. La raison était exclusivement physiologique. Quand un corps est soumis à une pression de l'air inférieure, comme c'est le cas dans le vide spatial, l'azote se gazéifie et commence à former des bulles dans le sang, ce qui provoque une gêne. Si le passage à une pression nettement inférieure se faisait de façon abrupte, le sang pourrait même se transformer en gaz, provoquant le gonflement des corps. C'est pourquoi il faut expulser l'azote du corps. Dans l'éventualité où il en resterait encore, le scaphandre maintiendrait l'air à une pression minimale, comme une espèce de pneu gonflé flottant dans un espace absolument vide.

Trois personnes enfermées pendant quarante minutes dans un cylindre minuscule ne peuvent pas s'attendre à passer un moment agréable. L'espace était si petit que Tomás eut vraiment le sentiment qu'ils étaient tous les trois des sardines en boîte. Cependant, il fit un effort et parvint à se concentrer sur des problèmes bien plus importants. Il savait qu'*Atlantis* s'approchait de *Delta*, mais il ne pouvait pas suivre la manœuvre. La rencontre était prévue dans une quarantaine de minutes, lorsque la dépressurisation serait achevée et qu'ils pourraient sortir dans l'espace, et il supposait qu'en cas de problème, le commandant les informerait.

Et puis, il y avait l'EVA. Ce qu'ils se préparaient à faire, il l'avait toujours su, mais il n'en prenait pleinement conscience que maintenant, n'était pas quelque chose d'anodin. Il allait marcher dans l'espace. Pas à l'intérieur, mais à l'extérieur du vaisseau. À l'extérieur. Dans le vide. Exposé aux radiations et aux mille et un dangers de l'espace sidéral. Si le simple fait de voyager dans la navette spatiale était en soi déjà dangereux, l'EVA constituait un exercice infiniment plus délicat. Beaucoup de choses pouvaient tourner mal. Les amarres pouvaient se rompre et lui ou l'un de ses compagnons risquait de se perdre dans l'espace. Ou un grain un peu plus gros de poussière cosmique pouvait déchirer leur scaphandre. Même un trou minuscule causerait une dépressurisation soudaine de la combinaison et la gazéification de tous les fluides du corps. Ils pouvaient aussi se retrouver sans oxygène et mourir asphyxiés. Une fuite de liquides dans le système d'eau et de régulation de la température pouvait aussi survenir, et ils mourraient noyés dans leur scaphandre – ce qui avait failli arriver à un astronaute italien, qui n'avait eu la vie sauve que parce qu'il était revenu à temps au vaisseau. Ou bien il se pouvait que…

Non.

Il valait mieux ne pas y penser. Il y avait mille et une façons de mourir dans l'espace, beaucoup de choses pouvaient mal tourner, il était préférable de ne pas perdre de temps avec de telles idées. Pensée positive. Il devrait se concentrer, veiller sur ses camarades et espérer qu'ils en feraient autant pour lui. Et croire que le meilleur arriverait. Pensée positive. Il est vrai qu'ils avaient déjà espéré, dans d'autres situations cruciales comme par exemple le succès du raid F-35, que le meilleur se produise et ils avaient été déçus. Il souhaitait ardemment que leur dose de malchance fût épuisée et qu'à partir de maintenant tout irait. L'échec n'était pas une option. Il y avait trop de choses en jeu. La vie de ses compagnons. Le succès de la première rencontre avec une intelligence extra-terrestre. La guerre ou la paix. L'avenir de l'humanité.

Non, l'échec ne pouvait pas être une option.

Cependant, il ne pouvait ignorer que c'était une possibilité effroyablement réaliste. Étant donné le nombre de facteurs en cause, et vu surtout qu'ils n'avaient aucun moyen de les contrôler, l'échec était devenu plus probable que le succès. Telle était la terrible réalité. Qu'avait dit Seth à Houston ? Qu'il ne s'agissait pas d'une mission suicide, mais que le risque était élevé ? En fait, l'échec de l'Opération bleue signifiait plus que cela. La mission *Phanès* était devenue une mission suicide.

Presque.

L'intercom rompit le silence.

— Houston, ici *Atlantis*, appela Duck. Nous avons une panne électrique. Pour la réparer nous allons devoir couper les communications quelque temps.

La réponse du Centre de contrôle de la mission fut immédiate.

— *Atlantis*, ici Houston. C'est grave ?

— Négatif, Houston. Juste des fusibles grillés dans le système de communications. Nous allons les remplacer. Ça prend du temps, mais ce n'est pas très grave. L'ennui, c'est que nous devons couper le contact pendant que nous procédons aux réparations.

— Combien de temps ?

— Quelques heures, j'en ai peur.

Il y eut un court silence, les responsables du Centre de contrôle devaient se consulter.

— *Atlantis*. Il n'y a aucun moyen de réparer sans couper le contact ?

— Négatif, Houston. On n'a vraiment pas le choix. Le problème menace le TDRS, l'antenne en bande Ku et même le système UHF.

Nouveau silence, sans doute nouvelles consultations au Centre de contrôle, avant que l'autorisation de poursuivre la procédure ne soit donnée.

— Reçu, *Atlantis*, acquiesça Billy sur un ton résigné. Rétablissez les communications dès que la réparation sera terminée.

— Reçu, Houston. À toute. *Over and out.*

Pressés les uns contre les autres dans le sas, les trois astronautes de l'EVA avaient suivi les échanges avec appréhension.

— Maintenant, c'est à nous, déclara Seth à ses compagnons européens. Il faut que ça se passe bien.

Nul n'ignorait que le dialogue entre Duck et Houston était une mise en scène destinée à justifier l'interruption des communications entre *Atlantis* et le Centre de contrôle. Les Russes surveillaient sans aucun doute leurs échanges et il était essentiel qu'ils ne soupçonnent rien.

— Équipe EVA, ici Duck, annonça le commandant. Les communications avec Houston sont désactivées. Nos échanges radio internes sont de courte portée, nous pouvons donc parler librement. Confirmez que vous m'entendez et dans quelles conditions.

Ce fut Seth qui répondit.

— Reçu, Duck. Nous vous recevons cinq sur cinq. Quelle est la situation ?

— L'approche de *Delta* s'est bien passée et elle est terminée. Sortez quand vous serez prêts.

Chacun regarda sa montre. Plus qu'une minute à attendre.

— Reçu, Duck.

— *Godspeed, boys !* répondit le commandant. Bonne chance, les gars !

Le chef scientifique engagea la procédure de sortie dans l'espace. Il saisit le levier de la porte extérieure et commença à le tourner. Ses gestes étaient lents et précis, et la dernière minute s'écoula rapidement. Les quarante minutes de dépressurisation achevées, il exerça le dernier mouvement sur le levier et, en silence, la porte extérieure s'ouvrit.

Il écarta la couverture thermique du sas et exposa la petite ouverture circulaire à l'espace sidéral. Puis il se retourna et regarda ses compagnons une dernière fois, comme s'il voulait s'assurer qu'ils étaient prêts à sauter dans le vide.

— Prêts ?

Le rythme cardiaque de Tomás s'accéléra, mais sa réponse et celle d'Emese furent simultanées.

— Allons-y !

Sans un mot de plus, Seth leur tourna le dos et plongea.

Ses deux compagnons attendirent un moment les instructions ; ils savaient que le responsable scientifique était allé fixer les amarres qui les reliaient à la navette, pour accroître la sécurité de l'EVA. Ils échangèrent un coup d'œil et se touchèrent la main, en essayant de se donner confiance.

Quelques instants plus tard, l'astrophysicien réapparut à l'entrée du sas et leur fit un signe.

— OK, vous pouvez venir.

Avec courtoisie, Tomás se tourna vers la Hongroise et lui proposa de passer la première.

— Les dames d'abord.

Surmontant une dernière hésitation, elle s'avança et franchit le sas.

Le cœur de l'historien battait à tout rompre. Après, ce serait à lui. Il allait sortir dans le vide et s'exposer au rayonnement cosmique. Il allait abandonner le cocon protecteur du vaisseau spatial pour se retrouver entièrement livré à lui-même, face aux menaces de l'univers.

Il vit Seth apparaître à nouveau devant l'ouverture du sas.

— Tom, appela le responsable scientifique. C'est votre tour.

Le moment est venu, pensa-t-il.

Il posa ses mains sur le levier menant à la sortie et, les jambes tremblantes et le cœur battant la chamade, il se prépara à s'élancer dans l'abîme. Il prit une profonde inspiration pour contrôler sa peur. Tout en lui lui disait que c'était de la folie de se lancer ainsi dans le vide. Ce serait comme se jeter d'un train en marche ; le train continuerait son voyage et lui resterait irrémédiablement derrière. Il dut se concentrer et se convaincre que dans l'espace les choses se passeraient différemment ; il s'élancerait mais ne resterait pas derrière. Il continuerait à voyager à la vitesse de la navette et à côté d'elle, comme si le vaisseau était immobile. C'était du moins ce qu'on lui avait expliqué et c'est ce qu'il voulait croire.

Surmontant ses hésitations, il se projeta doucement vers l'avant, avec une grande prudence et la peur au ventre. Il flottait hors du vaisseau, dans le vide absolu.

LXIX

L'Antarctique.

La première chose que vit Tomás lorsqu'il regarda la gigantesque boule bleue et blanche lumineuse qui planait devant lui ce fut l'Antarctique, une surface laiteuse avec sa longue péninsule montagneuse pointant vers l'Amérique du Sud comme l'épine dorsale d'un monstre souterrain. Ce n'était pas juste un bout de la Terre qu'il voyait, comme lorsqu'il regardait par les fenêtres de la navette spatiale.

C'était la planète entière.

Une sphère colossale emplissait le ciel. Il savait rationnellement que les choses étaient ainsi, que la Terre n'était qu'une planète quasi sphérique qui tournait en ellipse autour du Soleil. Cependant, une chose était de le savoir, de l'avoir étudié dans les livres, d'avoir contemplé des photos et des schémas, d'avoir vu des films, d'imaginer la planète traversant l'espace. Une autre, radicalement différente, était de se trouver en personne, face à ce spectacle, de l'observer en direct, d'en faire partie. C'était le spectacle le plus étonnant qu'il n'ait jamais vu de sa vie, si écrasant que, pendant quelques instants, il retint son souffle.

— Wow ! s'exclama-t-il, abasourdi. Wooow !

La Terre brillait comme un joyau céruléen, un bleu bien plus intense que ce qu'il avait pu imaginer. Il avait toujours conçu la planète comme une boule multicolore, avec le bleu de la mer, le blanc des nuages, le vert des forêts, le brun de la terre, le jaune des déserts. Ce qu'il voyait devant lui, cependant, c'était une étendue bleue presque infinie parsemée de touffes blanches. Il découvrait enfin concrètement que la Terre n'était pas multicolore. Elle était bleue. Bleue.

À couper le souffle.

Quelle différence par rapport à l'image de la planète qu'il avait vue quand il était à bord d'*Atlantis* ! Dans le vaisseau spatial, les fenêtres encadraient la scène. Le paysage était certes magnifique, mais il était toujours lointain, comme un tableau cloué au mur, un spectacle qui se déroulait sur un écran de cinéma, nous d'un côté, la Terre de l'autre. Alors que là, flottant dans l'espace, sans rien autour hormis le vide absolu, enfermé dans une combinaison mais dont le verre du casque était si poli qu'il semblait inexistant, c'était différent. Très différent. Tomás ne regardait pas un tableau, il *était* dans le tableau. La différence était aussi abyssale que celle qu'il y avait entre observer un lion enfermé dans une cage au zoo et se retrouver face à l'un de ces félins au milieu de la jungle, sans rien qui vous sépare, sans rien qui vous protège. La jungle pure et dure, dans toute sa cruauté, dans toute sa brutalité, dans toute sa beauté. Le Portugais n'observait pas une scène ; il en faisait partie. Il faisait partie du tout.

L'univers était la jungle et il était dedans.

— Tom ?

Et puis, il y avait le Soleil. Le Soleil ! Il l'avait déjà observé lorsqu'il était à bord du vaisseau, mais là, sa vision était plus impressionnante, plus pure, plus brute encore. Sur Terre, le Soleil apparaissait avec plusieurs couleurs, jaune, orange, rouge, violet même, en fonction de l'heure ou de la latitude, en raison de la diffraction causée par l'atmosphère. Dans l'espace, le Soleil était différent. Blanc. Blanc, blanc et blanc. Le blanc le plus blanc qui existe. Et c'était à travers ce blanc et la pureté du vide, comprit Tomás, que les couleurs autour devenaient plus brillantes, plus vives, plus intenses.

Le bleu de la Terre avait acquis mille nuances qu'il n'avait jamais vues, comme si ses yeux avaient capté de nouveaux bleus ; le rouge et le vert du drapeau portugais qu'il avait à l'épaule gauche paraissaient plus intenses, tout comme le doré des tuiles thermiques qui protégeaient *Atlantis*, ou des couleurs des drapeaux hongrois et américain sur les épaules de ses compagnons. C'était dû, pensa-t-il, au fait que l'air était encore plus limpide que l'air des montagnes, sauf qu'il n'y avait pas d'air dans le vide, et c'était précisément pour ça que les couleurs étaient beaucoup plus intenses qu'au sommet d'une montagne ou à bord de la navette, où malgré tout, il y avait une atmosphère. Il fallait quitter le vaisseau pour voir, pour percevoir l'intensité des couleurs, pour les sentir vibrer. Nulle part ailleurs, se dit-il, on ne pouvait capter les couleurs avec la même force que dans le vide.

— Tom ! Vous m'entendez ?

La voix de Seth pénétra dans sa conscience comme un bourdonnement lointain, une nuisance qui le détournait de l'essentiel. Il n'y prêta pas attention. Il se sentait trop émerveillé par la volupté chromatique et la netteté déconcertante de tout ce qui l'entourait. Le vide était une lentille qui amplifiait tellement les impressions visuelles qu'il était incapable de se détacher de cette sensation d'enchantement et de se concentrer sur ce qu'on lui disait. Comment pouvait-il accomplir la moindre tâche devant un spectacle aussi éblouissant ?

— Laissez-le s'adapter, Seth, argumenta Emese. N'oubliez pas que c'est la première fois qu'il fait une EVA. Nous sommes tous passés par là, c'est normal.

— *Goddam it !* Nous n'avons pas de temps pour ça !

La Hongroise s'approcha de Tomás en flottant, l'interrompant dans sa contemplation de la planète bleue et de l'étoile qui brillait dans la nuit du cosmos.

— Tomás ! l'appela-t-elle. Concentrez-vous, je vous en prie ! Vous m'entendez ? Regardez-moi !

L'intervention de l'astrobiologiste l'arracha enfin au charme sous lequel il était tombé, cinq minutes plus tôt. Le Portugais secoua la tête et la dévisagea, bouleversé.

— Hein ? Hein ? Qu'est-ce que c'est ?

— On va travailler ?

— Travailler ?

Elle pointa le doigt.

— Oui. *Delta* est là. Nous devons y aller et transférer le carburant et les missiles. Vous êtes prêt ?

Tomás regarda dans la direction indiquée. Une silhouette argentée se détachait dans l'espace, le drapeau américain dessiné sur l'un des côtés du vaisseau ravitailleur.

— Ah, oui. *Delta*.

— On y va ?

Revenant à lui et s'efforçant de se concentrer sur la tâche qui l'attendait, l'historien vérifia l'amarre qui le reliait à *Atlantis* comme un cordon ombilical et tira dessus ; elle tenait, ce qui lui donna confiance. Il pouvait ainsi se laisser aller dans l'espace, certain qu'il pourrait retourner au vaisseau.

— Nous n'avons pas besoin du MMU ?

— Seth est allé le chercher. Venez.

C'est alors qu'il réalisa que le petit véhicule conçu pour le déplacement entre *Atlantis* et *Phanès* se trouvait juste sous eux. En général, les MMU étaient une espèce de sac à dos que les astronautes enfilaient pendant les sorties dans l'espace et qui les transportaient d'un endroit à l'autre. Pour cette mission, cependant, un MMU spécial avait été mis au point, un petit véhicule dont la mission principale était de les emmener, le moment venu, au vaisseau spatial extra-terrestre, mais qui servirait également pour l'opération avec *Delta*. Pendant que Tomás contemplait, en extase, la Terre et le Soleil, Seth l'avait sorti de la soute d'*Atlantis* et il attendait que ses deux compagnons le rejoignent pour aller jusqu'à *Delta*, à cinq cents mètres de là.

S'arc-boutant avec les jambes contre la navette spatiale, le Portugais se projeta dans la direction du MMU à une vitesse étonnamment grande et, en deux secondes, il avait atteint le véhicule ; il réalisa alors que les mouvements dans l'espace, bien que semblables à certains égards à ceux qu'ils avaient répétés dans la piscine, étaient différents en raison de la résistance. L'eau opposait toujours une résistance qui ralentissait les gestes et stabilisait le corps, mais dans le vide il n'y avait aucune résistance ; le moindre mouvement acquérait une vitesse excessive. S'il jetait un objet dans l'eau, celui-ci finissait par perdre de la vitesse et tomber ou flotter. Dans l'espace, l'objet continuerait à avancer. Cela allait l'obliger à être délibérément lent. Très lent.

Il entra dans le MMU et constata que la cabine était étroite, encore plus étroite que le sas d'*Atlantis*. Dès qu'Emese et lui furent installés, Seth appuya sur un bouton et l'unité mobile commença à bouger, déployant les amarres qui les reliaient à *Atlantis*. C'était étrange de voyager dans un véhicule absolument silencieux, mais il devait s'habituer à la réalité des opérations dans le vide ; il ne pouvait pas compter sur l'ouïe, car il n'y avait pas de sons à entendre, hormis bien sûr ceux de l'intercom, du ventilateur de la combinaison et de sa propre respiration.

Le véhicule s'approcha d'abord de l'arrière de la navette spatiale, afin de se positionner à moins de deux mètres des taches noires dans le fuselage.

— *Atlantis*, ici EVA, appela Seth. Nous sommes à proximité de la protection thermique à l'arrière. Il manque effectivement des tuiles.

— EVA, ici *Atlantis*, répondit le commandant. Reçu. Il en manque combien ? Huit ?

Les trois astronautes de l'EVA comptèrent les espaces ouverts dans la protection thermique du fuselage.

— Négatif, *Atlantis*. Il en manque dix.

— Vous êtes sûr ?

Ils comptèrent à nouveau.

— Affirmatif. Dix.

— C'est juste à l'arrière ou dans d'autres parties ?

Le trio de l'EVA examina le reste de la protection thermique. Hormis ces taches noires, le fuselage blanc était intact.

— Seulement à l'arrière. Cinq à bâbord et cinq à tribord.

— Super ! s'exclama Duck, soulagé. Poursuivez la mission. Nous procéderons aux réparations à la prochaine EVA.

— Reçu, *Atlantis*. EVA en mouvement.

Ils quittèrent l'arrière de la navette et en quelques secondes arrivèrent au *Delta*. Tomás et ses compagnons remarquèrent aussitôt les quatre structures métalliques visibles par la trappe du vaisseau, semblables à des suppositoires géants et pointus, l'emblème de l'USAF, l'armée de l'air américaine, imprimé sur le métal.

Les missiles.

L'opération consistant à transférer le fret de *Delta* à *Atlantis* était très délicate en raison de la sensibilité et de la dangerosité du matériau qu'ils manipulaient, ainsi que des conditions particulières dans lesquelles le travail était accompli, mais, à part ça, extrêmement simple. Utilisant des amarres qui étaient reliées à *Atlantis*, les trois astronautes les attachèrent aux structures où le réservoir de carburant et la batterie avec les quatre missiles AIM-120 AMRAAM étaient fixés. Puis ils ouvrirent un boîtier électronique situé à la base des structures et saisirent les codes appropriés. Simultanément, les pinces qui retenaient les structures au *Delta* s'ouvrirent et le réservoir et la batterie se détachèrent du vaisseau et flottèrent comme des ballons.

La première partie de l'opération était achevée.

— *Atlantis*, ici EVA, appela Seth. Première phase du transfert réussie.

— Reçu, EVA, répondit Duck. Apportez tout ça à la maison.

La deuxième phase était également très délicate. Faute d'air, il n'y avait pas la moindre résistance, et ils ne devaient pas oublier que tout mouvement avait tendance à se prolonger, ce qui pouvait être dangereux. S'ils envoyaient les structures sorties du *Delta* en direction d'*Atlantis*, elles avanceraient jusqu'à heurter la navette spatiale, ce qui risquait de l'endommager. Ils devaient donc contrôler les mouvements afin de conduire la cargaison jusqu'à l'engin spatial, mais sans risquer une collision.

Manœuvrant le MMU avec habileté, Seth tira le réservoir de carburant et la batterie de missiles jusqu'à *Atlantis*. Quand ils approchèrent du vaisseau, Tomás et Emese s'élancèrent en direction de la soute de la navette pendant que Seth s'efforçait de stabiliser le MMU et la cargaison. La Hongroise se dirigea vers la zone du carburant pour préparer le transfert, tandis que le Portugais flotta jusqu'à la pointe du Canadarm 2, le bras robotique d'*Atlantis*.

Il regarda le cockpit où il vit, se découpant derrière la fenêtre, Yao Jingming qui manœuvrait.

— Dites-moi quand vous êtes prêt, Yao.

— Je suis prêt.

Toujours avec des mouvements très lents, Tomás attacha ses bottes à un dispositif pour les pieds qui le fixa au Canadarm 2, et attacha l'amarre de la batterie de missiles à une poulie qui permettait de la lever. Alors qu'il s'apprêtait à appuyer sur le bouton, il sentit un froid soudain lui glacer le corps. Juste après, la lumière autour s'éteignit, plongeant tout dans le noir.

Il regarda autour de lui, effrayé.

— Qu'est-ce qui se passe ?

D'un seul coup, les ténèbres s'étaient brutalement abattues sur eux.

LXX

— *Fuck !* jura Seth.

Ils étaient tout à coup plongés dans le noir absolu, et un froid glacial les étreignait. Tomás était totalement désorienté.

— Que diable se passe-t-il ? s'écria le Portugais, paniqué et frissonnant de froid. Qu'est-il arrivé ?

— Calmez-vous, Tomás ! dit Emese. Allumez les lampes du casque.

— Qu'est-il arrivé ?

— Les lampes, répéta-t-elle. Allumez les lampes du casque et réglez la température de la combinaison !

— Mais…

— Faites-le !

Voyant les lumières allumées dans le cockpit d'*Atlantis* ainsi que les lampes sur les casques de ses compagnons d'EVA, l'historien tendit le bras vers son casque et chercha l'interrupteur. Il le trouva et alluma la lumière. Puis, transi de froid, il tourna la valve qui réglait la température et sentit aussitôt son corps se réchauffer.

— Ça y est, dit-il, plus calme. Mais que s'est-il passé ? Est-ce que quelqu'un peut m'expliquer ?

— C'est le coucher de Soleil, déclara Seth. La Terre a caché le Soleil et nous nous sommes retrouvés dans l'obscurité. C'est le crépuscule, tout simplement. Rien de grave, soyez rassuré.

Tomás chercha le Soleil et constata qu'effectivement la Terre l'avait dissimulé. Il avait déjà vu la nuit spatiale quand il était à bord d'*Atlantis*, bien sûr, mais là dans l'espace, sans la protection du vaisseau, tout lui semblait encore différent. Il avait commencé à sentir que la nuit arrivait quelques instants avant de la voir. Et surtout, il l'avait ressentie au niveau thermique. Il savait que la température extérieure, quand on était exposé au Soleil sans la protection de l'atmosphère terrestre, était supérieure à 90 °C ; quand l'astre disparaissait, cependant, la température dans l'espace chutait à 200 °C en dessous de zéro environ. C'était comme s'il passait en quelques secondes d'une mer brûlante à un froid polaire. Une variation de près de 300 °C en un instant, sans transition.

— C'est incroyable ! s'exclama-t-il lorsqu'il comprit enfin ce qui s'était passé. C'est incroyable comme le scaphandre peut supporter cette variation thermique et s'y adapter ! Il faut le vivre pour le croire !

— Vous pouvez remercier la NASA, répondit Seth, manœuvrant toujours le MMU pour le rapprocher du bras du Canadarm 2. C'est une merveille d'ingénierie humaine.

Le scaphandre était en effet un trésor de technologie. La variation thermique avait été instantanée et s'était accompagnée d'une chute soudaine et radicale de la température, mais la combinaison avait absorbé le choc et s'était réglée automatiquement avec une efficacité étonnante. Certes, Tomás avait ressenti le changement, c'était comme s'il nageait dans la mer des Caraïbes et s'était tout à coup retrouvé au milieu de l'océan glacial Arctique, mais il ne faisait aucun doute qu'il avait été protégé contre le pire des chocs thermiques.

Il regarda autour de lui et sentit un frisson le traverser.

— Bon sang !

Si la lumière du Soleil dans l'espace sidéral était d'un blanc quasi absolu, l'obscurité de la nuit cosmique était encore plus noire que ce qu'on pouvait imaginer. L'absence totale de lumière. Tomás ne pouvait voir que ce que la lampe de son casque, les lumières de la navette et du MMU, et les lampes de ses compagnons d'EVA éclairaient ; ils étaient comme des spectres dans l'obscurité. Tout le reste avait disparu, invisible.

À l'exception de la Voie lactée.

Une immense mer d'étoiles parsemait les ténèbres ; c'étaient des milliards et des milliards de points de lumière fixes de différentes couleurs : rouge, jaune, blanc, violet, bleu, vert. On aurait dit un sapin de Noël cosmique. Certaines étoiles, parce qu'elles étaient géantes ou plus proches, formaient distinctement les constellations, celles que l'on ne devinait que vaguement depuis la Terre. Là le Sagittaire, là-bas le Capricorne, de ce côté la Croix du Sud, de l'autre la Grande Ourse. Au milieu, les éclairs des gaz qui enflammaient la galaxie. Tout était d'une clarté cristalline impossible à observer de la Terre et d'une grandeur que l'on ne pouvait pas percevoir dans la navette. Encore une fois, il ne voyait pas l'univers. Il était dans l'univers. Et le réalisme était tel qu'il donnait le vertige, comme si l'esprit craignait que le corps ne s'abîme dans cet immense essaim de lumières ; on avait l'impression que la pointe du Canadarm 2 était le sommet d'une falaise et l'univers le précipice.

Et puis il y avait la Lune.

Observée de la Terre, elle n'était qu'un cercle en deux dimensions suspendu dans le ciel, et seule l'incidence de la lumière solaire permettait de savoir si elle était nouvelle, pleine, croissante ou décroissante. Dans l'espace, encore une fois, tout était différent. La Lune avait cessé d'être un disque à deux dimensions pour devenir une sphère tridimensionnelle. Une boule. Une planète. Avec du relief. On voyait les cratères et les montagnes et les ombres comme si elles étaient là, devant soi, avec des contrastes et de la profondeur. Tomás eut l'impression que la Lune n'était qu'à quelques pas, mais il savait que c'était une illusion. La distance était la même que depuis la Terre, mais là il n'y avait pas d'air pour perturber la vision et le vide rendait tout plus cristallin, plus net, plus proche.

— Tom ?

Et enfin, la Terre elle-même. Une présence gigantesque, s'imposant dans une ombre immense qui découpait en cercle le spectacle lumineux de la Voie lactée, comme un monstre silencieux. Au milieu de ces ténèbres, il aperçut, en bas, une lueur dessinant des formes qui lui semblaient étrangement familières. Il se rendit compte que c'était l'Europe et que les lumières qu'il distinguait traçaient le profil long et étroit de la péninsule italienne, mais à l'envers, ce qui dans le cas de l'Italie signifiait que le talon de la botte était au nord. Il se tourna, essayant de redresser le monde, comme il s'était habitué à le voir sur les cartes. Les lumières de la côte dessinaient clairement l'Italie. Par un réflexe conditionné, il chercha à l'ouest la péninsule ibérique et la trouva immédiatement. L'éclairage nocturne était plus fort sur le littoral, même s'il était très intense dans une partie de l'intérieur, où se trouvait évidemment Madrid, mais ce qui l'intéressait en particulier, c'était la côte occidentale.

Le Portugal.

Il vit les lumières de Lisbonne et de Porto et constata qu'avec Madrid et l'axe Barcelone-Valence, la zone où se trouvait le Portugal était l'une des plus illuminées de la péninsule ibérique, ce qui reflétait la densité démographique plus élevée du pays. Surtout le long de la côte, bien sûr, les régions de l'intérieur n'étant pas aussi lumineuses. Puis il distingua les lumières de la France, rayonnant surtout autour de Paris, comme si la Ville lumière était une étoile, puis l'Allemagne et la Suisse. Regardant vers le sud, il discerna les contours plus vagues de la côte nord-africaine, en particulier la Tunisie, mais le reste, pour l'essentiel, n'était qu'une ombre. Il n'y avait aucun doute, le continent européen était le plus éclairé de tous ; seule rivalisait probablement avec lui l'Amérique du Nord, qu'il ne pourrait entrevoir que dans un certain temps.

— Tomás ! cria Seth dans l'intercom du scaphandre. Que diable faites-vous ? Vous vous êtes endormi ou quoi ?

— Hein ? Hein ?

— Réveillez-vous bon sang ! On doit finir ça !

Il n'était pas facile de se concentrer au milieu du spectacle extraordinaire de la Terre et du cosmos la nuit.

— Oui, oui, acquiesça-t-il. Le problème c'est que je ne vois pas la cargaison. Comment voulez-vous que je fasse si je ne vois pas la cargaison ?

— Duck ? appela Seth. Tu peux régler ça ?

Deux secondes plus tard, un foyer lumineux apparut sur la navette spatiale et, scrutant le noir, il s'arrêta enfin sur le réservoir de carburant et la batterie de missiles que le MMU avait laissés flotter à côté du vaisseau.

— Je vois, déclara Tomás. Yao, pouvez-vous me rapprocher de la cargaison ?

— Tout de suite.

Manœuvrant le Canadarm 2 depuis le cockpit, l'astronaute chinois leva le bras robotique jusqu'à ce que la pointe, où se trouvait le Portugais, se trouve à côté de la cargaison du *Delta*. Tomás ne se sentait pas très rassuré par ces manœuvres, car lorsqu'il s'étirait, le Canadarm 2 avait tendance à remuer, surtout à l'extrémité, comme une grue en haut d'un gratte-ciel. Il avait peur que ses pieds ne se détachent du dispositif où ils étaient fixés, mais il se força à se rappeler que, là où il était, il ne pouvait pas y avoir de chute ; s'il lâchait le bras robotique de la navette, le pire qui pouvait lui arriver était de flotter.

Après s'être appuyé contre la cargaison, il pressa un bouton et les poulies commencèrent à tirer les amarres, rapprochant le réservoir et la batterie de missiles du Canadarm 2. Une fois cette opération terminée, Tomás se tourna vers la fenêtre arrière du cockpit, où se trouvait Yao.

— Descendez-moi jusqu'à la soute.

Le Chinois manœuvra le bras robotique, qui en se repliant tira le chargement vers la soute. Puis, les trois astronautes de l'EVA passèrent à la phase finale de l'opération. Pendant qu'Emese s'occupait du réservoir de carburant, ses deux compagnons se chargeaient des missiles.

Seth fixa un dispositif à la soute de la navette pendant que Tomás manipulait la batterie de missiles avec un soin infini afin de les déposer à l'endroit où ils seraient arrimés. Une chaîne métallique passait par de petits anneaux à la base des missiles et la tâche du Portugais consista à la détacher pour libérer les quatre AIM-120 AMRAAM. Il emboîta alors la batterie dans la structure qui venait d'être montée par Seth, plaça la chaîne dans une caisse à cinq mètres de distance et procéda aux connexions électriques finales qui permirent de relier chacun des quatre missiles à l'ordinateur de bord. Un dispositif permettant d'actionner les missiles manuellement devait être relié au système informatique central afin qu'ils puissent être tirés depuis le cockpit d'*Atlantis*. Tomás travaillait lentement, avec beaucoup de concentration ; il ne voyait que ce que la lumière de son casque éclairait. Tout le reste était noir.

À un moment donné, il sentit une démangeaison au bout du nez et, instinctivement, il leva le bras pour se gratter, mais sa main heurta le verre du casque.

— Zut !

— Tomás ? s'inquiéta Seth. Que se passe-t-il ?

Que dire ? Que son nez le démangeait mais qu'il s'était rendu compte qu'il ne pouvait pas se gratter ?

— Rien, rien.

— Faites attention.

La démangeaison empira et, son nez commençait à l'irriter, il était sur le point d'éternuer et luttait pour ne pas le faire, ses yeux devinrent humides. Était-ce une allergie ? Ce qui ne devait être qu'un problème mineur se révéla plus compliqué. Comment essuyer des larmes si les mains ne pouvaient pas entrer dans le casque ?

Il décida d'attendre que les larmes coulent et que la buée se dissipe. Il finit cependant par comprendre qu'en apesanteur les larmes ne pouvaient descendre nulle part ; elles formaient deux sphères liquides collées aux yeux qui grossissaient à mesure que l'allergie le faisait pleurer. Et il n'y avait aucun moyen de s'en débarrasser. Il cligna plusieurs fois des yeux et secoua la tête, essayant de forcer les larmes à se détacher, mais elles restaient obstinément fixées à ses paupières. Sa vision était devenue floue et il devait finir le travail. Que faire ?

Presque à tâtons, il examina le boîtier des câbles électriques et, à l'aveuglette, il parvint à établir la dernière connexion. Avait-il réussi ?

— Duck, appela Tomás. Vous contrôlez les missiles ?

Le commandant mit quelques secondes à répondre, attendant sans doute la confirmation des instruments de bord.

— Reçu, Tom, répondit-il. Les joujoux sont au chaud.

Le Portugais poussa un soupir de soulagement. Avec sa vue toujours brouillée par les larmes, il ne savait pas comment il aurait pu résoudre le problème.

— Qu'en est-il du carburant ? demanda Seth. Le transfert s'est bien passé ?

— Affirmatif.

— Alors, si je n'ai rien oublié, l'opération est terminée.

— Affirmatif, EVA. Bon travail et bon retour au bercail.

Tomás tira sur les amarres pour vérifier qu'elles étaient toujours solidement reliées à *Atlantis*. Tout semblait en ordre. Mais il continuait à avoir beaucoup de mal à voir.

— Euh… Emese ?

— Oui, Tomás ?

— Je suis aveugle.

— Pardon ?

— J'ai de la buée sur les yeux et je ne peux pas l'enlever. Je n'y vois rien. Pouvez-vous m'aider à rentrer ?

Connaissant le problème, l'astrobiologiste ne tarda pas à réagir. Elle tira sur l'amarre du Portugais et le guida dans la soute d'*Atlantis* jusqu'à ce qu'ils atteignent le sas qui les conduirait à l'intérieur du vaisseau. Avec Seth, ils pénétrèrent dans le cylindre. L'Américain ferma la porte extérieure et tourna le levier qu'il verrouilla.

Une fois enfermés, Seth appuya sur le bouton de pressurisation. Ils se détendirent enfin, attendant que la pression se stabilise et que l'air entre dans le sas pour rejoindre leurs compagnons. Tomás réalisa alors que quelque chose flottait devant ses yeux embués et il comprit que c'étaient deux gouttes qui planaient à l'intérieur du casque.

Ce n'étaient pas des larmes, ses yeux étaient toujours embués. C'était simplement le produit de tant d'heures d'une activité physique exténuante.

C'étaient des gouttes de sueur.

LXXI

Dès que la pressurisation fut terminée et qu'il retrouva le confort du pont intermédiaire, Tomás ôta son casque. Il était trempé de sueur ; ses cheveux étaient plaqués sur sa tête, comme s'il venait de sortir de la piscine. Les gouttes ne coulaient pas le long de son corps, comme elles le faisaient sur Terre ; elles formaient des petites sphères sur les pores. Certaines s'étaient détachées et planaient dans l'air ; elles ressemblaient à des ballons lilliputiens qui montaient de l'intérieur du scaphandre.

À côté de lui, Emese prit une profonde inspiration.

— Ouf, souffla-t-elle, le visage rougi par l'effort et également trempé par la transpiration. Je suis éreintée.

Seth quant à lui se laissait flotter près du plafond, trop épuisé pour essayer de se déshabiller ou même de parler. Les trois astronautes avaient passé six heures à travailler dans l'espace et ils avaient l'impression d'avoir couru un marathon ; ils avaient l'air de revenir d'un champ de bataille. La fatigue les rendait avares de mots. Par gestes, ils demandèrent de l'eau et burent abondamment, compensant ainsi une déshydratation prolongée.

Le Portugais sentit que ses muscles étaient endoloris et ce n'est qu'au bout de dix minutes, avec beaucoup d'efforts et l'aide de Yao, qu'il se décida à retirer la combinaison avec laquelle il était sorti dans l'espace. Heureusement, les éléments du scaphandre lévitaient comme des plumes dans l'apesanteur de la navette spatiale. Si tel n'avait pas été le cas, se dit-il, il aurait dû manger un bœuf avant d'avoir assez de force pour se déshabiller.

L'astronaute chinois lui ôta les gants, exposant ses mains ; elles étaient blanches et trempées de sueur. Puis il lui enleva le torse, révélant des marques rougeâtres sur le cou et les articulations des bras, provoquées par les mouvements. Enfin, il lui ôta les bottes.

— Alors, c'était comment ? voulut savoir Yao. Beau ?

— C'était dur.

— Ça, je le sais déjà, cher collègue. Il suffit de voir vos visages pour comprendre.

— C'est plus dur que dans la piscine du Centre spatial Johnson. Beaucoup plus. Le vide peut ne pas avoir la résistance et la gravité que nous avons rencontrées dans l'eau, mais tout est si différent que les efforts pour s'adapter finissent par nous épuiser, physiquement et mentalement. Après, il y a le danger permanent, on sait que si quelque chose tourne mal on n'en réchappera pas. Et puis, on est exposé aux radiations et aux températures extrêmes. Mais le pire c'est la pression atmosphérique inférieure à la normale. C'est comme travailler à 5 000 m d'altitude. On s'épuise très rapidement.

— Je vous crois, je vous crois. Ce que j'aimerais savoir, cependant, c'est comment vous avez trouvé la balade, au-delà de la prouesse physique et du danger. Est-ce que, dehors, l'univers est comme on le voit d'ici ?

Tomás considéra la question.

— C'est la même chose.

— Ah !

— Et… c'est différent.

— Yin et Yang ?

— C'est ça.

— Dans quel sens est-ce la même chose ?

— C'est le même univers. Les mêmes étoiles, le même Soleil, la même Terre.

— Alors, quelle est la différence ?

Le Portugais prit une profonde inspiration, essayant d'imaginer une manière d'exprimer ce qu'il avait vu.

— À l'extérieur c'est… c'est magnifique. Majestueux. Infini. – Il fit un geste en direction du cockpit, où se trouvaient les fenêtres de la navette. – Ici, à l'intérieur, à travers les hublots, c'est beau, mais on n'a pas la même vision de la grandeur du cosmos, de l'immensité de l'univers et de la pureté de la lumière et des couleurs. Il faut aller à l'extérieur pour s'en rendre compte. Même ce que nous sommes. Nous devons sortir dans l'espace et voir l'univers pour tout comprendre.

Yao sourit.

— Vous me paraissez très philosophe, cher collègue…

— Peut-être. Mais, il est impossible de vivre une telle expérience sans qu'elle nous transforme.

— Qu'est-ce qui vous a le plus impressionné ? La grandeur de l'univers ? La vision de la Terre ?

— Une compréhension différente de ce que nous sommes.

— Que voulez-vous dire ?

— Nous sommes des voyageurs.

Le Chinois fit un claquement avec la langue.

— *Ayah* ! Nul besoin d'aller dehors pour réaliser que nous sommes des voyageurs, cher collègue. Nous sommes dans la navette spatiale et nous voyageons à travers l'espace.

Tomás secoua la tête.

— Je ne parlais pas de nous ici, dans *Atlantis*, corrigea-t-il. Je faisais allusion à nous, l'humanité. Nous sommes des voyageurs et là dehors, ça devient évident. Nous comprenons ce qu'est vraiment la Terre.

— Une planète…

— Un vaisseau.

— Excusez-moi ?

— La Terre est un vaisseau géant, Yao. Au milieu de nulle part, entouré de l'espace profond à l'infini, tournant autour d'une boule de feu qui émet la lumière la plus blanche que l'on puisse imaginer… En bas, la terre et la mer s'étendent partout, avec le ciel au-dessus. Être entouré de terre nous rassure, nous aide à nous sentir en sécurité, mais je comprends à présent que c'est une illusion. Le ciel n'est pas simplement là-haut. Il est partout. Partout.

— Pardonnez mon impertinence, cher collègue, mais tout le monde sait ça.

— Rationnellement, oui. Mais pas sur le plan émotionnel. Il faut sortir et se laisser submerger par le vide, entouré par la galaxie et le noir le plus profond qui soit. Cela ne s'apprend pas avec des photos dans un livre d'astronomie, des graphiques dans un manuel de physique ou de simples mots, aussi éloquents soient-ils. Ça ne suffit pas. On ne peut comprendre tout ça que si les émotions l'ont compris. La Terre n'est qu'un vaisseau spatial qui voyage à travers le néant et nous sommes ses passagers. Nous voyageons dans l'espace et le temps, nous voyageons du néant vers le néant, entourés de rien et de tout, un grain de poussière planant dans un vide infini. La vérité se résume à ça.

En guise de réponse, Yao fit une grimace.

— *Ayah* ! Je pense que l'expérience vous a perturbé.

— Elle m'a illuminé.

L'astronaute chinois se tut. Visiblement, son compagnon avait été affecté par tout ce qu'il avait vu. Il valait mieux le laisser à ses pensées et lui donner le temps de s'en remettre. Yao alla donc aider Emese à enlever son scaphandre avant de faire la même chose avec Seth. Après avoir un peu récupéré de leurs efforts, les astronautes de l'EVA allèrent manger ; la barre énergétique qu'ils avaient emmenée les avait aidés, mais c'était loin d'être suffisant.

Au milieu du repas, une silhouette qui flottait s'approcha. Duck venait se joindre à eux.

— Alors, c'était comment ? Difficile, hein ?

— Très.

Le commandant les regarda manger pendant quelques instants, dans une attitude que Tomás trouva peu naturelle.

— Que se passe-t-il ? interrogea l'historien. Vous voulez nous dire quelque chose ?

— Oui.

Le groupe arrêta de manger, sentant qu'il y avait du nouveau.

— Qu'est-il arrivé ?

— Vous savez que demain c'est le grand jour. Dans dix-huit heures, *Phanès* va raser la Terre et son itinéraire précis a déjà été tracé. La rencontre aura lieu au-dessus du Pacifique, un peu au sud-ouest de Hawaï et, à moins que leur vaisseau ne ralentisse et n'entre en orbite, comme nous l'espérons, nous ne disposerons que d'une quinzaine de minutes pour établir le contact. Après ça, *Phanès* quittera notre secteur et nous ne serons pas en mesure de le suivre.

— Quinze minutes ? s'étonna Tomás. Mais ce n'est rien.

— Nous devrons être rapides.

— Lorsqu'ils nous verront, ils ralentiront certainement, prédit Seth. Ça me semble évident.

— C'est probable, concéda le commandant. Mais nous devons partir du principe que nous n'aurons que quinze minutes environ. C'est le temps dont nous disposerons pour établir le contact. S'ils entrent en orbite, ce sera beaucoup mieux.

— Quand pourrons-nous voir des images de *Phanès* ? demanda Emese. Je veux dire, autre chose qu'un point lumineux. Je voudrais voir de vraies photos de leur vaisseau.

— Selon Houston, nous aurons ces images deux heures avant la rencontre, répondit Duck. Les télescopes sont tous pointés dans sa direction, mais jusqu'à présent ils n'ont photographié qu'un point lumineux. C'est à cause de la position du Soleil et de je ne sais quoi. Apparemment, l'angle d'incidence de la lumière solaire ne nous sera favorable que lorsque *Phanès* sera très proche de la Terre. Dès que Houston aura une photo qui montre exactement à quoi ressemble leur vaisseau, ils nous l'envoient.

— Deux heures seulement ? s'étonna l'astrophysicien. Ils ne peuvent pas avant ?

— On dirait que non.

— *Fuck !*

— Et ce n'est pas tout. Houston vient de me communiquer une autre info qu'il est de mon devoir de partager avec vous.

— Que se passe-t-il ?

Le commandant baissa la voix avant de répondre ; il savait que le sujet était très délicat, mais il n'avait aucun moyen de l'éviter. Plus vite ils l'aborderaient, mieux ce serait.

— *Soyouz* a décollé, annonça-t-il. Il se dirige vers nous.

LXXII

Le cœur de la mission approchant, on pouvait s'attendre à ce que les astronautes ne puissent pas dormir. Ce fut le cas de Duck, Frenchie et Yao ; ils se sentaient nerveux et restèrent éveillés et attentifs, estimant qu'ils devaient être vigilants et qu'ils se reposeraient plus tard, quand tout serait fini.

Cependant, pour les astronautes qui avaient participé à l'EVA, ce fut différent. Ils étaient si fatigués que dès qu'ils eurent fini de manger, et en dépit de l'annonce au sujet du *Soyouz* qui approchait, ils flottèrent jusqu'à leurs sacs de couchage.

— Je ne tiendrai pas une minute de plus, se plaignit Emese. Si je ne me couche pas tout de suite, je crois que je vais m'endormir debout.

— Moi ce ne sera pas debout, observa Seth, les paupières lourdes. Mais en flottant.

Tomás aussi était éreinté mais, étant le seul novice du groupe, il ne savait pas trop comment on dormait en apesanteur ; il avait de bonnes raisons de se poser des questions, car se reposer dans de telles circonstances était évidemment une expérience très particulière. Il n'y avait pas de lits dans la navette spatiale. En théorie, les astronautes pouvaient parfaitement se coucher et dormir en lévitant dans la cabine ; rien ne les en empêchait et l'expérience aurait même été intéressante et tentante. Le problème, comme le lui expliqua Emese, c'est qu'ils n'arrêteraient pas de se cogner les pieds ou la tête ou une autre partie du corps contre un mur ou un autre astronaute, et se réveilleraient constamment.

C'était pourquoi des sacs de couchage étaient fixés aux murs du pont intermédiaire. À l'instar de ses deux compagnons d'EVA, Tomás se glissa dans celui qui lui avait été attribué et s'endormit aussitôt. Étrangement, il dormit en laissant les bras dehors, qui planaient doucement ; on aurait dit un bébé flottant dans le liquide amniotique du ventre de sa mère ; il se reposa si bien qu'il eut le sentiment que les sept heures de sommeil n'avaient duré qu'un bref instant.

— Tomás ? lui souffla une douce voix à l'oreille. Tomás ?

Le Portugais ouvrit un œil et, somnolent, découvrit le visage parfait d'Emese penché sur lui.

— Hein ?

— Vous êtes réveillé ?

La question de la Hongroise lui parut insensée. C'était précisément elle qui venait de le réveiller, mais il se garda de le lui faire observer.

— Il est arrivé quelque chose ?

Emese ouvrit la fermeture éclair de son sac de couchage.

— Seth dort encore et les autres sont dans le cockpit, chuchota-t-elle. Nous devons en profiter.

Tomás était encore à moitié endormi et son cerveau était un peu lent.

— Profiter ? Profiter de quoi ?

Avec un petit rire, elle glissa une jambe dans son sac de couchage.

— Devinez !

Comprenant enfin ce qui se passait, l'historien se réveilla complètement et lui lança un regard surpris.

— Que faites-vous ?

Emese se blottit contre lui.

— Tomás, vous êtes un homme tellement…

— Je suis un homme, certes, mais je ne suis pas seul. Écoutez Emese, vous êtes extrêmement belle et très intéressante. Mais, j'ai une fiancée avec qui je vais me marier dans quelques semaines. Je ne peux pas…

— Humm… mais votre sexe est énorme ! dit-elle avec un sourire coquin.

Le Portugais regarda sous le sac de couchage et constata qu'il avait une érection anormalement puissante. On l'avait déjà prévenu, sur Terre, des effets des voyages dans l'espace. Apparemment, les astronautes se réveillaient toujours avec des érections monstrueuses, non parce qu'ils étaient sexuellement excités, mais simplement à cause de l'absence de gravité. Pendant le sommeil, le sang avait tendance à se concentrer dans la partie inférieure du corps des hommes, provoquant ce phénomène embarrassant.

— Ce n'est pas ce que vous pensez. C'est la gravité !

Emese approcha ses lèvres de son visage.

— Détendez-vous, Tomás, murmura-t-elle. Laissez-vous aller. Profitez du moment.

L'historien savait qu'il ne serait pas capable de résister bien longtemps. Quel homme dirait non à une telle femme ? Seul un imbécile. Un imbécile comme… comme lui.

— Écoutez, je suis fiancé. J'aimerais vraiment, mais… ce n'est pas possible. Vous entendez ? Ce n'est pas possible.

Elle s'arrêta et le regarda fixement.

— Le problème, c'est votre fiancée ?

— Bien sûr ! C'est ma fiancée.

— Rassurez-vous, elle ne saura rien.

— Mais moi je saurai.

Emese cligna des yeux ; le Portugais se révélait particulièrement coriace.

— Vous ne pourriez pas vous sacrifier pour moi ?

— Me sacrifier pour vous ? dit-il en riant. Vous êtes tout sauf un sacrifice, croyez-moi. Vous êtes une tentation. Le sacrifice, c'est de vous dire non.

— Alors ne le dites pas.

— Combien de fois dois-je vous le répéter ? Je suis fiancé.

— Et moi, je suis en train de mourir.

Cette allusion inattendue déconcerta Tomás.

— Je... je suis désolé que...

— Je suis en train de mourir et je n'ai pas d'enfants, ajouta-t-elle soudainement sérieuse. Vous vous rendez compte à quel point c'est terrible ?

Tomás baissa les yeux, accusant le coup.

— Oui.

— Je ne veux pas mourir sans avoir d'enfant et je veux qu'il soit conçu dans l'espace. Quand je vous ai rencontré à Houston, j'ai réalisé que vous étiez l'homme qu'il me faut. Je ne peux pas être plus franche et directe. C'est devenu mon projet secret. J'y pense tous les jours, je planifie tout depuis un certain temps et c'est maintenant que je suis la plus féconde. Je veux un enfant, je veux que ce soit le vôtre et je veux le concevoir ici, dans l'espace, car c'est à l'espace que j'ai dédié ma vie. Ce sera un enfant du cosmos, le premier terrien extra-terrestre, et ce sera le nôtre. Le nôtre.

— Oui, mais...

— Je n'ai jamais pensé que je devais supplier un homme de faire l'amour avec moi, mais je vous implore. S'il vous plaît, ayez du cœur et ne me dites pas non.

— Je... je...

Elle lui posa le doigt sur la bouche, pour le faire taire.

— Je comprends votre loyauté envers votre fiancée. Cela vous grandit et confirme à mes yeux que vous êtes un homme droit, et ça me donne la certitude que vous êtes le père qu'il faut pour mon enfant. Je vous demande de m'aider à le concevoir. Faites-le, non pour trahir votre fiancée, mais pour répondre à la dernière volonté d'une amie qui est en train de mourir et qui veut juste avoir un enfant, un enfant spécial, avant que sa dernière heure n'arrive. J'ai passé mon existence à étudier la vie et tout ce que je veux à présent, c'est donner la vie. Je ne peux pas mourir sans transmettre un peu de moi à quelqu'un. Aidez-moi à réaliser ce dernier vœu. Est-ce trop demander ?

— Je comprends et je respecte votre situation et votre volonté, mais comment est-ce que Maria Flor… ma fiancée va réagir en…

— Elle n'en saura jamais rien, je vous l'assure. Faites-moi un enfant, je l'aurai quand j'arriverai sur Terre et je ne dirai jamais à personne qui est le père. Ce sera notre secret. Personne n'en subira les conséquences et j'aurai l'enfant dont j'ai toujours rêvé. Ma vie aura eu un sens, je laisserai une descendance et je pourrai mourir en paix. – Elle le dévisagea avec intensité. – Si vous ne le faites pas par amour, faites-le par amitié. Faites-le pour moi. S'il vous plaît, ne soyez pas cruel, ne me dites pas non.

Le Portugais se sentait acculé. Comment pouvait-il lui dire oui ? Et comment serait-il capable de lui dire non ? Il ne savait pas quoi faire. Il lui semblait immoral d'accéder à son désir, mais c'était aussi indélicat de ne pas le faire. Il était face à un dilemme. La vérité est qu'aucun homme ne serait capable de se refuser à une telle femme sans un très bon motif. Son motif à lui s'appelait Maria Flor. Son cœur était certes à sa fiancée, mais sa tête comprenait Emese et son corps la désirait. D'ailleurs, son état n'était plus uniquement du à l'absence de gravité.

Après une dernière hésitation, il prit une décision. Il allait…

— Missile en vue !

Le cri d'alarme inattendu plongea le pont intermédiaire dans la stupeur.

LXXIII

La confusion s'était installée sur le pont intermédiaire. Frenchie apparut en slip, flottant avec un sac en plastique à la main.

— Zut ! Merde !

Réalisant qu'ils n'étaient plus seuls, Emese se dégagea précipitamment du sac de couchage et fit semblant de consulter un cadran sur le mur.

— Que s'est-il passé ? demanda Tomás alarmé. Quelqu'un a tiré un missile ? Ce sont les Russes ?

— C'est ça… ce petit bout, répondit le pilote canadien. Il m'a échappé et s'est transformé en missile, dans le cockpit. Il faut que je l'attrape.

Le Portugais se concentra et remarqua quelque chose qui flottait dans l'air ; la scène était plutôt déconcertante.

— Hein ?

Comme s'il chassait une mouche, Frenchie fit un geste leste et attrapa son missile avec son sac en plastique.

— Voilà ! s'exclama-t-il triomphalement. Je l'ai !

— Qu'est-ce que c'est que ça ?

— Euh… rien.

Duck jeta un coup d'œil hors du cockpit.

— Notre ami québécois est allé se soulager aux toilettes et, comme il n'a pas fait attention, il a laissé un petit étron malodorant s'échapper et flotter dans la cabine.

Le pilote jeta un regard plein de ressentiment au commandant.

— Espèce de balance !

— Plutôt balancer que déféquer ! répliqua Duck. Que ceci vous serve de leçon, les gars. Soyez très prudents et assurez-vous que les toilettes sont bien fermées quand vous les utilisez. Il n'y a rien de plus déguelasse que des étrons qui flottent dans la cabine. Et sachez qu'en orbite, ça arrive plus souvent qu'on ne le pense.

Sortant de son sac de couchage en regardant attentivement autour de lui pour s'assurer qu'il n'y avait plus rien qui flottait, Tomás fit une grimace.

— Beurk ! Ce sont des trucs répugnants comme ça qui tuent le glamour qu'il y a à être astronaute.

Les cris du pilote canadien avaient réveillé Seth qui s'était levé lui aussi.

— Je vais me régaler quand Frenchie publiera ses mémoires où il racontera les péripéties de l'historique mission *Phanès*, plaisanta le responsable scientifique en se frottant les cheveux, hirsutes. Je vois déjà la couverture en vitrine : *Comment j'ai berné les Russes, serré la pince aux extra-terrestres et coulé un bronze dans l'espace.*

Avant même de s'habiller, et après avoir lancé un regard entendu à Emese, Tomás se dirigea vers la cabine qui servait de toilettes. Bien que Frenchie l'eût utilisée peu auparavant, il n'y avait pas la moindre odeur, grâce à un système de ventilation efficace qui éliminait toutes les odeurs. Mais le vrai problème, ce n'était pas tant l'odeur de la cabine, mais la taille de son pénis. Les effets de l'apesanteur et du numéro de charme de la Hongroise étaient encore très visibles.

Le Portugais fixa la pointe du tuyau-urinoir et sentit l'effet de l'aspiration ; le système fonctionnait avec de l'air et il était d'une efficacité surprenante. Avant de partir, et sans rien dire à personne, l'historien avait pris un comprimé qui devait le constiper pendant au moins quarante-huit heures. Comme la mission devait être brève, il espérait tenir jusqu'au retour sur Terre.

Après avoir soulagé sa vessie, et s'efforçant toujours de cacher l'érection embarrassante, Tomás céda la place à Seth et alla s'habiller. Puis il flotta jusqu'au cockpit. Bien que le ciel fût noir, la lumière du Soleil jaillissait à travers les hublots, ce qui créait l'étrange jour nocturne de l'espace auquel il ne s'était pas encore habitué. Il trouva Duck en train d'analyser une image sur l'ordinateur.

— Qu'est-ce que c'est ?

— La trajectoire de *Phanès*, expliqua le commandant. Houston vient d'envoyer la dernière version, fondée sur les observations et les calculs les plus récents.

— Il y a des changements ?

— Pratiquement pas. La rencontre aura lieu deux secondes plus tard que ce qu'on avait prévu hier. – Il désigna une horloge numérique fixée au tableau de bord, avec des chiffres ambrés. – J'ai déjà intégré la correction dans le compte à rebours.

Tomás jeta un coup d'œil à l'horloge.

10:57:12

— Un peu moins de onze heures.

— Le grand moment approche.

Le Portugais regarda la Terre qui emplissait la partie supérieure des hublots. Il ne vit que des lambeaux de nuages gris et l'étendue bleue de l'eau et supposa que, comme d'habitude, ils survolaient le Pacifique.

— Et les Russes ? demanda-t-il. Des nouvelles ?

— Ils viennent vers nous.

— Ça, je le sais déjà. Mais... on a des infos sur leur localisation.

— Washington surveille leurs communications, tout comme Moscou surveille certainement les nôtres. Mais impossible de savoir où se trouve le *Soyouz*, j'en ai peur. Nous devons garder un œil sur le radar afin de ne pas être pris par surprise. De toute façon, je suppose que nous n'aurons pas de nouvelles avant le contact avec *Phanès*. N'oubliez pas que dans ce jeu du chat et de la souris nous ne sommes pas la cible des Russes. C'est *Phanès* qu'ils veulent. Mais nous allons entrer dans la danse et ça va créer une belle pagaille.

— Mais le plan n'était-il pas d'éliminer le *Soyouz* avant le contact avec *Phanès* ?

— C'était et ça n'a pas changé. Le problème est de savoir où sont les Russes. Si Washington parvient à déterminer leur position exacte, Houston nous transmettra l'information selon un code établi à l'avance et nous lancerons une attaque préventive. Mais sans les coordonnées du *Soyouz*, nous ne pouvons rien faire.

Le risque était grand que le combat n'ait lieu qu'après l'apparition de *Phanès* ; ce qui compliquerait tout.

— On sait pourquoi l'Opération bleue a échoué ?

— Houston n'a pas voulu prendre le risque de nous donner cette information, répliqua Duck. Et puis, ça n'a pas vraiment d'importance, n'est-ce pas ? Soit les F-35 ont été identifiés dès qu'ils sont entrés dans l'espace aérien russe et ont dû revenir en arrière, soit ils ont été abattus, ou bien ils ont raté leur cible quand ils ont bombardé le cosmodrome… Je ne sais pas, les hypothèses sont innombrables et de toute façon, en ce moment, rien de tout cela n'importe. Le fait est que l'Opération bleue a échoué et c'est le seul élément qui compte.

— Oui, mais…

Un cri interrompit la conversation.

— Attention !

C'était la voix de Seth.

Alarmés, Tomás et Duck regardèrent immédiatement vers le pont intermédiaire et, comme le reste de l'équipage, ils virent le responsable scientifique qui sortait des toilettes et qui flottait, en slip, un sac en plastique à la main.

— Encore ?!!

Tout comme Frenchie vingt minutes plus tôt, Seth poursuivait un nouvel étron qui s'était échappé.

— Ne vous en faites pas, je vais l'avoir ! promit l'astrophysicien. Juste un instant et… et… et voilà !

Il fit un geste rapide avec la main et saisit l'objet flottant, seulement, au lieu d'utiliser le sac en plastique, il le prit avec les doigts.

— C'est dégoutant ! protesta Emese. Hors de ma vue !

Au lieu de mettre le tout dans le sachet, le responsable scientifique l'approcha de son nez.

— Laissez-moi le sentir, dit-il en la reniflant. Humm… à bien y regarder, ce n'est pas si terrible que ça.

Tout le monde écarquilla les yeux, incrédules. Était-il devenu fou ?

— Seth !

— Que faites-vous ?

Après avoir reniflé l'objet brun qui s'était échappé des toilettes, Seth le souleva dans l'air comme un trophée et le dirigea vers ses compagnons, comme par défi.

— Qui veut sentir ?

— Jetez cette saloperie dans les toilettes ! ordonna Duck, affirmant son autorité de commandant. Immédiatement !

Haussant les épaules avec une expression résignée, Seth esquissa un geste pour glisser l'objet oblong dans le plastique. Mais, au dernier moment, sans rien dire et à la surprise générale, il croqua dedans.

— Humm… c'est délicieux !

Stupéfaits, tous le regardaient mâcher. Emese poussa un cri.

— Quelle horreur ! s'exclama-t-elle, les mains devant la bouche. Il… il le mange, c'est répugnant !

Le scientifique donna un nouveau coup de dents.

— Vous devriez essayer, suggéra-t-il, sourire aux lèvres, en mâchant comme s'il savourait un mets raffiné.

— D'aucuns disent que c'est de la merde, moi je trouve ça délicieux.

Rien de tout cela n'était normal, se dit Tomás. Était-ce un comportement irrationnel dû au fait qu'ils étaient en orbite ? Y avait-il un phénomène d'ivresse de l'espace ? Ou était-ce quelque chose d'autre ?

— Seth, je peux voir ça ? demanda Tomás.

Le regard amusé, l'astrophysicien se tourna vers lui.

— Ne me dites pas, Tomás, que vous voulez aussi goûter…

— Non, mais ça a l'air… euh… appétissant.

L'Américain s'esclaffa et, s'approchant de Tomás en flottant, il lui tendit la saucisse dans laquelle il avait croqué.

— Bon appétit.

Tomás approcha l'objet de son nez et le renifla.

— Mais… mais… c'est vraiment une saucisse !

Devant ses compagnons éberlués, Seth éclata de rire.

— Eh bien, quoi ?!! On ne peut plus rigoler ?

LXXIV

Personne ne pouvait accuser Seth de ne pas faire tout son possible pour remonter le moral de ses compagnons et soulager la tension à bord. Mais la réalité s'imposa de nouveau et les deux défis majeurs de la journée revinrent rapidement occuper les esprits. Tant de choses dépendaient du succès de la mission.

Malgré la gravité de la menace nucléaire russe, chacun finit par se focaliser sur ses propres préoccupations en fonction de son profil. Les deux militaires chargés du pilotage, Duck et Frenchie, étaient concentrés sur le problème plus immédiat du *Soyouz* et ses aspects opérationnels. Ils ne quittèrent plus le cockpit, les yeux rivés sur le radar d'*Atlantis*, attendant que Houston leur communique les coordonnées du vaisseau spatial russe. Quant aux autres, les trois spécialistes de la mission et le spécialiste de charge utile, tous des civils, ils se rassemblèrent sur le pont intermédiaire pour discuter des derniers points concernant la rencontre avec *Phanès*, qui était pour eux l'événement le plus important. Tomás et Emese, qui évitaient de se regarder de peur de trahir leur secret, adoptèrent l'attitude la plus professionnelle et la plus détachée possible.

Afin de ne pas être constamment dérangé par les questions insistantes sur le temps qu'il restait avant le contact avec le vaisseau extra-terrestre, Duck avait placé une horloge avec le compte à rebours sur le pont intermédiaire que tout le monde pouvait consulter.

Ce que tous faisaient, à tout moment.

08:12:44

Il restait un peu plus de huit heures.

— Nous devons réfléchir sérieusement à ce que nous allons rencontrer, dit Tomás. Comment est l'équipage de *Phanès* ? Quel sera leur niveau technologique ? Quels défis allons-nous devoir affronter ? Qu'est-ce qui nous attend vraiment ?

Personne n'avait de réponse, bien évidemment, mais ils avaient tous quelques idées sur la question.

— Nous devons envisager l'impensable, proposa Seth. Par exemple, le vaisseau spatial des extra-terrestres n'est pas nécessairement basé sur le même type de technologie que le nôtre. D'ailleurs, le concept de technologie leur est peut-être étranger.

— Ce n'est pas possible, cher collègue, dit Yao qui ne partageait pas cet avis. S'ils ont un vaisseau, ils ont une technologie.

— Pas nécessairement. Nous savons, depuis Copernic, et en vertu du principe de médiocrité, que l'humanité n'a pas une place spéciale dans l'univers, qu'elle est juste un produit normal du cosmos, c'est pourquoi nous avons tendance à imaginer qu'ils utilisent des vaisseaux comme les nôtres, mais plus puissants évidemment, avec système de propulsion, cockpit et tutti quanti. Mais, à bien y regarder, cette conception est aussi, d'une certaine manière, anthropocentrique, comme si nous projetions sur les autres ce que nous sommes ou pensons être. Puisque nous nous servons de la technologie pour dominer les forces de la nature et les utiliser en notre faveur, nous avons tendance à croire que tout extra-terrestre intelligent fera de même, et de la même manière. – Il ébaucha une grimace. – Mais, ce n'est pas nécessairement le cas.

— Cependant, cher collègue, permettez-moi de vous rappeler que *Phanès* émet de façon consécutive les quarante-deux premiers chiffres de Pi, insista le Chinois. Cela montre au moins qu'ils dominent une certaine technologie similaire à la nôtre, en l'occurrence la radio.

— Les lois de la physique sont les mêmes, sur Terre comme sur Tau Sagittarii, rappela l'astrophysicien de la NASA. Nous le savons, et ils le savent aussi. Cependant, le type et le degré d'évolution respectifs sont certainement très différents. Par exemple, nous imaginons qu'ils utilisent des véhicules, des objets fabriqués que nous identifions à des machines, avec des formes géométriques et des matériaux métalliques ou de qualité supérieure, n'est-ce pas ?

Tomás fit un geste pour indiquer que cela semblait évident.

— Ce qui est sûr c'est qu'ils ne sont pas en bois…

— Mais qui nous garantit qu'ils utilisent une technologie fondée sur la matière ?

— *Ayah* ! s'étonna Yao. Si elle n'est pas basée sur la matière, sur quoi l'est-elle ? Sur des esprits ?

— Sur l'énergie, par exemple.

Le Chinois considéra cette possibilité.

— Vous pensez, cher collègue, que *Phanès* serait une espèce de véhicule énergétique ?

— Je ne pense rien. Je suis simplement en train de soulever une hypothèse pour souligner à quel point ils peuvent être différents. La technologie de l'espèce qui a produit *Phanès* sera probablement très loin de la nôtre. Si ça se trouve, on ne peut même pas l'appeler technologie. Qui sait s'il ne s'agit pas plutôt d'un flux d'énergie ou de tout autre chose que nous ne pouvons même pas concevoir ?

— C'est forcément quelque chose, argumenta Yao. Nos observatoires ont enregistré les signaux qu'émet *Phanès* sur des fréquences radio et nos télescopes ont capté des images du vaisseau. Il y a effectivement quelque chose. Il suffit d'écouter les enregistrements et de voir les photos.

— On a photographié un point lumineux, rappela l'Américain. Le fait est que nous n'avons encore aucune image nous permettant de déterminer quel type de véhicule ils utilisent. Est-ce vraiment un vaisseau spatial ? De quoi est-il fait, concrètement ? Quel est son format ? Nous ne savons rien de tout cela. La seule chose que nous avons vue jusqu'ici est un point lumineux qui se déplace dans le système solaire, rien d'autre. Il va de soi que ce n'est pas assez pour en tirer une conclusion quelconque.

Ses compagnons acquiescèrent, lui concédant ce point.

— C'est vrai.

— Mais il y a plus, ajouta Seth. Le véhicule qui arrive peut être différent à de nombreux égards. Par exemple, il peut ne pas avoir une taille ou une forme fixes, comme nos vaisseaux. Ou il se peut même qu'il évolue dans l'espace-temps. Qui sait si leur engin dispose d'une topologie dynamique, dans laquelle les lignes n'ont pas de limites ? Selon toute probabilité, ce sera quelque chose de très différent de ce que nous imaginons ou même de ce que nous sommes capables d'imaginer.

— Allons, allons… n'exagérez-vous pas un peu ?

— Allez savoir ! Il se peut que *Phanès* dispose d'une technologie capable de faire des choses dont nous ne sommes pas capables de discerner l'utilité. Imaginez que l'on ait montré un ordinateur ou une batterie à un homme de Néandertal sortant de sa caverne. Aurait-il été capable de saisir le concept d'ordinateur ou de batterie ? Nous sommes dans la même situation. À côté de *Phanès*, nous sommes des hommes de Néandertal, ça ne fait aucun doute. Il se peut même que le véhicule dans lequel les extra-terrestres se déplacent ne soit pas constitué de pièces emboîtées les unes dans les autres, comme la navette spatiale, mais selon un tout autre système. Ce pourrait être une corrélation subtile de choses diffuses. Qui sait ?

— Cependant, comme vous l'avez dit tout à l'heure, cher collègue, les lois de la physique sont les mêmes, insista l'astronaute et mathématicien chinois. Et les mathématiques aussi. Donc, quoi qu'ils soient et quelle que soit leur technologie, leurs fondamentaux devront être les mêmes que les nôtres.

— Les hommes qui, il y a cent ans, se déplaçaient dans des charrettes tirées par des bœufs et qui aujourd'hui volent dans l'espace à bord de navettes sont fondamentalement les mêmes et les lois de la physique qui régissent le fonctionnement des deux types de véhicules sont également les mêmes. Cependant, il s'agit de deux mondes absolument différents, pour ne pas dire antagonistes. Si en à peine un siècle, la même espèce, qui a évolué dans le même sens, a transformé sa technologie au point de la rendre méconnaissable, que dire d'une espèce différente de la nôtre et avec des milliers ou des millions d'années d'avance sur nous ?

— C'est vrai, c'est vrai.

— Et puis il faut prendre en compte l'environnement dans lequel l'espèce qui nous a contactés a évolué. Imaginez que ces êtres aient toujours vécu dans un milieu liquide, une mer d'eau ou de méthane ou quelque chose comme ça. Il est évident que cela va conditionner la manière dont ils conçoivent le monde et la technologie. Des êtres qui ont toujours évolué dans des milieux liquides ont forcément développé un type d'esprit, et par conséquent de technologie, fondés sur des matériaux fluides. Le feu, par exemple, peut ne rien signifier pour eux.

— Ils connaissent certainement le feu, cher collègue, argumenta Yao. S'ils voyagent dans l'espace, ils ont nécessairement croisé des astres qui brûlent, à commencer par les étoiles.

— Ils peuvent avoir une connaissance purement théorique du feu.

— Théorique ?

— Certainement, confirma l'astrophysicien de la NASA. Dites-moi quels sont les états de la matière.

— Eh bien… solide, liquide et gazeux.

— Ça, ce sont les états que nous connaissons à travers notre expérience sensorielle. Mais il y en a d'autres, n'est-ce pas ?

— Oui, c'est vrai, reconnut le mathématicien chinois. Il y a le plasma, ou condensat de Bose-Einstein, la matière neutronique dégénérée, le plasma quark-gluon…

— Avez-vous déjà vu de la matière en condensat de Bose-Einstein, par exemple ?

— Bien sûr que non. Comme vous le savez certainement, distingué collègue, une telle chose ne peut être obtenue qu'avec du gaz de bosons refroidi à des températures très proches du zéro absolu. Mais cet état a déjà été obtenu en laboratoire et on dit que c'est intéressant. Il semblerait qu'un rayon lumineux qui traverse la matière dans le condensat de Bose-Einstein peut être arrêté, ou alors il va progresser à une vitesse de 17 m/s seulement. Cela signifie que nous serions en mesure de voir les particules de lumière avancer ou même en suspension.

— En somme, Yao, vous n'avez qu'une connaissance théorique de l'état de la matière dans le condensat de Bose-Einstein, n'est-ce pas ?

— Eh bien… oui.

— Alors, qui nous dit que les extra-terrestres, à supposer qu'ils aient évolué en tant qu'espèce dans un milieu liquide, n'auront pas qu'une connaissance théorique du feu, de la même manière que nous avons une connaissance théorique du condensat de Bose-Einstein ?

L'argument ne manquait pas de logique.

— Vous avez raison, c'est possible.

— Ce que je veux dire, c'est que nous devons nous attendre à quelque chose de très différent de ce que nous imaginons, conclut-il. La seule surprise serait qu'ils voyagent dans un vaisseau du même genre que le nôtre. Ce serait surprenant. Quant au reste, nous devons garder l'esprit ouvert et accepter l'engin qui arrivera, car je suis convaincu qu'il ne ressemblera en rien à la technologie que nous connaissons.

Tomás s'éclaircit la voix et revint à la conversation.

— À vrai dire, ma question n'était pas seulement de comprendre la technologie de *Phanès*, dit-il. En fait, je pensais avant tout au type de vie auquel nous serons confrontés quand nous établirons le contact avec *Phanès* et que nous y entrerons.

— Vous vous demandez s'ils seront semblables à nous ou très différents ?

— Exactement.

Emese, qui jusque-là avait suivi la conversation en silence, était, en sa qualité d'astrobiologiste, celle qui avait le plus de choses à dire sur le sujet.

— Là-dessus, on a une idée très claire.

— Vraiment ? s'étonna Seth, sincèrement surpris par cette affirmation. Et quelle est cette idée ?

— Les extra-terrestres sont semblables à nous.

— Vous en êtes sûre ?

Tout le monde regarda l'astrobiologiste de l'ESA avec une expression d'incrédulité, chacun se demandant comment elle pouvait savoir une telle chose. Emese fit volontairement durer le suspense quelques instants avant d'achever sa réponse.

— Et en même temps, ils sont très différents.

LXXV

Toujours soucieuse du temps dont ils disposaient, l'astrobiologiste jeta un coup d'œil sur l'horloge installée sur le pont intermédiaire.

07:29:44

Sept heures et demie.

— Il y a une chose qui commence à devenir claire pour de nombreux biologistes, et en particulier pour les astrobiologistes, déclara Emese. La vie est un impératif cosmique.

Tous connaissaient déjà bien le concept et ce fut Seth qui le formula.

— Lorsque les conditions requises sont remplies, elle apparaît immédiatement.

— C'est ce qui ressort de la découverte de la métabolisation dans le sol martien au cours de la troisième expérience menée par les sondes *Viking* en 1976, de la découverte sur cette même planète de dépôts de silice et d'émissions passagères de méthane, ainsi que de la découverte de microfossiles dans les météorites martiennes, d'extrêmophiles sur Terre ainsi que d'exoplanètes gravitant autour de nombreuses étoiles, confirma la Hongroise. Étant donné que la vie sur notre planète a émergé de l'auto-organisation spontanée de la matière inanimée, qu'elle semble résulter des mécanismes automatiques de la chimie réplicative, et qu'elle est capable d'exister dans des milieux beaucoup plus extrêmes qu'on ne le pensait, on peut logiquement conclure, les lois de la physique et de la chimie étant les mêmes dans tout l'univers, qu'il en va de même dans tout le cosmos, dès lors que les conditions minimales pour ce faire sont remplies. La vie apparaîtra en vertu des principes universels de la physique et de la chimie, de la même manière que l'eau se formera sur d'autres planètes en vertu de ces mêmes principes.

— Je me demande si l'on ne devrait pas être plus prudent avec ces analogies, estima Seth. La vie est beaucoup plus complexe que les molécules d'eau…

— Bien sûr, mais les lois de l'auto-organisation spontanée de la chimie réplicative sont les mêmes partout, argumenta-t-elle. C'est pourquoi les premières formes de vie ne se caractérisent pas par leur variété. Compte tenu de ce que nous savons, nous pouvons supposer avec une relative certitude qu'elles sont les mêmes sur Terre et partout ailleurs. Dans l'univers, la vie commencera avec des micro-organismes pas très différents de ceux qui sont apparus sur notre planète. La vie peut éventuellement diverger lorsque le hasard des mutations et les conditions propres à chaque biosphère entrent dans l'équation.

— C'est-à-dire, quand l'évolution commence…

— Tout à fait. Lorsqu'elle apparaît, la vie est la même partout ; c'est le mécanisme de l'évolution qui génère la diversité. À court terme, la sélection naturelle n'est pas déterministe mais opportuniste, car elle résulte d'un modèle aléatoire qui, associé aux conditions spécifiques existant à un moment donné, produit des mécanismes évolutifs particuliers.

Seth fronça les sourcils.

— Vous faites référence à la sélection selon la loi du plus fort ?

— Non, selon les néodarwinistes, ce n'est pas comme ça que ça se passe, déclara l'astrobiologiste. Imaginons qu'un microbe génère accidentellement quatre mutations qui ne peuvent supporter que certaines températures, la première 20 °C, la deuxième 40 °C, la troisième 60 °C et enfin la dernière 80 °C. Si la température de la biosphère où ces mutations aléatoires se produisent est de 20 °C, seule la première mutation survivra et se reproduira, ce qui conduira à un certain type d'évolution. En revanche, si elle est à 80 °C, alors seule la dernière mutation survivra et se reproduira, selon un processus évolutif totalement différent. Il ne s'agit donc pas de la survie du plus fort, comme on le pense souvent à tort, mais de la survie de celui qui, par hasard, est le plus adapté aux conditions existant à ce moment-là. Tel est, dans les grandes lignes, le mécanisme de l'évolution selon la théorie néodarwinienne.

— Le hasard et la sélection naturelle ?

— Précisément, confirma Emese. L'évolution procède par pur hasard, par mutations aléatoires successives, mais le résultat de ce hasard est conditionné et déterminé par les conditions externes que les mutations rencontreront et qui dicteront leur succès ou leur échec.

— Alors, l'intelligence est un pur hasard ?

L'astrobiologiste fit une pause pour rassembler et structurer ses idées.

— Selon la théorie néodarwinienne, oui. Cependant, ce n'est pas nécessairement le cas.

Sa réponse surprit ses compagnons.

— Mais ne venez-vous pas de dire que les mutations sont aléatoires ? interrogea Yao. Que je sache, l'intelligence résulte d'une mutation fortuite, ce qui signifie que son apparition est aléatoire.

— C'est vrai, mais j'ai aussi pris soin de dire qu'il existe un déterminisme lié aux conditions physiques. Vous noterez que l'intelligence et la conscience exigent des cerveaux énormes, lesquels nécessitent beaucoup d'énergie. Les êtres intelligents et conscients doivent constamment ingérer de grandes quantités de protéines pour fournir suffisamment d'énergie à leur cerveau, ce qui peut créer des déséquilibres dans la biosphère si la vie intelligente devient dominante et consomme toutes les ressources, comme cela commence plus ou moins à se produire sur Terre. De plus, l'intelligence doit être considérée comme l'une des nombreuses adaptations évolutives possibles.

— Alors l'apparition de l'intelligence n'est pas obligatoire…

— Pas selon les néodarwinistes, mais nous sommes toujours face au problème des conditions physiques. En outre, il faut tenir compte du caractère déterministe des processus aléatoires à long terme, ce que ne prend pas en considération la théorie néodarwinienne. Quoi qu'il en soit, on a découvert que les groupes d'organismes qui sont en concurrence pour les mêmes niches ont tendance à évoluer de manière à accroître l'efficacité de leurs mutations. L'une des mutations qui se produit inévitablement a trait au cerveau, en particulier chez les grands animaux, qui ont besoin d'un organe qui soit à même de gérer l'ensemble du corps. Dans une situation de concurrence, les groupes d'organismes dont la taille nécessite un cerveau auront tendance à rendre celui-ci de plus en plus efficace pour affronter les concurrents. Quand je dis cerveau plus efficace, je veux dire cerveau plus intelligent. Cela pourrait aboutir à une certitude probabiliste selon laquelle, quoi qu'il arrive, l'intelligence finit par émerger chez les êtres vivants ayant de grands corps. Ça pourrait très bien être les dinosaures, les primates ou n'importe quelle autre espèce. Certaines espèces seront plus intelligentes que d'autres, mais l'intelligence apparaît toujours.

— Exactement comme en physique quantique, remarqua Seth, surpris par les similitudes entre la biologie et la physique. Les résultats à court terme sont probabilistes, mais à long terme ils ont tendance à être déterministes.

Emese hésita.

— L'hypothèse déterministe des mutations à long terme est absolument exclue par l'évolution néodarwinienne, insista-t-elle. Mais selon certains scientifiques, la théorie néodarwinienne n'explique pas entièrement l'évolution et, par-delà cette explication selon laquelle tout résulterait du hasard allié à la sélection naturelle, d'autres mécanismes seraient à l'œuvre. Les tendances évolutives, par exemple. Si elles existent, cela pourrait signifier que l'apparition de l'intelligence et de la conscience n'est pas un pur hasard, mais un impératif cosmique.

— Mais il faut des faits pour soutenir scientifiquement cette thèse.

— Oh, ce ne sont pas les faits qui manquent. Par exemple, une scientifique a mesuré, en trois dimensions, les crânes de tous les ancêtres connus de l'homme et elle a découvert un modèle d'évolution morphologique basé sur une formule mathématique. Les angles des crânes ont toujours évolué dans le même sens, celui d'une contraction cranio-faciale et d'une complexification du système nerveux central, résultant d'un processus interne et apparemment indépendant des conditions externes, ce qui exclut l'hypothèse de la sélection naturelle. C'est comme si l'évolution de l'intelligence était préalablement programmée.

— Vous êtes sérieuse ?

— Si cette hypothèse est avérée, l'intelligence est inévitable, observa la Hongroise de l'ESA. Par ailleurs, l'intelligence offre des avantages concurrentiels évidents à ceux qui développent un cerveau. Si une espèce n'occupe pas cette niche évolutive, une autre le fera inévitablement, ce qui signifie que l'intelligence émergera quelles que soient les circonstances. En somme, elle est aussi un impératif cosmique.

Les compagnons d'Emese se regardèrent.

— Pardonnez-moi, mais vous voulez dire que si les humains n'avaient pas développé leur intelligence, d'autres animaux l'auraient fait ?

— Sans aucun doute. En fait, nous savons que l'intelligence

est apparue sur Terre à plusieurs reprises et de façon distincte, mais ce n'est qu'avec les êtres humains qu'elle s'est autant développée. Les dauphins et les pieuvres, par exemple, sont très intelligents. Les cochons aussi. Beaucoup d'animaux se reconnaissent dans un miroir. La culture elle-même n'est pas nécessairement une invention humaine. Certains signes tendraient à montrer que Néandertal a développé des traits culturels avant Homo sapiens. Donc, si l'intelligence n'est pas l'apanage des êtres humains sur la Terre elle-même, qu'en sera-t-il dans tout l'univers ?

Seth Dyson plissa les paupières, évaluant la signification, et surtout les conséquences d'une telle conclusion.

— Si tel est le cas, nous pouvons nous attendre à ce qu'à un certain moment, le mécanisme évolutif cesse de fonctionner, ou du moins d'être aléatoire.

— Ah bon ! Et pourquoi cela ?!! demanda Emese.

— Parce que tôt ou tard, les êtres intelligents s'apercevront qu'ils peuvent procéder à des manipulations génétiques permettant de contrôler le processus évolutif, dit l'astrophysicien de la NASA. Et tous ne partageront pas nos réserves éthiques, ne serait-ce que parce que leur morale sera nécessairement différente de la nôtre. S'ils sont capables de créer un être supérieur, bon nombre de ces extra-terrestres n'hésiteront pas à le faire. Les mutations cesseront d'être aléatoires à court terme et deviendront intentionnelles et déterminées. Vous voyez où cela mènera ? Des extra-terrestres pensent qu'il serait bon pour leur espèce de développer un cerveau deux fois plus puissant. Ils se livrent à des manipulations génétiques et… paf !, ils créent un être de leur espèce doté d'un cerveau deux fois plus puissant. Comme il sera beaucoup plus intelligent, cet être supérieur pourra ensuite procéder à des manipulations génétiques encore plus performantes et intelligentes. L'évolution ne sera plus un phénomène aléatoire qui se produit sur des milliers ou des millions d'années mais deviendra un phénomène intentionnel et dirigé, qui en deux ou trois générations seulement donnera naissance à une super-espèce beaucoup plus développée et puissante. Et à la génération suivante, la super-espèce pourra créer une hyper-espèce, et ainsi de suite. L'évolution naturelle disparaîtra et sera remplacée par une évolution incroyablement rapide et spécifiquement dirigée pour créer des hyper-super-génies.

Un silence soudain s'abattit sur le pont intermédiaire. Les quatre astronautes considéraient la perspective d'une accélération brutale du processus d'évolution et la possibilité qu'il soit intentionnellement contrôlé et dirigé.

Tomás formula la conclusion la plus évidente qui découlait de ce raisonnement.

— En somme, l'équipage de *Phanès* peut ne pas être simplement plus intelligent que nous, murmura le Portugais, prenant conscience de ce qui pouvait les attendre. Il peut être beaucoup plus intelligent. Beaucoup plus.

La conclusion était indéniable et elle fut accueillie avec un geste d'assentiment par Bozóki Emese.

— Des dieux.

LXXVI

— Comment est-il possible de communiquer avec des dieux ?

La question de Tomás resta en suspens pendant que les autres astronautes envisageaient des réponses possibles. Le Portugais en profita pour jeter un coup d'œil au compte à rebours.

07:03:51

Il restait sept heures.

Ce fut Yao Jingming qui répondit.

— Peut-être qu'ils parlent le mandarin. Et l'anglais, le portugais, le français et le hongrois, les langues de tous ceux qui se trouvent sur la navette spatiale.

— Ne plaisantez pas, Yao.

— Je ne plaisante pas. S'ils sont si avancés, au point que leurs capacités font d'eux des quasi-dieux, il n'est pas impossible qu'ils aient développé des pouvoirs télépathiques qui leur permettent d'assimiler automatiquement les formes de communication des êtres vivants qu'ils rencontrent. Comme nous serons les premiers terriens qu'ils rencontreront, il se peut qu'ils parlent nos langues.

L'hypothèse était séduisante et logique, mais Seth n'était pas entièrement convaincu.

— Il ne fait aucun doute qu'une telle situation nous faciliterait énormément la tâche et rendrait possible le contact entre nous et l'équipage de *Phanès*, admit l'astrophysicien de la NASA. Mais il y a une autre hypothèse à envisager, vous ne pensez pas ?

— Laquelle ?

— L'éventualité qu'ils ne veuillent même pas nous contacter.

— Allons donc, dit Emese. Et pour quelle raison ne le voudraient-ils pas ?

— Et pourquoi le voudraient-ils ?

— Pour élargir leurs connaissances, par exemple.

— Si la différence d'intelligence entre eux et nous est aussi grande que nous l'imaginons, vous pensez vraiment qu'ils auront envie de nous parler ?

— Pourquoi pas ?

— Vous parleriez à une bactérie ?

L'astrobiologiste hésita.

— Euh… eh bien, enfin…

— La conversation entre deux espèces n'est possible que si la différence de développement intellectuel n'est pas trop grande entre elles, fit observer l'Américain. Une rencontre entre intelligences de niveau similaire étant peu probable, comme nous venons de le dire, nous aurons donc affaire à une intelligence nettement supérieure à la nôtre, ce qui soulève de sérieux problèmes de communication. Vous êtes-vous demandé, par exemple, pourquoi nous n'expliquons pas la théorie de la relativité aux orchidées ou la physique quantique aux zèbres ? Eh bien, parce que nous sommes à des niveaux différents. Il en ira de même dans la situation inverse.

— C'est vrai, déclara Tomás, qui avait déjà passé un certain temps à réfléchir à la question. Tout comme il est complètement inutile d'essayer de parler à une orchidée. Mais si nous pouvions converser avec un zèbre, ne le ferions-nous pas ? Bien sûr, ce ne serait pas pour lui expliquer la physique quantique, mais il y a une série de questions plus prosaïques que j'aimerais lui poser et dont la réponse m'intéresserait. Comment considère-t-il les rayures qu'il a sur le corps ? Que pense-t-il quand il voit un autre zèbre chassé par un lion ? Que ressent-il quand meurt un de ses zébreaux ? Sait-il ce qu'est l'amour ? Apprécie-t-il la beauté ? Que pense-t-il des êtres humains ? Ne pas pouvoir parler de physique quantique à un zèbre ne m'empêcherait pas de lui parler de choses que, selon moi, il pourrait comprendre. Dialoguer avec une espèce différente, même inférieure intellectuellement, serait une opportunité à ne pas rater.

— C'est tout à fait ça, acquiesça Emese. Il convient d'ailleurs de souligner que la distinction entre vie simple et vie intelligente n'est pas si claire qu'on pourrait le penser à première vue. Il n'existe pas de césure qui nous permette de dire que d'un côté il y a l'intelligence et de l'autre il n'y en a pas. L'intelligence, et à cet égard aussi la conscience, sont des propriétés émergentes, qui apparaissent à des degrés et des niveaux de complexité différents. Certes, nous sommes l'espèce la plus intelligente et la plus consciente sur Terre, mais nous ne sommes pas la seule de la planète. On rencontre dans la faune terrestre d'autres espèces intelligentes et conscientes, comme tout propriétaire d'animal de compagnie vous le dira.

— C'est tout à fait vrai, concéda Seth. D'ailleurs, j'ai un chien d'eau tout ce qu'il y a de plus intelligent. Il va même chercher dans la boîte aux lettres le magazine auquel je suis abonné, vous vous rendez compte !

— C'est *Scientific American* ?

— Non, *Playboy*.

Ils éclatèrent de rire.

— Les chiens sont un exemple d'animaux intelligents, reconnut Emese. Bien plus futés que Seth visiblement, chez qui l'intelligence est située entre les jambes.

— *Ayah* ! s'exclama Yao. C'est vache ça !

— Mais il y a d'autres exemples d'animaux intelligents. Des zoologistes ont déjà établi une communication relativement sophistiquée avec d'autres animaux, notamment des chimpanzés et des bonobos. Pourquoi l'équipage de *Phanès* ne serait-il pas capable d'en faire autant ?

— En outre, n'oublions pas que ce sont les extra-terrestres qui ont pris l'initiative d'entrer en contact avec nous, rappela Tomás. À travers le signal « *Wow!* », ils nous ont envoyé la série de Lyman, et *Phanès* continue de répéter les quarante-deux premiers chiffres de Pi. Non seulement nous sommes en face de formes de communication, mais cela montre aussi une intention de communiquer. Ils sont peut-être à un niveau beaucoup plus avancé que le nôtre, tellement plus avancé que nous en faisons presque des divinités, mais rien ne les empêche de se mettre à notre niveau pour communiquer avec nous.

L'astrophysicien réfléchit à ces arguments.

— Vous avez peut-être raison, admit-il. Mais cela soulève le problème de la motivation, vous ne pensez pas ? S'ils sont si avancés que ça, qu'attendent-ils de nous ?

— La même chose que nous attendons d'eux, répondit Emese. Découvrir des choses. Connaître l'univers. Accumuler des connaissances.

L'Américain se passa la main dans les cheveux.

— Et si… s'ils ont faim ?

— Faim ?

— Oui. Quand on voit un animal, on ne pense pas forcément à enrichir nos connaissances ou à lui demander s'il a des sentiments amoureux, d'accord ? Surtout si ça fait un bail qu'on n'a pas mangé de viande fraîche. Quand j'ai faim et que je vois un poulet, par exemple, je l'imagine aussitôt rôti à la broche avec des frites. Qu'est-ce qui empêche l'équipage de *Phanès*, qui selon toute vraisemblance a passé des années et des années enfermé dans son vaisseau, de penser la même chose en nous voyant ? Qui nous dit qu'il ne va pas arriver avec une sacrée fringale et qu'il aura envie de nous déguster ?

L'astrobiologiste secoua la tête.

— Ce n'est pas possible, Seth.

— Ah oui ! rétorqua l'Américain. Et pourquoi ça ?

— Il est très peu probable, pour ne pas dire impossible, que des êtres extra-terrestres puissent être comparés avec nous sur le plan biologique. À commencer par l'ADN, par exemple. En ont-ils ? Ils ont forcément quelque chose permettant la réplication de l'espèce, bien sûr, mais il me semble très difficile que ce soit un ADN semblable au nôtre, comportant les mêmes acides aminés et les mêmes combinaisons que les nôtres. Cela signifie que nous ne sommes pas biologiquement compatibles. Nous ne pouvons pas les manger, mais ils ne peuvent pas nous manger non plus. Les manger serait comme manger de la terre et vice versa vous comprenez ? Ce problème n'existe pas.

Le scientifique de la NASA soupira profondément, feignant d'être soulagé.

— Je suis heureux de l'entendre, dit-il sur un ton désinvolte. J'aurais détesté finir dans l'assiette de l'équipage de *Phanès*. Je suppose alors que le scénario décrit par H. G. Wells dans *La Guerre des mondes*, dans lequel les extra-terrestres sont décimés par nos bactéries, n'est pas possible non plus.

— Non, en effet. Les bactéries terrestres ne pourraient pas les contaminer parce qu'il s'agit de formes de vie structurellement différentes.

Tomás continuait de réfléchir à ce qu'Emese avait dit un peu avant, notamment à propos du caractère inévitable de l'apparition de l'intelligence.

— Tout à l'heure vous avez parlé de l'intelligence comme d'un impératif cosmique, rappela-t-il en s'adressant à elle. Mais, si la vie est répandue dans l'univers, et elle l'est c'est clair, et si l'apparition de l'intelligence est inévitable, cela signifie qu'il y a des êtres intelligents partout. – Il fit un ample geste de la main. – Mais où sont-ils ? N'auraient-ils pas dû déjà apparaître ?

— La question que vous soulevez s'appelle « le paradoxe de Fermi », dit la Hongroise. Je pense que le signal « *Wow!* » et l'apparition de *Phanès* sont les réponses à ce problème.

— Oui, mais il s'agit d'apparitions tardives, souligna l'historien. Le signe « *Wow !* » n'a été détecté qu'en 1977, il provenait de la constellation du Sagittaire, et *Phanès* semble provenir du même secteur de l'espace. Autrement dit, nous sommes probablement face à une civilisation extra-terrestre unique dans une galaxie aussi immense que la Voie lactée. C'est très peu pour un phénomène qui résulte d'un impératif cosmique, vous ne pensez pas ?

Emese échangea un regard avec Seth, comme si elle lui confiait la responsabilité de répondre.

— N'oubliez pas que nous n'avons commencé à chercher des signes de civilisation extra-terrestre dans le cosmos qu'il y a quelques décennies, rappela l'astrophysicien. En outre, les moyens dont nous disposons sont très limités. Pendant toutes ces années, les projets d'écoute n'ont pas été une priorité et ils ont subi d'énormes réductions budgétaires qui les ont rendus pratiquement irréalisables. Cela explique beaucoup de choses.

— Certes, mais ça n'explique pas tout.

— Il se peut que les néodarwinistes aient raison et que l'intelligence et la conscience soient effectivement des phénomènes aléatoires, qui n'apparaissent que très rarement dans l'univers, répondit Emese. Ou alors les autres intelligences dans l'univers ne s'intéressent peut-être pas à la technologie ou elles n'ont simplement pas envie de communiquer. Ou bien elles nous ont déjà découverts et la Terre n'est pour elles qu'une sorte de réserve naturelle qu'elles ne veulent pas perturber. Ou bien encore, il se peut qu'une civilisation s'autodétruise en atteignant un certain niveau de développement. Il peut y avoir beaucoup d'explications.

Cette réponse ne satisfaisait pas Tomás.

— J'insiste sur le fait que, si la vie intelligente est aussi un impératif cosmique, les signes envoyés par les civilisations avancées devraient être partout.

Seth inclina la tête.

— Il y en a.

Le Portugais fit un geste d'impatience.

— Oui, le signe « *Wow!* », c'est tout.

— En fait, Tomás, il y en a plus.

— Plus ?

L'astrophysicien de la NASA croisa les bras et regarda l'historien avec une expression indéfinissable.

— Beaucoup plus.

LXXVII

La révélation que venait de faire Seth et qui n'avait apparemment surpris ni Emese ni Yao, laissa Tomás sans voix. Il regarda l'un après l'autre chacun de ses compagnons, se demandant s'ils plaisantaient. Sachant que l'Américain avait tendance à blaguer, il se méfia de lui et préféra interroger des yeux la Hongroise et le Chinois. Mais leurs visages graves le persuadèrent que Seth était sérieux.

— Vous dites que nous avons déjà capté d'autres signes de civilisations extra-terrestres ? demanda-t-il, voulant s'assurer qu'il avait bien compris et qu'il n'y avait pas de malentendus. Lesquels ?

Le scientifique de la NASA secoua la tête.

— La bonne question n'est pas lesquels, Tomás, corrigea-t-il. Mais combien. Car on a déjà enregistré beaucoup de signes vraisemblablement envoyés par des intelligences extra-terrestres.

— Combien exactement ?

— Plus de deux cents.

— Quoi ?!!

— 234, pour être précis.

L'information était si incroyable que Tomás avait du mal à y croire.

— Vous êtes sérieux ?

— Dans une étude publiée en 2016, des chercheurs de l'université Laval au Canada ont examiné 2 500 000 données spectrales et utilisé le *Sloan Digital Sky Survey*, la carte astronomique tridimensionnelle la plus détaillée qui soit, pour détecter des modulations spectrales. Ils ont trouvé des signaux ayant une modulation très spécifique, et toujours avec la même période, dans 234 étoiles. Notez que ces signaux n'ont pas été causés par des interférences dues à des instruments.

— 230 ?

— 234, précisa Seth. Les signaux détectés avaient un profil singulier, puisqu'ils se situaient dans une gamme spectrale très courte, entre les types spectraux F2 et K1, exactement la même que le Soleil, et ils étaient conformes au format qui avait été prévu dans des publications scientifiques pour des émissions de civilisations extra-terrestres. Bien sûr, nous ne pouvons rien garantir, il n'est pas impossible que ces signaux résultent de compositions chimiques très particulières d'un groupe d'étoiles dans la région du halo galactique, mais selon les auteurs de l'étude, leur origine la plus probable serait une intelligence extra-terrestre. Il s'agit de pulsations lumineuses séparées par un intervalle constant, comme des éclairs, et les astronomes canadiens ont conclu qu'il est fort possible qu'ils aient été produits intentionnellement.

— Bon sang !

— Et en 2017, le radiotélescope *Molonglo*, en Australie, a détecté trois signaux radio provenant des constellations de la Poupe et de l'Hydre femelle. La possibilité qu'il puisse s'agir d'une interférence locale a été écartée et l'université de Harvard a affirmé qu'elle n'avait identifié aucune origine naturelle plausible. L'hypothèse que ce soient des signes de civilisations extra-terrestres est considérée comme la plus probable.

— Mais ce n'est pas certain…

— Rien dans ce genre de recherche n'est certain, Tom.

Des études complémentaires sont nécessaires, bien évidemment, mais si le caractère intentionnel de ces signaux est confirmé, le signal « *Wow !* » n'aura pas été le seul message probablement envoyé par une civilisation extra-terrestre, bien qu'il soit, et de loin, le plus célèbre.

L'information était si incroyable que Tomás était encore sous le choc.

— Eh bien… Si cela est confirmé, nous nous trouvons face à une véritable révolution de la pensée scientifique, un changement de paradigme de la même ampleur que la découverte par Copernic que la Terre n'est pas le centre de l'univers, ou celle des mécanismes de l'évolution par Darwin, déclara l'historien. Si la vie, et en particulier la vie intelligente, est effectivement un impératif cosmique, alors nous pouvons conclure qu'un modèle téléologique est à l'œuvre dans l'univers. C'est-à-dire que l'univers a été spécifiquement conçu avec un but.

Seth grimaça.

— Allons, allons. N'exagérons pas…

— Ce n'est pas une exagération, Seth, insista le Portugais. Songez à ce que cela signifie. C'est quelque chose d'énorme. Avez-vous réalisé que tout un univers a été nécessaire pour produire la vie ? Tout un univers ! Nous sommes face à la découverte la plus extraordinaire qui soit, à savoir que le cosmos a été créé spécifiquement dans le but de générer la vie, et particulièrement la vie intelligente. C'est pour cette raison, et précisément pour cette raison, que l'univers existe. Si la création de la vie intelligente est l'objectif de tout ce qui existe, alors nous nous trouvons devant une nouvelle révolution copernicienne. La théorie néodarwinienne elle-même, exclusivement fondée sur le hasard allié à la sélection naturelle et refusant absolument d'assigner toute direction à l'évolution, est remise en cause. Nous ne pouvons plus envisager l'univers et notre existence comme avant. Nous ne sommes pas un accident, mais l'aboutissement d'un dessein. L'univers n'est pas accidentel, il est intentionnel.

Et qui dit intention dit intentionnalité. Ne comprenez-vous pas le véritable sens de ces découvertes ?

Les propos de Tomás furent accueillis par un profond silence. Dès le début de cette mission, tous avaient à l'esprit les profondes implications philosophiques de la découverte de la vie extraterrestre, en particulier de la vie intelligente, mais, absorbés par les événements, aucun d'entre eux n'avait pris pleinement conscience de ce que cela pouvait vraiment signifier pour la vision qu'ils avaient du monde et de l'existence humaine. Cependant, au moment où l'événement était sur le point de se produire, la véritable dimension de cette découverte leur apparaissait avec l'évidence d'une épiphanie : la vision que l'humanité avait du sens de la vie ne serait plus jamais la même.

Alors que Yao s'apprêtait à commenter les observations du Portugais, on entendit un clic dans l'intercom et la voix de Duck résonna dans le pont intermédiaire.

— Équipage au cockpit.

L'appel brisa la léthargie dans laquelle tous les quatre étaient tombés en méditant sur les horizons qu'ouvrait leur conversation. Le premier à réagir fut Seth, qui appuya sur l'intercom pour répondre à l'appel.

— Que se passe-t-il, Duck ?

— Venez dans le cockpit, dit le commandant d'*Atlantis*. Houston a annoncé qu'ils allaient faire une communication d'un instant à l'autre. Ça semble important.

Les regards se tournèrent vers l'horloge affichant le compte à rebours.

06:39:01

Six heures et demie avant le contact avec *Phanès*.

Les trois spécialistes de la mission et le spécialiste de charge utile se dirigèrent vers le cockpit en flottant. Duck et Frenchie attendaient, installés devant l'appareil connecté au système de satellites TDRS, qui permettait à la navette de communiquer avec le Centre de contrôle de la mission.

— Des nouvelles concernant le *Soyouz* ?

— C'est probable, indiqua le commandant sans quitter la radio des yeux. Nous devons...

— *Atlantis*, ici Houston, appela une voix du Centre de contrôle, interrompant la conversation. Stand by.

— Reçu, Houston, répondit aussitôt Duck. Pouvez-vous préciser l'objet de la communication, je vous prie ?

On entendit un grésillement avant la réponse.

— Stand by.

De toute évidence on se préparait à transmettre à l'équipage d'*Atlantis* des informations cruciales.

— Ça doit concerner les Russes, indiqua Frenchie, en inspectant aussitôt le système d'activation des missiles pour s'assurer qu'ils pourraient bien être tirés à tout moment. Ils ont probablement localisé l'orbite et la position du *Soyouz*.

— Oui, acquiesça Duck, des gouttes de sueur perlant sur ses tempes. Ils ont dû les localiser et ils vont nous donner leurs coordonnées pour l'attaque.

Les quatre astronautes civils qui avaient convergé vers le cockpit accusèrent le coup. Nul n'ignorait que la confrontation avec le vaisseau russe pouvait se produire à tout moment et semblait même déjà inévitable, mais tous nourrissaient l'espoir secret que le pire pourrait être évité d'une manière ou d'une autre. Cet espoir, comprenaient-ils à présent, était vain.

— Oh, mon Dieu ! murmura Seth en fermant les yeux. C'est de la folie.

Ses compagnons ne dirent rien, mais il était clair qu'ils étaient tous saisis par l'angoisse.

On entendit alors la voix de Billy à la radio.

— *Atlantis*, ici Houston, appela le directeur de la mission du Centre spatial Johnson. Vous me recevez ?

— Cinq sur cinq, Houston, confirma Duck.

— Nous avons des nouvelles pour vous, les gars, dit Billy très agité. Les télescopes au Chili sont pointés sur *Phanès,* mais ils ne continuent à enregistrer que des images d'un point lumineux en mouvement. Comme vous le savez, on ne pourra photographier correctement l'objet que dans deux heures environ. Mais le télescope *Hubble*, étant dans l'espace, a déjà pu prendre une photo parfaite en haute définition.

La nouvelle fut accueillie avec soulagement et excitation dans le cockpit d'*Atlantis*. Tous attendaient l'ordre terrible d'attaquer *Soyouz* et, en fin de compte, ils recevaient une information au sujet de *Phanès*.

— *Ding hao !* s'exclama Yao. Excellent !

— *Atta boy !* se réjouit Seth. Génial !

Emese et Tomás applaudirent et les deux militaires, Duck et Frenchie, se fendirent d'un large sourire de soulagement, satisfaits d'apprendre que le moment du combat n'était pas encore venu.

— Reçu, Houston, déclara le commandant de la navette spatiale. Quelle magnifique nouvelle ! Quand pouvez-vous nous envoyer l'image ?

Encore un grésillement avant la réponse.

— *Atlantis*, ici Houston, appela Billy. Nous venons de commencer à télécharger la photo sur votre ordinateur central. Veuillez vérifier.

D'un mouvement leste des doigts, Frenchie chercha le dossier du transfert sur l'ordinateur et constata qu'un fichier appelé *Phanès* était effectivement en cours de téléchargement. Il se tourna vers le commandant et confirma en levant le pouce.

— Houston, ici *Atlantis*, dit Duck. L'image arrive.

Alors que le commandant de la navette spatiale s'apprêtait à analyser le fichier, le Centre de contrôle s'adressa de nouveau à eux.

— Les gars, vous n'allez pas croire ce que nous avons ici…

LXXVIII

Tous les regards convergèrent vers le fichier que le Centre spatial Johnson avait transféré sur l'ordinateur d'*Atlantis* via le TDRS. Le téléchargement de la photo se révélait anormalement lent, ce qui commença à exaspérer les six astronautes agglutinés dans le cockpit de la navette. Impatient, Frenchie appuya sur un bouton pour savoir combien de temps allait prendre le téléchargement.

Trente-deux minutes.

— Mince ! maugréa-t-il. Ça va prendre une éternité !

Ses compagnons partageaient son mécontentement.

— Vraiment, une demi-heure c'est beaucoup trop long, protesta Seth. Ce n'est pas possible.

Vu le temps que cela prendrait et compte tenu de la nécessité d'évaluer la forme et les caractéristiques de *Phanès* afin de planifier la rencontre avec les extra-terrestres, le commandant d'*Atlantis* décida d'appeler le Centre de contrôle.

— Houston, ici *Atlantis*, dit Duck. Le téléchargement de la photo prend beaucoup trop de temps. Pouvez-vous nous envoyer une version comprimée pour que ça aille plus vite ?

— *Atlantis*, ici Houston. Négatif, répondit Billy.

Le rejet catégorique de la demande surprit le commandant d'*Atlantis*.

— Houston, ici *Atlantis*. Pouvez-vous clarifier, je vous prie ?

— *Atlantis*, ici Houston. Ce n'est pas possible car nous vous envoyons en temps réel l'image que *Hubble* nous transmet. Malheureusement, nous n'avons pas encore de version plus légère à vous transmettre.

Le commandant d'*Atlantis* réfléchit quelques instants avant de répondre et revint à la charge.

— Houston, ici *Atlantis*. Avez-vous déjà vu la photo ?

— Correct, *Atlantis*, confirma Billy. Elle se forme à mesure que *Hubble* la transmet, mais je crois que votre ordinateur de bord n'a pas la même capacité que le nôtre.

Dans le cockpit, Frenchie hocha la tête en direction de ses compagnons, confirmant ce que le directeur de la mission venait de dire.

— Il a raison. Nous devrons attendre que le fichier soit entièrement téléchargé via le TDRS pour voir la photo.

L'information déclencha une succession d'interjections en plusieurs langues.

— *Fuck !*

Duck entra à nouveau en communication avec le Centre spatial Johnson.

— Houston, ici *Atlantis*, appela-t-il. Pouvez-vous au moins nous expliquer ce que vous voyez ?

Encore un grésillement avant la réponse.

— *Atlantis*, ici Houston, répondit Billy. L'image que *Hubble* nous envoie est si surprenante que nous procédons à des vérifications pour confirmer qu'il s'agit bien de l'origine du signal radio de *Phanès* et évaluer ce que tout cela signifie. Nous ne sommes pas tous d'accord sur la nature du véhicule. Comme nous procédons encore aux derniers contrôles, nous préférons ne rien vous dire, si ce n'est que vous devez vous préparer à voir quelque chose de très différent de ce que nous avons imaginé.

Quoi qu'il en soit, nous aimerions connaître votre réaction pour voir si votre lecture est la même que celle de certains d'entre nous ici. Un peu de patience, les gars, ça ne devrait pas tarder. *Over.*

Les regards de l'équipage d'*Atlantis* se tournèrent simultanément vers l'ordinateur pour voir combien de temps il restait avant la fin du téléchargement de la photographie : vingt et une minutes. Puis tous regardèrent l'horloge affichant le compte à rebours avant la rencontre avec *Phanès.*

06:20:57

Il restait six heures et vingt minutes.

LXXIX

Le temps qu'il restait avant la fin du téléchargement de la photo de *Phanès* prise par *Hubble* se réduisit progressivement au fil des minutes, jusqu'à ce qu'il se compte en secondes.

Vingt secondes.

19

18

17

Tandis qu'il attendait la conclusion imminente du téléchargement de l'image, Tomás regarda l'autre compte à rebours, celui de la rencontre avec le vaisseau extra-terrestre.

05:59:21

Moins de six heures.

Toutefois, ce qui importait vraiment à ce moment-là, était la photographie de *Hubble* que Houston avait transmise à *Atlantis*. Tous les regards se tournèrent vers l'ordinateur où s'affichait le décompte.

Quinze secondes…

14
13

Dans le cockpit, la curiosité était immense. Les six membres d'équipage d'*Atlantis* avaient les yeux rivés sur l'écran, attendant que le téléchargement s'achève et que le fichier s'ouvre sur l'image de *Phanès*, révélant enfin les contours du vaisseau extra-terrestre, sa configuration plus détaillée, sa texture et son système de propulsion.

12
11

Personne n'ignorait l'importance de cette photographie. Elle pourrait leur révéler beaucoup de choses sur les extra-terrestres, leur niveau de technologie, peut-être même leur morphologie, et leur fournir de précieuses indications opérationnelles sur la façon adéquate d'établir le contact avec le vaisseau. Aurait-il une porte ? Quelle serait sa taille ? Pourraient-ils la franchir ? Que révèlerait son format sur les occupants du vaisseau ?

— Ça y est presque, murmura Seth. Presque, presque…

L'ordinateur indiquait dix secondes…

9
8

— L'image s'ouvre automatiquement ? demanda Yao, soudain assailli d'un doute. Ou faudra-t-il accéder au fichier ?

7
6
5

Frenchie répondit.

— L'ouverture est automatique.

4

3

2

— Ça y est ! Ça y est !

1

0

Lorsque la petite fenêtre indiqua la fin du décompte, ce fut comme si le temps lui-même s'était arrêté. Tout le monde était concentré sur l'ordinateur, retenant sa respiration en attendant l'image, le silence absolu juste brisé par le bourdonnement des ventilateurs. L'écran devint noir et le resta quelques instants qui, bien que brefs, semblèrent une éternité aux membres d'équipage.

Soudain, une photographie apparut.

Phanès.

— *What the fuck !* jura Seth, stupéfié par ce qu'il voyait. Qu'est-ce que c'est que ça ?

— Wah ! s'exclama Yao. Ce n'est pas possible !

Au milieu de l'étonnement général, Frenchie frappa, irrité, sur la table de contrôle.

— Merde ! s'écria le pilote canadien. Ils se sont trompés, les cons !

— Quoi ?

— Houston. – Il fit un geste agacé en direction de l'écran. – Vous ne voyez pas ? Vous ne nous avez pas envoyé la bonne photo.

Frenchie avait raison. Il devait y avoir une erreur. Billy Gibbons et le personnel du Centre spatial Johnson leur avaient transmis la mauvaise image. N'était-ce pas évident ?

Duck appuya sur le bouton pour communiquer avec le Centre de contrôle de la mission.

— Houston, ici *Atlantis*. Vous me recevez ?

— Cinq sur cinq, *Atlantis*, répondit Billy. Selon notre ordinateur, vous avez reçu l'image. Qu'en dites-vous, les gars ?

— Nous n'en disons rien, Houston. Vous ne nous avez pas envoyé la bonne photo.

— *Atlantis*, ici Houston. Veuillez répéter.

— Vous nous avez envoyé une autre photo, répéta le commandant de la navette. Pouvez-vous nous envoyer la bonne, mais cette fois en version basse définition, s'il vous plaît ? Nous ne pouvons pas passer encore une demi-heure à attendre le téléchargement.

— Reçu, *Atlantis*. Stand by.

Étonné d'entendre qu'*Atlantis* n'avait pas reçu la bonne photo, Billy était sans doute allé consulter d'autres membres de la NASA pour savoir ce qui s'était passé et réparer cette erreur. Cela contribua à détendre momentanément l'atmosphère dans le cockpit. Sourires et regards soulagés se mêlèrent à nouveau.

— Non mais, vous avez vu ça ? demanda Seth. Ils font parfois de ces bourdes en bas. Vous vous rendez compte, comme si on avait pu croire que c'était la bonne image !

— *Ayah !* s'exclama Yao, indiquant la photographie qui emplissait toujours l'écran de l'ordinateur de bord. Ça saute aux yeux que cette chose ne peut pas être *Phanès*. C'est même étonnant que la NASA n'ait pas tout de suite réalisé que…

La radio grésilla de nouveau.

— *Atlantis*, ici Houston.

Ce fut Duck, comme toujours, qui répondit à l'appel du Centre spatial Johnson.

— On vous reçoit, Houston, dit-il. Quand pouvez-vous nous envoyer la bonne image ?

— *Atlantis*, juste pour clarifier les choses : nous venons de consulter les gars de l'informatique et nous avons vérifié le signal que nous avons reçu de *Hubble*. Il n'y a pas le moindre doute. L'image que nous vous avons envoyée est la bonne.

Le commandant de la navette spatiale pensa qu'il avait mal entendu, une légère interférence ayant perturbé la communication, il aurait pu manquer quelque chose.

— Houston, répétez.

— *Atlantis*, ici Houston. La photo que vous avez dans votre ordinateur est la bonne. Je répète, cette image est correcte.

Les regards incrédules des astronautes se concentrèrent à nouveau sur l'image qui emplissait l'écran de l'ordinateur de bord.

— Quoi ?!!

Duck appuya sur le bouton de la radio et insista.

— Houston, vous en êtes sûr ?

La réponse du directeur de la mission fut immédiate et péremptoire.

— Absolument, déclara Billy. Ce que vous voyez est *Phanès*.

Les astronautes durent se rendre à l'évidence, il n'y avait eu aucune erreur. La photo prise par *Hubble* révélait la forme et la nature véritables du véhicule qu'ils allaient bientôt rencontrer, et ils avaient beau penser que c'était incroyable, ils devaient se faire une raison puisqu'ils voyaient enfin *Phanès*.

Et ce qu'ils voyaient était un invraisemblable.

LXXX

Une météorite.

C'est ce que révélait la photo prise par *Hubble*. Un gigantesque caillou gris en forme de V, bosselé, éclairé latéralement par le Soleil et qui se détachait sur le noir profond de l'espace ; il était clair que le temps de pose avait été bref et que le télescope spatial n'avait pas saisi la lumière des étoiles environnantes. À la surface de l'objet on pouvait voir des cratères, des trous, des bosses, des falaises et des ombres, comme si les formations rocheuses étaient des statues dont la lumière solaire projetait les spectres.

Ils regardèrent l'image avec incrédulité.

— C'est ça *Phanès* ?

L'image était déconcertante et tout le monde était sous le choc. Duck fut le premier à réagir, qui appuya sur le bouton de communication pour interroger le Centre spatial Johnson.

— Houston, ici *Atlantis*, appela-t-il. *Phanès* est une météorite ?

— Affirmatif, *Atlantis*.

— Est-ce que vous avez vérifié ?

— Plusieurs fois, assura Billy du Centre de contrôle. Pendant que votre ordinateur de bord téléchargeait la photo, nous avons procédé à plusieurs confirmations, en identifiant la position de la météorite photographiée par *Hubble* et celle de *Phanès* selon la triangulation des signaux radio. Les vérifications successives que nous avons effectuées ont toutes donné le même résultat, il n'y a donc pas le moindre doute. C'est de cette météorite qu'est émis le signal radio avec les quarante-deux premiers chiffres de Pi. – Il fit une courte pause pour que l'idée fasse son chemin. – La météorite est *Phanès*.

Dans le cockpit d'*Atlantis*, tous gardaient les yeux rivés sur la photographie de l'astre. Tout cela leur semblait si extraordinaire qu'ils avaient du mal à le croire.

— *Holy shit !* jura Seth. C'est incroyable !

Yao secoua la tête.

— *Ayah*, ce n'est pas possible ! s'exclama l'astronaute chinois, se refusant d'accepter ce qu'il voyait. Ça n'a aucun sens. Aucune civilisation avancée n'utilise des météorites comme véhicules spatiaux, voyons ! C'est impossible.

— Yao a raison, convint l'astrophysicien de la NASA. Il doit y avoir une erreur quelque part.

— Mais alors comment expliquer que Houston ait confirmé que c'est bien de cette météorite qu'est émis le signal radio que nous avons entendu ? demanda Tomás. Laissez-moi vous rappeler qu'il y a peu, nous avions justement convenu que la seule chose qui pourrait vraiment nous surprendre serait que *Phanès* ressemble à un de ces vaisseaux que nous voyons dans les films de science-fiction. Être surpris, comme nous le sommes actuellement, ne devrait absolument pas nous surprendre.

Seth fit un geste de frustration en direction de l'image qui emplissait l'écran de l'ordinateur de bord.

— D'accord, Tom, mais… une météorite ?

— Une météorite n'a pas de système de propulsion, ne dispose pas de source d'énergie ni de conditions d'habitabilité pour héberger des modes de vie complexes, rappela Yao, soutenant son collègue américain. Comment une civilisation avancée peut-elle recourir à un véhicule si… si primitif ?

Tomás fixa de nouveau son attention sur l'image.

— Je pense que nous n'aurons une réponse que lorsque nous pourrons intercepter ce caillou, à condition que nous y parvenions, dit-il. Pour cela, nous devons tout savoir sur lui. Composition, dimension… tout.

L'observation du Portugais était pertinente et Duck entra aussitôt en communication radio avec la Terre.

— Houston, ici *Atlantis*. Nous sommes en train d'évaluer la météorite et nous aurions besoin d'informations complémentaires. Avez-vous déjà procédé à une analyse détaillée de *Phanès* ?

— Affirmatif, *Atlantis*. C'est un rocher de 800 m de long. Comme vous l'avez remarqué, il a une forme en V, dont l'une des ailes mesure 500 m et l'autre 300 m. L'analyse spectrographique préliminaire de la lumière réfléchie révèle que l'objet appartient à la classe spectrale X, avec des raies de Mg I à 383,8 nm. Les lignes les plus brillantes sont dans le bleu et le violet. L'analyse a révélé la présence de fer, de magnésium et de calcium, ainsi que des traces de silicium, mais attention, ces résultats sont provisoires. Nous ne connaîtrons vraiment sa composition minéralogique que lorsque nous aurons recueilli des échantillons à la surface.

L'astrobiologiste de l'équipage avait des questions à poser, une en particulier. Comme c'était le commandant d'*Atlantis* qui était au micro avec Billy, Emese prit un crayon et griffonna le mot « carbone » sur un bout de papier qu'elle montra à Duck, lui demandant d'interroger le Centre de contrôle à ce sujet.

— Et du carbone ? interrogea le militaire américain. Vous en avez détecté ?

— Négatif.

La scientifique de l'ESA sembla stupéfaite par la réponse. L'absence de carbone était très surprenante car on aurait pu s'attendre à ce que cet élément, crucial pour la vie selon la majorité des astrobiologistes, soit présent dans un véhicule envoyé par une civilisation extra-terrestre.

— Tout ceci est très étrange, déclara Seth à l'intention de ses compagnons rassemblés dans le cockpit. Nous nous apprêtons à rencontrer un caillou envoyé par une civilisation extra-terrestre mais qui n'a pas de vie ? Cela a-t-il un sens ?

Bonne question.

— Houston, ici *Atlantis*, rappela Duck. Si le signal radio vient de cette météorite, de quelle partie du rocher est-il émis exactement ? L'émetteur a-t-il déjà été identifié ?

— *Atlantis*, ici Houston, répondit Billy rapidement. Affirmatif. Nous vous suggérons d'agrandir la partie intérieure du sommet de la météorite.

Le commandant se tourna vers son pilote, comme s'il lui transmettait l'instruction, et Frenchie dessina avec la souris un rectangle sur le sommet du V. Puis, il agrandit l'image à l'intérieur du rectangle, qui emplit l'écran de l'ordinateur.

— Ça y est, déclara le pilote canadien. Dites-moi si vous voyez quelque chose.

Tous les regards se concentrèrent sur l'agrandissement ; comme il s'agissait d'une photographie haute définition, la résolution était encore excellente, ce qui permettait de distinguer les détails, y compris des cratères et des falaises.

— Il y a, ici, quelque chose de bleuté, nota Yao, en indiquant un point indigo sur l'image. Qu'est-ce que ça peut bien être ?

Le pilote québécois traça un rectangle autour de l'objet bleuté et grossit l'image encore un peu plus. Cette fois l'image était moins nette ; on voyait une tache bleue, mais sa forme précise restait indéfinie.

Duck appuya encore une fois sur le bouton pour communiquer avec le Centre spatial Johnson.

— Houston, ici *Atlantis*. Nous avons agrandi l'image et nous avons détecté un point bleu au sommet de la météorite. Est-ce l'émetteur de *Phanès* ?

— C'est ce que nous supposons, *Atlantis*.

— Houston, étant donné que c'est l'agrandissement d'un

agrandissement, la qualité de notre image n'est pas très bonne. Que révèle votre analyse ?

— Nous voyons la même chose que vous, *Atlantis*. En dehors de l'analyse spectrographique et de données complémentaires sur la morphologie de l'objet dont nous vous avons déjà communiqué les résultats, nous n'avons pas d'autres informations. La photo haute résolution que vous avez est la même que la nôtre et nos agrandissements ne sont pas de meilleure qualité que les vôtres.

— Vous n'avez aucune information spécifique supplémentaire au sujet de cette tache bleue détectée au sommet de la météorite ?

— Négatif, répondit Billy. La seule chose qui nous semble claire est qu'il s'agit d'un corps étranger à la météorite. Cependant, il ne nous a pas été possible de déterminer exactement la morphologie et la composition de l'objet en question.

— Et sa dimension ?

— On dirait que c'est un cube, ou du moins un carré, d'une cinquantaine de centimètres de côté. Nous n'avons pas détecté de carbone, mais nous supposons que c'est là que se trouvent les traces de silicium révélées par l'analyse spectrographique.

Après avoir longuement examiné le point bleu révélé par l'agrandissement, les astronautes échangèrent des regards plein de sous-entendus. Était-ce de la vie ou un objet artificiel ?

LXXXI

Les trois heures qui suivirent furent très agitées. *Atlantis* et le Centre spatial Johnson échangeaient constamment des messages avec de nouveaux calculs sur l'itinéraire et la vitesse de la météorite et la procédure que la navette devrait suivre pour arriver à l'intercepter. Après de nombreux échanges et discussions, le Centre de contrôle de la mission leur transmit les calculs définitifs. En se fondant sur ceux-ci, le commandant et le pilote purent déterminer la trajectoire finale pour intercepter *Phanès*.

Lorsque le plan d'action fut achevé et approuvé par le Centre de contrôle, Duck prit un diagramme et descendit au pont intermédiaire pour donner des instructions à ses compagnons. Il fallait discuter de certains détails et prendre des décisions. Certaines instructions seraient désagréables.

L'horloge affichant le compte à rebours semblait s'être accélérée.

02:31:49

Il restait deux heures et demie.

Le commandant rejoignit l'équipage et lui montra le diagramme sur lequel on voyait la Terre, *Atlantis* et *Phanès*, avec les itinéraires du vaisseau et de la météorite indiqués en pointillés. La navette avait une orbite circulaire et *Phanès* une trajectoire hyperbolique, comme si elle voulait tirer parti de la gravitation terrestre pour se relancer dans l'espace.

— Le fait que nous ayons affaire à une météorite nous oblige à modifier quelques aspects importants du plan que nous avions élaboré à Houston, ne serait-ce d'ailleurs que parce que nous savons à présent que *Phanès* ne va pas ralentir, annonça-t-il. Pour l'instant, nous allons maintenir notre cap et notre vitesse. Cinquante-cinq minutes avant l'interception, l'équipe de l'EVA commencera la décompression. Dix minutes plus tard, nous procéderons à une accélération et à un changement d'orbite afin de nous aligner sur l'itinéraire de la météorite. Quinze minutes avant le contact, lorsque la décompression sera achevée, l'équipe de l'EVA sortira dans l'espace et effectuera, à bord du MMU, le transfert vers *Phanès*. Est-ce clair ?

Toujours préoccupé par les questions se rapportant au vol, Tomás leva la main.

— Quand vous parlez d'accélération… cela signifie que nous allons ressentir l'impact ?

— Correct.

— Mais… mais Emese, Seth et moi, nous serons à ce moment-là dans le sas pour la décompression.

— Exact.

Le ton calme, voire mécanique, sur lequel le commandant répondait, comme si la procédure prévue était la chose la plus normale du monde, déconcerta le Portugais.

— Ce sera une accélération de combien ?

— De 3 G.

— Et… et comme nous serons tous les trois dans le sas, où il n'y a pas de sièges dotés d'un dispositif de sécurité, ce n'est pas… enfin, ça ne peut pas être dangereux ?

— Vous devrez le supporter.

La réponse ne tranquillisa guère Tomás ni ses compagnons d'EVA, mais que pouvaient-ils faire ? Nul n'ignorait qu'il y avait une part d'improvisation dans cette mission, ils allaient vers l'inconnu et devaient s'adapter aux circonstances. Cela leur avait d'ailleurs été expliqué au cours des exercices effectués les semaines précédentes au Centre spatial Johnson. Ils ne pouvaient pas se plaindre.

Seth leva la main.

— Combien de temps aurons-nous pour aller jusqu'à *Phanès* et revenir ?

— Le transfert est un point important que nous devons planifier avec soin, dit le commandant. Jusqu'à présent, nous sommes partis du principe que nous allions rencontrer un vaisseau spatial qui pourrait ralentir et entrer en orbite au moment de l'interception, et que nous aurions eu tout le temps nécessaire pour établir le contact et communiquer avec l'équipage. Mais avec une météorite, c'est différent. Une météorite n'a pas de système de navigation, et ne peut donc ni ralentir ni entrer en orbite, par conséquent le temps pour effectuer le transfert et rester à la surface de l'objet nous sera compté. Toute l'opération devra être rondement menée.

L'astrophysicien comprit qu'il y avait là un problème et répéta sa question.

— Combien de temps ?

Duck hésita avant de répondre.

— Dix-sept minutes.

Les membres de l'EVA écarquillèrent les yeux, atterrés.

— Dix-sept ?

— Je suis désolé, nous ne pouvons pas faire mieux. Toute l'opération devra être très rapide car nous ne pourrons suivre la météorite que pendant dix-sept minutes. Ou plutôt 17 min et 23 s, pour être très précis. Pas une de plus.

— Mais… ce n'est rien !

— Désolé, les gars. Comme vous le comprenez, nous n'avons aucun moyen d'arrêter la météorite ou de la mettre en orbite. Inutile de vous plaindre ou de me blâmer, moi ou qui que ce soit d'autre car ce n'est la faute de personne et nous ne pouvons rien y faire. La réalité est ce qu'elle est, nous devons l'accepter et nous adapter aux circonstances.

L'équipe de l'EVA échangea des regards de frustration. Tout le monde savait que dix-sept minutes étaient nettement insuffisantes, mais le commandant avait raison ; il n'y avait rien à faire et ce n'était pas en protestant qu'ils changeraient la réalité.

— Que se passera-t-il si nous nous attardons ?

— Écoutez bien ce que je vais vous dire, déclara Duck posément, afin de souligner l'importance des propos qui allaient suivre. Selon nos calculs, et compte tenu de sa vitesse et de sa trajectoire, *Phanès* quittera l'orbite terrestre au bout de 17 min et 23 s et plongera dans l'espace profond pour disparaître aussi vite qu'elle est apparue. L'accompagner signifierait courir à notre perte, car nous n'aurions pas assez de carburant pour revenir sur Terre et nous serions condamnés à errer dans l'espace jusqu'à ce que l'oxygène s'épuise et que mort s'ensuive. Donc, quoi qu'il arrive, *Atlantis* s'éloignera de *Phanès* au bout de 17 min et 23 s précisément, voire plus tôt de préférence, si c'est possible. Par conséquent, l'équipe de l'EVA ne pourra pas s'attarder avec *Phanès* au-delà de ce laps de temps. – Il dévisagea Seth, Tomás et Emese pour s'assurer qu'ils avaient saisi ce qu'il venait de dire. – Je me suis bien fait comprendre ?

— C'est très clair, déclara l'astrophysicien de la NASA. Mais, Duck, vous n'avez toujours pas répondu à notre question. Imaginez qu'il y ait un problème quelconque lorsque nous serons avec *Phanès* et que nous dépassions le délai. Que se passera-t-il alors ?

Le commandant de l'*Atlantis* durcit son regard.

— On vous laissera en rade.

— Pardon ?

— Vous avez bien compris, dit-il sur un ton glacial. Après 17 min et 23 s, *Atlantis* fera demi-tour et reviendra vers la Terre, avec ou sans vous. Cela vous oblige à maintenir le lien entre *Atlantis* et le MMU et à quitter la météorite au bout de quinze minutes environ, ce qui vous laisse un peu de temps pour revenir à la navette en toute sécurité. Est-ce clair ?

Les trois astronautes de l'EVA le regardaient, terrifiés.

— Vous nous laisseriez mourir sur *Phanès* ?

— Mieux vaut perdre trois personnes que tout l'équipage, rétorqua Duck avec une froideur glaciale. Je vous conseille de ne pas mettre ma détermination à l'épreuve, ça vous coûterait la vie.

— *Jeez*, Duck ! protesta Seth, secoué. Comment pouvez-vous dire une telle chose comme ça ?

Le visage du commandant s'adoucit.

— Je le dis de cette manière pour qu'il n'y ait pas de malentendu. Mais personne ne restera en rade, soyez rassurés. Vous serez assez intelligents pour quitter *Phanès* à temps, n'est-ce pas ?

Les membres de l'EVA se regardèrent à nouveau sans savoir que répondre. La seule chose dont ils étaient sûrs c'était qu'ils allaient devoir tout faire très rapidement. Duck était sympathique, mais de toute évidence c'était un militaire extrêmement qualifié qui savait être impitoyable lorsqu'il le fallait. C'était précisément pour cette raison que la NASA l'avait choisi. Personne ne devait se faire la moindre illusion. Il ferait ce qu'il avait dit.

Yao brisa le silence.

— Y a-t-il des nouvelles des Russes ?

— Négatif.

— Vous ne trouvez pas que c'est étrange ?

Le commandant secoua la tête.

— Non, répondit-il. Nous pensons que les Russes surveillent nos communications et, à l'heure qu'il est, la photo que *Hubble* a prise de *Phanès* a déjà été transmise aux responsables à Moscou. Autrement dit, ils savent que c'est une météorite. Il est donc vraisemblable qu'ils aient ordonné au *Soyouz* de ne pas lancer l'attaque balistique.

— Vous en êtes sûr ?

— Nous avons les certitudes que les circonstances nous autorisent à avoir. Vous avez remarqué que nous n'avons pas affaire à un vaisseau spatial extra-terrestre, mais à une simple météorite, dont l'itinéraire ne représente aucun danger pour la Terre. Il est donc peu probable que la Russie prenne le risque de déclencher un conflit international avec l'Occident et la Chine en raison d'un rocher qui, en fin de compte, passera assez loin de la planète. La menace russe a cessé d'exister et nous pouvons nous concentrer sur notre vraie mission.

Les propos de Duck provoquèrent une clameur de soulagement à bord. Emese était la seule qui ne semblait pas entièrement convaincue.

— Qu'est-ce qui nous garantit que ce sera vraiment le cas ?

— Des garanties... personne n'en a, répondit le commandant. Mais il ne serait pas logique que les Russes maintiennent leur plan d'attaque nucléaire, avec toutes les conséquences qui en découleraient, alors que *Phanès* n'est qu'un simple bout de caillou. Ils ne commettraient pas une telle sottise.

— Je ne crois pas que vous connaissiez les Russes, mais nous en Hongrie nous les connaissons, et bien, croyez-moi, répliqua l'astrobiologiste. Avec eux les choses ne sont jamais ce qu'elles semblent être...

Ses mots résonnaient comme un avertissement, mais personne n'y prêta la moindre attention. L'analyse de Duck, probablement réalisée par la NASA à partir des informations fournies par la CIA et d'autres agences de renseignements, rassura tout le monde et personne n'avait envie d'entendre de mauvaises nouvelles ou de retrouver le climat angoissant des dernières vingt-quatre heures. L'important était qu'il n'y aurait pas de combat dans l'espace et qu'ils pourraient se concentrer sur l'essentiel.

Duck donna les instructions finales.

— Très bien, les gars, l'heure approche, annonça-t-il en tapant dans ses mains pour encourager les troupes après les durs propos qu'il venait de leur tenir. L'équipe de l'EVA, allez manger et vous commencerez à vous préparer une heure et vingt minutes avant le rendez-vous. C'est à ce moment-là que débutera la retransmission télévisée vers la Terre, et je veux que tout le monde ait l'air en pleine forme. – Il frappa de nouveau dans ses mains. – OK, on va mettre la machine en route et conduire la mission à bon port. Comme le disaient les Romains : *alea jacta est !* Les dés sont jetés !

Le commandant se retourna et se dirigea vers le cockpit, laissant seuls les trois spécialistes de la mission et le spécialiste de charge utile, livrés à leurs pensées et aux tâches qui leur incombaient.

L'heure approchait.

LXXXII

Pour la deuxième fois en à peine vingt-quatre heures, Tomás se prépara pour l'EVA. Il n'était pas sûr d'être remis de l'expérience de la veille. Toutes ces heures dans le vide, à transférer le carburant et les missiles de *Delta* à *Atlantis* l'avaient épuisé, mais il ne pouvait pas se plaindre ; non seulement il avait toujours su ce qui l'attendait, mais il comprenait aussi toute l'importance du moment qui approchait. Tout ce qu'ils avaient fait jusqu'ici avait été nécessaire pour entrer en contact avec *Phanès* et, malgré les difficultés et les revers, ils y étaient presque. Il devrait juste persévérer encore un peu.

L'heure H approchait.

— Alors ? demanda Emese lorsqu'ils se trouvèrent seuls sur le pont intermédiaire. Avez-vous pensé à notre conversation ?

Tomás avait passé la dernière heure à essayer d'éviter la Hongroise, mais il ne pouvait plus tergiverser.

— Oui, j'y ai pensé.

— Et alors ? Est-ce que vous voulez bien m'accorder mon dernier souhait ?

Le Portugais sentit une sueur froide. Il ne pouvait pas lui dire non, mais il ne voulait pas non plus lui dire oui.

— Le problème c'est... eh bien, que nous n'avons pas beaucoup d'opportunités, dit-il, essayant de gagner du temps. Vous voyez bien, l'espace est restreint, il y a toujours des gens qui passent et...

— Nous pouvons descendre au pont inférieur qui sert d'entrepôt.

— Non, ça n'est pas possible, répondit Tomás en secouant la tête. Ils remarqueraient aussitôt notre absence.

— Alors quand tout le monde sera endormi.

— Ce ne sera qu'après la rencontre avec *Phanès*...

— Dès lors que nous le faisons avant le retour sur Terre, c'est l'essentiel.

Tomás se gratta la tête. La solution lui laissait du temps, et il verrait bien le moment venu.

À ce moment-là, les autres membres d'équipage arrivèrent et Yao mit un repas dans le micro-ondes.

— Très bien, murmura le Portugais. On en reparle plus tard. Maintenant, allons manger.

Après avoir avalé dans un silence absolu, leur dernier vrai repas, composé d'un steak, d'une mousse au chocolat et d'un café, les quatre spécialistes se rendirent une dernière fois aux toilettes, ce qui, et surtout pour Emese, prit une bonne demi-heure.

Quand ils eurent fini, un coup d'œil au compte à rebours leur indiqua que le moment était venu de commencer la retransmission télévisée destinée à tous les foyers sur Terre.

01:20:48

Une heure vingt minutes avant le contact avec *Phanès.*

— Les gars, un dernier mot avant qu'on entre chez les gens, là en bas, dit Duck avec l'intercom. Dans quarante secondes environ, Houston va commencer à diffuser sur les chaînes de télévision du monde entier les images qui sont actuellement transmises d'*Atlantis* au Centre de contrôle de la mission. Comme vous le savez, Houston dispose des images des caméras installées à l'intérieur et à l'extérieur de la navette, et de celles fixées sur les casques des membres de l'EVA. De plus, il y a des micros un peu partout. Tâchez de faire attention à ce que vous dites, d'accord ? Si vous voulez jurer ou évoquer votre belle-mère, faites-le maintenant. Après, il sera trop tard.

— *Fuck !* cria Seth. *Fuck ! Fuck ! Fuck ! Motherfucking pricks ! Dickless shitheads ! Fuck you assholes !*

Ils éclatèrent tous de rire ; heureusement, il y en avait un qui savait garder sa bonne humeur dans des moments aussi délicats.

— *Atta boy*, Seth ! s'exclama le commandant dans l'intercom. Bravo, c'était parfait ! Seulement, dans quelques instants, la transmission va commencer et je veux qu'à ce moment-là vous soyez tous bien élevés.

Tous les regards se tournèrent vers le compte à rebours.

01:20:00

L'émission commençait.

— *Atlantis*, ici Houston, dit Billy depuis le Centre de contrôle de la mission, en guise d'introduction. Nous sommes à présent en direct pour diffuser dans le monde entier la phase finale de la mission *Phanès*. Le moment est historique et nous avons une connexion avec l'équipe d'astronautes qui se trouve à bord de la navette *Atlantis* pour les derniers moments de la mission. Il reste une heure et vingt minutes avant le contact avec la météorite qui transmet les signes d'une civilisation extra-terrestre. *Atlantis*, comment ça va à bord ?

Ce fut Duck qui répondit, logiquement.

— Houston, ici *Atlantis*. C'est le commandant John Daugherty, de la NASA, aux commandes de la navette spatiale qui vous parle. Nous saluons tous ceux qui nous suivent en cette heure historique. C'est avec beaucoup d'émotion que nous vivons le moment où l'humanité va tendre la main à l'univers et entrer en contact avec des extra-terrestres. Nous allons bientôt engager la manœuvre visant à intercepter *Phanès*. L'équipe qui se rendra sur la météorite va commencer à revêtir les combinaisons pour sa sortie dans l'espace. Le pilote Hubert Charbit, que nous appelons Frenchie entre nous, va maintenant quitter le cockpit pour les aider, car cette opération est à la fois difficile et délicate.

— Merci, commandant, répondit le pilote canadien. Je me dirige vers le pont intermédiaire pour aider l'équipe qui va bientôt faire l'EVA. L'EVA est l'expression technique que nous utilisons pour désigner l'activité des astronautes qui sortent du vaisseau et se déplacent dans l'espace. Je suis sûr que sur Terre, tout le monde connaît bien l'équipe de l'EVA. Elle est composée de la professeure Bozóki Emese, astrobiologiste à l'ESA, et du professeur Tomás Noronha, historien et cryptanalyste, choisi par les Nations unies pour aider à communiquer avec les extra-terrestres. Celui qui dirigera cette équipe est l'un des principaux scientifiques de la NASA, le professeur Seth Dyson, responsable de la mission scientifique et expert en astrophysique, qui ira…

Le bla-bla se poursuivait, mais Tomás avait cessé d'y prêter attention, tant il était concentré sur ses fonctions. Comme la veille, le Portugais aida Yao à habiller Seth et Emese. Puis l'astronaute chinois, assisté de Frenchie qui poursuivait ses commentaires destinés aux Terriens, l'aida à revêtir le pantalon du scaphandre et le torse, puis les gants et enfin les bottes.

Au moment d'enfiler le casque, Tomás arrêta ses compagnons afin de se gratter une dernière fois le visage ; il ne pourrait pas le refaire avant de retirer son casque, plusieurs heures plus tard ; de préférence après avoir brillamment conclu la mission. Il devait profiter de cette dernière opportunité.

— C'est bon, allez-y.

Cependant, avant que Yao ne visse le casque, Frenchie intervint, évidemment à l'intention des spectateurs qui suivaient la retransmission sur Terre.

— Professeur Noronha, comment vous sentez-vous ?

C'était le genre de question que Tomás détestait. Il l'avait très souvent entendue à la télévision, dans la bouche de jeunes journalistes excités, et les réponses manquaient souvent d'à-propos. Il avait enfin l'occasion de montrer son sens de la répartie.

— Eh bien, j'ai un peu mal au dos, mais à part ça je me sens bien, merci, répondit-il, l'air imperturbable. Et vous ? Comment va la santé ?

Frenchie le regarda, déconcerté

— Je… euh…

L'historien se tourna vers son compagnon chinois, qui tenait le casque dans les mains.

— Yao, pouvez-vous me mettre le casque, s'il vous plaît ?

Manipulant le casque comme si c'était un objet précieux, l'astronaute de la CNSA le posa sur l'ouverture du scaphandre au niveau du cou puis, après avoir établi les connexions, le scella. Tomás entendit le doux bourdonnement des ventilateurs de la combinaison et il sut à ce moment-là qu'il était isolé du monde extérieur.

Il regarda le compte à rebours.

00:58:42

Il restait moins d'une heure.

LXXXIII

La voix de Duck retentit dans l'intercom du casque de Tomás.

— Équipe de l'EVA, appela le commandant d'*Atlantis*, s'adressant aux astronautes qui s'apprêtaient à sortir dans l'espace. *All set ?* Vous êtes prêts ?

Les trois personnes concernées levèrent le pouce.

— *Set*, répondit Seth. Prêts.

Toujours avec l'aide de Yao, et Frenchie derrière eux qui faisait le reportage en direct, les membres de l'EVA furent dirigés vers le sas.

— L'équipe de l'EVA va entrer dans le sas, déclara le pilote canadien à l'intention des téléspectateurs sur Terre. Nos trois compagnons vont y être enfermés pendant les quarante prochaines minutes afin d'effectuer la décompression. C'est un processus d'adaptation indispensable pour pouvoir affronter le vide spatial. Dans une dizaine de minutes, et alors que l'équipe de l'EVA sera isolée ici, le commandant John Daugherty, que nous appelons Duck, procédera à une accélération d'*Atlantis* afin d'aligner l'itinéraire de la navette sur celui de *Phanès*, et ainsi engager la manœuvre d'interception de la météorite qui nous envoie des signaux. La décompression dans le sas s'achèvera quinze minutes avant le contact. L'équipe de l'EVA sortira ensuite dans l'espace et commencera la procédure de transfert pour...

Lorsqu'il entra dans l'espace restreint du sas, Tomás ressentit tout un tas d'émotions. Parmi les plus positives, dominait le souvenir de l'oxygène pur qu'il inhalerait pour expulser l'azote du sang. L'inhalation était toujours un moment agréable, qui se prolongerait pendant toute la durée de l'EVA. Ensuite, il y avait le souvenir de l'expérience extraordinaire que représentait la sortie dans l'espace et la vision de la Terre bleue, luisante, et du noir profond de l'espace parsemé d'étoiles multicolores.

Cependant, il n'y avait pas que des bons souvenirs. Et toutes les émotions négatives qu'il éprouvait étaient naturellement associées au danger et à la complexité de la mission. Seraient-ils capables de la mener à bien ?

Mais la perspective d'entrer en contact avec des extra-terrestres et ainsi d'entrer dans l'Histoire l'emporta sur tout le reste.

— Professeur Dyson, appela Frenchie pendant le reportage. Quels sont vos derniers mots avant la fermeture du sas ?

— Je veux que tout le monde sache que l'humanité est prête à délivrer un message de communion avec l'univers, déclara Seth avec solennité. Nous venons en paix et le cœur ouvert, et nous croyons en l'égalité et la fraternité entre espèces intelligentes ainsi qu'en l'amitié universelle. Nous saurons être à la hauteur de l'événement et représenter dignement l'humanité et toute la vie sur Terre en ce moment historique de rencontre avec des êtres venus d'un autre monde. Je sais que nous sommes différents, la diversité est au cœur de la biologie, mais nous sommes animés par le même esprit. Dieu veillera à ce que la rencontre entre Ses créatures constitue un moment fondamental de l'Histoire de l'univers et je suis convaincu qu'à la fin Il ne manquera pas de raisons d'être fier des enfants qu'il a engendrés.

— Merci, professeur. Que Dieu vous accompagne !

Ces propos avaient un côté ringard qui déplut à Tomás, même s'il savait que le ton était destiné à transmettre à la Terre l'émotion, et surtout l'importance, du moment qu'ils vivaient.

Pendant qu'il attendait que la porte se referme et qu'ils se retrouvent seuls dans le sas, il vit une main tendue dans sa direction et réalisa que c'était Yao qui lui disait au revoir.

— *Fu ru dong hai !*

— Excusez-moi ?

— « Puisse votre bonheur être aussi immense que la mer orientale ! » traduisit l'astronaute chinois. C'est notre façon de souhaiter bonne chance à quelqu'un. *Fu ru dong hai !*

Ils se serrèrent la main et se dirent au revoir.

— À bientôt mon ami, répondit le Portugais. Que tout se passe bien. On se revoit dans un moment.

Puis, Yao tourna le dos et les trois astronautes de l'EVA virent la porte se refermer. Seth releva le levier intérieur et scella le sas, les séparant ainsi du reste du vaisseau. L'astrophysicien de la NASA commença le processus de décompression, tandis que Tomás et Emese serraient leur ceinture.

Lorsqu'ils eurent fini de se préparer, ils regardèrent l'horloge affichant le compte à rebours. Sachant qu'ils avaient traversé une frontière et qu'il n'y avait pas de possibilité de retour, comme si un fleuve invisible les entraînait vers leur destin et qu'ils ne pouvaient qu'observer ce qui leur arrivait, ils sentirent les battements de leur cœur s'accélérer.

00:55:49

Le moment du contact approchait.

LXXXIV

La longue attente dans le sas avait quelque chose d'exaspérant. D'une part, le grand moment approchait, ce à quoi les astronautes de l'EVA pensaient constamment ; d'autre part, l'espace dans lequel ils devaient attendre, conçu pour deux astronautes alors qu'ils étaient trois, était beaucoup trop exigu. Il n'y avait rien d'autre à faire que d'attendre. Attendre, penser et suivre la progression des chiffres sur l'horloge.

00:45:11

Cela faisait dix minutes qu'ils étaient là et ils savaient que le moment de l'accélération, qui allait permettre d'aligner la trajectoire d'Atlantis sur celle de la météorite, était venu.

L'intercom du Snoopy Cap brisa le silence.

— Attention, équipage, appela Duck. *Throttle up*. Accélération des moteurs.

Tomás s'accrocha fermement à la ceinture qui le fixait à la paroi du sas et ses compagnons firent de même. Tout à coup, sans un seul bruit d'avertissement, une force immense le pressa contre la paroi, comme si une montagne invisible exerçait un poids énorme sur lui ; *Atlantis* accélérait.

— Bon sang ! s'exclama-t-il. Quelle force !

L'accélération des trois moteurs de la navette spatiale sembla se prolonger pendant une éternité, alors qu'elle n'avait duré que trente-cinq secondes. Puis les 3 G ont disparu comme par enchantement ; *Atlantis* s'était positionnée pour la rencontre avec la météorite.

— *Throttle down*, annonça le commandant. Vitesse stabilisée. *Atlantis* est maintenant alignée sur la vitesse et l'itinéraire de *Phanès*.

Les manœuvres de pilotage de Duck et Frenchie étaient presque terminées ; il ne resterait que quelques ajustements à faire lorsque *Phanès* apparaîtrait. Puis ce serait au tour de l'équipe de l'EVA. Le responsable scientifique de la mission voulut d'ailleurs s'assurer que l'accélération n'avait pas eu d'effets néfastes sur ses compagnons.

— Alors, les gars ? demanda Seth. Ça va ?

Emese répondit la première.

— Pas de problème.

Puis Tomás leva le pouce comme les Américains aimaient le faire.

— Super !

Les dix premières minutes étaient passées. Il en restait encore trente pour achever la décompression et quarante-cinq avant la rencontre avec *Phanès*. La météorite serait alors déjà très proche de la Terre et Tomás se dit qu'il aurait préféré se trouver dans le cockpit pour assister à l'approche ; il eut le sentiment de passer à côté d'une partie importante de l'opération. Il savait que l'approche était une procédure très délicate, que Duck et Frenchie avaient spécialement répétée pendant les exercices au Centre spatial Johnson. Malgré l'extrême précision qu'exigeait la manœuvre, il ne doutait pas qu'elle serait couronnée de succès. Il regrettait simplement de ne pas pouvoir la suivre de visu. Il se sentait aveugle.

Il ne pouvait qu'imaginer comment les événements seraient retransmis à la télévision. Il était certain que toute l'humanité était en ce moment même devant les écrans. Il s'agissait d'un événement au moins aussi emblématique que la mission *Apollo 11*, au cours de laquelle Neil Armstrong marcha sur la Lune en 1969. Entre-temps cependant les techniques de communication s'étaient infiniment améliorées.

Des caméras de télévision avaient été installées un peu partout sur *Atlantis*, qui montraient l'intérieur du vaisseau et l'espace extérieur sous différents angles et en couleur. Les téléspectateurs ne verraient sans doute pas la météorite arriver, car tout se déroulerait dans la nuit de l'espace, sans la lumière du Soleil. Et *Phanès* ne serait pas en contact avec l'atmosphère terrestre, puisque elle ne produirait aucune trace lumineuse comme le faisaient les étoiles filantes. Pour remédier à ce problème, Yao était chargé de diriger un projecteur qui illuminerait *Phanès* lorsque sa trajectoire serait parallèle à la navette. Cet éclairage visait bien sûr à faciliter le travail de l'équipe de l'EVA, qui devait voir son objectif pour se déplacer en sécurité, mais aussi à rendre le reportage télévisé plus attrayant.

Certes, il n'y avait pas de caméras dans le sas, mais Tomás ne doutait pas que Houston utiliserait les images des casques des trois membres de l'EVA pour montrer ce qu'il s'y passait. Rien de très excitant, bien sûr, car le processus de décompression était toujours en cours et les astronautes étaient restés attachés à la paroi en attendant que les quarante minutes soient passées et qu'ils puissent sortir dans l'espace et commencer le transfert vers *Phanès*.

Pour occuper le temps, le Portugais pensait à des choses qui n'avaient rien à voir avec la mission. Il imaginait sa mère, perdue dans le labyrinthe de son Alzheimer à la maison de retraite à Coimbra, et Maria Flor, certainement plantée devant la télévision et se rongeant les ongles en suivant les événements en direct. Comment allaient-elles ? Sa fiancée devait être terrifiée, bien sûr, mais il espérait aussi qu'elle était fière. Ce qui allait se produire dans quelques minutes était tout simplement extraordinaire et serait à jamais gravé dans la mémoire collective de l'humanité. Tout à coup, l'idée de l'engagement qu'il avait pris vis-à-vis d'Emese l'assaillit et le mit mal à l'aise.

Il écarta cette pensée et se demanda ce que pouvaient bien ressentir ses compatriotes. Étaient-ils émus ? Sans doute. Quand il rentrerait chez lui, les politiciens allaient certainement se battre pour poser à ses côtés afin de tirer parti de la notoriété que la mission lui avait conférée. Ils le décoreraient sûrement, s'ils y voyaient un avantage, avec accolades sincères et tapes dans le dos. Peut-être même qu'on donnerait son nom à un quelconque bâtiment public. Un aéroport, par exemple. Bien sûr, les politiciens réservaient les noms des aéroports les plus importants aux pires de leurs concitoyens, et aux politiciens eux-mêmes ; mais, si on avait donné le nom de Cristiano Ronaldo à l'aéroport de Funchal, à Madère, peut-être qu'un jour quelqu'un aurait l'idée de baptiser du nom de Tomás un banal terrain d'aviation pour coucous antédiluviens. L'aérodrome de Tires, s'il avait de la chance. Ou bien au moins la piste de Cabeço da Vaca.

Il ne put s'empêcher de sourire. Ah, pas de doute possible ! Ce qu'il y avait de pire dans son pays c'étaient bien les politiciens. Certes, c'était un cliché car on ne pouvait pas les mettre tous dans le même sac, mais il n'y avait pas plus imposteur, plus opportuniste, plus…

— Équipe EVA, appela Duck par l'intercom des casques. 1 min 20 s avant la fin de la dépressurisation. Vous êtes prêts à sortir ?

Seth répondit à sa manière habituelle.

— Affirmatif.

— Commencez la procédure à quinze minutes pile.

Presque instantanément, Tomás regarda les chiffres du compte à rebours.

00:16:02

Une minute avant la fin de la décompression.

Seth, qui avait la responsabilité de diriger l'équipe, fut le premier à réagir. Il dévissa la ceinture qui le maintenait à la paroi du sas et s'adossa à la porte. Il saisit le levier et, sans quitter des yeux l'horloge numérique, attendit que la dernière minute passe.

— On va devoir agir rapidement et résolument, recommanda l'astrophysicien à ses compagnons par l'intercom. Dans un quart d'heure, quand on sera aligné sur *Phanès*, il faudra qu'on ait déjà amorcé le transfert. Il n'y a pas de temps à perdre, chaque seconde compte.

Personne ne l'ignorait.

Ses compagnons l'imitèrent et détachèrent leurs ceintures, se préparant à quitter *Atlantis*. Emese semblait très concentrée et ne disait rien.

Le cœur de Tomás se mit à battre à tout rompre. Il savait que Houston suivait ses pulsations cardiaques et il espérait juste ne pas être trop ridicule. La partie décisive de la mission était sur le point de commencer et il n'y avait pas de marge d'erreur. Ils devraient travailler en équipe. Ils dépendaient l'un de l'autre et aucun d'eux ne pouvait échouer.

L'horloge atteignit le moment prévu.

00:15:00

Aussitôt, Seth tourna le levier de la porte extérieure qui s'ouvrit en silence sur la silhouette ténébreuse de la Terre dans la nuit sidérale ; le Soleil s'était caché de l'autre côté de la planète et il le resterait jusqu'à l'arrivée de *Phanès*. L'astrophysicien se retourna et regarda ses compagnons pour s'assurer qu'ils étaient prêts.

— Équipe EVA, appela Duck par l'intercom. *Godspeed !* Que Dieu vous accompagne !

Seth plongea dans l'abîme et tous le suivirent.

LXXXV

La myriade de lumières était comme des pierres précieuses. Diamants, rubis, agates, améthystes, topazes rayonnaient dans la galaxie avec mille nuances. Bien que le spectacle fût aussi éblouissant que celui de la veille, il était impossible de ne pas ressentir un choc énorme devant la grandeur, la magnificence et la somptuosité de ce qui les entourait à l'infini, comme si l'univers entier les embrassait.

— J'ai déjà attaché mon amarre et celle de Seth à *Atlantis*, déclara Emese. Tomás, faites-en autant le plus vite possible.

Les paroles de la Hongroise sortirent l'historien de son rêve éveillé. Tomás s'efforça de sortir de sa comtemplation du cosmos, ils faisaient une course contre la montre et il n'y avait pas de temps à perdre. Il attacha aussitôt son amarre à *Atlantis* et regarda autour de lui.

— Où est Seth ?

Le responsable scientifique répondit aussitôt par l'intercom.

— Sur la plateforme, je m'occupe du MMU. Placez-vous au-dessus de l'aile gauche de la navette, afin que je puisse vous prendre dès que je sortirai d'ici.

— Reçu.

— *Atlantis*, ici EVA, appela Seth, la voix déformée par le stress. *Phanès* est-il déjà apparu sur le radar ?

— EVA, ici *Atlantis*, répondit Duck. Affirmatif. Je l'ai sur le radar. D'après l'ordinateur, il sera là dans 7 min 11 s.

— *Jeez* ! rétorqua l'astrophysicien. Nous devons nous dépêcher !

Conformément au plan, Tomás fit un signe à Emese et, ensemble, ils prirent une légère impulsion en posant les pieds sur la surface de la navette spatiale afin de ne pas aller trop loin, et commencèrent à flotter vers la pointe de l'aile gauche du vaisseau.

Les deux astronautes se déplacèrent lentement, contrôlant leurs gestes pour ne pas s'éloigner d'*Atlantis*. Quand ils atteignirent l'extrémité de l'aile de la navette, ils se retournèrent. Le profil blanc d'*Atlantis* se découpait sur la Voie lactée.

— Seth, où êtes-vous ?

— Je sors de la plateforme avec le MMU, répondit-il. *Atlantis*, combien de temps avant l'arrivée de *Phanès* ?

— EVA, ici *Atlantis*, répondit le commandant. 4 min 23 s.

— *Atlantis*, confirmez la position prévue pour *Phanès*.

— *Phanès* sera du côté droit de la navette, à 500 m de distance. Commencez le transfert dès que possible.

— Reçu Atlantis. MMU en mouvement.

Tomás et Emese virent une ombre avec deux phares parallèles s'élever lentement de la plateforme d'*Atlantis* et se diriger vers eux. C'était Seth qui approchait.

L'historien se tourna vers la Hongroise.

— Allons-y.

Les lampes de leurs casques allumées pour se repérer, les deux astronautes commencèrent lentement à s'élever, s'éloignant de l'aile du vaisseau pour aller se positionner à l'endroit où le MMU devait les intercepter.

— Emese et Tom, appela Seth du MMU. Je vous vois. Interception dans vingt secondes.

— Reçu.

Les lumières convergeaient dans l'espace, d'un côté les deux phares du MMU et la torche du casque de Seth, de l'autre celles de Tomás et Emese, jusqu'à ce qu'elles se fondent au point de contact. Lorsque le MMU arriva à leur hauteur, ses moteurs avant furent activés, le petit véhicule spatial sans portes ralentit et les deux astronautes s'accrochèrent à lui, le contournèrent et entrèrent par l'ouverture latérale. Le chef de la mission scientifique les accueillit en levant le pouce.

— Bienvenue, les gars ! Veuillez attacher vos amarres au MMU.

L'ordre surprit Emese.

— Mais… ce ne serait pas plus sûr qu'elles restent attachées à nos combinaisons ?

— Ce serait l'idéal, mais malheureusement ce n'est pas pratique, répondit Seth. Elles pourraient s'emmêler et compliquer le transfert, voire nous mettre en danger. Attachez-les au MMU, ça vaut mieux.

L'Américain avait raison, avec l'aide de Tomás, Emese détacha les amarres des scaphandres et les accrocha au MMU.

— *Atlantis*, ici EVA, appela Seth une fois achevée l'opération d'amarrage. Interception réussie. Tous à bord et prêts pour le transfert. Combien de temps avant l'apparition de *Phanès* ?

— Bien reçu EVA. 1 min 35 s. Commencez le transfert.

— *Atlantis*, ici EVA. On y va.

Aux commandes du MMU, Seth mit en route le moteur arrière et le véhicule les projeta, dans le noir absolu. *Phanès* n'allait pas tarder à apparaître, mais ils devaient avancer lentement pour ne pas être pulvérisés. La perspective d'être écrasés par *Phanès* suscitait une nervosité qu'ils ne pouvaient apaiser.

— *Atlantis*, ici EVA, appela Seth à nouveau. *Phanès* suit toujours les paramètres prévus ?

— EVA, ici *Atlantis*. Affirmatif. Nous suivons *Phanès* sur le radar et sa trajectoire est nominale.

Les trois astronautes restaient préoccupés.

— *Atlantis*, je ne le vois pas. J'ai besoin d'un décompte pour l'interception.

— Reçu, EVA, répondit Duck d'un ton impassible. Trente-huit secondes avant contact.

L'interception était imminente.

Inquiet, Tomás regarda autour de lui, essayant de voir la météorite, mais la nuit orbitale était totale, ce qui ne facilitait pas l'identification de *Phanès* ; dans ces conditions, la météorite ne serait qu'une ombre dans les ténèbres du cosmos, noir sur noir, ce qui la rendrait complètement invisible.

— Trente secondes avant contact.

Le Portugais ne cessait de scruter l'espace, tout comme ses compagnons. En vain. Ils ne voyaient que l'étendue sombre de la Terre, sans aucune lumière car ils étaient au-dessus du Pacifique, et tout autour les millions de points lumineux des étoiles qui emplissaient la Voie lactée.

— Vingt secondes avant contact.

Personne n'avait *Phanès* en visuel. On aurait dit un fantôme. Ils avançaient dans l'obscurité et la nervosité devenait palpable dans le MMU. Les calculs n'étaient-ils pas erronés ? Et si l'itinéraire de *Phanès* avait été mal calculé ? Allaient-ils entrer en collision avec la météorite ?

— *Atlantis*, le transfert est-il toujours nominal ?

— EVA, transfert nominal, confirma Duck. Dix secondes avant contact.

Dix secondes !

Et aucun signe de *Phanès* ! Tomás et ses compagnons regardaient frénétiquement de tous côtés, saisis d'effroi.

— 9… 8… 7…

Où diable était la météorite ?

— … 6… 5… 4…

Allaient-ils se heurter ?

— … 3… 2… 1…

Soudain, venue de nulle part, une énorme tache grise apparut, silencieuse, planant devant le MMU tel un monstre menaçant. Tomás sursauta et sentit que son cœur s'emballait. Personne ne leur avait dit ce que c'était et c'était inutile, car il n'y avait aucun doute.

Phanès était là.

LXXXVI

Une montagne flottait dans l'espace.

Totalement sidérés, les trois astronautes qui se trouvaient dans le MMU observaient l'énorme tache grise venue de nulle part, qui planait devant eux tel un *Léviathan* silencieux. Pendant quelques instants, ils ne surent que faire ou que dire. Ils étaient paralysés, ébahis par cette vision.

— Houston, ici *Atlantis*, appela Duck. *Phanès* en visuel. Vitesse et trajectoire nominales. EVA en interception. Nous allumons le projecteur.

Le ton du commandant d'*Atlantis* demeurait imperturbable face aux événements extraordinaires qui se produisaient.

— Reçu, *Atlantis*, répondit Billy du Centre spatial Johnson. Nous ne voyons rien et nous avons besoin de ce projecteur. Pouvez-vous l'allumer ?

Un puissant foyer de lumière s'alluma dans la navette spatiale et illumina la partie centrale de la météorite ; c'était Yao qui manœuvrait le projecteur.

— Houston, ici *Atlantis*, dit Duck. Projecteur branché. L'objet est maintenant visible.

— *Atlantis*, ici Houston. Je confirme le visuel sur notre écran.

Waouh ! L'image que nous recevons ici est… c'est incroyable. Absolument extraordinaire.

Serrés dans le MMU, Tomás et ses compagnons voyaient *Phanès* grandir devant eux.

— EVA, ici *Atlantis*, appela le commandant, s'adressant cette fois aux trois astronautes qui se dirigeaient vers *Phanès* et qui étaient toujours silencieux. Vous confirmez le visuel ?

Ce fut Seth qui répondit, rompant le silence médusé à l'intérieur du MMU.

— *Atlantis*, impossible de ne pas voir une telle chose. *Jeez !* C'est énorme, gigantesque.

— EVA, il est impératif d'éviter une collision. Nous mesurons votre distance par rapport à l'objet : 90 m avant contact.

— Reçu, *Atlantis*. 90 m.

À cette distance, et dans le vide où la vision était absolument cristalline, les détails de la composition de la météorite étaient clairement visibles du MMU. Tomás distinguait non seulement les cratères et les falaises, mais aussi les bosses et les creux.

— 80… 70… 60…

Phanès ressemblait à un rocher géant, gris foncé, qui grossissait sans cesse à mesure que le véhicule venu d'*Atlantis* s'approchait.

— … 50… 40… 30…

L'équipage du MMU désirait ardemment trouver des signes de vie extra-terrestre, mais à ce moment-là son attention était totalement focalisée sur la délicate manœuvre d'approche de la météorite. À la moindre imprudence, le MMU risquait d'entrer en collision avec elle et de s'abîmer, ils ne pourraient pas retourner sur *Atlantis*. Ce serait une catastrophe dont ils ne réchapperaient pas. Ils devaient procéder avec la plus grande prudence.

— … 20… 10…

Seth alluma le moteur avant pour freiner le véhicule qui ralentit aussitôt.

— Moteur avant allumé.

— Reçu, EVA. Nous avons enregistré une décélération du MMU. L'EVA se trouve maintenant à 5 m... 4... 3...

Le freinage avait ralenti la progression du MMU, sans toutefois l'immobiliser complètement. L'engin glissait plus lentement, afin de ne pas heurter brutalement *Phanès*. Tous espéraient qu'ils l'effleureraient.

— ... 2... 1...

Une secousse ébranla le MMU. Aucun bruit ne se produisit, mais il était évident qu'ils avaient touché quelque chose.

— *Touchdown !* annonça Seth d'une voix à la fois tendue et soulagée. Je répète, *touchdown* !

— Reçu, EVA. *Touchdown.*

— *Atlantis*, ici EVA. Nous avons établi un contact physique avec *Phanès*. Malgré le choc, le MMU ne semble avoir subi aucun dommage apparent. Nous allons procéder à l'amarrage.

— Reçu, EVA. Aucun dommage n'a été identifié lors du contact du MMU avec *Phanès*. Procédez à l'amarrage. Vous avez 15 min 11 s pour exécuter l'opération. – Duck changea de ton pour s'adresser au Centre de contrôle de la mission. – Houston, contact établi avec *Phanès*. Je répète, contact établi avec *Phanès*.

Au bruit qu'ils entendirent dans les intercoms, Tomás et ses compagnons comprirent qu'un tonnerre d'applaudissements venait d'éclater au Centre spatial Johnson.

— *Atlantis* et EVA, ici Houston, dit Billy sur un ton presque euphorique. Bien reçu *touchdown* avec *Phanès*. Nous suivons ce qui se passe grâce aux images des casques de l'équipe EVA et des caméras extérieures de la navette ; vous n'avez pas idée de l'ambiance qui règne ici. Félicitations à tous pour votre excellent travail. *Way to go, boys !*

Allumant et éteignant les moteurs, Seth manœuvrait le MMU avec beaucoup de dextérité afin que le véhicule demeure en contact avec la météorite ; celle-ci étant trop petite pour exercer une gravité significative, il devait absolument veiller à ne pas s'en éloigner.

— Tom ! appela Seth. Êtes-vous prêt à terminer l'amarrage ?

Tomás avait préparé cette manœuvre, il se pencha hors du MMU.

— Prêt.

Le scientifique de la NASA leva trois doigts en l'air, qu'il baissa l'un après l'autre en comptant.

— 3... 2... 1... maintenant !

L'historien fixa un crochet sur une saillie à la surface de *Phanès* comme s'il s'agissait d'une ancre, achevant ainsi l'arrimage du véhicule.

— Arrimage achevé, indiqua-t-il. MMU attaché à *Phanès*. Je suis prêt à sortir.

— Allez-y ! ordonna le responsable scientifique.

En entendant l'autorisation, le Portugais se pencha par l'ouverture et, bien que son amarre ne soit plus reliée à la combinaison, ce qui rendait toute promenade à l'extérieur beaucoup plus périlleuse, il sortit du véhicule et foula le sol pierreux de la météorite.

Tomás marchait sur *Phanès*.

LXXXVII

Marcher sur une météorite était comme marcher au fond de la mer. C'est-à-dire, impossible. La gravité étant pratiquement nulle sur *Phanès*, chaque pas que ferait Tomás le projetterait loin en avant. Comprenant cela, l'historien s'agrippa aux rochers de la météorite et regarda autour de lui, cherchant quelle voie il pourrait suivre.

— *Atlantis*, ici EVA, appela Seth. Pouvez-vous nous dire dans quelle direction se situe l'objectif ?

— Reçu, EVA, répondit Duck qui, du cockpit de la navette spatiale, observait la météorite avec attention. Objectif à dix heures. C'est un cube bleu que l'on voit distinctement d'ici. Confirmez le visuel.

Les membres de l'EVA regardèrent à dix heures et repérèrent immédiatement la structure mentionnée par le commandant d'*Atlantis*.

— *Atlantis*, ici EVA. Affirmatif. L'objectif est en vue.

— Reçu, EVA. Après une mesure radio, nous pouvons confirmer que l'objet en question est bien l'émetteur du signal sur la fréquence de 1,42 GHz que nous avons détecté ces dernières semaines. C'est donc l'objectif prioritaire.

— Reçu, *Atlantis*.

— Équipe EVA, avez-vous identifié des signes d'activité sur d'autres points de *Phanès* ?

— Négatif. Tout est immobile.

— Reçu, EVA. Poursuivez vers l'objectif. Vous avez 13 min 49 s pour mener l'opération.

Tomás avait compris qu'il était absolument impossible de marcher sur la météorite. La seule manière de se déplacer c'était avec le MMU. Le Portugais se projeta en avant avec le bras et retourna au véhicule.

— Je suis prêt, dit-il en entrant. Nous pouvons continuer.

Seth alluma alors deux moteurs, l'un à l'arrière et l'autre sur la partie inférieure, et le MMU commença à avancer sur la surface accidentée de *Phanès*.

— *Atlantis*, ici EVA. Nous sommes en mouvement.

Il n'était guère aisé de manœuvrer un engin qui ne dépendait pas de l'aérodynamique atmosphérique comme sur Terre, mais en allumant et en éteignant alternativement les différents moteurs du MMU, il fut possible de progresser dans la direction voulue. Emese se tenait dans l'ouverture du véhicule, évaluant la distance par rapport à l'objet.

— Il est là ! dit-elle en désignant quelque chose sur la gauche. Là-bas ! À… à 20 m.

Ses compagnons regardèrent vers l'emplacement indiqué et constatèrent que l'objet était bien là. C'était un cube bleu clair.

— *Atlantis*, ici EVA, appela Seth. Nous avons identifié l'objet.

— Bien reçu. Nous le voyons de la navette, mais aussi grâce aux caméras de vos casques. Pouvez-vous vous approcher ?

— Affirmatif.

Le responsable scientifique manœuvra encore un peu le MMU et, allant à gauche puis à droite, montant et descendant au gré du terrain, toujours en cahotant malgré l'habileté avec laquelle il pilotait, il parvint à positionner le véhicule un mètre au-dessus du cube.

— EVA, ici *Atlantis*, appela Duck, qui suivait toute l'opération du cockpit d'*Atlantis*, à 500 m de là. Maintenez la distance. Évitez de toucher *Phanès* avec le MMU, ça pourrait l'endommager.

— Reçu, *Atlantis*. Nous allons sortir à nouveau du MMU.

— Continuez. Il vous reste 11 min 45 s pour exécuter l'opération.

Le premier à quitter le MMU fut encore Tomás. Le Portugais sauta sur la météorite et Seth et Emese, eux aussi sans leurs amarres, le suivirent. Tous trois s'accrochaient aux protubérances des rochers et, les jambes en l'air, ils s'approchèrent du cube. Devenant de plus en plus agile dans ce milieu en apesanteur, Tomás s'accroupit à côté de l'objet, et ses compagnons firent de même.

— Et maintenant ? demanda l'historien. Que faisons-nous ?

Seth se tourna vers la Hongroise.

— Emese ?

Selon le protocole précédemment établi pour la mission *Phanès*, c'était l'astrobiologiste de l'ESA qui devait décider s'ils se trouvaient ou non en présence de vie extra-terrestre. Non sans crainte, Emese toucha le cube du bout des doigts et retira aussitôt la main.

Rien ne se produisit.

— C'est inerte, dit-elle. Je vais prélever un échantillon pour l'analyse biologique.

La scientifique hongroise sortit un sac en plastique de l'une des poches extérieures de son scaphandre. En tant que chef de la mission scientifique, Seth connaissait la procédure, le protocole à suivre sur *Phanès* ayant été discuté et approuvé au Centre spatial Johnson, mais il se vit dans l'obligation de l'expliquer pour les téléspectateurs qui suivaient la retransmission télévisée.

— Le professeur Bozóki entame à présent une procédure destinée à prélever des traces de vie dans ou autour de ce cube, dit l'astrophysicien de la NASA. Professeur Bozóki, pouvez-vous nous expliquer ce que vous faites ?

Emese avait ramassé plusieurs cailloux qui se trouvaient autour du cube bleu clair et s'apprêtait à les insérer dans le sachet en plastique.

— Je collecte des échantillons pour des analyses en laboratoire, précisa-t-elle. Ils seront conservés dans ce sachet hermétique afin d'éviter qu'ils ne soient contaminés par des micro-organismes terrestres ou que d'éventuels micro-organismes extra-terrestres ne contaminent notre biosphère. L'objectif est de rechercher des traces de vie microbienne bien sûr, mais aussi des restes laissés par des formes de vie complexe. Je veux parler de tissus, morts ou vivants, ainsi que d'ADN ou de toute autre structure susceptible de permettre la réplication. Je pense que grâce à ces échantillons, nous obtiendrons des informations précieuses sur la nature des êtres qui sont à l'origine des signaux émis par *Phanès*.

— Professeur Bozóki, je dois vous poser une question purement formelle, dit Seth en montrant la structure bleue. Ce cube est-il oui ou non une forme de vie ?

L'astrobiologiste scella hermétiquement le sachet avec les échantillons qu'elle avait recueillis et le fixa à la taille. Puis, elle passa la main sur le petit cube bleu clair, comme si elle le caressait.

— Il est difficile de définir ce qu'est la vie lorsqu'on n'en connaît qu'une forme, celle de la Terre, répondit Emese. La vie extra-terrestre peut prendre de nombreuses formes, différentes de celles que nous connaissons ou même imaginons. S'il n'y avait pas de plantes sur Terre, par exemple, serions-nous en mesure de les concevoir uniquement par l'imagination ? Et comment réagirait-on en les voyant ? Les reconnaîtrait-on comme de la vie ? Tel est le genre de problèmes auxquels nous sommes confrontés. Je ne peux donc pas garantir que ce cube ne soit pas une forme de vie. Cependant, sur la base d'une analyse provisoire et superficielle, je dirais que nous ne sommes pas en présence d'une entité vivante, mais d'un artéfact.

— Pouvez-vous définir l'artéfact, je vous prie.

— Un artéfact n'est pas une forme de vie, c'est un objet créé par une forme de vie. En fait, et en gardant toujours à l'esprit qu'à ce stade précoce nous devons faire preuve de prudence dans la classification des objets que nous trouvons, il me semble que nous avons affaire à un exemple de technologie extra-terrestre. Quelqu'un a laissé cet artéfact sur la météorite afin qu'un jour il soit trouvé par une autre espèce intelligente. Nous ne savons pas si la météorite a été lancée spécifiquement en direction de la Terre ou si son passage est une simple coïncidence. Nous ne le saurons peut-être jamais. Je suis cependant convaincue que la présence de cet artéfact ici n'est pas un accident, mais qu'il résulte d'une intention.

Comme ses deux compagnons, Tomás examinait soigneusement l'objet, avec l'avantage de ne pas avoir à parler et à expliquer ce qu'il faisait à l'intention des téléspectateurs. Cela l'aida non seulement à découvrir ce qu'était le cube, mais aussi à distinguer d'autres détails.

— Excusez-moi de vous interrompre, déclara l'historien. Mais il y a ici une chose intrigante.

Seth se tourna vers lui.

— De quoi s'agit-il, professeur Noronha ?

Tomás fit un geste pour indiquer la surface de l'artéfact.

— L'objet est totalement lisse.

— En effet, confirma l'astrophysicien de la NASA. Cela vous paraît important ?

— Si les extra-terrestres ne sont pas ici, sur *Phanès*, et s'ils se sont contentés de mettre cet artéfact sur la météorite pour qu'il atteigne d'autres mondes et émette les quarante-deux premiers chiffres de Pi, comme une sorte de balise ou de bouteille jetée à la mer dans l'espoir que quelqu'un, un jour, la recueille, on aurait pu s'attendre à ce qu'ils inscrivent un message quelconque à sa surface, ou du moins des indications permettant d'accéder à un message principal. Or, rien de tel ici. Le cube est lisse.

Il n'y a ni caractères, ni signes, ni aucune autre indication. Cela ne semble pas avoir de sens.

Seth considéra l'argument.

— Votre raisonnement est on ne peut plus pertinent dans une optique humaine, reconnut-il. Cependant, comme le professeur Bozóki vient de le dire, nous devons nous débarrasser de notre point de vue anthropocentrique lorsque nous analysons la vie ou la technologie extra-terrestre. La logique et le type de raisonnement d'autres espèces, même plus intelligentes, peuvent être très différents des nôtres. Cela peut expliquer l'absence d'indices pour accéder au message de l'artéfact.

Il n'y avait aucun moyen de contrer cette position, considéra le Portugais. Ils pouvaient être confrontés à des milliers de choses étranges sans jamais être sûrs de l'intention éventuelle qui était derrière, dans la mesure où les formes de raisonnement étaient probablement très différentes de celles des humains.

— Vous avez peut-être raison, admit Tomás. Quoi qu'il en soit, l'artéfact ne cesse d'émettre les quarante-deux premiers chiffres de Pi, ce qui tend à montrer que ceux qui l'ont placé ici avaient clairement l'intention d'entrer en contact avec une espèce intelligente capable de recevoir et de comprendre le signal sur la fréquence de 1,42 GHz. C'est pourquoi je pense que l'artéfact devait comporter un message central quelconque. Il ne me semble pas logique de dire que Pi est le message principal. De plus, il ne faut pas oublier que…

— EVA, ici *Atlantis*, appela Duck, interrompant la conversation. Il vous reste 7 min 21 s pour conclure l'opération.

— Sept minutes ?!!

— Déjà ? s'étonna Seth, surpris. Nous n'avons que sept minutes ?

— Affirmatif, EVA.

— Mais… mais nous avons à peine commencé à explorer le…

— EVA, je vous suggère de ramasser immédiatement l'artéfact et d'engager la procédure de retour.

Les trois astronautes échangèrent un regard plein de frustration. Ils venaient d'arriver sur *Phanès* et, à peine les choses commençaient-elles à devenir intéressantes, qu'on leur donnait l'ordre de revenir à la navette spatiale.

Seth ne se résigna pas.

— *Atlantis*, on aurait besoin d'un peu de temps pour effectuer une analyse plus approfondie.

— Négatif, EVA. Ramassez l'artéfact immédiatement et retournez au vaisseau sans perdre de temps.

— Mais vous ne voyez pas que…

— EVA, dans 6 min 50 s *Atlantis* s'éloignera de *Phanès*. Ramassez l'artéfact et rentrez. C'est un ordre.

Le temps avait filé comme du sable entre les doigts et les trois astronautes, confrontés à la décision du commandant, échangèrent un regard résigné.

— Reçu, *Atlantis*.

Sur un signe de Seth, Tomás sortit de sa poche un sac en plastique hermétique avec lequel il enveloppa l'artéfact et le saisit des deux côtés. Mais, au moment où il tira dessus pour le soulever, le cube sembla s'allumer de l'intérieur.

— Attention ! cria Seth, surpris. Il… il a bougé !

Le Portugais lâcha aussitôt le cube et recula, effrayé.

Tous trois regardèrent l'objet, terrifiés et nerveux, sans savoir quoi penser ou faire.

— EVA, ici *Atlantis*, appela Duck, préoccupé par le cri qu'il avait entendu dans l'intercom. Que s'est-il passé ?

L'artéfact était vivant.

LXXXVIII

L'impression que le cube avait bougé n'était précisément rien d'autre qu'une impression. En revanche, l'artéfact s'était bel et bien allumé, comme si la simple tentative de le soulever l'avait sorti d'une espèce de processus d'hibernation.

Fixant le cube, les trois astronautes se figèrent.

— Et maintenant ? demanda Tomás. Que faisons-nous ?

Ni Seth ni Emese n'en avaient la moindre idée.

— EVA, ici *Atlantis*, appela de nouveau Duck, visiblement inquiet. Au rapport, s'il vous plaît.

— Euh… *Atlantis*. Le…l'artéfact semble vivant.

— EVA, clarifiez. Est-ce que l'artéfact a bougé ?

— Négatif.

— Est-ce une entité vivante ?

— Eh bien… euh… non, je ne crois pas.

— Alors qu'est-ce qui est arrivé ?

— Il… il s'est allumé. Je veux dire, on dirait qu'une lumière s'est allumée à l'intérieur, au moment où Tom… le professeur Noronha l'a ramassé. Voilà ce qui est arrivé. Une lumière s'est juste allumée, et rien d'autre.

Un court silence se fit sur la ligne ; le commandant d'*Atlantis* devait analyser la situation.

— EVA, ici *Atlantis*. Selon vous, compte tenu du comportement que vous avez observé, l'artéfact représente-t-il une menace ?

Les trois astronautes examinèrent le cube. Hormis la lumière à l'intérieur, rien ne semblait se produire.

— Négatif, *Atlantis*, répondit Seth. Comme je vous l'ai dit, la seule chose qui est arrivée, c'est une lumière qui s'est allumée à l'intérieur de l'artéfact. Mais il n'y a aucun autre signe ou mouvement.

— Mais, avez-vous remarqué un comportement hostile ou menaçant ?

— Négatif.

Duck changea de ton, s'adressant cette fois au Centre de contrôle de la mission.

— Houston, ici *Atlantis*. Quelles sont vos instructions ?

— *Atlantis*, ici Houston, répondit Billy du Centre spatial Johnson. À la lumière de ce qu'a dit l'équipe de l'EVA et de ce que nous avons pu observer grâce aux images qui nous parviennent en direct, nous vous conseillons de recueillir l'artéfact et de l'isoler pour une analyse ultérieure.

— Reçu, Houston, acquiesça Duck. EVA, vous pensez que vous pouvez ramener l'artéfact à la navette ?

— Affirmatif.

— Alors dépêchez-vous ! Vous avez 4 min 39 s pour rappliquer.

Tomás regarda Seth, espérant presque que celui-ci se chargerait lui-même de cette tâche, mais le responsable scientifique de la mission lui fit signe de continuer et le Portugais n'eut d'autre choix que d'obéir. Il se pencha à nouveau sur le cube recouvert du sac en plastique hermétique et, le saisissant des deux côtés, essaya de le soulever.

Mais l'artéfact restait cloué au sol.

— Non… je ne peux pas le soulever.

— Ce n'est pas possible Tom, rétorqua l'astrophysicien américain. Il n'y a pas de gravité ici. Même si l'artéfact pesait des tonnes, dans ce milieu il serait aussi léger qu'une plume.

L'historien essaya encore une fois, mais rien.

— Désolé, mais il est impossible de le soulever.

S'impatientant, Seth saisit le cube et tira dessus. En vain.

— Bon sang ! Vous avez raison.

Tomás examina le sol sous le cube.

— Il est coincé ! dit-il. L'artéfact est accroché au rocher !

— EVA, ici *Atlantis*, appela Duck. 3 min 20 s. Dépêchez-vous !

— *Atlantis*, nous ne pouvons pas soulever l'artéfact, dit Seth. Il est accroché à la roche.

— EVA, *Atlantis*. Clarifiez, s'il vous plaît.

— Je ne sais pas comment l'expliquer, mais l'artéfact est collé à la roche. Comme s'il avait été cloué à *Phanès*. Quoi qu'il en soit, on ne peut pas le soulever.

L'intercom demeura brièvement muet pendant que le commandant d'*Atlantis* réfléchissait à la situation.

— EVA, ici *Atlantis*. Sortez de là.

— Mais… on laisse l'artéfact ici ?

— 3 min 12 s. EVA, partez immédiatement !

Le temps était compté. La mort dans l'âme, l'astrophysicien de la NASA fit signe à ses deux camarades d'abandonner le cube et la météorite et de retourner au MMU, qui flottait trois mètres au-dessus d'eux. Les trois astronautes s'élancèrent en direction du petit véhicule spatial qu'ils atteignirent en quelques secondes.

— *Atlantis*, ici Houston, appela Billy du Centre spatial Johnson. Quelle est la situation ?

— Houston, l'équipe de l'EVA s'apprête à revenir vers *Atlantis* sans l'objet. Je répète, sans l'objet.

— Reçu, *Atlantis*.

La déception était générale. Ils avaient fait le plus difficile. En quelques semaines, ils avaient réuni et formé une équipe qu'ils avaient mise en orbite dans une navette spatiale et, plus délicat encore, ils avaient intercepté la météorite et établi le contact avec un artéfact d'une intelligence extra-terrestre. C'était un exploit sans précédent. Après avoir surmonté tant d'obstacles, et alors que le plus simple restait à faire, ils se voyaient contraints de battre en retraite. Ils devaient abandonner l'objet. C'était comme si après avoir traversé l'Atlantique à la nage, arrivés sur l'autre rive, ils étaient morts sur la plage. La frustration les étouffait, mais pire que ça, c'était une perte immense pour la science.

Cependant, ils ne pouvaient rien faire. *Phanès* se préparait à quitter les parages de la Terre et à retourner dans l'espace profond, et *Atlantis* n'avait pas assez de carburant pour le suivre. La mort dans l'âme, ils devaient quitter l'artéfact et la météorite et rejoindre la navette. Le Portugais était bouleversé. Si seulement ils avaient dans le MMU un… un…

Alors que Seth allait allumer le moteur avant pour s'éloigner de *Phanès*, Tomás se souvint qu'il y avait une boîte à outils fixée au plafond du MMU. Il leva le bras et l'ouvrit. La première chose qu'il vit fut une petite pioche. Et si… ?

Dans un acte de folie, il attrapa la pioche et plongea vers la météorite.

— Tom ! s'écria Seth. Que diable faites-vous ? Revenez ici ! Vous entendez ? Revenez ici !

— EVA, ici *Atlantis*, appela immédiatement Duck, comprenant que quelque chose d'anormal se produisait. Que se passe-t-il ?

— C'est Tom ! Il est devenu fou, il est retourné sur *Phanès* ! Tom ! Revenez !

Puis ce fut le silence, comme s'ils étaient tous absorbés par les images pour essayer de comprendre ce qui se passait.

— Professeur Noronha, ici *Atlantis*, appela le commandant. Retournez immédiatement au MMU.

À ce moment, Tomás atteignit la météorite et, la pioche à la main, il se traina jusqu'au cube.

— Juste une minute ! demanda-t-il. Une minute.

— Professeur Noronha, ici *Atlantis*, insista Duck. Que diable êtes-vous en train de faire ?

— J'ai juste besoin d'une minute !

— Négatif. Dans 2 min 16 s *Atlantis* coupera le contact avec *Phanès.* Revenez immédiatement au MMU ! C'est un ordre !

Le commandant de la navette spatiale attendit un moment, mais la réponse ne vint pas.

— Professeur Noronha, répondez ! ordonna-t-il sur un ton militaire. Professeur Noronha ?

Mais Tomás ne répondait pas.

LXXXIX

La première chose que fit Tomás lorsqu'il atteignit le cube bleu clair fut de chercher des fissures dans le sol pour y enfoncer ses bottes et pouvoir ainsi tenir debout. Il se souvenait avoir vu des anfractuosités qu'il allait pouvoir utiliser. Sans perdre un instant, il fixa ses bottes dans les ouvertures.

— Professeur Noronha ! appela à nouveau Duck. Retournez immédiatement au MMU !

Le Portugais testa la sécurité du dispositif de fixation improvisé et le pied gauche se libéra.

— 1 min 50 s, indiqua le commandant d'*Atlantis*. Professeur Noronha, arrêtez immédiatement ce que vous faites et revenez dans le véhicule ! Vous avez entendu ?

Il remit la botte gauche dans la fissure de la roche et l'enfonça afin qu'elle ne ressorte pas.

— Houston, ici *Atlantis*, appela Duck, comme s'il avait renoncé à convaincre Tomás. Le professeur Noronha est retourné sur *Phanès* et il n'obtempère pas à l'ordre de revenir. Je crains qu'il ne faille le laisser.

Les deux jambes enfin fixées au sol, Tomás allait pouvoir taper sur la pierre sans risquer de se projeter dans l'espace par inadvertance.

— *Atlantis*, ici Houston, répondit Billy du Centre de contrôle de la mission, évidemment désireux de donner à Tomás toutes les possibilités d'extraire l'artéfact. Combien de temps pouvez-vous tenir ?

— 1 min 38 s.

— *Atlantis*, maintenez cette position tant que vous le pourrez et partez quand vous devrez partir.

— Reçu, Houston. 1 min 30 s.

Conscient que le temps jouait contre lui et qu'il y courait un terrible danger, Tomás souleva la pioche et la laissant retomber de toutes ses forces, il frappa la pierre située juste sous le cube.

— Tomás ! appela Emese depuis le MMU, au-dessus du Portugais. Laissez ça et revenez ici !

L'impact de la pioche avait ouvert un très petit trou dans la pierre ; ce n'était pas assez. Il souleva à nouveau l'instrument qui retomba au même endroit sur le sol de la météorite.

— Tomás ! Ça ne vaut pas la peine de mourir pour ça ! S'il vous plaît, abandonnez et revenez !

Le nouvel impact avait ouvert une fissure dans la pierre sous le cube.

— 1 min 12 s, dit Duck. MMU, préparez le transfert sur *Atlantis*.

— Nous ne pouvons pas abandonner Tomás ! cria la Hongroise. Laissez-lui tout le temps possible !

— Négatif. Commencez le transfert.

— Non !

Le Portugais grattait la pierre avec la pioche et la faille s'élargissait, mais ce n'était pas suffisant pour déloger le cube.

— 48 s, dit le commandant sur son ton habituel, imperturbable. MMU, transfert.

— Reçu, *Atlantis*, acquiesça Seth. Transfert.

— Non ! Donnez-lui encore un peu de temps.

Planté sur la météorite, les gouttes de transpiration collées à la peau ou flottant déjà dans de petites sphères liquides à l'intérieur du casque, Tomás cognait sans cesse sur la pierre située sous le cube, s'efforçant de l'arracher. Il refusait d'accepter la défaite. La pierre s'était fendue, mais elle n'allait pas lâcher son trésor.

— MMU, ici *Atlantis*, appela Duck, ignorant les supplications successives d'Emese. Trente-cinq secondes avant la séparation. Commencez le transfert immédiatement.

— Non !

— Emese ! cria Seth paniqué. Enlevez votre main ! Vous n'avez pas entendu les ordres de Duck ? Laissez-moi démarrer le moteur. Nous devons… nous devons partir d'ici !

Tomás frappait, frappait et frappait encore, mais la pierre résistait.

— Non !

— Emese !!? Êtes-vous devenue folle ? Voulez-vous mourir ? Vous l'aimez donc tant ? Écartez-vous ! Laissez-moi… laissez-moi démarrer le moteur !

— EVA, 20 s, dit le commandant d'*Atlantis*. Si vous ne commencez pas le transfert immédiatement, le choc créé par le changement de direction auquel nous allons procéder sera trop fort et brisera les amarres qui relient le MMU à la navette. Si cela se produit, vous serez livrés à vous-mêmes et nous n'aurons aucun moyen de vous récupérer. Vous comprenez ? Vous devez commencer immédiatement le transfert ! Sortez de là !

— Tomás, s'il vous plaît ! supplia l'astrobiologiste de l'ESA, en larmes. Laissez tomber et venez !

— Laissez-moi allumer le moteur ! cria Seth. Emese, éloignez-vous ! Laissez-moi démarrer le moteur sinon nous mourrons tous, mon Dieu !

— Dix secondes, dit Duck en élevant le ton, la tension se ressentant pour la première fois dans sa voix. Nous allons nous séparer de *Phanès*. 8… 7…

— Tomás !

Tout à coup, la pierre se détacha et le Portugais parvint à saisir le cube bleu clair.

— Je l'ai ! cria-t-il. Ça y est, je l'ai !

— … 6… 5… 4…

— Tomááás !

Il remua ses pieds pour se détacher du sol et, sans perdre de temps, s'élança vers le MMU qui planait quelques mètres au-dessus de lui.

— … 3… 2…

Il flotta jusqu'au véhicule, la main gauche tenant le cube, la droite tendue pour essayer d'atteindre le MMU.

— … 1…

Le MMU alluma le moteur et commença le transfert, commençant enfin à atténuer la tension dans les amarres qui le reliaient à la navette.

— … allumage !

Atlantis s'éloigna brusquement de *Phanès*.

XC

Le choc que subit le MMU fut brutal.

À l'issue du décompte, *Atlantis*, qui suivait un itinéraire parallèle à *Phanès*, vira brusquement à tribord, ce qui secoua le MMU et l'entraîna dans son sillage grâce aux amarres. Les deux vaisseaux s'éloignèrent de la météorite, laquelle disparut aussitôt dans les ténèbres de l'espace.

Après s'être violemment cogné la tête au plafond du MMU, Emese regarda dehors et, effrayée, poussa un cri.

— Attention !

L'une des amarres s'était détachée de l'engin et cinglait dans le vide.

— Les amarres ! cria Seth, se remettant de l'impact. Les amarres… se sont rompues !

— EVA, ici *Atlantis*, appela Duck de la navette spatiale. Quelle est votre situation ?

L'astrophysicien de la NASA semblait complètement affolé.

— Nous sommes perdus ! cria-t-il. Les amarres ont lâché et… et nous sommes perdus !

Malgré la violence du choc, le MMU avait fini par se stabiliser et l'astrobiologiste de l'ESA regarda vers les amarres. L'une d'elles s'était effectivement rompue, mais les deux autres étaient intactes.

— Une seule amarre s'est brisée ! cria Emese, soulagée. Les deux autres ont résisté !

— EVA, ici *Atlantis*. Je confirme. Deux amarres tiennent toujours. Le MMU est toujours relié à la navette.

En entendant la confirmation du commandant, Seth fut enfin rassuré.

— Ah… vraiment ? Elles ne se sont pas toutes brisées ?

— Négatif, confirma Duck. Deux amarres ont résisté au choc et le MMU est toujours attaché à *Atlantis*.

Dans le MMU, Seth fut presque tenté de se signer.

— Dieu merci !

— Et… et Tomás ? demanda l'astrobiologiste. Où est Tomás ?

— Je crains que nous ne l'ayons perdu, déclara Seth. Il est resté sur *Phanès* et…

La voix du Portugais résonna dans tous les intercoms, y compris ceux du Centre de contrôle de la mission.

— Je suis là.

— Tomás ? appela Emese, terrifiée. Vous pouvez encore nous entendre ? Êtes-vous… sur la météorite ?

— Non. J'ai sauté.

— Vous êtes dessus ?

— Mais non, bon sang ! Je suis ici, sur le MMU !

— Sur le MMU ??!

— Oui, en dessous.

La scientifique pencha sa tête hors du véhicule et, regardant en dessous, elle découvrit l'astronaute, le bras droit accroché à l'une des poignées inférieures du MMU.

— Tomás !

— Enfin ! grogna l'historien. J'avais l'impression que personne ne me voyait !

Emese sauta de joie et cogna son casque au plafond du MMU.

— Vous… vous avez réussi !

— J'ai failli y laisser mon bras, se plaignait-il. Je l'ai enfilé dans la poignée du MMU, et c'est grâce à ça que je n'ai pas lâché quand *Atlantis* a changé de cap. Mais quel choc… Sans la combinaison, la violence de l'impact m'aurait arraché le bras.

L'astrobiologiste se baissa et lui tendit le bras pour l'attraper.

— Donnez-moi l'autre. Je vais vous hisser.

— Je ne peux pas.

— Vous ne pouvez pas ? dit-elle étonnée. Et pourquoi ?

Il leva le bras gauche et montra l'objet bleu qu'il tenait comme un trophée.

— Parce que je tiens l'artéfact.

— Mon Dieu, Tomás ! cria-t-elle. Vous avez réussi !

— Bien sûr que j'ai réussi. – Il lui tendit l'objet. – Prenez-le.

Emese saisit le cube, scella le sac hermétique où il se trouvait et le garda à l'intérieur du MMU. Puis elle tendit de nouveau le bras en direction de Tomás.

— Maintenant, c'est votre tour, déclara la Hongroise. Prenez ma main.

L'historien obéit et saisit la main qu'elle lui tendait. Puis, malgré sa peur, il sortit son bras endolori de la poignée et, libéré, se hissa d'un geste acrobatique à l'intérieur du MMU.

— *Atlantis*, ici EVA, appela Seth. Nous avons une bonne nouvelle. Le professeur Noronha est avec nous dans le MMU. Et avec un cadeau. Il a apporté l'artéfact.

— EVA, ici *Atlantis*, répondit le commandant. Nous avons tout entendu avec l'intercom. Félicitations pour cet excellent travail. Ce fut… risqué, mais tout est bien qui finit bien. Quel plaisir de vous voir, professeur Noronha !

L'atmosphère s'était nettement détendue.

— *Atlantis* et EVA, ici Houston, intervint Billy du Centre spatial Johnson. Nous ne sommes pas encore remis de nos émotions, mais je tiens à remercier chacun d'entre vous. Je vous félicite pour le travail que vous avez réalisé dans des circonstances extrêmement difficiles. C'était vraiment très compliqué et vous avez pris des risques énormes, mais grâce à l'action du professeur Noronha, on peut dire que cette mission a été couronnée de succès. Félicitations à tous !

On entendit une ovation dans les intercoms, tout le personnel du Centre de contrôle semblait célébrer le succès de la mission *Phanès* ; mais les astronautes d'*Atlantis*, et surtout ceux de l'EVA, savaient pertinemment que tout n'était pas encore fini ; trois d'entre eux se trouvaient toujours dans l'espace, avec un artéfact extra-terrestre, et il fallait les ramener.

— EVA, ici *Atlantis*, appela Duck. Il est temps de revenir à la maison. Je suppose que vous avez déjà commencé le transfert.

— Affirmatif, *Atlantis*. Nous avons engagé la procédure de retour à la navette.

— Quel est votre ETA ?

L'*estimated time of arrival* était l'heure d'arrivée estimée.

— Dans 6 min.

— Reçu, 6 min, confirma le commandant. Mais j'ai de mauvaises nouvelles pour le professeur Bozóki et le professeur Noronha.

Tomás et Emese se regardèrent, étonnés ; qu'allait-il encore leur arriver ?

— *Atlantis*, appela le Portugais. Que se passe-t-il ?

Ils entendirent un grésillement dans l'intercom avant que Duck ne leur réponde.

— Vous allez devoir rester dehors.

XCI

Tomás et Emese ne pourraient pas entrer dans la navette ? Après tout ce qui s'était passé, qu'est-ce qui justifiait une telle décision ?

Ce fut Seth qui posa la question.

— *Atlantis*, que se passe-t-il ?

— Il manque des tuiles sur le revêtement thermique, rappela Duck. Maintenant que la rencontre avec *Phanès* a été menée à bien, notre objectif est de rentrer. Et nous ne pourrons pas le faire tant que nous n'aurons pas remplacé la protection des plaques. Il est impératif de reconstituer la protection thermique. Par ailleurs, nous considérons qu'il est prioritaire que l'artéfact recueilli sur *Phanès* soit examiné le plus tôt possible dans la navette. Nous avons donc établi un nouveau protocole.

— Reçu, *Atlantis*.

— L'équipe de l'EVA va se diviser. Les professeurs Bozóki et Noronha viendront jusqu'au sas chercher les dix tuiles de rechange que nous y avons déjà déposées et ils procéderont aussitôt à la réparation du revêtement thermique d'*Atlantis*. Quant à vous, professeur Dyson, vous allez tout de suite pressuriser le sas afin de venir mettre l'artéfact dans la navette.

— *Atlantis*, ici EVA, appela Emese. J'attire votre attention sur le problème de la contamination. Bien que je l'aie placé dans un sachet de collecte d'échantillons hermétique, l'artéfact doit être correctement isolé, sinon nos micro-organismes risquent d'altérer son intégrité.

— Reçu, EVA. Le professeur Yao Jingming s'est déjà occupé de cette question. Avec les dix tuiles, il a laissé dans le sas le récipient que nous avons apporté du Centre spatial Johnson, qui a été conçu pour ça. Il est aseptique et totalement hermétique, ce qui isolera l'artéfact du reste de la cabine et évitera ainsi la contamination dans un sens ou dans l'autre. Est-ce clair ?

Le plan n'emballait personne, encore moins Emese et Tomás, mais l'explication du commandant était parfaitement sensée. La priorité de la mission maintenant c'était le retour sur Terre, et plus vite le revêtement thermique de la navette serait réparé plus vite ils rentreraient.

— Reçu, *Atlantis*, répondit Seth. ETA, 30 s.

Dans le MMU, Tomás et Emese se préparaient déjà mentalement à cette nouvelle tâche. Lorsque le petit véhicule spatial longea *Atlantis*, ils examinèrent à nouveau le revêtement et estimèrent qu'ils en auraient pour une heure de travail. Ce serait dur, mais il n'y avait pas d'autre solution.

— Seth, proposa Tomás. Approchez-vous du sas puis passez-moi les commandes du MMU. Nous aurons besoin du véhicule pour les réparations.

Le responsable scientifique approuva en levant le pouce et se concentra sur l'accostage. Allumant et éteignant alternativement les moteurs qui le poussaient dans des directions différentes, il dirigea le MMU vers le sas et l'immobilisa.

— *Atlantis*, ici EVA, appela Seth. Transfert achevé.

— Reçu, EVA. Suivez le protocole.

Emese serra les deux amarres et immobilisa le MMU contre la navette. Une fois le véhicule amarré, Seth passa les commandes à Tomás et saisit le cube bleu clair provenant de *Phanès*.

Il plongea ensuite vers le sas. Il disparut à l'intérieur avec l'artéfact et réapparut quelques instants plus tard avec une boîte énorme qui devait peser plus de 50 kg sur Terre mais qui, ici, paraissait aussi légère qu'une plume ; il la passa à la Hongroise.

— Ce sont les tuiles, dit-il. Puis il fit un signe de salut. Bon travail ! On se voit bientôt !

— À bientôt.

Emese prit la boîte et la déposa dans le MMU, tandis que derrière elle, Seth refermait la porte du sas pour entamer le processus de pressurisation. Les deux astronautes qui étaient restés à l'extérieur prirent place dans le MMU et Tomás alluma un moteur. L'engin fit une embardée.

— Attention !

Voyant qu'il allait percuter *Atlantis*, le Portugais alluma à la hâte un autre moteur et le MMU se stabilisa.

— Je suis désolé. Il faut que je m'y habitue.

— Faites attention à ce que vous faites, Tomás. Ne nous amochez pas !

Manœuvrant avec plus de prudence, l'historien parvint à éloigner le MMU de la porte et à le conduire jusqu'à la partie inférieure d'*Atlantis*, qui curieusement se trouvait au sommet par rapport à la Terre, l'orbite de la navette spatiale étant inversée, et il finit par le positionner à l'arrière, là où il manquait les tuiles du revêtement thermique.

— *Atlantis*, ici l'EVA, appela Tomás. Nous sommes en position. Nous allons sortir du MMU pour commencer les réparations.

— Reçu, EVA. Continuez.

Après s'être attachés aux amarres pour ne pas risquer de se retrouver à flotter dans l'espace sans espoir de retour, les deux astronautes quittèrent le MMU avec la boîte contenant les tuiles, et plongèrent vers le ventre d'*Atlantis*. Ils s'attelèrent alors à la lourde tâche consistant à reconstituer la protection thermique de la navette. Le Soleil était déjà apparu derrière la Terre et illuminait le vaisseau, ce qui facilita l'opération.

Tandis qu'ils remplaçaient les tuiles, les deux astronautes suivaient, grâce aux intercoms des Snoopy Caps, les conversations entre les astronautes d'*Atlantis*, et entre ceux-ci et Houston concernant l'entrée de Seth dans la navette spatiale. Mais ils savaient que le retour de leur compagnon dans le vaisseau importait moins que le premier contact de l'artéfact avec une atmosphère, celle de la navette. Pour la première fois, l'objet allait se trouver en présence d'êtres humains qui ne seraient pas protégés par des combinaisons. Poursuivant leur mission en silence et avec la lenteur que leur imposait l'apesanteur, Tomás et Emese avaient du mal à contenir leur excitation.

Quels secrets cachaient l'artéfact ?

XCII

La voix de Billy Gibbons se fit entendre dans les intercoms.

— *Atlantis*, ici Houston. Quelle est la situation ?

— Houston, ici *Atlantis*, répondit Duck. L'équipe de l'EVA continue à réparer le bouclier thermique. Dans le sas, le processus de pressurisation est presque achevé et le professeur Dyson devrait entrer dans la cabine dans 30 s.

— Reçu, *Atlantis*. 30 s. Faites-nous signe.

— Reçu, Houston.

— EVA, ici Houston. Comment se déroule la réparation du revêtement thermique avec les tuiles ?

Ce fut Tomás qui répondit.

— Houston, ici EVA. Nous avons déjà fait la moitié du travail. Nous espérons avoir terminé dans une vingtaine de minutes.

— 20 min, reçu.

— Houston, ici *Atlantis*, appela le commandant de la navette. La pressurisation du sas est terminée. Le professeur Dyson se dirige actuellement vers le pont intermédiaire.

— Reçu, *Atlantis*. Quelle est la situation avec l'artéfact ?

— Houston, le professeur Dyson l'emporte vers le pont intermédiaire dans le récipient aseptique, afin d'éviter toute contamination, et il va maintenant l'examiner conjointement avec le professeur Yao Jingming, les deux spécialistes de la mission qui se trouvent actuellement à bord. Je pense que le professeur Dyson pourra nous fournir plus de détails sur les procédures scientifiques qui vont suivre, car elles relèvent de sa responsabilité. Seth ?

— Le plan est très simple. Nous allons effectuer un prélèvement à la surface de l'objet afin de procéder à une analyse biologique préliminaire, puis nous le soumettrons à une résonance pour visualiser sa structure interne. Mais laissez-moi d'abord enlever mon scaphandre, répondit Seth qui venait d'entrer dans la cabine d'*Atlantis*.

— Reçu, *Atlantis*. Quand vous serez prêt, lancez l'analyse de l'artéfact.

— Reçu, Houston.

Il y eut un court silence puis on entendit la voix de Seth.

— *Yao*, les bottes ! s'écria l'astrophysicien de la NASA. Enlevez-moi d'abord les bottes, *damn it* ! J'espère que vous aimez le fromage…

Tous ceux qui écoutaient les communications éclatèrent de rire ; il était clair que Seth était déjà en phase de décompression psychologique.

— Euh… *Atlantis*, ici Houston. Il serait important que l'analyse de l'artéfact soit effectuée avec les intercoms branchés, afin que nous puissions suivre le travail en direct, mais je crois que nous devrions peut-être épargner au public les conversations plus… comment dire… informelles.

— Reçu, Houston. Désolé, dit Seth. C'est qu'il n'est pas facile, comme vous le savez, d'enlever le scaphandre. Mais je promets de châtier mon langage.

— Merci, *Atlantis*. Il serait également approprié d'équiper le professeur Yao Jingming d'un Snoopy Cap, afin que nous puissions entendre ses commentaires pendant l'examen de l'artéfact.

— Entendu. Frenchie s'en occupe.

Poursuivant leur travail, Tomás et Emese échangèrent un regard amusé ; nul mieux que le responsable scientifique ne savait leur remonter le moral. Ils regrettaient de ne pas être à l'intérieur du vaisseau pour suivre le processus. Ils se sentaient épuisés et avaient besoin de manger, de boire et de se reposer après toutes ces émotions, pour ne rien dire des boules liquides de sueur qui flottaient à l'intérieur du casque du Portugais et lui brouillaient la vue, mais l'enchantement lié à la découverte était immense et ils donneraient tout pour être associés à l'examen de l'artéfact.

La voix de Yao Jingming se fit entendre dans l'intercom.

— *Ayah !* s'exclama l'astronaute et mathématicien chinois. Seth, est-ce que vous voyez ça ?

— Quoi ?

— L'artéfact ! Regardez l'artéfact !

— Qu'est-ce qu'il a ?

— Regardez sa couleur !

Il y eut un bref silence puis ce fut Seth qui parla, la voix pleine d'étonnement.

— *Jeez !* La couleur a changé !

Quelque chose était en train de se passer.

XCIII

Le lourd silence fut vite rompu par le directeur de la mission, qui suivait toute l'opération depuis le Centre de contrôle au Centre spatial Johnson.

— *Atlantis*, ici Houston, appela Billy. Que se passe-t-il ?

— La couleur de l'artéfact a changé, répondit Yao. Il n'est plus bleu, mais violet. Nous essayons de comprendre ce qui est arrivé. Qu'en pensez-vous, Seth ?

— C'est peut-être lié à la température, déclara l'astrophysicien de la NASA. Lorsque nous l'avons recueilli sur *Phanès*, l'artéfact était dans le vide, à une température de - 200 °C environ, ce qui peut expliquer la différence de couleur. À l'intérieur, il fait 25 °C. Cela…

— *Ayah !* Regardez ça !

— *Jeez !*

— *Atlantis*, ici Houston, intervint de nouveau Billy. Qu'est-ce qu'il y a ?

— L'artéfact… l'artéfact s'ouvre !

— *Waah !* s'exclama Yao. Il est en train de s'ouvrir et… et… Qu'est-ce que c'est que ça ? Vous voyez, Seth ? Il y a quelque chose qui sort…

— Du gaz ! Du gaz a commencé à sortir de l'artéfact !

— Ce n'est pas vraiment du gaz, Seth. C'est une chose… je ne sais pas, c'est une espèce de nuage argenté.

— *Jeez !*

— *Atlantis*, ici Houston, intervint le directeur de mission, essayant d'anticiper tout problème éventuel. Veuillez confirmer que le récipient dans lequel l'artéfact est conservé est hermétiquement scellé et que le gaz, ou quel que soit le produit que dégage l'artéfact, ne peut pas se répandre dans la cabine.

— Affirmatif, Houston, répondit Seth. La boîte a été spécialement conçue pour recueillir du matériel devant être isolé. J'ai moi-même assisté aux tests effectués par les gars de l'Institut d'astrobiologie de la NASA et je peux vous dire qu'elle est vraiment étanche. Il n'y a pas le moindre risque de contamination ou de fuite.

— *Atlantis*, nous voulons une confirmation visuelle.

— Houston, Yao et moi-même sommes près de la boîte et nous pouvons vous assurer qu'il n'y a pas de fuite de gaz. Elle est absolument étanche.

— Reçu, *Atlantis*, dit Billy, visiblement tranquillisé. Cela étant, il nous semble plus prudent d'adopter des mesures complémentaires pour isoler la boîte. Nous proposons que…

Yao Jingming poussa un cri.

— *Waah !*

— Le gaz ! s'exclama Seth, la voix soudainement altérée. Le gaz semble attaquer le récipient hermétique dans lequel se trouve l'artéfact ! *Fuck, man !* Regardez-moi ça !

— *Atlantis*, ici Houston. Veuillez répéter, s'il vous plaît. Le gaz attaque le récipient ?

— *Shit !* Oui, on dirait qu'il le consume.

La réaction du Centre spatial Johnson fut immédiate.

— *Atlantis*, évacuez le pont intermédiaire ! Je répète, évacuez immédiatement le pont intermédiaire !

— Sortez de là ! ordonna Duck du cockpit d'*Atlantis* aux deux scientifiques qui examinaient l'artéfact. Vous avez entendu ? Sortez de là !

— Je… je… balbutia Seth. Ah !

— Mgbhgh…

Les paroles des astronautes devinrent inintelligibles.

— Isolez le cockpit ! cria le commandant de la navette spatiale, réagissant immédiatement. Frenchie, isolez le cockpit !

— C'est fait !

— *Atlantis*, intervint Billy. Que se passe-t-il ?

— Seth ? appela Duck. Yao ?

— *Atlantis*, que se passe-t-il ?

— Seth ? Yao ? – Il fit une courte pause, attendant une réponse. – Répondez, s'il vous plaît !

— *Atlantis* ?

— Seth ?

Ni Seth ni Yao ne répondaient.

XCIV

Nul n'ignorait que le silence soudain des deux astronautes ne présageait rien de bon. Le directeur de la mission intervint avec fermeté.

— *Atlantis*, rendez compte immédiatement de la situation. Que se passe-t-il ?

Il y eut un court silence, comme s'ils s'attendaient tous à ce que quelqu'un réponde aux questions et que tout s'éclaircisse comme par magie.

— Houston, répondit Duck, la voix légèrement tremblante. Je crains que… que nous n'ayons perdu les professeurs Seth Dyson et Yao Jingming. Par mesure de précaution, afin de contenir la situation et d'éviter la contagion de toute la navette, nous venons d'isoler le cockpit.

— *Atlantis*, disposez-vous du relevé de leurs paramètres vitaux ?

— Négatif, Houston. Le professeur Dyson avait déjà retiré son scaphandre et nous avons cessé de le contrôler. Mais, comme vous l'avez remarqué, ni lui ni le professeur Yao Jingming ne répondent à mes appels, et les images du pont intermédiaire montrent qu'ils sont inanimés et qu'ils flottent dans la cabine.

Soit ils ont perdu connaissance, soit… enfin, nous les avons perdus. Que voyez-vous sur les images ?

— Nous les agrandissons afin de mieux les analyser, répondit Billy. Donnez-nous un moment, je vous prie.

— EVA, ici *Atlantis*, appela Duck, s'adressant aux deux astronautes qui réparaient le revêtement thermique du vaisseau. Je suppose que vous avez constaté que nous avons un problème à bord.

Tomás et Emese, paralysés, avaient suivi tous les échanges grâce à l'intercom.

— *Atlantis*, ici l'EVA, répondit le Portugais, secoué. Oui, nous avons tout entendu.

— Compte tenu de la situation d'urgence, nous devons retourner sur Terre dès que possible. Dans combien de temps pensez-vous avoir achevé les réparations ?

— Dans… un quart d'heure, environ.

— Reçu. Ne traînez pas !

Tous se demandaient quelles seraient les conséquences de ce qui se passait, mais Tomás était surtout préoccupé par leur situation, à Emese et à lui.

— *Atlantis*, ici l'EVA, appela-t-il. Si le pont intermédiaire a été isolé du reste du vaisseau, comment allons-nous faire pour retourner à l'intérieur de la navette ? N'oubliez pas que le sas donne sur le pont intermédiaire…

— EVA, ici *Atlantis*. Nous recherchons une solution, mais a priori je ne vois que deux options quand vous aurez terminé votre travail. Soit vous allez dans le sas et vous y attendez la rentrée de la navette dans l'atmosphère, soit vous prenez le risque d'accéder au pont intermédiaire une fois achevée la pressurisation. Vos scaphandres devraient vous isoler et vous éviter de respirer l'air contaminé. C'est à vous de choisir. Mais, quel que soit ce gaz, rappelez-vous qu'il a détruit la boîte hermétique dans laquelle il se trouvait, et il n'est donc pas exclu qu'il puisse également détruire vos scaphandres. Je pense qu'il serait plus sûr que vous demeuriez à l'intérieur du sas lors de la rentrée de la navette dans l'atmosphère terrestre. Ça risque d'être agité, mais c'est certainement la solution la moins risquée.

— Reçu, *Atlantis.* Dès que nous aurons terminé notre travail, nous irons dans le sas. Je ne sais pas ce qu'en pense Emese mais, à mon avis, il est hors de question que nous nous rendions au pont intermédiaire.

La Hongroise brisa son silence.

— Je suis d'accord. Nous ferons la rentrée dans le sas.

— Reçu, EVA, nota Duck. Tenez-nous au courant dès que vous achèverez la réparation. Quoi qu'il en soit, nous allons établir l'itinéraire de retour à Kennedy en partant de l'hypothèse que vous aurez fini dans une quinzaine de minutes et que vous entrerez dans le sas dix minutes plus tard.

Billy retourna à l'intercom.

— *Atlantis,* ici Houston. Nous avons agrandi les images transmises du pont intermédiaire et… les nouvelles ne sont pas bonnes, j'en ai peur. Nous avons perdu Seth et Yao. Je répète, nous avons perdu Seth et Yao.

— *Fuck !*

— Ces événements nous ont amenés à mettre un terme à la retransmission vers le monde entier, annonça le directeur de mission à Houston. Nous recevons les images ici, au Centre de contrôle, mais nous sommes les seuls à les voir. – Il prit une profonde inspiration, il était troublé et s'efforçait de maîtriser complètement ses émotions. – Inutile de vous dire que nous sommes face à un grave problème et que nous avons perdu deux collègues qui nous étaient chers, mais nous allons trouver une solution et nous ne perdrons personne d'autre. Vous avez entendu ?

— Reçu, Houston.

— Actuellement, la priorité est de finir de réparer le bouclier thermique de la navette, dit lentement Billy, tentant de toute évidence de rassurer et de calmer les quatre astronautes qui étaient en orbite. Une fois cette tâche terminée, *Atlantis* retournera sur Terre et atterrira au Kennedy Space Center. Nous allons préparer le hangar de quarantaine vers lequel la navette devra se diriger dès qu'elle atterrira. Le hangar sera scellé de façon à préserver son étanchéité et vous resterez dedans jusqu'à ce qu'on considère qu'il n'y a plus aucun danger de contamination, c'est-à-dire que le gaz libéré par l'artéfact ne s'échappera pas dans l'atmosphère. Nous vous tiendrons informés à mesure que nous aurons plus de précisions sur l'opération. Mais tel est, en gros, le plan que nous élaborons. Le plus important actuellement est de rester calme et de ne pas céder à la panique. Vous avez été formés pour faire face à des situations d'urgence et vous pouvez compter sur une équipe dévouée et compétente qui assurera votre retour en toute sécurité à la maison. Nous avons perdu deux hommes, mais nous ne perdrons personne d'autre.

— Houston, ici *Atlantis*, répondit Duck. Tout problème a sa solution. Nous allons maintenant procéder à… à… Qu'est-ce que c'est que ça ? *Fuck !* Mais qu'est-ce que c'est ?

— Mon Dieu ! s'exclama Frenchie. La porte !

— *Atlantis*, ici Houston. Qu'y a-t-il ?

— La porte ! La porte !

— *Atlantis*, que se passe-t-il ?

— La porte est en train de se consumer ! s'écria Duck. La porte du cockpit se consume !

— *Atlantis*, précisez, s'il vous plaît, demanda Billy. Qu'est-ce qui arrive à la porte ?

— Je ne sais pas ! C'est comme si… si… agha !

On entendit de nouveaux sons, une espèce de gargouillement qui provenait de la gorge du commandant et du pilote de l'*Atlantis*, puis ce fut le silence.

— *Atlantis*, ici Houston.

Pas de réponse.

— *Atlantis*, ici Houston. Répondez, s'il vous plaît.

Toujours rien.

— *Atlantis*, ici Houston.

La navette spatiale demeurait silencieuse.

XCV

Duck et Frenchie avaient cessé de répondre et les deux astronautes de l'EVA réalisèrent que leur arrêt de mort était signé. Avec tous leurs camarades hors de combat et l'intérieur de la navette spatiale contaminé, il n'y avait aucun moyen de revenir sur Terre.

Ils étaient en sursis.

Ils se sentirent paralysés. Tomás eut le sentiment que rien n'était réel. Une telle chose semblait trop incroyable pour pouvoir se produire. Il vivait un cauchemar. Bientôt il se réveillerait et constaterait qu'il n'avait même pas quitté sa planète. De son lit, il verrait Maria Flor en train de s'habiller qui lui dirait…

— EVA, ici Houston, appela Billy. Vous m'entendez, EVA ?

Visiblement, le cauchemar se poursuivait.

— Reçu, Houston, répondit Tomás sur un ton si calme qu'il se surprit lui-même. Nous sommes là.

— EVA, la situation est très critique. Comme vous l'avez remarqué, nous venons de perdre Duck et Frenchie. La contamination à l'intérieur de la navette s'est étendue au cockpit, malgré l'isolation. De toute évidence, l'agent extra-terrestre a trouvé le moyen de traverser la porte.

— Nous avons entendu ce qui s'est passé. *Atlantis* semble être un vaisseau mort à présent.

— Affirmatif, EVA.

— Houston, qu'allons-nous faire maintenant ?

— Nous continuons à évaluer la situation et étudier les mesures à prendre, déclara Billy. En attendant, il faudrait que vous alliez jusqu'aux hublots du cockpit afin de confirmer visuellement la situation de l'équipage dans le vaisseau. Nous disposons des images transmises par les caméras intérieures, mais il nous faut un témoin oculaire. Avant de prendre une quelconque décision, nous devons être absolument sûrs d'avoir bien compris ce qui s'est passé.

Le directeur de la mission avait prononcé ces mots avec une confiance surprenante, comme s'il croyait encore que rien n'était perdu ; ce n'était peut-être que du bluff, la mise en pratique de la formation dispensée par la NASA, selon laquelle on ne doit paniquer en aucune circonstance car, comme le dit la vieille maxime en cours à l'Agence spatiale américaine, « aussi grave que soit la situation, elle peut toujours s'aggraver ». Toujours est-il que son attitude aida les deux astronautes de l'EVA à conserver leur calme, voire à garder espoir.

— Reçu, Houston. Nous nous y rendons.

Après avoir fait un geste en direction d'Emese, Tomás s'élança dans la direction du MMU qui flottait juste au-dessus d'eux. Les deux astronautes entrèrent dans le petit véhicule de transport et le Portugais s'installa aux commandes. Il se sentait très nerveux et dut faire un effort de concentration pour déterminer quels moteurs il devait allumer pour se déplacer sans entrer en collision avec *Atlantis*.

— Dépêchez-vous ! lança la Hongroise. Vous voulez que je pilote ?

— Non, je… je peux le faire.

Dans un silence absolu, le MMU longea la navette en zigzagant et la contourna pour venir se placer près du cockpit et de ses neuf hublots.

Emese se pencha pour essayer de jeter un coup d'œil à l'intérieur du vaisseau spatial, mais la position de l'engin n'était pas la plus favorable.

— Approchez-vous davantage.

— Je ne peux pas, répondit Tomás. Sinon je risque de heurter la navette.

— Juste un petit peu plus, comme ça je ne vois rien.

Le Portugais ne voulait pas prendre de risque, mais il réalisa que s'il inclinait légèrement le MMU, ils auraient une vue sur l'intérieur du cockpit.

— EVA, appela Billy qui avait entendu la conversation entre les deux astronautes. Avez-vous besoin d'aide pour manœuvrer le MMU ?

— Houston, je contrôle le MMU. Je vais juste tenter une petite opération pour l'incliner.

Le Portugais alluma d'abord le moteur latéral et, aussitôt après, celui qui lui était opposé, pour contrer et freiner le mouvement de rotation qui venait de commencer. Le MMU tourna légèrement et s'immobilisa tout à coup, se positionnant sur le côté. Les deux astronautes de l'EVA pouvaient enfin voir le poste de pilotage.

Emese poussa un cri horrifié.

— Oh mon Dieu !

XCVI

Les deux cadavres flottaient dans l'air.

Ce n'étaient pas vraiment des cadavres, mais deux combinaisons avec des corps transformés en une substance difforme et argentée. Seuls le drapeau américain et l'emblème de la NASA, avec le nom « Duck » Daugherty sur l'une d'elles, et le drapeau canadien et l'emblème de l'ASC/SCA, avec le nom Hubert Charbit sur l'autre, permettaient d'identifier les corps du commandant et du pilote d'*Atlantis*.

Les deux astronautes de l'EVA, immobiles dans le MMU arrêté devant les hublots du cockpit, regardaient les cadavres avec une expression de terreur absolue, Emese les paumes collées au verre du casque, comme si elle voulait couvrir sa bouche, et Tomás paralysé.

— Quelle horreur ! murmura-t-elle.

— EVA, ici Houston, appela Billy, qui entendait les exclamations des astronautes. Au rapport, je vous prie.

Ce fut le Portugais qui parla.

— Ils sont morts, dit-il presque machinalement. Houston, Duck et Frenchie sont morts.

— EVA, décrivez les corps.

Malgré la répulsion, et même une certaine pudeur qu'il ressentait à scruter les dépouilles de personnes qu'il avait connues, comme s'il avait l'impression en le faisant qu'il leur volait la dignité qui leur restait, Tomás s'efforça de les examiner attentivement, recherchant des éléments susceptibles d'être utiles au Contrôle de la mission.

— Je… je ne sais pas si on peut vraiment parler de corps, dit-il. Il n'y a plus de chair nulle part. Juste une masse grise brillante, une substance argentée qui a vaguement la forme d'un corps humain. La tête a l'air d'une balle sans yeux ni bouche, une balle difforme avec l'esquisse d'un nez. Même les cheveux ont disparu. Les mains se réduisent aussi à une forme indistincte, sans doigts, et leur masse argentée semble se fondre dans le panneau de contrôle. Les corps de Duck et de Frenchie se sont transformés en un amalgame argenté.

— Voyez-vous du sang ?

L'historien fouilla le cockpit du regard.

— Il n'y a aucune trace de sang sur les corps, dit-il. Les cadavres ne forment qu'une masse difforme argentée, mais je vois des taches de sang sur les parois du cockpit, y compris sur les panneaux et même sur les vitres des hublots. Une partie du sang semble se transformer en cette substance argentée qui a pris la place des cadavres et se fusionner aussi avec la matière des panneaux d'*Atlantis*.

— Le sang se transforme ?

— Oui, on dirait bien que oui. Il se métamorphose et fusionne avec l'équipement de la navette.

Il y eut une courte pause dans l'intercom, comme si au Centre spatial Johnson les scientifiques de la NASA discutaient de ce qu'ils venaient d'entendre.

— EVA, pouvez-vous voir d'où vous êtes les corps de Seth et de Yao sur le pont intermédiaire ?

Les deux astronautes du MMU s'étirèrent pour essayer de voir la cabine intermédiaire de la navette depuis les hublots du cockpit. Du côté où était Emese, la perspective était meilleure.

— Je distingue une petite partie du pont intermédiaire, indiqua-t-elle. Il me semble voir flotter un bras, mais la plus grande partie de la cabine est cachée par les panneaux du cockpit, l'essentiel se trouve hors de notre champ de vision. Cependant, il y a une chose étrange. Vous voyez, Tomás ?

— Quoi ?

— Euh... une lueur. Vous voyez une lueur sur le pont intermédiaire ?

De là où il se trouvait dans le MMU, l'historien ne voyait pas aussi bien qu'Emese la cabine intermédiaire, mais la luminosité qui en provenait était clairement perceptible.

— Vous voulez parler de cette lumière violette ?

— C'est ça, confirma la Hongroise. Sur le pont intermédiaire il n'y a aucune lampe violette, n'est-ce pas ?

— Non, je ne crois pas. Cette lueur n'est pas normale.

— Vous vous souvenez que Yao et Seth ont dit que l'artéfact avait changé de couleur et était devenu violet ? Il s'agit sans aucun doute de l'artéfact.

Ça ne pouvait être que ça, se dit Tomás.

— Houston, ici l'EVA, appela-t-il. Que voyez-vous sur les images des caméras intérieures ?

— EVA, nous avons perdu les caméras intérieures de la navette quand vous procédiez au transfert vers le cockpit, déclara Billy. À présent, nous ne voyons rien à l'intérieur. Les seules caméras qui demeurent opérationnelles sont celles de l'extérieur.

Le Portugais considéra cette information.

— Houston, devons-nous supposer que le système vidéo intérieur de la navette est tombé en panne ?

— EVA, nous recherchons toujours ce que tout cela signifie. Actuellement, nous contrôlons les caméras externes, les communications via le TDRS, la bande Ku et la bande UHF, le système de navigation et deux ordinateurs, mais nous avons perdu le contrôle d'un ordinateur ainsi que des caméras internes.

Nous pensons que l'entité qui était dans l'artéfact prend progressivement le contrôle d'*Atlantis*. Si ça continue, nous n'allons bientôt plus rien maîtriser du tout.

— Y compris les communications ?

— Affirmatif, EVA, confirma le directeur de la mission sur un ton lugubre. À partir de maintenant, nous ne pouvons plus compter sur le système de communication d'*Atlantis*. Les communications peuvent être coupées à tout moment.

— Que ferons-nous si cela arrive ?

La réponse prit trois secondes.

— EVA, nous réalignons les liaisons satellites du système TDRS pour communiquer directement avec vous sans passer par la navette.

Ce problème était réglé. Il restait le plus important.

— Houston, j'aimerais avoir des précisions sur la façon dont vous allez nous sortir d'ici, demanda Tomás. Vous avez une idée ?

La ligne devint à nouveau silencieuse durant quelques instants.

— EVA, nous y travaillons.

En entendant cette réponse, les deux astronautes échangèrent un regard paniqué.

La NASA ne savait pas quoi faire.

XCVII

Le Centre de contrôle de la mission n'avait pas la moindre idée de la manière dont il pourrait ramener Emese et Tomás sur Terre. Les mots du responsable de la NASA sonnaient comme une condamnation. Jusqu'ici, le ton de ses communications leur avait toujours inspiré confiance, ce qui leur avait donné espoir et détermination. Le changement de ton porta un rude coup à leur moral.

Le Portugais sentit le désespoir l'assaillir, mais il essaya de le cacher.

— Reçu, Houston, acquiesça-t-il de la voix la plus neutre dont il était capable. Que faisons-nous à présent ?

Il y eut une nouvelle pause dans l'intercom, et Tomás se mit à imaginer la conversation entre Billy et ses collègues du Centre spatial. Soit les ingénieurs de la NASA analysaient les options dont ils disposaient pour les tirer de là, soit, et c'était le plus probable, ils se demandaient s'ils devaient révéler aux deux astronautes la pénible vérité.

Au bout de trente secondes environ, la voix du directeur de la mission retentit à nouveau dans leurs casques.

— EVA, nous avons un problème très grave et nous avons besoin de votre aide pour le résoudre, déclara Billy comme s'il avait décidé de jouer cartes sur table. L'un des ordinateurs que nous contrôlons encore a détecté une forte présence de silicium dans les cabines d'*Atlantis* peu après la mort de l'équipage. Nous avons réfléchi à ce que tout cela pouvait signifier. L'information que vous nous avez donnée tout à l'heure au sujet de la transformation des cadavres et du sang en une masse argentée, et le fait que cette masse fusionne avec les panneaux du cockpit, semble constituer la clé de l'énigme. Nous n'avons, pour l'heure, aucune certitude bien sûr, mais nous sommes convaincus que l'artéfact a libéré un agent pathogène électronique, une sorte de virus robotisé, qui transforme en silicium toutes les cellules de carbone associées à l'hydrogène et à l'oxygène à travers un processus que nous ne comprenons pas.

Tomás hésita.

— Les corps de Duck et des autres ont été transformés en… en silicium ? C'est ça ?

— Affirmatif. Vous comprenez ce que cela signifie ?

Ce fut Emese, plus familiarisée avec le problème, qui répondit.

— Houston, j'aimerais être sûre d'avoir bien compris. Vous songez à une forme de vie postbiologique ?

— Affirmatif, EVA. Nous sommes parvenus à la conclusion qu'il s'agit d'une forme de vie postbiologique, probablement des nanorobots, qui semble contaminer la vie biologique au sein d'*Atlantis* et la transformer en vie postbiologique, au moyen d'un système qui convertit en silicium tout le carbone associé à l'hydrogène et à l'oxygène, c'est-à-dire à l'eau. En d'autres termes, toute vie basée sur le carbone et l'eau qui entre en contact avec cette entité postbiologique est condamnée. La conséquence ultime est que toute la biosphère dans laquelle pénètre l'agent pathogène électronique de *Phanès*, comme l'intérieur du vaisseau, est transformée en une biosphère électronique moyennant la conversion du carbone, élément constitutif de la vie biologique, en silicium, élément sur lequel se fonde apparemment la vie postbiologique qui est sortie de l'artéfact. Or, l'entité que l'artéfact a libérée à l'intérieur d'*Atlantis* tente actuellement de prendre le contrôle de la navette. Réalisez-vous à présent la vraie nature de la menace ?

— Si j'ai bien compris, déclara très lentement la scientifique de l'ESA, vous pensez que l'entité de *Phanès* est un agent pathogène électronique dont la mission est de contaminer toute vie biologique fondée sur le carbone et de la convertir en une entité postbiologique à base de silicium ?

— Affirmatif. C'est pour cette raison que nous avons donné à l'agent pathogène de *Phanès* le nom de code *Némésis*. Nous pensons que *Némésis* est programmée pour transformer la vie biologique en vie électronique, sous son contrôle.

En entendant ce nom de code, Tomás frissonna. *Némésis* était la déesse grecque de la vengeance et de la justice implacable. Dans la mythologie grecque, la *Némésis* des morts avait le pouvoir de punir les vivants, ce qui la rendait très redoutée. Dans l'Antiquité, il y avait même à Athènes une fête spécifiquement destinée à l'apaiser.

— Vous pensez que *Némésis* essaie de prendre le contrôle de la cabine d'*Atlantis* ?

— EVA, c'est pire que ça. *Némésis* tente de contrôler non seulement la cabine de la navette, mais aussi le système de navigation. Autrement dit, elle a l'intention de piloter *Atlantis*. Et la question que nous nous posons est la suivante : pour quelle raison *Némésis* veut-elle piloter la navette. Quel est son objectif ultime ?

L'astrobiologiste hongroise mit en parallèle ces informations et ce qu'elle savait sur la vie postbiologique. L'évidence, si terrifiante qu'elle lui parut invraisemblable, finit par s'imposer à elle.

— La Terre ?

— Affirmatif EVA.

C'était si incroyable, et le danger si énorme, qu'Emese ressentit le besoin de répéter la question, pour s'assurer qu'il n'y avait pas de malentendu.

— Houston, vous insinuez que toute vie sur Terre est actuellement menacée ?

Alors seulement, Tomás réalisa la véritable portée de ce qui se passait. La question d'Emese n'en était pas vraiment une et il demeura perplexe, attendant de savoir ce que les scientifiques de la NASA avaient à dire. Comme d'habitude, ce fut Billy qui répondit.

— Affirmatif EVA.

XCVIII

Les deux astronautes étaient condamnés à mort, et ils savaient pertinemment qu'ils n'avaient pas la moindre chance de salut ; *Atlantis*, contaminée et l'équipage mort, il n'y avait aucun moyen de retourner sur Terre. Mais ils avaient surtout compris la véritable dimension du problème. En fin de compte, ce qui était en jeu c'était bien plus que leur propre vie.

— J'aimerais être sûr d'avoir bien compris, déclara Tomás. Vous pensez que… enfin, que *Némésis* essaie de prendre le contrôle du système de navigation d'*Atlantis* pour que la navette retourne dans l'atmosphère terrestre et contamine ainsi toute notre planète ?

La réponse du Centre de contrôle était prête.

— Affirmatif EVA. Leur mission est l'écophagie.

Le Portugais ne connaissait pas ce terme.

— L'écophagie ? demanda-t-il. Qu'est-ce que c'est ?

— L'écophagie est la consommation de l'environnement. Les nanorobots de *Némésis* sont des réplicateurs qui font des copies d'eux-mêmes, et les copies se copient également, et ainsi de suite. La progression de la réplication est rapide et exponentielle.

Emese intervint.

— Houston, quel est le taux de réplication ?

— Selon nos calculs, chaque nanorobot de *Némésis* met une minute et demie à produire une copie de lui-même. Cela signifie qu'au bout de dix heures, il y aura plus de 68 milliards de nanoréplicateurs. En une journée, il y en aura tellement qu'ils pèseront une tonne et, en deux jours, ils auront le poids de la Terre entière.

— Quoi ??!

— Mais avant que cela ne se produise, la chaleur libérée par le processus aura déjà brûlé la biosphère, ajouta Billy, lugubre. Les êtres vivants de carbone dont les molécules n'auront pas été transformées en nanorobots de silicium mourront brûlés ou asphyxiés. La vie telle que nous la connaissons sera éteinte en moins de quarante-huit heures.

Il y eut un court silence. La perspective était catastrophique et terrifiante.

— *Porra !* s'exclama Tomás en portugais. C'est pire qu'un cauchemar ! Comment est-il possible que nous n'ayons pas envisagé sérieusement cette possibilité ?

— C'est ma faute ! avoua Emese. J'aurais dû le prévoir ! J'avais l'obligation de le savoir !

— Enfin, ce n'est pas vraiment ça...

— Si, c'est tout à fait ça, insista-t-elle. Je suis astrobiologiste et je ne pouvais pas ignorer qu'une intelligence extra-terrestre que les humains étaient susceptibles de rencontrer serait presque nécessairement une intelligence postbiologique.

— Allons ! Comment pouviez-vous deviner une telle chose ? C'était impossible.

— Réfléchissez, Tomás. Lorsque l'évolution d'une espèce intelligente l'amène à découvrir les manipulations génétiques, tout change. Elle va inévitablement manipuler ses gènes pour améliorer sa progéniture et, à partir de là, l'évolution va exploser. Elle ne prendra plus des milliers d'années, elle se fera de génération en génération. Au bout de quelques milliers d'années, le biologique aura complètement disparu et aura été remplacé par la nouvelle étape de l'évolution de la vie et de l'intelligence : la vie postbiologique. Un cerveau humain exécute dix mille billions d'opérations par seconde. Savez-vous combien d'opérations est capable d'effectuer le supercalculateur le plus rapide jamais fabriqué ?

— Je n'en ai aucune idée.

— Trois cent soixante billions par seconde. Sur Terre, le biologique l'emporte encore sur le postbiologique, mais pour combien de temps ? Or, conformément au principe de médiocrité, ce qui est valable pour les humains l'est également pour toute autre espèce intelligente dans le cosmos. La période pendant laquelle une espèce intelligente est biologique est très courte. Les êtres humains sont apparus il y a 200 000 ans environ, ce qui à l'échelle de l'univers n'est rien. Il est parfaitement raisonnable de penser qu'il y a des millions d'années, de multiples espèces intelligentes sont apparues dans l'univers, ce qui signifie que, selon toute probabilité, ces espèces anciennes ont évolué jusqu'à ce qu'elles maîtrisent les manipulations génétiques et technologiques, et qu'à partir de là elles ont existé en tant qu'espèces postbiologiques et non plus biologiques.

— Vous dites que *Némésis* est une évolution technologique d'une espèce intelligente qui a existé et qui n'existe plus ?

— C'est ça. L'avenir de la vie n'est pas dans la biologie, mais dans la technologie. Actuellement, l'univers est favorable à l'apparition de la vie biologique, mais ce n'est qu'une phase car, conformément à la seconde loi de la thermodynamique, la vie biologique ne sera plus possible très longtemps. Le jour viendra où la taille du Soleil augmentera et finira par avaler la Terre. Nous sommes convaincus que dans un milliard d'années notre planète n'aura plus ni atmosphère ni océans. Toute la vie qui existe actuellement aura disparu. Cela se produira sur Terre et partout dans l'univers. Les étoiles s'éteindront les unes après les autres jusqu'à ce que les conditions permettant la vie biologique n'existent plus, nulle part. Dès lors, seule la vie postbiologique, la vie technologique, pourra survivre. L'avenir appartient à la vie postbiologique. La détection de silicium sur *Phanès* aurait dû m'alerter mais, stupide comme je suis, j'ai laissé mon désir de trouver une espèce extra-terrestre me polluer l'esprit.

Tomás fixa son regard sur le cockpit, et plus précisément sur la masse argentée qui avait été les corps de Duck et de Frenchie et s'était métamorphosée en *Némésis.*

— Je vois, dit l'historien. *Némésis* est un succédané technologique d'une ancienne espèce biologique intelligente. Mais pourquoi nous attaque-t-elle ?

— Je pense qu'elle est programmée pour ça, expliqua Emese. L'espèce biologique qui s'est métamorphosée en *Némésis* a été conçue pour transformer toutes les formes de vie biologique en vie technologique. C'est pourquoi *Némésis* produit des nanorobots, transmutant tous les atomes de carbone en atomes de silicium, l'élément le plus proche du carbone dans le tableau périodique. Le silicium n'interagit qu'avec un petit nombre d'atomes, mais il présente des avantages évidents par rapport au carbone dans un univers sans étoiles. En outre, à des températures très basses, il peut établir des liaisons stables avec de nombreux éléments. *Némésis* sait que seule la vie technologique a un avenir dans l'univers et sa mission consiste apparemment à garantir cet avenir.

— Et qu'en est-il de l'idée selon laquelle la coopération serait une meilleure stratégie que la concurrence ? Les nanorobots ne devraient-ils pas coopérer avec nous ?

Elle soupira, mortifiée.

— Ce fut une autre terrible erreur de jugement.

— La coopération ne serait donc pas la meilleure stratégie ?

— C'est la meilleure, mais au sein de l'espèce. Les êtres humains et les fourmis coopèrent entre eux, mais pas nécessairement avec les autres espèces. Vous comprenez ? C'était un point crucial que nous avons mal évalué, tout excités que nous étions par la possibilité de connaître une civilisation extraterrestre. Les espèces réussissent précisément parce qu'en coopérant entre elles, elles sont plus compétitives vis-à-vis des autres. Les nanorobots de *Némésis* coopèrent entre eux pour mieux éliminer la concurrence biologique. C'est ce qui est en train de se passer.

La situation était devenue claire pour Tomás. Tout comme les options dont ils disposaient.

— Houston, ici EVA, appela-t-il. Malheureusement, la solution à ce problème passe par le sacrifice de nos vies. En ce qui me concerne, je suis prêt.

Il y eut un bref silence dans l'intercom.

— EVA, ici Houston, répondit Billy d'une voix grave. Je ne sais pas quoi dire. Nous aimerions vraiment vous ramener à la maison, mais les circonstances étant ce qu'elles sont et… Je suis vraiment désolé.

Nouvelle pause. Le moment était venu de prendre une décision, et ce n'était facile pour personne, surtout pas pour les astronautes.

Tomás se tourna vers Emese, pour lui demander l'autorisation ou pour s'excuser et, les yeux fixés sur elle, il dit l'indicible.

— Houston, lancez les missiles et détruisez-nous.

XCIX

Le Centre de contrôle de la mission intervint aussitôt.

— EVA, la destruction de la navette spatiale, et par conséquent de *Némésis*, n'est pas une option. Je répète, ce n'est pas une option.

La réponse surprit Tomás.

— Houston, veuillez clarifier, je vous prie. L'Amérique ne dispose pas de missiles nucléaires balistiques pour les lancer contre *Atlantis* ?

— EVA, le problème n'est pas là. En fait, la navette est trop proche de la Terre. Si *Atlantis* était détruite, ses composants, y compris ceux qui ont été contaminés par *Némésis*, finiraient par retomber dans l'atmosphère terrestre. Et comme *Némésis* est une espèce de virus technologique, les nanorobots pathogènes commenceraient à se reproduire immédiatement à un rythme exponentiel. Vous voyez le problème ? Nous sommes confrontés à la fin de la vie biologique sur Terre.

L'historien échangea un regard terrifié avec Emese.

— Mon Dieu ! s'exclama-t-il, abasourdi. C'est une catastrophe.

L'astrobiologiste ne répondit même pas, tant elle était pétrifiée par la perspective de l'hécatombe qui allait bientôt anéantir toute vie sur la planète.

— EVA, ici Houston, appela Billy. Nous avons un plan.

Tomás leva un sourcil.

— Un plan ? Quel plan ?

— Ce n'est pas un plan génial. Il comporte d'énormes risques et il ne marchera probablement pas. Mais c'est tout ce que nous avons.

— Nous vous écoutons Houston.

— Voilà. Nous vous suggérons d'entrer dans la navette et, sans pressuriser ni retirer vos scaphandres, d'aller directement vers la cabine et d'occuper le cockpit. Ensuite, et avant que *Némésis* n'ait le temps de pénétrer dans vos scaphandres, vous couperez les moteurs et viderez tout le carburant restant dans les réservoirs. Sans énergie, *Atlantis* demeurera en orbite et ne pourra pas descendre sur Terre.

Les deux astronautes restèrent silencieux un moment, considérant la proposition.

— Houston, êtes-vous sûr que c'est la seule solution ?

La réponse prit quelques secondes.

— EVA, je suis vraiment désolé, déclara Billy. Je ne sais pas quoi dire, si ce n'est que nous sommes confrontés à une terrible menace. La plus terrifiante que l'on puisse imaginer. Nous ne voyons pas d'autre manière de la contenir. Ce n'est pas seulement votre vie, ni même la survie de l'humanité qui est en jeu. C'est toute vie sur la planète qui est menacée. Nous ne vous demanderions pas un tel sacrifice si nous avions le choix. Mais nous ne l'avons pas. Nous sommes au bord du gouffre et vous êtes notre seul espoir.

Le Portugais savait que c'était vrai et il se concentra sur ce qu'il jugeait prioritaire. Il regarda *Atlantis* et imagina qu'il entrait avec Emese par le sas, allait à l'intérieur, occupait le cockpit où se trouvait *Némésis*, déconnectait la navette et libérait tout le carburant.

— Houston, votre plan est nul.

— Je le sais EVA, reconnut le directeur de la mission. Malheureusement, c'est tout ce qu'il nous reste.

— À supposer que l'on arrive au cockpit, comment ferions-nous avec tous ces boutons ? Il y en a plus d'un millier ! Nous ne sommes pas pilotes, nous n'avons pas été formés pour ça, nous n'avons pas la moindre idée de la façon dont on déconnecte une navette.

— EVA, nous sommes conscients de ce problème. Nous vous donnerons des instructions, cela va de soi. Deux des pilotes les plus expérimentés, les commandants Shuman et Grosicky, sont avec nous. Ils vous guideront tout au long du processus.

— Et vous pensez vraiment que ça fonctionnera ? *Atlantis* ne finira pas par tomber sur Terre ?

— Négatif. Vu la vitesse à laquelle elle va, elle restera toujours en orbite, ce qui nous donnera le temps de préparer une mission ultérieure pour l'envoyer dans l'espace profond.

Tomás réfléchit à la question. Le plan de la NASA, à supposer qu'il fût viable, comportait trop d'inconnues. S'ils entraient dans le vaisseau, comment réagirait *Némésis* ? Leurs scaphandres seraient-ils capables de résister à la contamination, alors que le récipient étanche, qui était censé isoler l'artéfact, et la porte du cockpit d'*Atlantis* avaient été détruits en quelques secondes ? Et même si les scaphandres résistaient, ce dont il doutait fort, une fois dans le cockpit parviendraient-ils à débrancher la navette et à vider le carburant grâce aux instructions que leur donneraient les pilotes de la NASA ? Rien de tout cela ne lui paraissait très réaliste. Le plan était trop incertain.

Mais s'ils ne l'appliquaient pas, que pouvaient-ils faire ? Rester les bras croisés en attendant que *Némésis* prenne le contrôle d'*Atlantis* et la lance dans l'atmosphère terrestre n'était pas envisageable. Ils devaient tenter quelque chose. Le plan de la NASA était une tentative désespérée et ils l'exécuteraient s'ils ne trouvaient pas d'autre solution. Mais il y avait peut-être une autre possibilité.

Il fallait penser autrement, faire preuve d'imagination.

Tomás examina les options et rien ne venait. Ah, si seulement ils pouvaient lancer des missiles contre la navette et détruire *Némésis* ! Le lancement des missiles serait… serait…

— Je sais ! s'exclama-t-il. Je sais !

— EVA, pouvez-vous répéter ?

Une lueur dans les yeux, Tomás se tourna vers Emese, comme s'il voulait lui dire quelque chose, avant d'hésiter et de s'adresser au Centre de contrôle de la mission.

— Nous allons utiliser les missiles !

C

La réponse du directeur de la mission fut instantanée.

— EVA, ici Houston. Négatif.

Tomás ne comprenait pas ce rejet immédiat. Comment la NASA pouvait-elle ne pas voir ce qui lui semblait évident ?

— Houston, les missiles sont la solution !

— Négatif, insista Billy. Détruire *Atlantis* n'est pas une solution. Nous vous avons déjà expliqué que l'épave contaminée de la navette tomberait dans l'atmosphère terrestre et que la transmutation des atomes de carbone liés à l'eau en atomes de silicium commencerait aussitôt. Autrement dit, la destruction du vaisseau ne résoudrait pas le problème, elle ne ferait que le précipiter. Nous insistons sur le fait que la seule solution, même risquée et probablement vouée à l'échec, est le plan que nous vous avons présenté.

Le Portugais secoua la tête.

— Houston, je sais pertinemment que la destruction d'*Atlantis* précipitera la catastrophe sur Terre. Mais je pense que nous pouvons utiliser les missiles pour…

— Tomás, non !

En entendant la voix d'Emese, il se tourna vers elle. La scientifique hongroise lui faisait des signes frénétiques en désignant avec insistance le cockpit et la partie latérale de son propre casque.

— Qu'est-ce qu'il y a ?

L'astrobiologiste de l'ESA montra de nouveau le cockpit puis elle posa sa main gantée à côté du casque, comme s'il s'agissait d'une oreille.

— Faites attention à ce que vous dites, Tomás.

Les gestes, alliés à l'avertissement, lui permirent de comprendre ce qui l'inquiétait. Visiblement, Emese pensait que *Némésis* pouvait écouter et comprendre la conversation entre lui et le Centre spatial Johnson.

— Ce n'est pas possible, déclara le Portugais. Même s'ils entrent dans le système, ils ne comprennent pas ce que nous disons.

— Dois-je vous rappeler que nous parlons d'une entité très intelligente, dotée d'une grande capacité d'adaptation ? À votre place, je ferais attention.

L'historien considéra l'avertissement et Emese avait raison. Les communications entre l'équipe de l'EVA et le Centre de contrôle pouvaient être compromises. Ils avaient affaire à une intelligence postbiologique qui contrôlait probablement sa propre capacité d'évolution, il était parfaitement plausible qu'elle dispose de compétences permettant de maîtriser rapidement des formes de communication inconnues, et donc que *Némésis* écoute et comprenne leur conversation. Emese avait raison, on n'était jamais assez prudent.

— Vous savez, dit Tomas, je pense qu'il vaut mieux exécuter le plan de la NASA. Entrons dans *Atlantis* et déconnectons le vaisseau. Il n'y a pas d'autre solution.

La réponse ne vint pas de la scientifique hongroise, mais du Centre de contrôle.

— Reçu, EVA. Nous étudions toujours le moyen de retarder la destruction de vos combinaisons. N'oubliez pas que *Némésis* semble capable de consumer tout obstacle en quelques secondes.

Les propos du Portugais n'étaient pas destinés à la NASA, mais le malentendu pouvait l'aider à tromper *Némésis*.

— Ne vous en faites pas, Houston, nous avons trouvé une solution. Nous allons procéder au transfert vers la plateforme d'*Atlantis*.

— EVA, précisez la solution.

— Négatif, Houston. L'explication du processus est longue et inutile. Nous vous informerons lorsque nous serons prêts.

— Bien reçu. C'est une bonne nouvelle. Commencez le transfert et poursuivez comme vous l'entendez.

Tomás reprit les commandes du MMU.

— Houston, EVA en mouvement.

Le Portugais alluma l'un des moteurs du petit véhicule qui lui permit de s'élever au-dessus du cockpit d'*Atlantis* et, en actionnant un autre moteur, il commença à longer la navette en direction de la plateforme.

La voix de Billy retentit dans les Snoopy Caps des deux astronautes.

— EVA, ici Houston. Bonne chance, les gars !

CI

En utilisant un langage gestuel improvisé, Tomás expliqua à Emese le plan qu'il avait imaginé et qu'il ne voulait pas exposer avec l'intercom de peur que *Némésis* n'écoute. Le plan était simple et la scientifique n'eut aucune difficulté à le comprendre ; la facilité avec laquelle l'historien l'avait présenté était due à la simplicité intrinsèque de l'idée.

Le MMU se déplaçait lentement le long d'*Atlantis* et en quelques secondes il arriva à la plateforme. Bien qu'il ne maîtrisât pas encore parfaitement le véhicule, Tomás put manœuvrer de manière à se placer à trois mètres à peine de la batterie de missiles. Emese sauta sur la plateforme et arrima le MMU à la navette spatiale. Puis elle attacha son amarre au vaisseau et regarda son compagnon.

— Vous pouvez descendre !

L'expression était ambiguë, car haut et bas étaient des concepts qui n'avaient aucun sens dans l'espace. Comment pouvait-il descendre jusqu'à *Atlantis* si le vaisseau spatial naviguait à l'envers ? Quoi qu'il en soit, Tomás posa ses bottes sur le bord du MMU, se projeta dans le vide en direction d'*Atlantis* et se posa juste à côté d'Emese. Comme elle l'avait fait avant lui, sa première tâche fut de s'attacher au vaisseau. En cas d'accélération soudaine, ce qui n'était pas impossible étant donné que le cockpit était entre les mains de *Némésis*, aucun des deux ne resterait en rade.

— Houston, ici EVA, annonça-t-il. Nous sommes sur la plateforme d'*Atlantis*. Nous allons procéder à l'opération.

— Reçu, EVA. Continuez.

Bien que sécurisés par les amarres, les deux astronautes ne se déplaçaient pas avec confiance dans l'espace. Tous leurs mouvements devaient être parfaitement contrôlés. En apesanteur, la solution était toujours la même. Ils visaient une cible, se projetaient dans le vide et flottaient jusqu'à ce qu'ils l'atteignent. C'est ce qu'ils firent avec la batterie de missiles.

Déjà stabilisée sur la plateforme et prête à sauter, Emese fut la première à y arriver. Tomás la suivit. Ils examinèrent la batterie sur laquelle figurait l'emblème de l'USAF. Elle était logée dans une structure et connectée électriquement à une console de contrôle. La veille, lorsqu'il avait transféré la cargaison de *Delta* vers *Atlantis*, le Portugais lui-même avait fait les branchements afin que les missiles puissent être contrôlés à partir du cockpit d'*Atlantis*. La première chose à faire était de prévenir cette éventualité.

Emese ouvrit la console et regarda les fils.

— Quel est celui de la télécommande ?

— Le bleu, répondit-il. Vous voulez une pince ?

La Hongroise mit la main dans la poche du scaphandre contenant les instruments et en sortit une petite pince.

— J'en ai une.

Elle coupa le fil bleu. Il était désormais impossible de contrôler les missiles à partir de l'ordinateur de bord, situé dans le cockpit. Elle remit la pince dans sa poche et se concentra à nouveau sur la console.

— EVA, ici Houston, appela Billy sur un ton d'urgence. Un changement de cap vient juste de se produire.

— Houston, veuillez répéter.

— Nos ordinateurs viennent d'enregistrer un changement de cap. *Atlantis* a réduit sa vitesse et amorcé sa descente. Que se passe-t-il ?

Les deux astronautes regardèrent la position de la navette par rapport à la Terre. En effet, le plan d'inclinaison semblait s'être légèrement modifié, le nez était davantage pointé vers la planète.

— Houston, l'inclinaison d'*Atlantis* par rapport à la Terre est effectivement plus marquée, mais je ne sais pas pourquoi.

— EVA, nous avons très peu de temps, déclara le directeur de la mission, paniqué. *Atlantis* va bientôt entrer dans les couches supérieures de l'atmosphère et, avec son nouvel angle d'inclinaison, quand elle commencera à se détruire, ses débris se répandront aussitôt dans l'atmosphère de la planète et la contamineront mortellement. Vous devez entrer dans le sas dès que possible, prendre le contrôle du cockpit et tout débrancher.

— Bon sang ! jura Tomás. *Némésis* doit s'être aperçue de ce que nous faisons et elle a décidé d'anticiper l'entrée de la navette dans l'atmosphère.

Une fois de plus, tout allait se jouer très rapidement, réalisa Emese.

— Houston, appela la scientifique. De combien de temps disposons-nous ?

— Peu. Dépêchez-vous !

— De combien de temps ?

Il y eut une courte pause, comme si le Centre de contrôle effectuait des calculs.

— 83 secondes.

CII

Quatre-vingt-trois secondes ! Autant dire rien !

Ils ne pourraient pas, en si peu de temps, aller jusqu'au sas, entrer dans la navette, la traverser jusqu'au cockpit et y recevoir les instructions pour la déconnecter, vider le carburant et mettre le vaisseau hors service. Un tel plan était purement et simplement impraticable.

Il était devenu clair pour les deux astronautes que lorsqu'Emese avait coupé le fil qui permettait à l'ordinateur de bord de contrôler les missiles, *Némésis* avait compris quel était leur véritable plan et, pour le contrer, avait précipité les événements. *Atlantis* avait aussitôt ralenti et se dirigeait vers la Terre pour la contaminer.

— EVA, 75 secondes, indiqua Billy, essayant de maîtriser son désespoir. Tout… tout est perdu.

Le Portugais et la Hongroise regardèrent la console qui contrôlait la batterie de l'USAF, s'efforçant de comprendre la procédure.

— Houston, nous allons lancer les missiles, annonça Tomás. J'ai besoin de savoir sur quel bouton de la console de contrôle manuel je dois appuyer.

— Négatif EVA. La destruction d'*Atlantis* par les missiles ne résoudra pas le problème. Et nous n'avons plus que 65 secondes. Allez immédiatement dans le cockpit !

— Nous n'allons pas détruire *Atlantis*, expliqua le Portugais. Nous allons envoyer les missiles dans la direction opposée à la Terre, et ainsi l'énergie dégagée par les fusées entraînera la navette loin de la planète. Sur quel bouton dois-je appuyer pour les lancer ?

Courte pause.

— Les deux ! s'exclama le directeur de la mission, tout à coup excité. Appuyez sur les deux boutons en même temps. Mais vous êtes conscients que… enfin…

Tous deux savaient ce que Billy voulait dire : étant à côté de la batterie de missiles, ils seraient carbonisés au moment du tir.

— Avons-nous le choix ?

Nouveau silence sur la ligne.

— Vous avez raison, admit le responsable de la NASA. Que Dieu vous bénisse ! 50 secondes.

Tomás posa les doigts sur les deux boutons. Sachant que le moment était venu et, conscient qu'en appuyant dessus il serait anéanti, il leva sa tête et regarda la Terre. Il mourrait en regardant la planète.

— Non, Tomás ! intervint Emese. Vous devez d'abord relier les missiles à la navette, sinon ils ne la remorqueront pas !

Épouvanté, il réalisa qu'elle avait raison. Et pour ce faire, ils avaient besoin de la chaîne en métal de la batterie. Mais la boîte dans laquelle il avait placé la chaîne la veille était à cinq mètres.

Sans perdre de temps, mais convaincu qu'il était trop tard, il s'élança vers la caisse.

— EVA, 40 secondes.

Il atteignit la caisse, l'ouvrit et en sortit la chaîne métallique. Il lui fallait encore revenir à la batterie et attacher la chaîne aux quatre missiles afin de les relier au vaisseau. Or, il avait du mal à sortir la chaîne de la caisse, comme il le constatait.

— Lancez-moi la chaîne ! demanda Emese, qui était restée près de la console de commande manuelle des missiles. Lancez-la-moi !

Elle avait raison, réalisa Tomás. Il lança la chaîne métallique dans le vide et la Hongroise l'attrapa.

— EVA, 30 secondes. Dépêchez-vous, je vous en supplie !

Alors qu'il se préparait à rejoindre Emese, elle l'arrêta d'un geste et indiqua l'avant de la navette.

— Fixez votre bout de la chaîne là ! ordonna-t-elle. Je vais attacher le mien aux missiles !

Tomás comprit l'idée, mais il n'avait plus le temps de monter dans le MMU et de naviguer jusqu'à l'avant d'*Atlantis*. D'un autre côté, l'amarre qui le rattachait à la navette et l'empêchait de se perdre dans l'espace, était trop courte pour qu'il puisse atteindre l'endroit indiqué par l'astrobiologiste.

— EVA, 20 secondes, dit Billy d'une voix désespérée. Pour l'amour de Dieu, lancez les satanés missiles !

D'un geste leste, le Portugais sectionna l'amarre qui le reliait à *Atlantis* et put ainsi se déplacer librement, tout en courant le risque de se perdre dans l'espace. Ce qui, n'avait plus vraiment d'importance.

En tenant l'extrémité de la chaîne en métal, il se lança dans le vide vers l'espèce d'anneau situé derrière le cockpit qu'Emese lui avait indiqué et, tout en se déplaçant, il jeta un coup d'œil à la Hongroise. Celle-ci introduisait la chaîne dans les anneaux placés à la base des missiles pour les relier les uns aux autres.

— EVA, 10 secondes.

Tomás était sur le point d'atteindre l'anneau derrière le cockpit.

— Ça y est, annonça Emese. J'ai relié les missiles les uns aux autres. Il ne reste plus qu'à fixer la chaîne à la navette. Tomás, pensez-vous pouvoir le faire ?

Le déplacement du Portugais était presque achevé.

— EVA, 5 secondes.

N'ayant pas le temps de répondre à la question qu'elle lui avait posée, Tomás tendit la main et attrapa l'anneau du cockpit.

— 4… 3… 2…

Tirant avec le bras, il s'agenouilla près de l'anneau.

— … 1…

Il y eut un choc et le vaisseau spatial commença à être violemment secoué. Avec difficulté, Tomás parvint à rester accroché à l'anneau fixé à la carlingue d'*Atlantis*, mais il y avait des étincelles partout et quelques pièces commençaient à se détacher de la navette.

Ils entraient dans l'atmosphère.

CIII

Le vaisseau spatial était secoué dans tous les sens. Des pièces se détachaient et volaient en éclats, et des étincelles jaillissaient de dessous ; l'angle d'entrée dans l'atmosphère n'était évidemment pas le bon, et *Atlantis* commençait à se désagréger. D'autant plus que la réparation de la protection thermique n'avait pas été achevée. La destruction du vaisseau était en cours.

— EVA, ici Houston, appela Billy du Centre spatial Johnson. Quelle est la situation ?

Ils n'avaient pas le temps de répondre. Emese, qui se tenait près du panneau de commande des missiles, attendait que son compagnon termine son opération.

— Tomás, vous avez fixé la chaîne ?

La navette spatiale tremblait violemment, et il était évident que les secousses allaient augmenter à mesure qu'ils pénétreraient dans les couches plus denses de l'atmosphère. Si le vaisseau résistait encore quelques secondes, ce serait un miracle. Faisant un effort surhumain pour rester accroché à *Atlantis*, le Portugais approcha l'extrémité de la chaîne métallique de l'anneau et finit par la fixer.

— Ça y est ! annonça-t-il. Je l'ai fixée !

— Puis-je tirer ?

— Tirez !

Il regarda vers la plateforme et vit Emese faire un mouvement rapide avec ses mains, comme si elle se signait, et il comprit que c'était la fin.

La voix tremblante de la Hongroise résonna dans l'intercom.

— Dieu !

Un éclair jaune, rouge et violet embrasa la batterie, carbonisant tout ce qui se trouvait en dessous, y compris Emese. Tomás vit tout, sidéré.

— Oh mon Dieu !

Lentement, quatre objets pointus se dressèrent au-dessus de la plateforme et, prenant de la vitesse, s'élevèrent vers l'obscurité de l'espace profond.

— EVA, ici Houston. Quelle est la situation ?

La chaîne métallique s'étira rapidement, atteignant son point de tension maximale. *Atlantis* fut alors violemment secouée et recommença à monter, tirée par les missiles qui avaient été lancés, comme si elle décollait à nouveau.

Sentant l'accélération soudaine, Tomás s'accrocha des deux mains à l'anneau où il avait fixé la chaîne métallique, mais il ne tiendrait pas longtemps.

— EVA, ici Houston, appela Billy. Les radars enregistrent une accélération d'*Atlantis* vers les couches supérieures de l'atmosphère. Que se passe-t-il ?

Les moteurs des missiles étaient beaucoup plus puissants que ceux utilisés d'ordinaire, une adaptation opportune de l'USAF destinée à accroître leur polyvalence d'utilisation dans l'espace, ce qui les rendait presque aussi puissants que les moteurs d'*Atlantis*. Ainsi, et malgré la résistance qu'opposait la masse de la navette, l'accélération dépassa rapidement les 2 G. Quant à la chaîne, probablement parce qu'elle était courte et en titane, elle avait résisté à l'impact et ne s'était pas brisée.

Tomás s'efforça par tous les moyens de rester accroché à l'anneau du vaisseau, mais ce qui devait arriver arriva. Il lâcha prise.

Entraînée par les missiles, *Atlantis* accéléra en direction de l'espace profond et Tomás resta seul.

— EVA, insista le directeur de la mission. Répondez, je vous en prie. Est-ce que vous me recevez ?

Le Portugais flottait dans l'espace, totalement seul ; le moment était venu de répondre.

— Houston, ici EVA, répondit-il d'un ton lugubre. Mission accomplie. Les missiles ont été tirés. *Atlantis* a quitté l'atmosphère avant de se désintégrer et s'éloigne de la Terre. Il n'y a plus de menace.

Dans l'intercom, il entendit une clameur de soulagement provenant du Centre spatial Johnson, mêlée d'applaudissements et de cris de joie.

— EVA, ici Houston, répondit Billy sur un ton euphorique. Mon Dieu, vous… vous avez réussi ! Wow, c'est incroyable ! Vous l'avez fait ! Incroyable ! Nous pensions que… que… ah, félicitations ! Vous ne pouvez pas imaginer la réaction des gens ici. Vous avez fait un travail absolument extraordinaire ! Il n'y a pas de mots pour exprimer ce que nous ressentons et notre admiration pour ce que vous avez fait. Extraordinaire ! Nous n'oublierons jamais !

L'euphorie qui s'exprimait à la NASA, et qui se répandait sans doute partout sur Terre, contrastait avec les sentiments qui, à ce moment-là, agitaient l'astronaute.

— Houston, ici EVA. Nous avons perdu le professeur Bozóki. Je répète, nous avons perdu le professeur Bozóki. C'est elle qui a tiré manuellement les missiles et elle l'a payé de sa vie.

La clameur qui emplissait l'intercom s'atténua un peu, mais sans cesser tout à fait.

— EVA, je suis vraiment désolé, déclara Billy. Ce fut un immense sacrifice et c'est une perte énorme. Je suis vraiment désolé.

Il y eut un silence sur la ligne.

Atlantis, toujours traînée par les missiles qu'Emese avait tirés, était devenue un lointain point lumineux qui disparaîtrait bientôt dans les profondeurs de l'espace. Même lorsque le carburant des missiles serait épuisé, ce qui n'allait pas tarder à arriver, le vaisseau continuerait à s'éloigner, le vide n'offrant aucune résistance et, avec la distance, la Terre avait cessé d'exercer sa force de gravité.

Tomás était resté seul, entouré du vide, transformé en satellite humain de la Terre. Il n'avait rien à faire, hormis attendre. Attendre.

Attendre la mort.

CIV

Seul.

Tomás était absolument seul. C'était un corps abandonné dans le vide, complètement livré à son sort. Le cosmos, qui lui avait semblé si beau auparavant, était tout à coup devenu très agressif. La seule chose qui le maintenait en vie était le scaphandre qui le protégeait. Un millimètre au-delà de cette enveloppe, c'était le vide, une pression presque nulle, une chaleur infernale, des radiations mortelles. La mort. Et même à l'intérieur du scaphandre, elle rôdait déjà autour de lui, insidieuse, à l'affût.

Il consulta le moniteur qu'il avait sur la poitrine indiquant les données vitales.

Cinquante minutes.

D'après l'ordinateur de son scaphandre, c'était le temps que durerait l'oxygène qui restait dans les deux bouteilles qu'il portait sur le dos. En d'autres termes, c'était le temps qu'il lui restait à vivre. Lorsque l'oxygène serait épuisé, il suffoquerait. Ce serait une mort horrible, mais rapide.

Toujours à son poste au Centre de contrôle de la mission, Billy avait passé les quatre-vingt-dix dernières minutes à parler avec Tomás. Aucun plan de sauvetage n'avait été élaboré et, vu la situation, il ne pouvait guère y en avoir. Le directeur de la mission avait fini par se rendre à l'évidence et il essayait simplement de lui montrer à quel point son sacrifice était important, combien l'humanité toute entière lui était reconnaissante.

Cependant, avec l'oxygène qui s'épuisait et l'asphyxie qui approchait, rien de tout cela ne réconfortait vraiment l'historien.

— Pourquoi ne nous donne-t-on pas des capsules de poison ? demanda tout à coup Tomás. J'ai toujours entendu dire que les astronautes qui allaient dans l'espace emportaient une capsule de poison, au cas où ça tournerait mal.

— Allons, Tom, ne parlez pas de ça…

— Vous savez la mort qui m'attend ? s'énerva le Portugais qui se sentait comme un condamné quelques minutes avant d'être guillotiné. Je vais étouffer, comme si on me mettait la tête dans un sac en plastique. Pourquoi ne nous avez-vous pas donné un cachet pour avoir une fin rapide et indolore ? Ne serait-ce pas mieux ? Au moins, nous aurions une mort digne.

— Nous ne donnons jamais ce type de pilules à personne.

— Mais avant vous le faisiez.

— Ce n'est pas vrai, nia le directeur de la mission. Je sais qu'on raconte ce genre d'histoires, que les astronautes auraient un cachet spécial pour se tuer dans l'hypothèse où ils n'auraient aucune chance d'échapper à la mort sans souffrir, et je ne sais quoi encore, mais rien de tout cela n'est vrai. Je vous assure que jamais aucun astronaute de la NASA n'est allé dans l'espace avec de telles pilules.

— Vous en êtes sûr ?

— Absolument. Ni les statuts ni les attributions de notre agence ne prévoient qu'elle doit collaborer activement à des actes de suicide. Au regard de la législation américaine, ce serait même un crime.

Tomás réfléchit à ce qu'il venait d'entendre et envisagea les possibilités qui s'offraient à lui.

— Que se passera-t-il si j'enlève mon casque ici, dans le vide ?

— Vous mourrez.

— Ça je le sais. Mais comment est-ce que je mourrai ? La mort sera instantanée ? Je souffrirai beaucoup ? Que va-t-il se passer exactement ?

— Il vaudrait mieux ne pas en parler.

— J'insiste.

— Tom, changeons de sujet. Pensez aux bonnes choses. Pensez aux personnes que vous avez sauvées, aux animaux et aux plantes qui vont continuer à vivre parce que vous avez réussi…

— Écoutez, j'ai besoin de savoir quelles sont les options qui me restent, l'interrompit-il. Je vous en prie, éclairez-moi pour que je puisse prendre, moi-même, mes décisions.

Le soupir résigné de Billy emplit ses écouteurs.

— Si vous êtes exposé à la faible pression du vide, des bulles vont se former dans vos fluides et l'eau, qui constitue soixante-dix pour cent du corps, va se transformer en vapeur, ce qui signifie que votre corps va gonfler jusqu'à doubler de volume, expliqua le directeur de la mission. Vous ressentirez des douleurs partout. Si vous retenez votre respiration, vos poumons vont subir une décompression explosive et vous succomberez. En outre, la privation d'oxygène entraînera l'asphyxie, mais une asphyxie différente de celle que nous imaginons. Du fait de l'absence de pression, l'oxygène s'échappera immédiatement du sang et n'arrivera pas aux cellules. Vous perdrez connaissance dans les dix secondes. Et puis, il y a aussi le problème de la température. Comme vous êtes actuellement soumis à l'action directe du Soleil, la température dans l'espace doit être…

— C'est bon, c'est bon ! coupa l'astronaute. J'ai compris. Le tableau que vous venez de me dresser est édifiant.

Le responsable opérationnel de la NASA sembla embarrassé.

— Je suis désolé, dit-il. Je vous ai expliqué tout ça parce que vous me l'avez demandé. Mais, je crois que dans ces circonstances, il serait préférable de parler d'autres choses moins… enfin… moins dures.

— De quoi voulez-vous parler ? dit Tomás avec agacement. Des dernières frasques de votre président ? Du match de Benfica le week-end dernier ? Ou de la reconnaissance éternelle que me voueront les plantes, les animaux et les gens ? Quel sujet de conversation suggérez-vous pour distraire un homme qui est sur le point de mourir asphyxié ?

Il y eut un court silence.

— Je suis désolé.

Le Portugais ferma les yeux, essayant de maîtriser ses émotions. Il avait toujours eu du courage dans le passé, mais il en manquait à présent. C'était sans doute parce qu'avant, il y avait toujours l'espoir, la possibilité d'être sauvé. À présent, il n'avait pas la moindre illusion sur son sort. La mort approchait et elle était inévitable. Une question de minutes.

— C'est moi qui suis désolé, murmura-t-il. Vous avez fait de votre mieux, mais il n'y a pas de solutions magiques pour une telle situation, n'est-ce pas ? L'attente me ronge et c'est à vous que je m'en prends.

La voix de Billy sembla s'animer tout à coup.

— Écoutez, j'ai une surprise pour vous, Tom, annonça-t-il. On vient de me dire qu'on a deux personnes en ligne qui souhaiteraient vous parler. Je vais vous les passer.

— Attendez, attendez. Qui est-ce ?

Le directeur de la mission ne répondit pas. Tomás entendit un clic sur la ligne et une nouvelle voix, de femme, emplit le casque de l'astronaute.

— Tomás ?

C'était Maria Flor.

CV

Quarante minutes.

C'est ce qu'indiquait l'écran de son scaphandre, il restait quarante minutes avant que l'oxygène ne soit épuisé. Le temps semblait s'accélérer. Il voulait l'arrêter, le forcer à s'arrêter, mais il filait inexorablement. Implacable.

— Tomás, tu m'entends ?

En entendant la voix de Maria Flor, l'astronaute fut désemparé. Cette conversation allait se terminer par des adieux très difficiles.

— Bonjour, Florzinha.

— Bonjour, mon amour. Tu te sens… tu te sens bien ?

— Eh bien, je… je pense que oui. Pour le moment, ça va. Le scaphandre tient le coup, la température est contrôlée, l'image de la Terre sous moi est fantastique. Tout est merveilleux. Enfin… il y a un léger problème avec l'oxygène, je ne sais pas si tu as entendu…

Il y eut un silence. La mort imminente de Tomás occupait évidemment leur esprit. Que pouvait-on se dire dans de telles circonstances ?

— Je suis très fière de toi. J'ai tout vu à la télévision et, quand les choses ont commencé à… enfin à mal tourner et qu'ils ont arrêté la retransmission, j'ai paniqué. Tout à l'heure on m'a appelée de la NASA pour m'expliquer tout ce que tu avais fait. Je suis très fière de toi. Quoi qu'il arrive, rien ne pourra effacer ça.

— Oui, le problème a été réglé, heureusement, il n'y a aucun doute là-dessus. Le problème c'est que je ne pourrai pas revenir.

Elle renifla car elle pleurait en silence.

— Je serai toujours là avec toi, mon amour.

Être sur le point de mourir rendait tout très embarrassant, mais en même temps, les plus petites choses, des mots, de simples intonations dans la voix, prenaient une énorme signification. Ils savaient que tout le monde les écoutait au Centre spatial Johnson, mais le fait de parler en portugais rendait la conversation plus facile et surtout plus intime. Peu de personnes au Centre de contrôle devaient comprendre leur langue.

— Où es-tu ?

— Au foyer, à Coimbra. J'ai tout vu à la télévision à côté de ta mère.

— Est-ce qu'elle a suivi l'émission ?

— Bien sûr.

— Et elle comprend ce qui se passe ?

— Pas très bien, reconnut Maria Flor. Son Alzheimer est si avancé qu'elle ne sait même plus qui tu es. Parfois, en voyant ton visage à l'écran, elle s'agite comme si elle se souvenait de toi et te reconnaissait, mais je ne sais pas si elle te reconnaît vraiment. En fait, elle vit enfermée dans son monde.

Cela faisait un certain temps que sa mère était partie, comme si elle vivait sans vivre, une carapace sans âme. Tomás savait que Graça existait encore, qu'elle se cachait quelque part dans son cerveau abîmé par la terrible maladie. Mais elle ne semblait pas souffrir ; elle se réduisait simplement à une coquille, un esprit sans mémoire.

— C'est peut-être mieux ainsi. Je ne veux même pas imaginer ce que ce serait si elle allait bien et suivait en direct ce… enfin, ce qui va m'arriver. Ce serait terrible pour elle. Je pense à ce que doivent endurer les familles de mes compagnons. Au moins ça lui est épargné.

— Oui.

Tomás hésita.

— Tu crois que je peux quand même lui parler ?

— Je vais l'appeler.

Il y eut un silence, puis il entendit indistinctement plusieurs voix, jusqu'à ce que l'une d'elles, que Tomás connaissait depuis l'enfance, emplisse le Snoopy Cap.

— Allô, oui ?

Les larmes inondèrent aussitôt les yeux du Portugais.

— Maman.

— Qui est-ce ?

— C'est moi, Tomás. Ton fils.

— Je ne sais pas qui vous êtes.

— Je sais que tu ne le sais pas, maman. C'est juste pour t'envoyer un bisou. Tu me manques tellement.

— Qui est-ce ?

— Je t'aime tant, maman, dit-il, les larmes jaillissant de ses yeux et venant se coller en sphères liquides sur ses paupières. Je ne te l'ai jamais dit avant, mais je te le dis maintenant. Je t'aime énormément, maman. Merci d'avoir fait de moi ce que je suis.

— Allô, oui ?

— Au revoir, maman. Au revoir. On se reverra… je ne sais pas trop où, mais on se reverra. Adieu mère.

La voix de Graça disparut et Tomás, seul dans le vide et le cœur brisé, pleurait comme un enfant ; il avait fait ses adieux à sa mère, elle qui l'avait toujours protégé qui ne le reconnaissait même plus alors qu'il se préparait à partir. Aujourd'hui, c'était elle qui avait besoin que son fils la protège et il n'était pas là pour faire son devoir.

— Allô, appela Maria Flor, reprenant le combiné. Allô ?

L'astronaute accusa le coup.

— Elle… elle…

Il sanglota, incapable d'achever sa phrase.

— Oh, mon chéri ! Elle ne put se retenir, elle non plus. Tout ça est… est tellement injuste.

Tomás prit une profonde inspiration, déterminé à se contrôler.

— Je deviens trop sensible ! s'exclama-t-il en secouant la tête pour reprendre son sang-froid. Tu sais ce que je pense ? C'est Billy qui a raison. Nous devons nous concentrer sur ce qui est positif. Et seulement sur le positif. Raconte-moi comment réagissent les gens. Je veux dire, les gens ordinaires.

Maria Flor renifla, réalisant que son fiancé avait besoin de chasser les idées noires.

— Ici, les gens parlent tous de ce que vous avez fait, ils pensent que grâce à vous nous avons échappé à une catastrophe extraordinaire, dit-elle, essayant de paraître joyeuse. Il y avait tellement de monde qui attendait les extra-terrestres le cœur en joie, avec des pancartes pour leur souhaiter la bienvenue, des cœurs dessinés partout pour proclamer l'amour à leur égard. Les politiciens s'enflammaient pour le droit à la différence et je ne sais quoi encore, à la télévision il y avait plein de débats sur la façon dont les extra-terrestres devaient être accueillis, et aussi des spectacles avec des artistes qui chantaient des louanges à *Phanès*, on a même organisé une sorte de « Woodstock » planétaire avec des miniconcerts qui ont eu lieu un peu partout, et… et au bout du compte tout a basculé. Sans vous, nous serions tous perdus.

— Ce qui est fait est fait, déclara Tomás résigné. À vrai dire, je ne regrette rien. Si on me proposait à nouveau la mission, je pense que j'accepterais quand même. Somme toute, il n'y a qu'une seule chose que je regrette.

— Qu'est-ce que c'est ?

— Nous ne nous sommes pas mariés. C'est ce qui me coûte le plus. Si je savais ce que je sais aujourd'hui, je n'aurais pas quitté Rome sans les avoir obligés à nous marier.

— Il est encore temps.

— De quoi ? De se marier ? – Il secoua la tête. – Ne plaisante pas, voyons.

— Je ne plaisante pas, Tomás, dit-elle très sérieuse. J'ai reçu tout à l'heure un appel téléphonique inattendu et j'ai accepté. Nous pouvons nous marier, si tu le veux toujours, bien sûr.

L'astronaute ébaucha un sourire d'incrédulité.

— Tu es sérieuse ?

— On t'a dit qu'il y avait une deuxième personne en ligne, non ? Je vais lui passer la parole maintenant. – Elle changea de ton. – Votre Sainteté, vous êtes là ?

Une voix familière prit part à la conversation.

— Comment allez-vous, mon fils ?

Le pape.

CVI

— Êtes-vous en paix avec vous-même et avec le Seigneur ?

Le pape parlait d'une voix calme ; on sentait qu'il était habitué à faire face à la souffrance. Tomás n'était pas croyant, mais le fait de parler au souverain pontife, qu'il avait rencontré à Rome dans des circonstances rocambolesques l'année précédente, lui faisait du bien.

— Je vais bien, Votre Sainteté, s'entendit dire le Portugais, comme si quelqu'un d'autre avait parlé à sa place. Il me semble que dans moins d'une demi-heure, il n'y aura plus d'oxygène dans mes bouteilles et je… Mais à part ça… enfin, ça va.

Le souverain pontife soupira.

— Vous savez, mon fils, j'ai beaucoup prié pour vous ces dernières vingt-quatre heures, dit-il en portugais, avec l'accent chantant des Italiens. Surtout lorsque les choses ont commencé à mal tourner. Je sais que je suis responsable de votre participation à cette aventure et que, malheureusement, cela va vous coûter la vie. Je suis vraiment désolé qu'il en soit ainsi, mais je dois vous avouer quelque chose. Je ne le regrette pas. Oui, je sais que j'ai voulu que vous soyez choisi pour cette mission, je suis apparemment le coupable, mais la vérité est que je n'ai été qu'un instrument. Je suis convaincu que celui qui m'a guidé c'est Dieu le Père, le Tout Puissant qui veille sur nous. Jésus s'est sacrifié pour nous sauver et vous, Tomás, fils de Dieu, vous aussi vous vous sacrifiez pour nous sauver. Tel est votre destin. Acceptez-le, non à regret ou dans la douleur, mais avec joie, comme une délivrance, car vous avez suivi les pas de Notre Seigneur, Jésus-Christ, et maintenant qu'Il vous appelle, sachez que vous serez assis à Sa droite le jour du jugement dernier comme un juste parmi les justes. Y a-t-il don plus grand que celui de sa vie pour les autres ? Souvenez-vous que vous ne donnez pas votre vie pour une seule personne, ou même pour toute l'humanité. Vous donnez votre vie pour la vie, parce que sans vous, la vie telle que nous la connaissons et que Dieu l'a créée disparaîtrait de notre planète. Animaux, arbres, fleurs… tout. C'est la plus grande bénédiction qu'un être humain puisse recevoir. Vous avez été choisi par Dieu, vous avez été la main du Seigneur, et c'est à travers vous qu'Il est venu, une fois de plus, au secours de ses enfants. Béni soit le Seigneur et béni soyez-vous d'avoir accepté d'être l'instrument de Son infinie miséricorde.

Tomás se sentit très embarrassé.

— Je… euh… je vous remercie énormément de vos paroles si aimables. Elles me réconfortent et, d'une certaine façon, me soutiennent en ce moment difficile, même si, comme Votre Sainteté ne l'ignore sans doute pas, je ne crois pas en Dieu, du moins pas le Dieu des religions.

— Qui sait, mon fils, si ce n'est pas précisément pour cela que le Seigneur vous a choisi ?

— Oui, qui sait ?

Il y eut un silence embarrassant ; d'un côté, il y avait le chef d'une religion comptant plus d'un milliard de fidèles, de l'autre un agnostique assumé qui, alors même que la mort approchait, demeurait obstinément fidèle à sa position.

Le pape changea de ton.

— Je voulais vous parler, mon fils, parce que je suis responsable de ce qui vous arrive. En outre, je tiens à vous remercier de tout ce que vous avez fait pour nous et je veux vous dire un mot d'encouragement en cette heure difficile que vous vivez, convaincu que je suis que vous n'avez rien à craindre. La mort n'est pas la fin de tout, juste un passage vers quelque chose de plus grand, car de grandes choses attendent une âme noble comme la vôtre. Mais je voulais vous parler aussi pour une autre raison. Car, je n'ai pas oublié que je vous ai fait ici, à Rome, une promesse et, comme vous pouvez l'imaginer, j'ai l'intention de la tenir.

— Une promesse, Votre Sainteté ?

— Oui, une promesse. Auriez-vous oublié que je me suis engagé à célébrer votre mariage ?

— Oui, bien sûr, mais... enfin, je comprends qu'une telle promesse ne puisse être tenue dans ces circonstances, Votre Sainteté. Il n'y a pas d'église près de moi ici...

— L'Église est dans nos cœurs, mon fils, et les seules circonstances nécessaires pour sceller l'amour sont notre volonté et notre bonté. Voulez-vous toujours vous marier ?

Était-ce bien une proposition ?

— Eh bien... bien sûr, j'aimerais me marier, mais...

— S'il en est ainsi, l'interrompit le chef de l'Église, et si telle est aussi la volonté de votre fiancée...

— Oui, Votre Sainteté, je le veux, s'empressa de dire Maria Flor. Plus que jamais.

— Alors dans ce cas, je vais raccourcir la cérémonie, car je crains que nous n'ayons plus beaucoup de temps, dit le pape. Êtes-vous prêts, mes enfants ?

Ainsi commença le mariage de Tomás avec Maria Flor.

CVII

La cérémonie dura quinze minutes.

Le pape fit une brève homélie, évoquant le sermon sur la montagne et les Béatitudes, puis il passa directement aux rites du mariage que les futurs époux avaient déjà répétés à Rome.

— Tomás, voulez-vous prendre Maria Flor comme épouse, et promettez-vous de lui rester fidèle, de l'aimer et de la respecter, dans le bonheur et les épreuves, dans la santé et la maladie, pour l'aimer tous les jours de votre vie ?

— Oui, je le veux.

— Maria Flor, voulez-vous prendre Tomás comme époux, et promettez-vous de lui rester fidèle, de l'aimer et de la respecter, dans le bonheur et les épreuves, dans la santé et la maladie, pour l'aimer tous les jours de votre vie ?

— Oui, je le veux.

— Ce consentement que vous venez d'exprimer en présence de l'Église, que le Seigneur le confirme, et qu'Il vous comble de Sa bénédiction. Ce que Dieu a uni, que l'homme ne le sépare pas. – Il fit une pause. – Mes enfants, félicitations à tous les deux. Je vous déclare mari et femme.

Étant dans l'impossibilité de s'embrasser et de se passer les alliances, Tomás et Maria Flor échangèrent des paroles d'affection, mais ils le firent avec retenue. Il y a des choses que les couples ne se disent que dans l'intimité.

Le mariage apporta un rayon de lumière dans le cœur de l'astronaute, mais pendant un trop bref moment. Les chiffres sur l'écran du scaphandre ne cessaient d'avancer et quand la cérémonie fut achevée, Tomás ne put éviter un coup d'œil anxieux.

Dix minutes.

Il restait dix minutes d'oxygène dans les bouteilles. Le temps filait, la vie fuyait, la mort le touchait déjà.

— Je… je…, hésita-t-il. Si cela ne vous dérange pas, j'aimerais rester tout seul.

Il y eut un silence pesant sur la ligne.

— Ne m'en veuillez pas de vous demander cela mon fils, dit le pape. Souhaitez-vous recevoir le sacrement de l'onction des malades pour rencontrer Dieu le cœur pur et vos péchés pardonnés ?

— Non.

— Alors je vais vous laisser, mon fils. Je ne vous dis pas adieu, car je sais que nous nous rencontrerons un jour de l'autre côté. Ne craignez rien, car vous n'allez franchir qu'une porte. Ouvrez vos bras et embrassez le Seigneur, accueillez Son amour en ce moment d'épreuve. Pour toujours. À bientôt. Que Dieu vous bénisse.

On entendit un clic sur la ligne. Le pape avait raccroché.

Tomás prit une profonde inspiration.

— Toi aussi, mon amour, murmura-t-il. Nous allons devoir nous quitter.

Ces mots déclenchèrent une énorme émotion chez Maria Flor.

— Non, dit-elle, la voix étouffée, ressentant que le moment le plus difficile approchait. Je ne pars pas.

— Tu dois y aller.

— Je ne le ferai pas. Je ne le ferai pas. Je resterai avec toi jusqu'à la fin. Je ne partirai pas.

— Écoute, Florzinha, il n'y a rien à entendre, si ce n'est un homme qui va mourir asphyxié. Tu n'as pas besoin d'entendre ça et je ne veux pas que tu l'entendes. Le moment est venu de nous dire adieu.

— Je ne partirai pas. Je resterai ici jusqu'à la fin.

— Ce n'est pas comme ça que je veux que tu te souviennes de moi, Florzinha. Je ne veux pas que tu te souviennes de mes râles d'agonie. Ce n'est pas ça que tu dois garder en mémoire. Ce sont toutes les autres choses, tu comprends ? C'est tout le reste. Il y a tellement de belles choses à retenir que ce serait bête que tu te souviennes du son de ma mort. Je ne le permettrai pas. Je ne le veux pas.

Elle pleurait.

— Je vais rester ici.

— Tu dois partir, mon amour. Je te le demande. J'ai besoin d'être seul, j'ai besoin de me recueillir, j'ai besoin… je ne sais pas, j'ai besoin de consacrer mes derniers instants à moi-même. Tu comprends ça ? La mort ne se partage pas, c'est le retour au néant d'où nous venons. Je dois franchir ce pas tout seul et ce sera plus facile si je sais que tu ne m'entends pas. Je t'en prie, mon amour. Laisse-moi avec moi-même.

Les pleurs de Maria Flor étaient devenus convulsifs.

— Je ne peux pas… je ne peux pas raccrocher. Je ne peux pas. Oh, mon Dieu, pourquoi nous fais-tu endurer ça ?

Tomás passa à l'anglais.

— Billy, vous êtes là ?

La voix du responsable de la NASA résonna dans les écouteurs.

— Je suis là.

— Je vous en prie, coupez immédiatement la liaison avec le Portugal. Est-ce possible ?

— Juste un moment.

L'astronaute revint à sa langue maternelle.
— Adieu, Florzinha.
— Tomás !
— Adieu.
— Tom…
La ligne avait été coupée.

CVIII

Quatre minutes.

Tomás était totalement assailli par l'angoisse. Son rythme cardiaque s'était accéléré, et il transpirait tellement que des centaines de bulles de sueur emplissaient son scaphandre. Il sentait que ses jambes étaient tremblantes, faibles et flageolantes. Sa respiration était devenue haletante, ce qui accélérait la consommation d'oxygène et remplissait de bruits sa combinaison spatiale. Tout son corps tremblait de façon incontrôlable. La perspective de mourir asphyxié dans quelques minutes le terrifiait.

— Billy ?

— Je suis là, Tom.

— Je veux que vous coupiez la communication et que vous ne la rebranchiez pas, d'accord ?

— Excusez-moi ?

— Je ne veux pas que l'on m'entende mourir. Coupez la communication, s'il vous plaît.

— Maintenant ?

Tourmenté, le Portugais regarda l'ordinateur de son scaphandre.

Trois minutes.

— Attendez ! dit-il. Avant, pouvez-vous mettre de la musique sur mes écouteurs. – Il considéra l'idée qu'il venait d'avoir. – Oui, j'aimerais que vous me passiez de la musique.

— Que voulez-vous entendre ?

— Je ne sais pas. – Il réfléchit. – Eh bien, Strauss, par exemple.

— Comme dans le film de Stanley Kubrick ?

— Oui, *Le Beau Danube bleu*, comme dans *2001, l'Odyssée de l'espace*. – Il hésita. – En fait, non. Mettez-moi plutôt U2.

— U2 ?

— Oui, U2.

— Quelle chanson ?

— Peu importe. Mettez-moi U2 et coupez la communication, s'il vous plaît.

Il entendit le directeur de mission qui interrogeait le personnel de la NASA qui l'entourait au Centre spatial Johnson.

— Est-ce que quelqu'un a de la musique de U2 ? – On entendit une voix dans le fond. – Vous en avez, Bob ? Excellent. Rick, branchez l'iPod de Bob sur le système de communication. – Une autre voix se fit entendre. – Oui, maintenant, *goddammit* !

Le compteur indiquait deux minutes.

— Tom, vous êtes là ?

— Oui, je suis là.

— La musique arrive.

— Super.

— Ça commence avec *Beautiful day*. Ça va ?

Tomás contempla le paysage extraordinaire autour de lui ; la Terre brillait, le cosmos resplendissait. Il allait mourir un jour magnifique.

— Oui.

— Et ensuite, vous voulez vraiment que je coupe les communications ?

— Oui, et ne les rebranchez plus.

— Vous êtes sûr ? Écoutez, nous pouvons rester ici avec vous. Ce serait un honneur.

— Bon sang, coupez les communications !

Le temps était sur le point de s'épuiser. Il ne restait que quelque quatre-vingt-dix secondes. Billy s'éclaircit la voix.

— Euh... écoutez Tom. Alors... peut-être que nous ferions mieux de vous dire au revoir maintenant.

— Je le pense aussi.

— Ce fut un immense plaisir de travailler avec vous, Tom. Vous avez accompli un travail extraordinaire. Absolument génial. Vous et... et tous les autres. Vous nous avez tous sauvés. Nous ne vous oublierons jamais, Tom. Jamais. Vous le savez, n'est-ce pas ?

— Je le sais, Billy.

— Que Dieu vous bénisse, Tom.

— Adieu, Billy.

Une minute.

Ses écouteurs demeurèrent silencieux quelques instants.

Soudain, couvrant le son du ventilateur intérieur du scaphandre et sa propre respiration haletante, Tomás entendit la mélodie familière en crescendo des instruments du groupe irlandais. Le moment venu, la voix caractéristique de Bono emplit, vibrante, puissante et mélodieuse, le Snoopy Cap.

The heart is a bloom
Shoots up through the stony ground
There's no room
No space to rent in this town
You're out of luck

Oui, c'est pas de chance.

Il était perdu dans l'espace, attendant la mort en écoutant U2, entre le bleu vif de la Terre et l'océan infini de poussière d'étoiles multicolores qui emplissait le noir incroyablement profond du cosmos, comme si toute l'éternité l'enveloppait.

And the reason that you had to care
The traffic is stuck
And you're not moving anywhere

You thought you'd found a friend
To take you out of this place
Always
Someone you could lend a hand
In return for grace
Always

D'un moment à l'autre, l'air à l'intérieur du scaphandre allait commencer à se raréfier. Il regarda l'écran et constata qu'il indiquait zéro pour cent d'oxygène.

Il n'y avait plus d'air.

It's a beautiful day
Sky falls, you feel like
It's a beautiful day

Tomás commença à haleter, comme si ses poumons luttaient pour arracher les dernières molécules d'oxygène qui restaient dans le scaphandre, mais dans quelques secondes il n'y en aurait plus. L'astronaute essayait d'inspirer mais il n'y avait rien à inspirer. Il sentit des étourdissements, ses yeux s'embuaient, sa poitrine le brûlait. Des lumières venues d'il ne savait où apparurent, il sentait qu'il éclatait, qu'il éclatait, qu'il éclatait. Il lutta, lutta et lutta encore, comme si chaque seconde conquise était une victoire, comme si le seul but de son existence était de retarder l'inévitable. Avec les derniers râles, il n'entendait même plus la musique, ne voyait plus rien, et était encore plus incapable de penser à quoi que ce fût, hormis à inspirer, respirer, aider ses poumons exsangues.

De l'air.
De l'air, de l'air, de l'air.

You're on the road
But you've got no destination
You're in the mud

Tomás s'éteignit.

Épilogue

Les divers écrans de télévision qui remplissaient le bureau du directeur de mission de la NASA diffusaient un flash spécial indiquant que l'agence spatiale américaine avait rendue publique une demi-heure plus tôt l'information de la mort du dernier astronaute de la navette spatiale. Les visages des six équipiers d'*Atlantis* étaient constamment affichés, avec des détails sur la façon dont le vaisseau spatial contaminé était sorti au dernier moment des couches supérieures de l'atmosphère, avait été détourné de la Terre et lancé vers les profondeurs de l'espace.

Personne n'avait parlé du rôle des missiles. Cette partie de l'information était confidentielle et la NASA ne l'avait pas divulguée. La version officielle était que les astronautes avaient réussi à prendre le contrôle de l'engin spatial au dernier moment. Certaines chaînes répétaient les images ad nauseam, d'autres diffusaient en direct du Centre spatial Johnson ou en duplex de Cap Kennedy, d'autres encore avaient des commentateurs en studio qui analysaient les événements.

Assis sur sa chaise, derrière son bureau et la porte du bureau fermée, Billy Gibbons ferma les yeux. Il n'avait pas dormi depuis quarante-huit heures, et quand tout fut fini, il accusa le coup. Il était épuisé, mais il doutait qu'il parviendrait à fermer l'œil. Sa tête bouillonnait et ça ne faisait que commencer. Bientôt viendraient les funérailles, même sans les corps, puis les enquêtes. L'enquête de la NASA, l'enquête du Congrès, celle de l'ONU… ce serait un enfer. Sa tête tomberait, tout comme celle de nombreux responsables de la NASA et de l'ESA. Oui, ce qui allait suivre ne serait pas facile.

Après avoir informé la Maison-Blanche de la mort du dernier astronaute d'*Atlantis* et donné des instructions au service de presse de la NASA et de l'ESA sur la façon de gérer les médias, Billy s'était enfermé tout seul. Il ne savait pas quoi ressentir. La mission avait été un énorme succès et en même temps un échec retentissant. La planète avait eu une immense frayeur et elle s'en était sortie indemne, mais tous les membres d'équipage d'*Atlantis* étaient morts.

Tous.

C'était une tragédie.

Une tragédie qui était un moindre mal, certes, mais c'était une tragédie. Et il avait perdu six amis.

Quelqu'un frappa à la porte.

— Entrez.

La porte s'ouvrit et un homme mince aux cheveux gris et au visage anguleux et sec, entra dans le bureau.

— Professeur Gibbons, nous devons parler.

En voyant le directeur de la CIA, Billy se leva d'un bond de son fauteuil.

— Monsieur le directeur Paley ! s'exclama-t-il en tendant la main pour le saluer. Quelle… quelle surprise !

Robert A. Paley ne lui serra pas la main. Au lieu de cela, et comme s'il était dans son propre bureau, il s'assit sur une chaise et invita son hôte à en faire autant.

— Je suis ici pour m'occuper de ce merdier que la NASA et tous les clowns qui pompeusement s'autoproclament scientifiques ont créé, grommela-t-il. – Il secoua la tête, les yeux pleins de mépris. – Mon Dieu, je n'ai jamais vu un tel merdier dans toute ma chienne de vie !

L'attitude agressive du visiteur intimida Billy.

— Je ne vais pas nier que cette mission a mal tourné…

— Mal ? interrogea le directeur de la CIA, indigné par le choix du terme. Mal ? C'est un putain de désastre, oui ! Une catastrophe comme on n'en a jamais vu. À côté de ça, la chute de la météorite qui a causé l'extinction des dinosaures, il y a soixante-cinq millions d'années, n'était qu'une paisible promenade dans Central Park !

— Ce n'est pas du tout ça, argumenta le responsable de la NASA, en élevant la voix. Il est vrai que la vie sur Terre l'a échappé belle, il est vrai que six astronautes sont morts, mais… *goddammit* ! le pire a été évité. *Némésis* a été neutralisée et rejetée dans l'espace profond. Et la science a avancé. Nous savons aujourd'hui qu'il existe une vie extra-terrestre intelligente. Nous avons compris que la vie et l'intelligence sont des impératifs cosmiques. Qui existent en abondance partout. Autrement dit, l'univers est conçu pour générer la vie et l'intelligence. Nous comprenons surtout que notre existence correspond à un dessein fondamental. Avoir appris tout cela n'est pas rien. La mission *Phanès* a été, malgré tous les problèmes et la mort tragique des six membres d'équipage d'*Atlantis*, un succès scientifique. N'oubliez jamais ça, directeur Paley. Ne l'oubliez jamais.

Croisant les bras tel un professeur devant un mauvais élève, Robert A. Paley demeura quelques instants silencieux, dévisageant son interlocuteur comme s'il trouvait que la réponse était erronée et qu'il se demandait si Billy croyait vraiment en ce qu'il avait dit.

— Je vous dis que la mission *Phanès* a été une putain de catastrophe, marmonna-t-il entre ses dents. Je n'ai que faire des impératifs cosmiques ni de ces conneries pseudo-scientifiques et philosophiques qui vous excitent tellement. Ça a été une catastrophe. Point final.

— Vous n'accordez aucune valeur au fait que l'on ait réalisé que l'univers est conçu pour générer de la vie intelligente ? Vous ne pensez pas que la découverte que le cosmos a été créé avec une intention est d'une importance transcendante ?

— Vous voulez parler de Dieu ?

— Par exemple.

— Je n'ai pas besoin que des scientifiques stupides viennent me dire qu'en fin de compte, l'univers répond à un dessein et que notre existence a un sens. J'entends ça tous les dimanches dans l'église de Saint-Barthélemy, à deux rues de chez moi à Bethesda ! Pour le savoir, il suffit de lire la Bible, professeur ! Pas besoin d'aller dans l'espace !

Billy se cala dans son fauteuil. Visiblement, le directeur de la CIA était un homme qui avait la foi. Ce n'était jamais facile pour des hommes de science de discuter avec des personnes pratiquantes ; elles vivaient dans des mondes différents et avaient des conceptions différentes des choses. Il valait mieux éviter un débat.

— Je vois.

Robert Paley secoua la tête.

— Vous ne voyez rien du tout, grogna-t-il. Vous autres, les gens de la NASA, vous vous prenez pour de grands hommes et de grandes femmes de science, vous pensez tout savoir sur tout, mais en fin de compte, vous ne voyez pas plus loin que le bout de votre nez. Vous faites de la science une religion, c'est ça qui vous aveugle.

Le ton critique du directeur de la CIA commençait à irriter le responsable de la NASA.

— C'est pour me dire ça que vous êtes venu de Langley ? demanda Billy. Il aurait mieux valu téléphoner. Ou envoyer un e-mail.

Se penchant en avant, Robert A. Paley fixa ses yeux pénétrants dans ceux de son interlocuteur.

— Je suis venu pour avoir votre avis sur la meilleure façon de nettoyer le merdier que vous avez créé.

— Le merdier est propre, directeur Paley, répondit Billy. Le danger est passé.

— Que vous dites.

— *Némésis* a été lancée dans l'espace profond, directeur Paley. Elle ne nous menace plus. Quel est votre problème ?

Le directeur de la CIA demeura un moment silencieux, plus pour ménager son effet dramatique que parce qu'il n'avait rien à dire. Enfin, il posa une question d'une voix basse et menaçante.

— D'où venait *Némésis* ?

— Vous le savez très bien. Nous l'avons recueillie sur *Phanès*.

— Je ne vous ai pas demandé, professeur Gibbons, où se trouvait *Némésis*, répliqua Paley, toujours dans un murmure tendu. Je vous ai demandé d'où elle venait. Quelle est son origine ?

Billy se gratta la nuque, ne sachant pas où son visiteur voulait en venir.

— Eh bien, nous pensons qu'elle venait de la constellation du Sagittaire.

— Pourquoi le pensez-vous ?

— Parce que *Phanès* venait de la direction du Sagittaire et qu'elle émettait sur la fréquence de 1,42 GHz, la fréquence du *waterhole* qui avait déjà été captée en 1977 avec le signe « *Wow!* » dont l'origine était justement la constellation du Sagittaire. Nous sommes convaincus que la civilisation qui a envoyé le signal « *Wow!* » est la même que celle qui a placé *Némésis* sur *Phanès* et l'a lancée dans notre direction. Nous pensons que cette civilisation a décelé de l'eau et du carbone dans l'analyse spectrographique qu'elle a réalisée à distance de la lumière reflétée par l'atmosphère de la Terre et, en ayant conclu que notre planète pouvait abriter une vie intelligente, a envoyé *Némésis* dans notre direction. Si *Phanès* était interceptée, ce soupçon serait confirmé et ainsi, une fois recueillie, *Némésis* deviendrait un cheval de Troie. Elle contaminerait la biosphère terrestre et coloniserait la planète. Je pense que c'était leur plan.

— Pourquoi le feraient-ils ?

— En raison d'un principe biologique élémentaire appelé principe d'exclusion compétitive, répondit le scientifique. Quand deux espèces occupent la même niche écologique, c'est-à-dire quand elles sont en concurrence pour les mêmes ressources, elles ne peuvent pas coexister. L'espèce la mieux adaptée à la niche conduira sa rivale à l'extinction. Dans le fond, c'est ce dont il s'agissait. *Némésis* est un système réplicatif postbiologique intelligent, à la recherche d'efficacité et qui veut se reproduire et éliminer la concurrence. La vie terrestre étant en compétition pour les mêmes ressources, elle devait donc être éteinte. Cette extinction se produirait selon un processus de transformation des molécules de carbone associées à l'eau en molécules de silicium.

— Vous êtes en train de me dire que la menace extra-terrestre était due à un principe biologique bien connu des scientifiques ?

— Oui.

Le visage du directeur de la CIA devint rouge comme une pivoine.

— Mais alors, pourquoi diable ne l'avez-vous pas prévu ? s'écria-t-il en hurlant de rage. Pourquoi diable ne nous avez-vous pas avertis et, au lieu de cela, nous avez-vous encouragés à amener, ici, un cheval de Troie ?

Le hurlement effraya Billy qui frissonna.

— Je… eh bien, je crois que l'excitation nous a un peu aveuglés.

— Un peu ?

Le responsable de la NASA baissa la tête, comme un coupable sur le banc des accusés.

— Vous avez raison, nous aurions dû prévoir ce qui s'est passé, reconnu-t-il. Les biologistes connaissaient suffisamment le principe de l'exclusion compétitive pour ne pas l'ignorer. Le problème, c'est que nous avons pensé que l'espèce que *Phanès* nous apportait était si avancée qu'elle aurait déjà dépassé cette étape. Nous avons cru que les extra-terrestres seraient motivés par la curiosité scientifique, tout comme nous, mais notre mode de pensée s'est révélé anthropocentrique. Le fait que nous pensions d'une certaine manière ne veut pas dire que toute forme de vie intelligente pense de la même manière. En fait, nous le savions déjà, mais avec l'enthousiasme de la découverte nous avons choisi de l'ignorer. Ce fut une grosse erreur.

— Et ce ne fut pas la seule.

Sentant que son visiteur voulait en arriver quelque part, Billy leva les yeux vers lui, intrigué.

— Que voulez-vous dire ?

— Quelle était la constellation d'où venaient le signal « *Wow!* » et *Némésis* ?

— Celle du Sagittaire, je vous l'ai déjà dit.

— Est-ce qu'ils venaient d'une étoile en particulier de cette constellation ?

— Nous pensons que la source du signal « *Wow!* » est une planète qui est en orbite autour de l'étoile Tau Sagittarii, déclara l'homme de la NASA.

— N'avez-vous jamais pris la peine d'étudier cette étoile ?

— Bien sûr. Il s'agit d'une étoile géante de classe spectrale K1, ce qui en fait l'une des plus brillantes de la constellation, bien qu'elle soit à cent vingt-deux années-lumière de la Terre.

— Quand vous dites que c'est une étoile géante, ça veut dire que sa masse est beaucoup plus importante que celle du soleil ?

— Curieusement, non. Tau Sagittarii est une étoile aussi massive que le Soleil, mais plus froide et beaucoup plus grande. C'est une géante rouge. Cela signifie que c'est une étoile comme le Soleil, mais plus vieille. Elle a eu la taille du Soleil, mais elle a épuisé tout son hydrogène et a commencé à fusionner l'hélium, ce qui l'a conduite à se développer énormément. Dans le fond, c'est ce qui arrivera au Soleil dans quelques milliards d'années. Le Soleil va également épuiser tout son hydrogène et grossir brutalement, pour devenir une géante rouge qui avalera la Terre.

— Diriez-vous qu'un monde habité autour de Tau Sagittarii serait condamné ?

— Certainement.

— S'il s'agit d'une civilisation, que serait-il logique qu'elle fasse ?

Billy grimaça.

— Je sais, je sais, admit-il. Les habitants de Tau Sagittarii, en étant probablement déjà au stade de la vie postbiologique, savent que leur étoile est condamnée et cherchent de nouveaux mondes à habiter. Nous aurions dû comprendre cela.

Le directeur de la CIA mit la main dans la poche intérieure de son veston et en retira une photographie. Il la regarda, comme s'il en scrutait le contenu, avant de la présenter à son hôte. On y voyait une antenne géante au milieu d'une forêt tropicale dense.

— Savez-vous ce que c'est ?

— C'est l'observatoire d'Arecibo à Porto Rico, déclara Billy, reconnaissant la photo. Pourquoi me le demandez-vous ?

— En 2012, exactement trente-cinq ans après la réception du signal « *Wow!* », l'observatoire d'Arecibo a envoyé dans l'espace une série de messages numériques préparés par la chaîne National Geographic. Les messages commençaient par des séquences répétées pour faire clairement comprendre qu'il s'agissait d'une émission intentionnelle. Comprenez-vous ce que cela signifie ?

Le fonctionnaire de la NASA ouvrit la bouche, horrifié. Les conséquences de ce qu'il venait d'entendre l'estomaquèrent. Encore sous le choc, il prit son visage entre ses mains, comme s'il voulait le cacher.

— *Fuck !* J'avais oublié ça !

Robert A. Paley s'enflamma de nouveau.

— Mais où diable aviez-vous la tête pour envoyer de tels signaux vers des endroits où il y a probablement des civilisations extra-terrestres plus avancées que la nôtre, qui vivent à proximité d'étoiles qui sont en train de mourir ? Vous aviez perdu la tête ? Qui vous a autorisés, vous des scientifiques prétendument hyper intelligents, à faire de telles conneries ? Qu'est-ce qui vous donne le droit de nous mettre tous en danger ?

Billy gardait son visage couvert par ses mains.

— *Fuck ! Fuck ! Fuck !*

— Savez-vous ce que cela signifie ? hurla le directeur de la CIA en agitant la photo en l'air. Ça signifie que dans cent vingt ans, les types sur Tau Sagittarii auront la confirmation qu'il existe une vie intelligente sur Terre ! Et lorsqu'ils s'en rendront compte, ce n'est pas une météorite avec un petit artéfact hostile émettant des chiffres à la con. Non ! C'est toute une putain de flotte qu'ils vont nous envoyer ! On va se retrouver avec un million de *Némésis* au-dessus de nous ! Et qu'est-ce qu'on fera quand ça arrivera ? Vous pouvez me le dire ? Qu'est-ce qu'on fera, hein ?

Le chef de l'Agence spatiale américaine était désorienté. Il venait de prendre conscience de l'ampleur du problème. Mais comme l'homme de la NASA qu'il n'avait jamais cessé d'être, et riche de toute l'expérience accumulée, il savait que même dans les circonstances les plus désespérées, il était fondamental de garder la tête froide. La panique était mauvaise conseillère, et y céder ne pouvait conduire qu'à la catastrophe.

Il leva la main pour freiner la furie de son visiteur.

— Calmez-vous, directeur Paley. La transmission faite en 2012 par Arecibo a été une énorme absurdité, sans aucun doute. Elle nous a tous mis en danger, même si c'était avec les meilleures intentions du monde. Mais réfléchissons calmement. Compte tenu de la distance qui sépare la Terre de Tau Sagittarii, le message d'Arecibo n'y parviendra que d'ici un siècle. Si la civilisation qui nous a envoyé *Némésis* expédie immédiatement une flotte contre nous, ce voyage prendra nécessairement beaucoup de temps. Un autre siècle s'ils sont capables de voyager à la vitesse de la lumière, ce dont je doute, ou des milliers d'années s'ils voyagent un peu plus lentement, comme c'est probable. Cela signifie que nous avons le temps de nous préparer.

— Mais ils viendront !

— Peut-être bien, mais nous avons le temps. Ils n'arriveront probablement que d'ici plusieurs milliers d'années. L'humanité sera alors très différente de ce qu'elle est aujourd'hui. Voyez comment était le monde il y a une centaine d'années et comment il est aujourd'hui. Si en moins d'un siècle les choses ont tellement changé, et si le changement s'accélère de façon exponentielle, les transformations auront été très profondes dans mille, deux mille ou cinq mille ans. Quand la flotte de Tau Sagittarii arrivera, à supposer qu'elle arrive, l'humanité sera très différente. Nous avons l'avantage de savoir qu'ils viendront et nous avons le temps de nous préparer.

— Ouais, mais quand ils…

Le téléphone qui était sur le bureau sonna, interrompant la conversation. Billy s'excusa et prit l'appel.

— Allô ? C'est vous Nancy ? Je ne veux pas être interrompu. Je suis avec le… – Il fit une pause. – Qui ? – Nouvelle pause. – Un… un moment.

Il posa la main sur le combiné du téléphone et regarda son visiteur.

— Ne me dites pas que c'est pour moi, s'étonna Robert A. Paley. Parce que, si c'est…

— C'est un appel de Moscou, précisa Billy. Le directeur de Roscosmos veut me parler.

— Vous me demandez de sortir ?

— Non, je vais le mettre sur haut-parleur. Avec ces types, il vaut toujours mieux parler en présence de témoins. – Il revint au téléphone. – Nancy, passez-moi l'appel.

Puis il passa sur haut-parleurs.

— Billy ?

La personne au bout du fil avait un fort accent russe et son identité était indubitable ; il s'agissait d'Alexander Popov, le plus haut responsable de l'Agence spatiale russe.

— Bonjour, Sacha. Je suis en compagnie de Robert A. Paley, le directeur de la CIA. Y voyez-vous un inconvénient ?

— Pas du tout, répondit aussitôt le directeur de Roscosmos. En fait, c'est très bien qu'il entende notre conversation. Ça m'épargnera du travail.

— Très bien. Je suppose que vous m'appelez pour me dire que vous nous aviez avertis du danger que représentait *Phanès*, que nous aurions dû vous écouter, et tutti quanti…

— Oh, Billy ! Vous me connaissez bien mal. Je ne vous reprocherai jamais une telle chose… même s'il est vrai que nous vous avions maintes fois mis en garde quant au danger qu'il y avait à se comporter en bons Samaritains avec une civilisation extra-terrestre. Vous vous êtes moqués de nous, vous nous avez traités de paranoïaques. Pire, vous avez envisagé de nous attaquer. Si nos agents ne nous avaient pas alertés sur la présence de vos F-35 dans la Baltique, vous les auriez lancés contre nous et bombardé notre *Soyouz* au cosmodrome de Plessetsk.

— Vous avez raison, Sacha, reconnut Billy. Toutes mes excuses. Vous aviez raison et nous avions tort. Nous aurions dû écouter vos objections. Ce fut une grave erreur de notre part. Je vous présente nos excuses.

— Vous savez qu'il s'en est fallu de peu que le *Soyouz* ne lance ses missiles contre *Atlantis* lorsque l'entité extra-terrestre a pris le contrôle de votre vaisseau ?

— Je l'ignorais.

— Le colonel Glebov, qui commande le *Soyouz*, avait le doigt sur la gâchette, prêt à tirer les missiles, quand nous l'avons arrêté. Nous écoutions les conversations entre vous et vos astronautes et nous avons réalisé que si nous détruisions la navette spatiale, les débris contaminés se propageraient dans l'atmosphère et détruiraient la vie sur Terre.

— Heureusement, vous n'avez pas tiré.

— Le *Soyouz* était à proximité et nos cosmonautes ont assisté à tout. L'interception de *Phanès* et ce qui a suivi. Ils n'ont perdu le contact avec *Atlantis* que lorsque vos astronautes ont tiré les missiles et envoyé la navette spatiale dans l'espace profond.

— Vos cosmonautes ont assisté à ça ?

— Et ils l'ont filmé.

— Ah.

— Ce qui m'amène à vous poser une question, s'empressa d'ajouter Popov sur un ton sibyllin. Pourquoi l'*Atlantis* était-elle équipée de missiles ?

— Eh bien… euh… c'était…, bredouilla le responsable de la NASA. Enfin, c'était une mesure de sécurité pour… pour nous défendre contre *Phanès* en cas de besoin.

— Je vois.

Le ton d'Alexander Popov laissait clairement entendre qu'il n'avait pas avalé son mensonge, et qu'il savait pertinemment pourquoi la navette spatiale transportait des missiles.

— Heu, Sacha, c'est pour me demander ça que vous m'avez appelé ?

— Non, non. Ce n'est pas juste pour ça. Je voulais vous présenter nos condoléances pour la mort des astronautes. Nos cosmonautes ont tout vu et disent qu'ils se sont comportés en véritables héros.

— Merci.

— Je voulais aussi vous dire que nous en avons récupéré un.

— Excusez-moi ?

— *Soyouz* a perdu le contact avec *Atlantis* après que les missiles eurent été tirés. Mais nos cosmonautes sont restés en alerte et, après un certain temps, ils sont tombés sur un scaphandre à la dérive dans l'espace. Ils l'ont recueilli et il se trouve actuellement à bord du *Soyouz*. Il va atterrir au Kazakhstan dans quelques heures.

— C'est le corps de qui ?

— Du Portugais.

— Tomás Noronha ?

— Celui-là même.

Billy échangea un regard avec le directeur de la CIA.

— Eh bien, nous aurons au moins un corps pour les funérailles.

— Ah, oui. Les funérailles. Mince ! Ça va être triste, hein ?

— Très, déclara l'homme de la NASA. Comment ont-ils trouvé le corps ?

— Il était à la dérive dans l'espace. *Soyouz* s'est approché et l'a recueilli. Quand ils lui ont ôté son casque, ses signes vitaux étaient négatifs. Ils lui ont fait un massage cardiaque et du bouche-à-bouche. – Il étouffa un éclat de rire. – Il a d'ailleurs dit que ce qui l'a sauvé c'est que le bouche-à-bouche ait été fait par le lieutenant Irina Andronikova, connue ici à Roscosmos comme l'Amazone des steppes.

— Qui a dit ça ?

— Lui.

— Lui qui ?

— Le Portugais.

L'esprit embrouillé, Billy secoua la tête ; il était très fatigué et avait du mal à suivre.

— Je suis désolé, je ne comprends pas. Le cadavre était content parce que le bouche-à-bouche a été pratiqué par votre cosmonaute ?!!

— Oui.

— Le cadavre ??!

— Quel cadavre ?

Le dialogue était devenu surréaliste.

— C'est vous qui m'avez dit qu'ils avaient recueilli le corps du Portugais, Sacha ! s'énerva Billy. Je suppose donc que nous parlons du corps de Tomás Noronha. Ils ont bien recueilli son corps, n'est-ce pas ? Ou ai-je mal entendu ?

— Oui, nous avons recueilli son corps, confirma le directeur de Roscosmos. Mais ce n'est pas un cadavre. Qui a parlé de cadavre ? Je pensais que vous aviez compris.

— Ce n'est pas un cadavre ?

— Il est vivant, William.

— Quoi ?

Le responsable de la NASA crut qu'il avait mal entendu. Alexander Popov dut tout lui expliquer à nouveau pour qu'il puisse assimiler l'information.

— Votre Tomás Noronha est vivant.

NOTE FINALE

La vie.

Quel plus grand mystère peut renfermer l'univers ? Plusieurs grandes énigmes entourent la condition humaine. La question de Dieu, bien sûr. Que se passe-t-il après la mort ? L'univers est-il un hasard, un accident ? La mort est-elle la fin ? Pourquoi vivons-nous ? Quel est le sens de l'existence ? Ceux qui connaissent mon œuvre savent que, dans une large mesure, elle aborde ces questions, soit indirectement, soit directement, comme dans ce roman.

La vie, Dieu, la mort. Ces thèmes sont en apparence distincts, mais ils renvoient en fait à une question unique ; ce ne sont que des chemins différents pour arriver au même point central. Tout cela n'est-il qu'une coïncidence ou le résultat d'un dessein ? Se peut-il que l'univers et la vie ne soient dus qu'au hasard ? Serait-il possible qu'ils ne le soient pas ? Le cosmos a-t-il un but ?

Le mystère de la vie est un aspect essentiel de la perplexité de l'homme face à l'existence. Pour le démêler, les êtres humains doivent mieux comprendre leur véritable place dans la grande architecture de l'univers. Est-elle centrale, comme l'affirme Ptolémée ? Ou insignifiante, comme le laisse entendre implicitement Copernic ? L'une des solutions à cette grande énigme passe par la découverte de la vie en dehors de notre planète. Sommes-nous seuls et la vie est-elle un accident ? Ou encore, la biosphère de la Terre n'est-elle qu'un exemple parmi beaucoup d'autres, et la vie un élément indispensable de l'univers, voire sa raison d'être ?

De plus en plus de scientifiques pensent que *Viking I* et *Viking II*, les sondes américaines qui ont atterri sur Mars en 1976 et effectué une série d'analyses du sol martien aux résultats déconcertants, ont effectivement trouvé de la vie extra-terrestre. L'une des expériences conçues par Gilbert Levin a permis de détecter des processus de métabolisation caractéristiques de la vie à des niveaux similaires à ceux des régions les plus arides de la Terre. « Les résultats actifs ont été extrêmement positifs », insiste Levin aujourd'hui encore. Le responsable de l'une des autres expériences réalisées par les sondes *Viking*, Norman Horowitz, a reconnu que « si ces résultats avaient été obtenus en laboratoire, on aurait conclu qu'un signal positif, faible certes, mais positif, avait été enregistré. »

Ces résultats positifs ont été ignorés par la NASA en raison du bilan négatif d'une autre expérience de *Viking*, réalisée avec un spectromètre, qui n'a pas détecté de composés organiques dans le sol martien, ce qui est surprenant puisque de tels composés ont même été trouvés sur la Lune, pourtant stérile. Nous savons aujourd'hui que cette expérience a été mal conduite ; en effet, le spectromètre utilisé s'est révélé incapable de détecter des composés organiques dans une région de l'Antarctique où de tels composés ont été trouvés grâce à d'autres instruments. Gilbert Levin a toujours soutenu que son expérience avait permis de découvrir la vie sur Mars et de plus en plus de scientifiques lui donnent raison.

Après les expériences des sondes *Viking*, on a également découvert des globules de carbonate et de la matière organique complexe dans plusieurs météorites martiennes, notamment *ALH 84001*, *Nakhla*, *Lafayette* et *Shergotty*, qui indiquent la présence de processus biologiques sur Mars. Une équipe du Caltech (le California Institute of Technology) a conclu que la composition et la forme des cristaux de magnétite trouvés dans les globules de carbonate d'*ALH 84001* ne permettaient pas de les distinguer de certaines bactéries existant sur Terre. Dans les météorites martiennes *Nakhla* et *Lafayette*, on a détecté des structures exactement identiques à celles produites par du matériau biologique sur les roches de basalte terrestre. Un groupe de chercheurs norvégiens a également identifié des altérations chimiques dans le carbone de la météorite *Nakhla*, qui suggèrent des processus biologiques. La matière organique de cette météorite était riche, non seulement en carbone mais aussi en azote, un autre élément essentiel à la vie. « Si ces pierres, *ALH 84001*, *Nakhla* et *Shergotty*, étaient d'origine terrestre, leurs structures et leurs matériaux seraient acceptés sans la moindre hésitation comme des preuves de vie », ont noté l'astrobiologiste Dirk Schulze-Makuch et l'écrivain scientifique David Darling. En outre, on a également détecté sur la planète rouge des émissions saisonnières de méthane, une biosignature classique, ainsi que des signes de présence d'eau liquide.

De même, quelques météorites d'origine non martienne présentent des indices troublants. La plus célèbre est celle qui, en 1969, s'est écrasée à Murchison, en Australie, et qui a été recueillie quelques heures plus tard, ce qui l'a largement protégée de la contamination terrestre. Sur la météorite de Murchison on a trouvé de grandes quantités de carbone organique, y compris la moitié des vingt acides aminés essentiels à la vie sur Terre. Des restes d'organismes similaires à ceux qui existent dans l'Antarctique et l'Arctique ont également été détectés, ce qui a amené l'astrobiologiste en chef du Centre de vol spatial Marshall de la NASA, Richard Hoover, à se demander comment de tels microfossiles étaient apparus dans une météorite tombée en Australie, dont le climat est chaud. Le plus important est que les restes identifiés sur la pierre de Murchison ne contenaient pas d'azote. Il se trouve que l'azote, un élément essentiel à la vie, met des centaines de milliers d'années à disparaître, et que la découverte de microfossiles sans azote suggère qu'il s'agit de restes très anciens. Comme, avant 1969, cette météorite était dans l'espace, on peut conclure à l'origine extra-terrestre de ces restes d'organismes.

Tout cela demeure controversé au sein de la communauté scientifique, mais on peut légitimement supposer que le fameux dilemme du grand biologiste français Jacques Monod, à savoir que la vie est soit un hasard soit une nécessité, peut être résolu. C'est une nécessité, un impératif cosmique. Autrement dit, l'univers a été conçu pour générer la vie. Lorsque certaines conditions sont réunies, les lois de la nature impliquent que certains processus chimiques, ceux de la chimie réplicative, se produisent spontanément et ont toutes les chances de générer plus tard des organismes dotés d'un métabolisme et de la capacité de se reproduire et d'avoir des comportements téléonomiques. En somme, la vie.

La question à présent n'est pas tant de déterminer si la vie est ou non un phénomène courant dans l'univers, mais si la vie complexe, et surtout la vie intelligente et consciente, l'est aussi. Nous serions tentés de croire que oui, mais cette conviction se heurte en permanence au paradoxe de Fermi, c'est-à-dire au fait que l'univers existe depuis environ quatorze milliards d'années, et qu'il a donc eu largement le temps de produire des civilisations capables de coloniser des galaxies entières, mais que personne n'a encore jamais vu le moindre extra-terrestre.

Si l'on écarte les soucoupes volantes et les fantaisies de ce genre, sur quoi peut-on vraiment s'appuyer pour démontrer qu'il existe une vie complexe intelligente ? La réponse est simple : sur plus de deux cents signaux pulsés en provenance d'étoiles captés par le Sloan Digital Sky Survey qui, selon une étude de l'université Laval au Canada, ne sont manifestement pas le produit de l'action humaine, ni ne semblent avoir une origine naturelle ou être dus à l'interférence des instruments. « Les signaux détectés ont exactement le format d'un signal d'une intelligence extra-terrestre prévu dans une publication antérieure », ont conclu les auteurs de l'étude, E. F. Borra et E. Trottier, en soulignant que « le fait qu'ils n'aient été rencontrés que dans une très petite fraction d'étoiles, d'une étroite amplitude spectrale proche du type spectral du Soleil, tend également à confirmer l'hypothèse de l'intelligence extra-terrestre. »

Le plus connu de ces signaux est le signal « *Wow!* » capté en 1977 par le radiotélescope *Big Ear*, dans l'Ohio, dans la bande de 1,42 GHz, fréquence célèbre chez les astronomes car elle est liée à l'hydrogène et à l'eau, comme cela est expliqué dans ce roman. Jerry Ehman, l'astronome qui, à l'époque, était chargé des enregistrements du radiotélescope, a envisagé plusieurs explications du phénomène, notamment une interférence technologique humaine, telle que radios, téléphones et satellites, ou bien des sources naturelles, qu'il a éliminées les unes après les autres jusqu'à ce qu'il arrive à la seule explication qu'il n'a pas pu écarter, à savoir que le signal « *Wow!* » avait été envoyé par une civilisation extra-terrestre située dans la constellation du Sagittaire, l'étoile Tau Sagittarii étant l'hypothèse la plus probable.

Une telle découverte nous amène à la question suivante : que faire face à une civilisation extra-terrestre ? Les extraordinaires possibilités scientifiques et philosophiques qu'ouvre cette hypothèse ne doivent cependant pas nous amener à sous-estimer les problèmes complexes que soulève un tel scénario. La vie est une relation dynamique entre processus coopératifs et compétitifs. La coopération est présente partout, mais bien souvent nous ne la remarquons même pas. Chacun d'entre nous se voit comme un être unique et individuel, mais en réalité nous sommes tous des écosystèmes. Nos corps sont faits de millions de cellules et de bactéries qui coopèrent les unes avec les autres, et nous sommes le produit de cette coopération. Nous pensons que nous sommes un alors que nous sommes multiples et que nous constituons un réseau complexe de coopération. C'est vrai tant sur le plan biologique que sur le plan social.

Mais la vie c'est aussi la compétition, comme l'a souligné Darwin en parlant de la « lutte pour l'existence », et là est le revers de la médaille. Selon le principe de l'exclusion concurrentielle, deux espèces en compétition pour les mêmes ressources ne pourront pas coexister bien longtemps. Tôt ou tard, l'une d'elles exterminera l'autre. Il faut donc en conclure que tout contact avec une civilisation extra-terrestre doit être fondé sur la prudence. La prudence pourra se révéler excessive, mais il vaut mieux regretter une prudence exagérée qu'une trop grande imprévoyance. La première erreur peut être corrigée plus ou moins facilement, mais la seconde pourrait se révéler fatale.

Pour ceux qui ont des réserves à cet égard, rappelons l'avertissement de Stephen Hawking : « Nous ne savons pas grand-chose des extra-terrestres, mais nous connaissons les humains », écrit le grand physicien. « Au regard de l'histoire, le contact entre les êtres humains et les organismes moins intelligents a été souvent désastreux pour ceux-ci, et les rencontres entre civilisations avancées et primitives se sont mal terminées pour ces dernières. Une civilisation qui reçoit l'un de nos messages peut avoir des milliards d'années d'avance sur nous. Dans ce cas, elle sera beaucoup plus puissante que la nôtre et pourra nous considérer de la même façon que nous considérons les bactéries, c'est-à-dire des choses sans valeur. »

Or, en 2012, à l'occasion du 35e anniversaire de la réception du signal « *Wow!* », l'observatoire d'Arecibo a émis vers l'espace un signal en guise de réponse. Ce n'était pas une bonne idée. Cette initiative a même violé des protocoles scientifiques qui prévoient qu'aucun signal ne peut être intentionnellement transmis vers le cosmos sans une discussion préalable associant les principales autorités de la planète. Il serait souhaitable de ne pas répéter cette erreur, bien que cet espoir soit probablement vain. En effet, l'épisode de 2012 n'a malheureusement pas été le seul. En 1978, Arecibo avait envoyé un message en direction de Messier 13, un amas globulaire de trois cent mille étoiles et, en 1999 et 2003, les Russes ont fait la même chose à destination de neuf étoiles proches de nous. Par ailleurs, en 2008, l'Agence spatiale ukrainienne a envoyé un signal vers l'espace, et la NASA a fait de même à destination de l'étoile polaire ; l'année suivante, le gouvernement australien et la NASA ont appuyé une initiative similaire. D'autres émissions de ce genre vont se produire, c'est inévitable.

Il n'en demeure pas moins, cependant, que la question de la vie extra-terrestre peut être la clé d'un problème fondamental, et c'est la question philosophique qui traverse ce roman. Nous avons vu que la vie est probablement un impératif cosmique, mais le doute persiste en ce qui concerne l'intelligence et la conscience. La vie intelligente et consciente est-elle un simple accident ou le résultat inévitable de l'évolution ? Diverses découvertes scientifiques relativement récentes montrent qu'étrangement, l'univers est programmé pour produire la vie, thème que j'ai étudié dans un roman antérieur, *La Formule de Dieu*, auquel je renvoie les lecteurs intéressés par la question. Par ailleurs, la physique quantique, créée par Planck, Einstein, Bohr, Schrödinger et tant d'autres, semble suggérer que, aussi incroyable que cela puisse paraître, l'univers n'a d'existence réelle que s'il y a conscience. L'univers crée la matière, qui crée la vie, qui crée la conscience, qui crée l'univers. Ce problème a été abordé en détail dans mon roman *La Clé de Salomon*, auquel je renvoie également les lecteurs.

Il restait à aborder le problème du point de vue de la biologie, raison pour laquelle j'ai écrit ce livre. *Signe de la vie* conclut une trilogie consacrée à l'approche scientifique de questions métaphysiques, à travers la fiction. La théorie néodarwinienne, dominante en biologie, est solidement basée sur l'idée que l'évolution est graduelle et résulte du hasard allié à la sélection naturelle. L'évolution est le produit d'un mécanisme aléatoire et opportuniste qui fonctionne en deux temps. « Dans un premier temps, un nombre considérable de variations génétiques est produit par mutation et recombinaison », explique le darwiniste Ernst Mayr, « tandis que, dans un second temps, la sélection, au sens strict, consiste en la survie et la reproduction de certains individus, ceux qui s'adaptent le mieux. »

Cette thèse est soutenue par la grande majorité des biologistes, qui ont fait la synthèse du darwinisme et des découvertes de la génétique et ainsi élaboré le néodarwinisme, dont les chefs de file sont des scientifiques de premier plan comme Richard Dawkins et Jacques Monod. « La sélection naturelle est l'horloger aveugle, aveugle parce qu'il ne regarde pas vers l'avenir, ne prévoit pas de conséquences, n'a aucun but », a écrit Dawkins. Monod a filé la métaphore. « L'homme sait enfin qu'il est seul dans l'immensité indifférente de l'univers d'où il a émergé par hasard », a déclaré le Nobel français, et de conclure « Non plus que son destin, son devoir n'est écrit nulle part. »

Il est vrai qu'entre néodarwinistes, il y a des nuances. Si Dawkins est de loin le matérialiste le plus fondamentaliste, réfutant l'existence de tout autre mécanisme que le darwinisme canonique allié à la génétique, des biologistes réputés comme Stephen Jay Gould, tout en restant néodarwinistes, admettent l'existence de problèmes dans la théorie. Par exemple, Darwin a écrit que « la nature ne fait pas de sauts » et que les variations évolutives sont « légères », thèse que Gould, s'appuyant sur les relevés paléontologiques, n'a pas pu appuyer. « Tous les paléontologues savent que les archives fossiles contiennent très peu de formes transitoires », écrit-il, notant que « de façon caractéristique, les transitions entre les grands groupes sont abruptes ».

La grande explosion de la vie au Cambrien montre précisément qu'en l'espace de dix ou vingt millions d'années – une bagatelle à l'échelle cosmique – sont apparus les grands plans d'organisation qui régissent encore la vie complexe sur Terre. Gould a observé que l'évolution présente des périodes prolongées de stabilité interrompues par des sauts brusques, ce qui semble contraire à ce qu'affirmait Darwin, mais cela ne l'a pas empêché de demeurer dans l'orthodoxie néodarwinienne en défendant le rôle exclusif de l'alliance entre le hasard et la sélection naturelle dans l'évolution.

D'autres scientifiques, minoritaires il est vrai, considèrent cependant que la théorie néodarwinienne, bien que correcte, est incomplète. L'évolution est un processus plus dynamique, subtil, complexe et étrange qu'on ne le pense, soutiennent-ils, et la vie ne se développe pas simplement par le hasard et la sélection naturelle. D'autres mécanismes sont à l'œuvre, qui indiquent des directions évolutionnistes, comme s'ils obéissaient à un plan préétabli. Autrement dit, la théorie darwinienne est vraie, mais les choses ne se limitent pas à elle. Du reste, Darwin lui-même a écrit dans *L'Origine des espèces* que « la sélection naturelle a été le plus important moyen de modification, mais pas le seul », soulignant ainsi que sa théorie était incomplète. Certains néodarwinistes ne semblent pas partager ce point de vue, qui soutiennent que le hasard et la sélection naturelle sont les seuls mécanismes expliquant l'évolution, et sont ainsi plus darwinistes que Darwin.

Le fait est, cependant, que certaines découvertes biologiques ont été faites, que la théorie néodarwinienne explique avec des arguments tirés par les cheveux, hautement spéculatifs et à la solidité douteuse. C'est ce qui a conduit certains biologistes, que nous pouvons qualifier d'évolutionnistes postdarwiniens, à défier l'orthodoxie et à postuler d'autres hypothèses. Le plus connu d'entre eux est Christian de Duve, qui a reçu le prix Nobel de médecine pour ses découvertes dans le domaine de la biologie cellulaire. « L'univers a créé la vie et la pensée », a rappelé le scientifique belge, « par conséquent il a dû les avoir potentiellement depuis le Big Bang ». Tout en soulignant que la sélection naturelle est le principal mécanisme de l'évolution et que les modifications génétiques sont « dépourvues de toute intentionnalité », Duve s'interroge sur ce qu'il a ironiquement désigné « l'évangile du hasard », prôné par les néodarwinistes.

Selon Christian de Duve, « les contraintes naturelles au sein desquelles le hasard s'exerce sont, ou ont toujours été, telles que l'évolution vers une complexité croissante devait presque obligatoirement se produire quand l'occasion se présentait. » Ces contraintes, qui résultent des lois biochimiques elles-mêmes, sont si strictes qu'à son avis, elles rendent inévitable l'apparition de l'intelligence et de la conscience. C'est comme si le hasard était canalisé, cessant ainsi d'être un hasard pour se transformer en déterminisme probabiliste – exactement comme dans la physique avec la mécanique quantique et les mathématiques avec la théorie des probabilités. « Cela fait partie de la nature de la vie d'engendrer l'intelligence partout dès lors que les conditions nécessaires sont réunies », a écrit Duve, pour qui « la pensée consciente appartient au cadre cosmologique, non comme un quelconque épiphénomène propre à notre biosphère, mais comme une manifestation fondamentale de la matière. » Une fois de plus, exactement ce qui est prévu par la théorie quantique.

Dans une conversation célèbre avec Bohr mentionnée dans ce roman, Einstein avait contesté les incroyables implications philosophiques sous-jacentes à la théorie quantique et affirmé que « Dieu ne joue pas aux dés ». Prenant le parti de Bohr, mais dans une perspective biologique, Duve a répliqué que « Dieu joue aux dés parce qu'il sait qu'il va gagner ». Le prix Nobel de médecine de 1974 a clairement indiqué : « J'ai opté pour un univers signifiant et non vide de sens », et ajouté « Non pas parce que je désire qu'il en soit ainsi, mais parce que c'est ainsi que j'interprète les données scientifiques dont nous disposons. »

D'autres scientifiques soutiennent Duve dans le défi lancé au néodarwinisme. Simon Conway Morris, le célèbre paléontologue de Cambridge spécialisé dans la grande explosion de la vie survenue au Cambrien, a affirmé que « la convergence est omniprésente et les contraintes de la vie rendent l'émergence des différentes propriétés biologiques très probable, voire inévitable. » Par exemple, la structure des yeux des pieuvres et des hommes est étrangement similaire, alors que les yeux des unes et des autres ont des genèses distinctes. D'autres espèces, des escargots aux méduses en passant par les araignées, ont également développé séparément des yeux structurellement similaires à ceux des êtres humains. Comment expliquer une convergence si adéquate en recourant seulement au hasard et à la sélection naturelle ? Étant donné le nombre presque infini de possibilités pour concevoir un œil, serait-ce par pure coïncidence qu'au moins six espèces différentes ont développé séparément des yeux si semblables ?

Les nombreux exemples de convergence, ainsi que l'apparition multiple et séparée de manifestations d'intelligence et de conscience chez des espèces différentes, sans atteindre bien évidemment le même niveau de développement que celui de l'espèce humaine, sont considérés comme suspects par ce paléontologue. « Les arguments selon lesquels l'équivalent d'Homo sapiens ne peut apparaître sur une planète lointaine passent à côté de l'essentiel », a déclaré Morris, soulignant que « ce qui est en cause ce n'est pas la voie précise que nous avons empruntée pour évoluer, mais les ressemblances variées et successives des étapes évolutionnistes qui ont abouti à notre humanité. » En d'autres termes, l'apparition de quelque chose ressemblant à l'homme est inévitable. « Si nous n'étions pas devenus conscients et ne nous étions pas appelés humains, tôt ou tard un autre groupe serait probablement arrivé au même point, soit parmi les primates, soit parmi des groupes plus éloignés », a-t-il affirmé. Morris conclut que « le phénomène de la convergence évolutionniste indique que le nombre d'options est strictement limité », et cela « est effectivement prédéterminé depuis le Big Bang ».

Le biochimiste Michael Denton, spécialiste de la génétique, est arrivé à des conclusions similaires. Après avoir noté que la thèse darwinienne d'un continuum dans l'évolution n'est pas confirmée par la paléontologie et que « les omissions sont aussi intenses aujourd'hui qu'à l'époque de Carl von Linné », et qu'il y a même des situations où « les formes transitoires sont non seulement empiriquement absentes, mais aussi conceptuellement impossibles », il a soutenu que les lois de la physique conditionnent et déterminent l'évolution biologique. « La robustesse de certaines formes cytoplasmiques, écrit Denton, suggère que ces formes représentent peut-être, elles aussi, des structures exceptionnellement stables et énergétiquement favorables, déterminées par les lois de la physique. » Ces lois imposent des archétypes biologiques, une espèce de programme virtuel, comme par exemple le principe commun auquel obéissent les jambes de tous les vertébrés terrestres. « Les lois de la physique jouent un rôle beaucoup plus important dans l'évolution des formes biologiques qu'on ne l'imagine généralement » a-t-il indiqué, affirmant qu'un « ensemble fini de formes naturelles apparaîtra à chaque fois dans toute partie de l'univers où existe la vie fondée sur le carbone ». Duve lui-même avait déjà parlé de « plans corporels préexistants » en biologie, et précisé que dans l'histoire de la vie « un schéma prend forme, dominé au début par des facteurs déterministes ».

La prise en compte des lois de la physique implique un processus d'auto-organisation de la matière biologique, processus qui n'a pas, par conséquent, un caractère aléatoire, mais implique un déterminisme probabiliste, une fois de plus comme dans la physique quantique. Après avoir souligné que « la conception dominante en biologie est incomplète », le biologiste et mathématicien Stuart Kauffman constate que les lois de la physique font émerger naturellement ce qu'il a appelé un « ordre spontané » d'« auto-organisation » totalement étranger au concept darwiniste de hasard. « L'ordre du monde biologique », énonce

Kauffman, « découle naturellement et spontanément de ces principes d'auto-organisation. » Par exemple, une goutte d'huile forme spontanément une sphère lorsqu'elle pénètre dans l'eau et les cristaux de neige forment spontanément des structures symétriques à six branches. « La portée de l'ordre spontané est immensément plus grande que ce que l'on pensait auparavant » a-t-il dit, soulignant que « les sciences émergentes de la complexité commencent à suggérer que l'ordre n'est pas accidentel, qu'il existe de vastes filons d'ordre spontané » déterminés par « les lois de la complexité », et que « ce n'est qu'après que la sélection entre en jeu. » La prise en compte des lois de la physique en biologie a amené Kauffman à conclure que, « malgré notre incapacité à prévoir les détails, nous avons pleinement l'espoir de prévoir certains types de choses. » Autrement dit, en biologie, il y a effectivement des tendances évolutives de nature déterministe.

D'autres scientifiques trouvent également dans l'évolution des tendances imposées par les lois de la physique et qui échappent absolument au hasard darwinien. Rémy Chauvin, professeur à la Sorbonne, éthologue spécialiste des insectes sociaux, après avoir analysé les tendances parallèles qu'il a distinguées chez les insectes, les oiseaux, les pieuvres et les mammifères, a conclu que l'évolution résulte d'un programme interne, comme si « quelque chose » utilisait la vie pour se réaliser. Chauvin estime que « l'évolution s'intéresse à l'objectif qu'elle veut atteindre. » De même, le biologiste Brian Goodwin a soutenu que « la complexité est une qualité inhérente et émergente de la vie, et pas seulement le résultat de mutations aléatoires et de la sélection naturelle », et la biologiste Mae-Wan Ho a affirmé que « les formes les plus complexes apparaissent dans la nature grâce à l'auto-organisation et non grâce à la sélection. »

Plusieurs scientifiques, y compris les évolutionnistes post-darwiniens, s'intéressent aux effets quantiques qui seraient responsables du probabilisme déterministe dans les mutations génétiques. « La vie semble avoir un pied dans le monde classique des objets ordinaires et l'autre planté dans les profondeurs étranges et particulières du monde quantique », ont écrit le biologiste moléculaire Johnjoe Mac Fadden et le physicien Jim Al-Khalili, constatant que la vie « vit dans la limite quantique ». D'autres scientifiques ont formulé des conclusions similaires. « La sélection naturelle », a observé le physicien et chimiste Lothar Schäfer, « est contrôlée par la sélection quantique. » Une objection fréquente est que les systèmes ne se maintiennent à l'état quantique qu'à basses températures, ce qui les empêcherait d'exister dans les formes de vie, mais Mac Fadden a souligné que ce n'est pas tout à fait le cas. « Des phénomènes tels que les sauts quantiques, la superposition quantique, l'incertitude et les dynamiques influencées par la mesure sont tous retenus dans des systèmes quantiques simples, même à des températures élevées », a-t-il noté. Autrement dit, les états quantiques peuvent se maintenir même dans des systèmes vivants.

L'un des plus grands physiciens et mathématiciens contemporains, Sir Roger Penrose, a étudié le cerveau de manière approfondie et il a lui aussi détecté des phénomènes qui semblent s'expliquer par des processus quantiques. « Il doit y avoir des intrications quantiques significatives entre états dans les cytosquelettes séparés d'un grand nombre de neurones différents, de telle manière que de grandes parties du cerveau sont impliquées dans une sorte d'état quantique collectif », a écrit Penrose s'efforçant de comprendre comment naît la conscience. Le physicien et mathématicien britannique a rappelé que l'état quantique « se comporte "téléologiquement" en ce sens qu'il est régi par ce qui arrivera dans le futur », ce qui indique que les processus biologiques peuvent effectivement être conditionnés par un plan, une sorte d'objectif final naturel qui impose l'intelligence et la conscience comme but, ou du moins comme nouvelle étape de l'évolution. La physique quantique suppose la réalisation d'états virtuels, impliquant un déterminisme probabiliste dans lequel les états quantiques virtuels correspondraient à des programmes biologiques potentiels qui se réaliseraient dans le processus de sélection naturelle.

Le concept quantique de déterminisme probabiliste est central dans cette problématique. Pour le comprendre, utilisons une analogie tirée de la théorie mathématique des probabilités. Lorsqu'on lance une pièce de monnaie en l'air, la probabilité d'obtenir pile ou face est de cinquante pour cent. Cette probabilité est fortuite et elle se renouvelle à chaque nouveau lancer. Cela signifie qu'en lançant la pièce huit fois de suite on peut très bien obtenir pile à chaque fois. Cela tient au hasard. Cependant, après un million de lancers, on constatera que dans cinquante pour cent des cas on a obtenu « pile » et dans cinquante pour cent « face ». C'est le déterminisme probabiliste. Le court terme est dominé par le hasard, le long terme par la certitude.

Autrement dit, le hasard cache la direction.

La possibilité que des mécanismes quantiques soient à l'œuvre dans les processus biologiques nous renvoie inévitablement à un déterminisme probabiliste de ce type, que le physicien Heinz Pagels a appelé « main invisible ». S'il en est ainsi, cela signifie que l'évolution est dominée non par le hasard à court terme, mais par des tendances claires, voire par le déterminisme à long terme. Ces tendances résultent du programme inscrit dans les lois des mathématiques, de la physique et de la chimie. « Le hasard », a rappelé Christian de Duve, « n'exclut pas l'inévitabilité ». C'est ça la « main invisible ».

Einstein a dit que Dieu est subtil et cache le mystère de l'univers, non par malice mais en raison de sa majesté. Cette majesté est visible non seulement en mathématiques, à travers les deux théorèmes d'incomplétude de Gödel qui montrent qu'il y a des vérités d'un système qui sont indémontrables dans ce système, mais aussi en physique quantique, dans le cadre du principe d'incertitude de Heisenberg qui postule que, dans maintes circonstances, la position et la trajectoire d'une particule n'ont pas d'existence réelle. Si les mathématiques et la physique précèdent la biologie, comme c'est effectivement le cas, alors elles l'influencent inévitablement et cachent le mystère du sens de la vie derrière l'intrication subtile de leurs étranges lois.

Gödel lui-même a attentivement analysé la théorie darwinienne dans une perspective mathématique et il a été perturbé par ce qu'il a découvert. Selon l'auteur des célèbres théorèmes d'incomplétude, on démontrerait un jour que les mécanismes darwiniens de l'évolution étaient trop lents et qu'en s'en tenant à eux seuls on constaterait que le temps nécessaire pour créer l'Homme, depuis que la Terre existe, n'aurait pas été suffisant. Cependant, l'existence de l'Homme démontrait que l'évolution était dirigée par un algorithme mathématique qui prenait des raccourcis et, comme on le sait, qui parle d'algorithme parle de programme. « Rien dans le monde ne se produit par hasard », affirmait Gödel.

Au cœur du débat, il y a un concept central du matérialisme scientifique, à savoir que l'univers et la vie résultent d'un simple hasard et que par conséquent notre existence n'est pas pertinente dans le grand schéma de l'univers et n'a donc aucun sens. « Plus l'univers devient compréhensible », écrivait le physicien Steven Weinberg, « plus il semble dépourvu de sens. » Au fil du temps, ce concept s'est révélé être un instrument, ou une méthode, très utile et efficace pour expliquer la réalité, et presque tout ce que nous savons sur l'univers en découle.

Le problème c'est que le merveilleux pouvoir de cet instrument semble à présent trouver ses limites. Certains phénomènes, comme en mathématiques les théorèmes d'incomplétude et en physique le principe d'incertitude, le paradoxe EPR, le caractère probabiliste de la mécanique quantique et le principe d'entropie, ne peuvent être correctement expliqués de manière matérialiste et réductionniste. Si, en dépit des preuves, cet instrument est maintenu, il risque de se transformer en dogme. Ce risque est patent dans l'énorme effort qui est fait dans divers domaines scientifiques pour exclure toute interprétation qui n'est pas strictement matérialiste et réductionniste. En physique, le recours à l'étrange hypothèse du « multivers » pour expliquer les découvertes scientifiques qui mettent l'accent sur l'extrême précision de l'univers pour générer la vie est un exemple typique de cette attitude. Tout comme l'utilisation de la célèbre affirmation d'Einstein, selon laquelle « Dieu ne joue pas aux dés », pour rejeter la nature intrinsèquement probabiliste de la physique quantique.

Cela étant dit, certains néodarwinistes admettent ouvertement travailler en se fondant sur des préjugés et faire campagne en faveur d'un dogme. « Loin d'être dépassionné », a reconnu Dawkins, « je veux persuader le lecteur non seulement que la perspective néodarwinienne est vraie, mais qu'elle est la seule théorie connue qui peut, en principe, résoudre le mystère de notre existence. » Nous sommes donc pleinement dans le domaine de la passion. D'autres biologistes néodarwiniens sont allés encore plus loin. « Nous prenons le parti de la science malgré l'absurdité manifestée par certaines de ses constructions, malgré son incapacité à tenir bon nombre de ses promesses extravagantes sur la santé et la vie, et malgré la tolérance de la communauté scientifique vis-à-vis d'histoires ad hoc sans substance ; nous le faisons car nous avons un engagement supérieur, un engagement à l'égard du matérialisme », a reconnu avec honnêteté et une franchise totales le biologiste Richard C. Lewontin, qui a ajouté qu'il en est ainsi, « non parce que les méthodes et les institutions scientifiques nous obligent, d'une manière ou d'une autre, à accepter une explication matérialiste du monde phénoménal, mais, au contraire, parce que nous sommes contraints, en vertu de notre adhésion a priori aux causes matérielles, de créer un système de recherche et un attirail de concepts qui produisent des explications matérielles, même si celles-ci sont contre-intuitives, même si elles semblent complètement insensées. Ce matérialisme est absolu, dans la mesure où nous ne pouvons pas permettre qu'un dieu s'immisce dans ces questions. » Autrement dit, même dans la science, la croyance persiste face à la réalité et ce, ironiquement, au nom de la lutte contre la croyance.

Cette façon de penser est bien évidemment erronée, car en matière scientifique, les faits doivent toujours prévaloir sur les croyances. Lors de la célèbre discussion avec Einstein au sujet de l'idée que « Dieu ne joue pas aux dés », Bohr a demandé à l'auteur de la théorie de la relativité qui il était pour dire à Dieu comment il devait concevoir la réalité. La réalité est comme elle est, non comme nous pensons ou voulons qu'elle soit. Lorsque nos hypothèses sont contredites par la réalité, c'est toujours la réalité qui a raison. C'est ce qui s'est passé en physique, lorsque la théorie quantique a contredit ce en quoi les physiciens croyaient fermement (à savoir que la réalité a une existence objective déterministe et indépendante de l'observation) ainsi qu'en mathématiques, quand Gödel a contredit la ferme croyance des mathématiciens selon laquelle les mathématiques étaient à la fois complètes et cohérentes. Confrontés à des démonstrations qui contredisaient la vision dominante dans leurs disciplines, des mathématiciens et des physiciens ont, malgré leur embarras, abandonné cette vision pour se conformer à la réalité.

Il est possible que les biologistes doivent faire la même chose. À cet égard, ils devraient se rappeler ce qui est arrivé à Lord Kelvin en 1900, quand le célèbre physicien a proclamé qu'avec Newton la physique était quasiment comprise et qu'il ne restait qu'à dissiper deux petits nuages d'incompréhension. Or, il se trouve que ces deux problèmes apparemment mineurs allaient aboutir aux deux plus grandes révolutions de la physique contemporaine, à savoir la théorie de la relativité et la physique quantique, et renvoyer Newton au second plan. La leçon, cependant, ne semble pas avoir été comprise, certains néodarwinistes faisant preuve aujourd'hui de la même arrogance que Lord Kelvin, qui s'en est pourtant mordu les doigts.

« Le mystère de notre propre existence, autrefois présenté comme le plus grand de tous les mystères, [...] n'en est plus un car il a été résolu », a proclamé Richard Dawkins, affirmant que « Darwin et Wallace l'ont résolu, même si nous allons continuer pendant quelque temps encore à ajouter des notes de bas de page à leur solution. »

Le problème d'une telle position ce sont les nuages, et il y en a bien plus de deux, qui planent sur la théorie néodarwinienne, au point qu'Éric Davidson, un généticien de l'Institut de technologie de Californie, a déclaré que « le néodarwinisme est mort ». L'annonce est sans doute précipitée, mais il se peut que le mathématicien et paléontologue Jean Staune ait raison lorsqu'il affirme qu'« une nouvelle théorie de l'évolution est nécessaire », une théorie basée sur l'évolution selon les lois des mathématiques et de la physique, et non une théorie selon le hasard allié à la sélection naturelle, celle-ci ne serait en effet qu'un sous-produit de celle-là. Ou, comme l'a préconisé Gilbert Levin, l'auteur de l'expérience des sondes *Viking* qui ont permis de détecter la métabolisation sur Mars, « nous avons besoin d'un "bio-Einstein" », c'est-à-dire de quelqu'un qui élabore une nouvelle théorie qui aille au-delà de la biologie classique de Darwin, comme Einstein est allé au-delà de la physique classique de Newton. « La vie fait partie de l'univers », a souligné Christian de Duve. « C'est une manifestation normale de la matière qui obéit à ses lois. Elle est explicable selon ces lois », car « la vie est née naturellement, comme résultat unique des lois de la physique et de la chimie. » Une telle constatation a, bien évidemment, de profondes conséquences philosophiques. « Plus j'examine l'univers et j'étudie les détails de son architecture », a noté le physicien Freeman Dyson en réponse à Weinberg, « plus je rencontre de preuves que, d'une certaine manière, l'univers devait savoir que nous allions venir. »

La vérité est que la science n'atteint jamais le bout du chemin, elle fonctionne par approximations et, bien qu'elle évolue dans des paradigmes interprétatifs, elle doit être capable de les surmonter lorsque les phénomènes observés l'exigent. C'est ce qui est arrivé à la physique de Newton et pourrait bien se passer avec l'évolution de Darwin. Tout est sujet à évolution, y compris la théorie de l'évolution elle-même. La science est une méthode de recherche visant à décrire toujours plus correctement la réalité, tout en sachant qu'elle n'y parviendra jamais complètement. Comme le disait l'un des personnages de *La Formule de Dieu*, il y aura toujours du mystère dans les profondeurs de l'univers.

Il est donc certain que nous ne connaîtrons jamais la vérité ultime, mais si nous sommes persistants et subtils, et si nous avons la capacité de surmonter les dogmes et les préjugés et d'accepter les données telles qu'elles se présentent à nous, même lorsqu'elles contredisent nos convictions aprioristiques, alors, un jour, nous serons peut-être à même d'entrevoir ses contours, ne serait-ce que de manière ténue. Il y a plusieurs moyens d'y parvenir, l'un d'eux étant sans aucun doute la découverte de vie intelligente et consciente. Une telle découverte pourrait nous fournir la clé qui ouvrira les portes des mystères de l'existence et surtout de sa signification plus profonde.

C'est la raison d'être de ce roman.

L'élaboration de *Signe de vie* a bien évidemment nécessité la consultation de multiples travaux scientifiques. Sur le débat autour du darwinisme, notamment la question de savoir si le moteur de la vie est le hasard ou si l'évolution va dans une direction précise, les sources que j'ai consultées sont *L'Origine des espèces*, de Charles Darwin ; *The Blind Watchmaker*, de Richard Dawkins ; *The Panda's Thumb: More Reflections in Natural History*, de Stephen Jay Gould ; *Evolution: A Theory in Crisis*, de Michael Denton ; *At home in the universe: The Search for the Laws of Self-Organization and Complexity*, de Stuart Kauffman ; *Life's Solution: Inevitable Humans in a Lonely Universe*, de Simon Conway Morris ; *Life on the Edge:*

The Coming of Age of Quantum Biology, de Johnjoe Mac Fadden et Jim Al-Khalili ; *Quantum Evolution: How Physics' Weirdest Theory Explains Life's Biggest Mystery*, de Johnjoe Mac Fadden ; *Shadows of the Mind: A Search for the Missing Science of Consciousness*, de Sir Roger Penrose ; *Le Hasard et la nécessité. Essai sur la philosophie naturelle de la biologie moderne*, de Jacques Monod ; *Poussière de vie : Une histoire du vivant* et *À l'écoute du vivant*, de Christian de Duve ; *Notre existence a-t-elle un sens ? Une enquête scientifique et philosophique* et *Au-delà de Darwin : pour une autre vision de la vie*, de Jean Staune ; et *Darwin et le darwinisme*, de Patrick Tort. Il convient aussi de mentionner l'article « *We need a Bio-Einstein* », de Gilbert Levin.

Sur les autres questions scientifiques concernant la vie, son origine et son destin, j'ai consulté : *What is Life?* d'Erwin Schrödinger ; *Origins of Life*, de Freeman Dyson ; *The Vital Question: Why is life the way it is?* de Nick Lane ; *What Is Life? How Chemistry Becomes Biology*, de Addy Pross ; *The Big Picture: On the Origins of Life, Meaning, and the Universe Itself*, de Sean Carroll ; *The 5th Miracle: The Search for the Origin and Meaning of Life* et *The Origin of Life*, de Paul Davies ; *Weird Life: The Search for Life That Is Very, Very Different from Our Own*, de David Toomey ; *The Social Conquest of Earth*, de Edward O. Wilson ; *Our Final Invention: Artificial Intelligence and the End of the Human Era*, de James R. Barrat ; *Les Origines de la vie* et *D'où vient la vie ?* de Marie-Christine Maurel.

S'agissant des questions touchant aux mathématiques et à la physique, mes sources ont été : *Mathematics of Life: Unlocking the Secrets of Existence*, de Ian Stewart ; *A History of Pi*, de Petr Beckmann ; *Is God a Mathematician?* et *The Golden Ratio: The Story of Phi, the World's Most Astonishing Number*, de Mario Livio ; *The Golden Section: Nature's Greatest Secret*, de Scott A. Olsen ; *The Constants of Nature: The Numbers that Encode the Deepest Secrets of the Universe*, de John Barrow ; *The Anthropic Cosmological Principle*, de John Barrow et Franck Tipler ; *The Accidental Universe* et *The Goldilocks Enigma: Why Is the Universe Just Right for Life?* de Paul Davies ; *The Cosmic Code: Quantum Physics as the Language of Nature*, de Heinz Pagels ; *A Brief History of Infinity: The Quest to think the Unthinkable*, de Brian Clegg ; *The Mathematics Bible: The Definitive Guide to the Last 4,000 Years of Theories*, de Colin Beveridge ; *Math and Music: Harmonious Connections*, de Trudi H. Garland et Charity V. Kahn ; *How the World is Made: The Story of Creation According to Sacred Geometry*, de John Michell et Allan Brown ; *Os Segredos do Número Pi: Por Que Motivo é Impossível a Quadratura do Círculo?* de Joaquín Navarro ; *La Pensée de Dieu*, de Igor et Grichka Bogdanov ; *Les Démons de Gödel : logique et folie*, de Pierre Cassou-Noguès ; *Maths & Musique : des destinées parallèles*, de Gilles Cohen (collectif). Et aussi « *Strange but True: Infinity Comes in Different Sizes* », un article de John Matson publié par *Scientific American*.

En ce qui concerne la vie extra-terrestre, j'ai consulté les articles suivants : *The* Big Ear « Wow! » *Signal*, de Jerry Ehman ; *The Case for Extant Life on Mars and its Possible Detection by the* Viking *Labeled Release Experiment*, de Gilbert Levin et Patricia Ann Straat ; *Discovery of Peculiar Periodic Spectral Modulations in a Small Fraction of Solar Type Stars*, de E. F. Borra et E. Trottier ; *Telescópios apontados para o céu: será que encontrámos aliens?* de Marta Leite Ferreira. J'ai aussi puisé dans divers ouvrages, notamment : *The Elusive Wow: Searching for Extraterrestrial Intelligence*, de Robert H. Gray ; *The Rock from Mars: A Detective Story on Two Planets*, de Kathy Sawyer ; *Sharing the Universe: Perspectives on Extraterrestrial Life*, de Seth Shostak ; *We Are Not Alone: Why We Have Already Found Extraterrestrial Life*, de Dirk Schulze-Makuch et David J. Darling ; *If the Universe Is Teeming with Aliens... Where is Everybody?*

Seventy-Five Solutions to the Fermi Paradox and the Problem of Extraterrestrial Life, de Stephen Webb ; *First Contact: Scientific Breakthroughs in the Hunt for Life Beyond Earth*, de Marc Kaufman ; *Fermi's Paradox Cosmology and Life*, de Michael Bodin ; *The Life of Super-Earths: How the Hunt for Alien Worlds and Artificial Cells Will Revolutionize Life in Our Planet*, de Dimitar Sasselov ; *The Eerie Silence: Renewing Our Search for Alien Intelligence*, de Paul Davies ; *Rare Earth: Why Complex Life Is Uncommon in the Universe*, de Peter D. Ward et Donald Brownlee ; *Lucky Planet: Why Earth is Exceptional and What That Means for Life in the Universe*, de David Waltham ; *The Aliens Are Coming! The Extraordinary Science Behind Our Search for Life in the Universe*, de Ben Miller ; *Communication with Extraterrestrial Intelligence*, de Douglas A. Vakoch ; *The Impact of Discovering Life Beyond Earth*, de Steven J. Dick (collectif).

Enfin, sur les différents aspects de la technologie spatiale et l'expérience des astronautes dans l'espace, les œuvres consultées ont été : *Riding Rockets: The Outrageous Tales of a Space Shuttle Astronaut* et *Do Your Ears Pop in Space? – And 500 Other Surprising Questions about Space Travel*, de Mike Mullane ; *How Do You Go to the Bathroom In Space? All the Answers to All the Questions You Have about Living in Space*, de William R. Pogue ; *Spaceman: An Astronaut's Unlikely Journey to Unlock the Secrets of the Universe*, de Michael J. Massimino ; *Into the Black: The Extraordinary Untold Story of the First Flight of the Space Shuttle* Columbia *and the Astronauts Who Flew Her*, de Rowland White ; *An Astronaut's Guide to Life on Earth*, de Chris Hadfield ; *NASA Space Shuttle: Owner's Workshop Manual*, de David Baker.

Je tiens à adresser mes profonds remerciements aux personnes qui m'ont aidé à créer cette œuvre, en commençant par Mike Mullane, astronaute à la NASA qui a volé sur la navette spatiale, pour ses éclaircissements sur les aspects liés aux missions spatiales. Merci également aux spécialistes qui ont procédé à la révision scientifique du texte, à savoir Paulo Gama Mota, professeur de biologie à l'université de Coimbra et biologiste évolutionniste et comportemental qui ne partage pas la critique du néodarwinisme, pour les corrections qu'il a apportées à tout ce qui touche la biologie ; Jorge Buescu, mathématicien à la faculté des sciences de l'université de Lisbonne, pour ses précisions relatives aux mathématiques ; et Clovis Jacinto de Matos, administrateur au Bureau de coordination du programme européen de navigation et de positionnement par satellites de l'Agence spatiale européenne à Paris, pour les corrections liées à la navigation spatiale et la capture de signaux par radiotélescopes. Il va de soi qu'ils ne sont aucunement responsables des erreurs éventuelles contenues dans le présent ouvrage, lesquelles ne sauraient être attribuées qu'à ma négligence. J'adresse aussi mes remerciements à tous mes éditeurs disséminés de par le monde, en particulier à Gradiva au Portugal, et à Kossuth en Hongrie pour le concours national que celui-ci a organisé afin de trouver une lectrice hongroise qui prête son nom au personnage que j'ai appelé Bozóki Emese. Enfin, bien sûr, un grand merci à ma famille et, avant tout, à Florbela.

« Je me sens comme si je n'avais été qu'un enfant
qui joue sur la plage et s'amuse à ramasser
ici un galet mieux poli, là un coquillage plus joli,
tandis que le vaste océan de la vérité
s'étend inexploré devant moi. »

Isaac NEWTON

C'est avec une grande tristesse que j'ai appris
la disparition de Stephen Hawking,
quelques semaines avant la publication de
Signe de vie en France.
Enfermé dans son corps, il a créé l'univers.
Le point de départ de mon prochain roman
est d'ailleurs une de ses idées.
Ce sera son signe de vie...

Dépôt légal 2e trimestre 2018
ISBN 9782357203747

Directrice éditoriale : Isabelle Chopin
Conception de couverture : Gradiva - Upgrade
Maquette : Point Libre

Imprimé au Canada chez Marquis Imprimeur inc.

164, rue de Vaugirard – 75015 Paris
www.hc-editions.com

Québec, Canada